l'essai de provoquer
"rire aux anges

21-11-92
Northwestern
Chicago, Ill

- Conversations dans le métro
  l'interruption des humeurs/l'humeur de la scène commune
- le comédien dans le métro (1247)

DICTIONNAIRE DES HISTOIRES DRÔLES

HERVÉ NÈGRE

Dictionnaire des histoires drôles

FAYARD

AVANT-PROPOS

> *Comment ces histoires se forment et se transmettent : voilà qui, pour moi, reste assez mystérieux. Elles demeurent anonymes et font partie d'une sorte de folklore où le génie d'une race se fait jour, bien plus qu'on n'y puisse voir l'œuvre consciente d'un particulier. Certains recueils où l'on tâche de les grouper sont fort insuffisants; si mal faits que l'on vient à douter si le compilateur n'est pas lui-même un imbécile.*
>
> ANDRÉ GIDE.

C'est vrai : personne n'a jamais été capable de répondre à la question de savoir d'où viennent les histoires drôles. Il s'agit, bien sûr, d'un univers où l'on rencontre des professionnels et même, parmi eux, de grands cerveaux comiques qui atteignent à la satire de leur société. Mais même à ceux-là, n'arrive-t-il pas de puiser dans un fonds commun de choses vues ou entendues, dans l'inextricable magma de la vie quotidienne, quitte à y ajouter, d'un coup de pouce, ce supplément de paradoxe qui provoque l'étincelle ?

En fait, les histoires drôles sont pullulantes, grouillantes et même à ce point élastiques et transformables, que la plupart du temps, il est fort délicat de pratiquer à leur égard la recherche de paternité. Au demeurant, il n'existe aucun genre comme celui-ci, où l'invention tombe si vite dans le domaine public. C'est pourquoi la première remarque à faire, c'est que ce livre n'a pas d'auteur, à moins d'en avoir des myriades.

Ayant commencé par lâcher cet aveu, le compilateur imbécile, qui a dû entendre ou lire quelque vingt mille histoires pour pouvoir en extraire patiemment la fine fleur de cet ouvrage, peut donc se déclarer absous d'avoir signé quand même, à la place de milliers d'inventeurs inconnus, ce véritable travail de nègre. Il va maintenant glisser dans l'oreille du lecteur trois ou quatre conseils anodins.

Et d'abord une évidence : il est à peu près aussi difficile de savoir écouter que de savoir raconter. Dès qu'une histoire fuse, chacun se met à chercher égoïstement dans sa mémoire celle qu'il glissera ensuite pour faire valoir sa propre drôlerie. Cette gymnastique nuit au rire. Elle crée très vite une sorte de saturation. Or, un livre comme celui-ci peut saturer jusqu'à la nausée, si l'on ne prend avec lui certaines précautions.

Cher lecteur, si tu as pitié de toi-même, voyage dans ce dictionnaire par petites étapes. Rejette-le au bout d'un moment pour y revenir plus tard. Sois homéopathe et n'absorbe jamais qu'une petite dose à la fois. Trop d'histoires drôles, cela rend morose, le compilateur imbécile le reconnaît bien volontiers.

Autre chose. Si tu veux à ton tour raconter les histoires qui t'auront réjoui, n'hésite pas à les déformer à ta manière. Ne lis jamais des bribes de ce livre à haute voix à quelqu'un d'autre. Au contraire : referme-le et réinvente... L'ouvrage a beau être écrit aussi près que possible du langage parlé, c'est seulement à travers les intonations, les tics de conversation, l'argot particulier à chacun qu'une blague peut mériter le rire.

Enfin, si tu rencontres ici des histoires qui te laissent froid, n'en prends pas ombrage. Ce qui provoque l'hilarité des uns peut laisser les autres indifférents. Parfois même, ce qui déride quelqu'un donne à son voisin le mal de mer. Mais n'aie crainte. Va à la pêche sans te presser tout au long de ce livre. Tu ne reviendras pas bredouille.

Ou si tu reviens bredouille, c'est que tu traînes un ennui irrémédiable. Quelque chose comme la mort dans l'âme. A moins que le compilateur soit vraiment un imbécile. Il a pourtant tout essayé pour provoquer le rire, le rire aux anges, le rire aux larmes et même le rire jaune... Il a mis tout ce qu'il fallait dans sa salade : le persiflage comme l'innocence, la tendresse comme l'horreur, le goût qu'on dit bon et celui qu'on prétend mauvais, et même, pour que le panorama soit complet, quelques niaiseries pour plaire aux enviables idiots qui aiment être dépourvus de jugeote.

Autrement dit, ce qu'on croit vulgaire et ce qu'on imagine subtil se retrouve ici tout à fait voisin. Et cette anthologie en forme de capharnaüm pourrait être, sans prêter à contradiction, la même mine de découvertes pour le commis voyageur et pour l'ethnologue qui se penche sur sa propre société : en quelque sorte, un livre qui s'adresse autant à celui qui n'en lit qu'un par an, qu'à celui qui en lit plusieurs par semaine.

On se plaît même à imaginer ce qu'un Martien pourrait apprendre de notre monde en lisant le Dictionnaire des Histoires drôles. Probablement davantage qu'avec le Petit Larousse, le Guide Michelin ou le Code civil. En rirait-il ? Difficile à savoir. Bien sûr, c'est toujours plus facile de rire des autres. Le rêve serait de rire de sa propre réalité, en la regardant de biais et sans pour autant cesser d'en faire partie. C'est sans doute pourquoi les meilleures histoires de juifs sont racontées par des juifs et tout le monde sait qu'il en va de même pour les bègues et les perroquets.

Pourtant le commun des mortels, qui est déjà troublé par les répliques glaçantes des perroquets et désarçonné encore plus par la bizarrerie des pince-sans-rire, supporte difficilement le passant qui se met à parler tout seul dans la rue. Quant à l'énergumène qui rit tout seul, qui rit de lui-même, il est presque toujours considéré comme un fou. Ne pas se prendre au sérieux, c'est un cas grave. Il faut bien ajouter que si le rire à son tour se prenait au sérieux, il ne s'arrêterait plus, on en mourrait. Et ce n'est pas de revenir à notre sérieux habituel qui permettrait d'échapper à cette catastrophe, mais de sourire, d'un sourire angélique, d'un sourire amoureux, d'un sourire qui a tout compris ou plutôt qui ne veut plus rien comprendre. Un proverbe mystérieux nous le dit bien : « On ne rit plus au paradis : on sourit, mais tout le temps. »

Ce sourire-là ne fait plus de différence entre la chose et sa signification. Il n'est pas à notre portée. Nous devons nous contenter du rire, et sans trop en abuser, hélas ! sous peine qu'on nous enferme, ou de peur d'étouffer de trop d'oxygène. Heureusement, ce qui fait rire est rarement insignifiant. C'est pourquoi l'histoire drôle, qui est aussi vieille que la vie en société, devrait occuper parmi les littératures orales une place meilleure que celle qu'on lui a laissée. Elle a dû contribuer, comme certains rituels magiques, comme les premières médecines, comme la confession publique, comme les graffiti de bas étage, à exorciser les maux quotidiens et à sécréter une sorte de sagesse populaire, qui n'était pas forcément de l'ordre de la résignation, du bon sens ou de l'obéissance.

Bien sûr, on peut penser aussi, d'un autre point de vue, que le rire est conservateur et anesthésiant. Comment ne pas remarquer que ceux qui nous gouvernent ont autant besoin, pour maintenir clos le couvercle de la marmite, d'amuseurs publics que de policiers ou de psychiatres ? Trop souvent le rire permet de fuir l'insupportable au lieu de métamorphoser les rapports. Mais contre la tristesse uniforme des gardiens de l'ordre et contre l'humeur massacrante à laquelle sont réduits la plupart de ceux qui se révoltent, on voudrait faire ici le pari que l'homme qui rit peut accroître son énergie et son rayonnement. Deux minutes de rire, c'est deux heures sans souffrir, c'est la rancune désarmée, c'est la respiration qui va le plus loin. De même qu'il n'y a pas de vérité sans morale, il n'y a pas de rire, ni de larmes, sans que la morale éclate. Dis-moi ce qui te fait rire et ce qui t'empêche de rire, et je te dirai d'où tu viens, ce que tu subis et de quoi tu as peur.

Car de quoi rions-nous ? Tout comme dans la conversation, les histoires de fric et les histoires de cul sont celles qui reviennent le plus souvent dans ce livre. C'est donc bien là que nous entretenons la relation la plus avide, la plus frustrante, la plus coupable. Et pourquoi les personnages comiques sont-ils si souvent de véritables anormaux, ou ce qui revient au même, des êtres dont la normalité devient monstrueuse à force d'épaississement du sens commun ? Quand il ne s'agit pas de ce qui nous crée un problème quotidien à cause de nos rails, il s'agit de ce qui pourrait nous en créer un s'il nous arrivait de dérailler. Voilà de quoi nous rions, il faut bien l'avouer : de ce qui nous pèse et de ce que nous nous interdisons.

Mais qu'on observe bien la chute de la plupart de ces histoires : elle marque presque toujours une soudaine expulsion du sujet hors de l'ordinaire, une sorte de déménagement dans les accoutumances de l'esprit, une chute des masques. L'ingénuité ou l'insolence qui jaillit alors ressemble à celle de l'enfant qui dit ce qu'il ne faut surtout pas dire, l'évidence inconvenante que tout le monde cache ou refuse de voir. Oui, le roi est nu, ce que nous vivons si aveuglément est totalement absurde. Et le rire aussitôt cicatrise la révélation. Mais l'espace d'un éclair, il y a eu une clairvoyance impitoyable. Et le jeu n'en vaudrait pas la chandelle ?

On allègue aussi, avec maussaderie mais justesse, que les histoires drôles drainent une idéologie d'autant plus sournoise qu'elle est close sur elle-même. Ces anecdotes ne sont-elles pas le miroir du milieu où elles circulent ? Et alors un livre comme celui-ci, aussi clinicien que soit le regard de l'écrivain, ne serait que le produit fidèle de ce qu'on appelle l'esprit français, avec son affreuse manie de regarder le reste du monde d'en haut. C'est bien possible après tout. Tout a beau transpirer de ridicule, chacun ne trouve à en rire qu'à travers un filtre bien à lui : il y a des choses dont on n'a pas le droit de se moquer, soit qu'elles passent pour sacrées, soit au contraire qu'elles désignent ce qu'on abomine.

Le rire n'est pas transparent ni irréprochable. Il est sélectif et catégoriel, même quand on ne sait pas trop d'où il vient. Lorsqu'on parle, pour rire, d'un pédéraste, d'un nègre, d'une putain ou tout simplement d'une femme qui se déshabille, c'est vrai que le sectarisme, le sexisme, le racisme affleurent sans cesse, comme à chaque fois qu'on regarde du côté de ce qu'on n'est pas. Mais si humour il y a, rien n'est plus éloigné de l'esprit de corps. Cruauté peut-être, hostilité jamais.

Notre condition, nos mœurs, notre machinerie sociale sont plutôt écœurantes. Mais il n'est pas si certain qu'en soi, la mécanique du rire détourne de vouloir transformer tout cela. La chose au monde dont sont le plus dépourvus les personnages politiques, de l'extrême droite à l'extrême gauche, c'est la gaieté. Et quant aux hommes et aux femmes qui désirent changer la vie, s'ils se permettaient (ou s'il leur était permis) de rire d'abord en toute lucidité de la vie telle qu'elle est, à commencer par la leur, peut-être agiraient-ils sur ce qui les entoure avec plus de force et de contagion.

Hervé Nègre.

PETIT MODE D'EMPLOI

1. Qu'on veuille bien excuser ce que la notion de dictionnaire a de contradictoire avec celle d'histoire drôle. Il fallait choisir un classement ou un autre. Mais il va de soi que ce livre peut être lu (et même qu'il doit être lu) en commençant par n'importe quelle page et au petit bonheur la chance.

2. Le carré blanc, qui précède ou suit le numéro de chaque histoire, a été prévu pour que le lecteur puisse y cocher à sa guise les histoires qui lui plaisent le plus, afin de les retrouver plus facilement ensuite s'il le désire.

3. En fin de volume, un index, comportant douze cents entrées possibles, permet aux mémoires défaillantes de localiser n'importe quelle histoire, à partir d'un seul de ses éléments.

4. Un ensemble de pages blanches termine le livre. Chacun pourra y rajouter à la main autant d'histoires qu'il lui plaira. D'abord celles qui manquent fatalement à ce dictionnaire. Mais aussi toutes celles qui surgiront après sa parution.

5. Nègre, juif, marseillais (et tant d'autres encore), les accents ont une grande importance dans la réussite d'une histoire auprès de son auditoire. Bien sûr, il était impossible de les faire passer par écrit. Que le lecteur veuille bien y remédier selon ses ressources. Quel dommage que ce livre ne soit pas sonore !

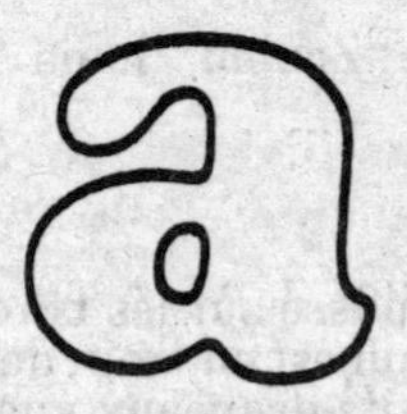

absurde

1 □

Un bonhomme se promène sur les boulevards en tenant en laisse un énorme dragon chinois qui crache des flammes. Et le dragon tire sur sa laisse, il tire tant qu'il peut, il veut s'arrêter devant chaque vitrine. Alors, le gars lui dit :

— Écoute, ça suffit comme ça. Si tu continues à m'énerver, je prends tout un tube d'aspirine et il n'y a plus de dragon !

2 □

Un gars se rend chez son tailleur pour prendre livraison d'un costume. Et alors, il se met en colère :

— Comment ? Mais vous m'avez fait trois manches à la veste ?

— Ah ! dit l'autre, vous ne m'aviez pas averti...

3 □

Un Zoulou arrive en France et, par curiosité, il entre dans une église. D'un bout à l'autre de la messe, il rit comme un petit fou. L'un des fidèles finit par lui demander :

— Mais enfin, pourquoi riez-vous ? Moi, je trouve qu'il n'y a rien de drôle...

— Oui, fait le Zoulou, mais vous, vous comprenez !

☐ 4

Un promeneur passe sur les bords de la Loire et il aperçoit un gars qui est en train de planter autour de sa maison des petits drapeaux avec des carrés noirs et blancs. Intrigué, il vient aux nouvelles :

— Monsieur, je suis peut-être indiscret, mais j'aimerais bien savoir ce que vous fabriquez ?

— Ben, vous voyez, fait l'autre, je plante des drapeaux pour empêcher les girafes d'entrer chez moi...

— Hein ? Les girafes ? Mais il ne vient jamais de girafes par ici...

— Bien sûr que non, puisque j'ai mis des drapeaux !

☐ 5

— Papa, qu'est-ce-qu'il y a sur cet arbre ?

— C'est des prunes noires.

— Mais, papa, elles ne sont pas noires, elles sont blanches.

— Oui. Elles sont blanches parce qu'elles sont vertes.

☐ 6

Un gars ouvre son journal et il lit : « A Chicago, c'est vingt fois par jour qu'un homme se fait descendre. »

Le gars branle la tête et il dit :

— Pauvre type !

☐ 7

C'est un bonhomme qui tombe du haut de la tour Eiffel.

Quand il s'écrase en bas, il est complètement chauve. Et au bout d'une heure ou deux, ses cheveux tombent lentement du haut de la tour.
Tout ça parce qu'il avait pris une lotion qui retardait la chute des cheveux...

8 ☐

Un scaphandrier a apprivoisé une jeune pieuvre. Ils se sont bien habitués l'un à l'autre. Et comme il l'aime beaucoup, un jour, il décide de lui faire un petit cadeau. Mais quel cadeau peut-on faire à une pieuvre ?
Il cherche bien ce qui pourrait l'amuser, lui rappeler le bon vieux temps où elle était dans la mer et finalement, il a une idée. Il lui offre une cornemuse.
La petite pieuvre est drôlement contente, mais au bout d'un moment, on entend des hurlements horribles : c'est la cornemuse qui est en train de jouer de la pieuvre !

9 ☐

— Je suis très inquiet. Toute la journée, je vois des points noirs.
— Tu as vu l'oculiste ?
— Non. Pas l'oculiste. Des points noirs...

10 ☐

Dans un autobus, deux gars sont assis l'un en face de l'autre. Le premier se penche vers le second et lui dit :
— Vous n'avez pas fait votre service militaire au Troisième Dragons à Saint-Étienne ?
— Non, répond l'autre. Je ne n'ai jamais mis les pieds à Saint-Étienne.
— Eh bien, moi non plus, figurez-vous ! Il doit s'agir de deux autres personnes...

☐ 11

On est en plein mois d'août et le soleil frappe sérieusement sur la campagne. Un paysan, sa charrette et son cheval grimpent péniblement une côte.

Arrivé en haut, le paysan sort son mouchoir et il s'éponge abondamment.

— Sacré nom ! dit-il. J'ai jamais eu aussi chaud de ma vie...

— Et moi aussi, dit le cheval.

— Hein ? bredouille le gars. C'est bien la première fois que j'entends parler un cheval !

— Et moi aussi, dit la charrette...

☐ 12

Le petit Larousse illustré s'est modernisé. On n'y trouve plus cette définition qui y figurait encore il y a quelques années :

Racontable : qui peut être raconté. Exemple : une histoire difficilement racontable.

☐ 13

— Maman, maman, est-ce que je peux aller voir l'éclipse de soleil ?

— Oui, mon petit, mais fais attention de ne pas te brûler !

☐ 14

— Vous connaissez l'histoire du lit vertical ?

— Non.

— Vous n'y perdez rien. C'est une histoire à dormir debout.

☐ 15

L'employé de la poste lit le texte du télégramme qu'on vient de lui tendre :

— Badoum ! Badoum ! Badoum ! Badoum ! Badoum ! Badoum !
Et sans sourciller, il dit au gars qui est de l'autre côté du guichet :
— Vous avez droit à un mot de plus pour le même prix.
— Je ne vois pas quoi ajouter, dit l'autre en se grattant le front.
— Pourquoi pas un autre « badoum » ?
— Ah ! non. Ça ne ferait pas sérieux !

16 □

Accoudé au zinc, un consommateur demande au garçon :
— S'il vous plaît ! Un café noir sans crème !
— Oh ! Je suis désolé, monsieur, répond le garçon, nous n'avons plus de crème... Est-ce que je peux vous le servir sans lait ?

---

accident

---

17 □

Un automobiliste fauche sept personnes, emboutit trois voitures, envoie un camion dans un platane et termine sa course folle en faisant éclater la vitrine d'un pompiste.
Trois jours après, il ouvre un œil. Il est dans un lit d'hôpital et il voit un médecin en blouse blanche penché sur lui.
— Eh bien, docteur ? lui dit-il.
— Eh bien, j'ai les résultats : il y a très peu de sang dans votre alcool...

18 □

Un brave chanoine rentre dans un arbre à deux cents à l'heure. Dans la fraction de seconde qui suit, il se retrouve devant saint Pierre dans un drôle d'état: les fesses en travers de la figure, la tête sous son bras, les jambes enroulées autour du cou. Saint Pierre le regarde et lui dit:

— Vous désirez?

Et l'autre, la mine féroce:

— Voir saint Christophe, j'ai deux mots à lui dire!

☐ **19**

Un camionneur effondré se présente à la gendarmerie:

— Vous avez des vaches noires dans le pays?

— Non!

— Et des chevaux noirs?

— Non!

— Et des gros chiens noirs?

— Non!

— Alors, j'ai écrasé le curé...

☐ **20**

Deux blousons noirs ont trouvé une moto. Ils l'enfourchent tous les deux et ils foncent comme des dingues sur la route.

Ils roulent tellement vite et il y a tellement de vent que le gars qui est derrière, il a mis son blouson à l'envers, en boutonnant le devant dans son dos. Au bout de dix kilomètres, l'autre lui dit:

— Ça va, derrière?

Et comme il n'entend pas de réponse, il se retourne: plus personne... Son copain a dû tomber de la moto.

Alors, il retourne en arrière et bientôt il aperçoit un attroupement au milieu de la route. Il écarte tout le monde. Il voit son copain couché tout du long sur le macadam, et il entend un flic qui dit:

— Vous y êtes? A trois, on lui remet la tête à l'endroit!

21 ☐

Une dame essaie de se glisser jusqu'à la caisse du supermarché. Son chariot est tout défoncé. Ses marchandises sont en miettes. Le lait et le vin dégoulinent de partout. Les boîtes de conserves sont éventrées. Les radis se sont imbriqués dans le chou-fleur. Et elle avoue honteusement :

— Je ne suis pas assurée ! Ça va me coûter combien ? J'ai été victime d'une collision à l'intersection des amandes salées et des macaronis...

22 ☐

Quelque part dans le Sud des États-Unis, un industriel, au volant d'une Cadillac, traverse une petite ville à cent à l'heure. Tout à coup, il fait une terrible embardée et il fauche un groupe d'enfants noirs qui sortaient de l'école. Il y a du sang partout. C'est une véritable bouillie. Alors la police surgit. Un shérif s'approche du conducteur et il lui demande :

— A quelle vitesse marchaient ces enfants lorsqu'ils ont heurté votre véhicule ?

23 ☐

Grand téléscopage sur l'autoroute. Le cadavre pullule. La gendarmerie écarte les curieux. Mais il y a un petit vieux aux yeux rouges, tout habillé de noir, qui s'approche avec un sucre à la main et qui demande timidement :

— Est-ce que je peux prendre un canard ?

24 ☐

Un automobiliste vient de renverser un brave homme qui traversait la rue. Il le relève en s'excusant :

— Ne m'en veuillez pas ! Depuis vingt ans que je conduis, c'est la première fois que ça m'arrive !

— Et moi, dit l'autre, depuis quarante ans que je marche, c'est la première fois que je m'attaque à une voiture !

☐ 25

Abraham apprend à conduire à sa femme Sarah. La voiture est dans une descente et tout d'un coup les freins lâchent.

— Mon Dieu ! dit Sarah, je ne peux plus m'arrêter ! Qu'est-ce qu'il faut faire ?

— Garde ton sang-froid, dit Abraham, et essaie au moins de défoncer quelque chose qui soit bon marché...

☐ 26

La femme du milliardaire rentre chez elle avec sa Rolls-Royce sérieusement amochée. Le mari voit dans quel état lamentable se trouve la voiture et il lui dit :

— Qu'est-ce qui s'est passé ?

— Rien, dit-elle. C'est un vélo qui m'est rentré dedans...

— Un vélo ? Combien de fois ?

☐ 27

Dans une Jaguar, un petit jeune homme distingué est en train de suivre un camion de douze tonnes sur lequel il y a l'inscription : freins puissants. A un feu rouge, le camion freine brusquement et naturellement la Jaguar lui rentre dedans en beauté.

Le camionneur descend de son siège. Il s'approche du petit gars dans sa bagnole en accordéon et il lui dit :

— Alors, chéri ? Comment tu fais pour t'arrêter quand je suis pas là ?

28 ☐

A un grand carrefour, une voiture s'est encastrée dans un arbre. Ça fait un sacré paquet de ferraille.

Alors arrive une petite deux-chevaux, pilotée par un brave paysan. Il s'arrête, il descend de voiture, il se penche sur le corps étendu par terre et il lui souffle dans l'oreille :

— Vous souffrez beaucoup ?

— Oui, gémit le gars.

— Vous vivez encore ?

— Oui.

— Vous êtes assuré tous risques ?

— Oui.

— Alors, vous permettez que je m'allonge à côté de vous ?

29 ☐

Une voiture est tranquillement rangée contre le trottoir, quand soudain, un morceau de balcon se détache juste au-dessus et vient l'écrabouiller.

Une petite vieille arrive juste à ce moment-là, elle considère les dégâts et elle siffle entre ce qui lui reste de dents :

— Ces petits cons conduisent tous comme des fous...

30 ☐

Un chauffard roule à cent cinquante à l'heure. Tout d'un coup, une écolière traverse la route devant lui. Il freine. Trop tard !

Dix minutes après, il se met à pleuvoir. Il met l'essuie-glace en marche et au bout des caoutchoucs, il voit une petite main sanguinolente pleine d'ongles, qui va et vient en lui rayant le pare-brise...

31 ☐

Deux voitures viennent de se caramboler sur

l'autoroute. Les conducteurs jaillissent de leur tôle ondulée comme des balles de revolver, mais au moment de s'engueuler comme des chiffonniers, ils s'aperçoivent qu'ils sont des amis de longue date.

— Tiens, mais c'est Lucien !

— Par exemple, mais c'est Ernest !

— Tu n'as rien de cassé ?

— Non ! Et toi ?

— Non plus. Mais je suis sacrément secoué.

— Je comprends ça. Tiens, bois un peu de cognac, ça va te réconforter. Pendant ce temps, je vais essayer de trouver un flic !

— Merci, mon vieux ! Il est drôlement bon, ton cognac ! Tu en veux un peu ?

— Pas maintenant, si ça ne te fait rien. Tu peux finir la bouteille. Moi, j'en prendrai tout à l'heure, après l'alcootest...

□ 32

Un play-boy, fonçant au volant de son Aston-Martin, s'arrête pour ramasser une ravissante auto-stoppeuse. Puis, ils font connaissance à deux cents à l'heure et ils font même si intimement connaissance que la bagnole se retrouve dans un arbre.

Un paysan du coin s'approche des débris de ferraille et il dit au gars :

— Vous avez une sacrée veine ! Vous avez l'air absolument intact et votre voisine aussi. Elle a été projetée dans le pré, mais elle n'a aucune blessure...

Alors, le gars, penché sur son volant, se met à pleurer :

— Elle est intacte, mais pas moi ! Allez donc voir ce qu'elle tient dans la main...

accouchement

33 ☐

C'est un jeune médecin qui s'installe, tout nouveau, tout frais, et à peine a-t-il ouvert son cabinet qu'on l'appelle d'urgence pour un accouchement.

Il se précipite, le cœur battant. Il entre dans la chambre. Il fait un signe de croix. Et puis, manque de pot, l'enfant se présente mal et le toubib, il est obligé de sortir les fers de sa sacoche. Il prend les fers à la main et il tremble tellement qu'il en balance un sur le crâne de la mère qui passe illico de vie à trépas.

Alors, le gars s'affole, il attrape le môme par la tête, il tire tant qu'il peut et il perd l'équilibre. Le bébé vole à travers la pièce, il accroche au passage le père qui se rongeait les sangs à la balustrade de la fenêtre et tous les deux tombent dans la rue depuis le septième étage.

Parfait! Le petit médecin voit l'étendue du désastre, il rentre chez lui, il fait ses bagages et il prend le train pour un autre pays... Un mois plus tard, il a ouvert timidement un autre cabinet, et on lui téléphone:

— Venez vite, docteur! C'est pour une naissance!

Deux heures après, il est de retour et sa femme lui demande avec un brin d'angoisse:

— Alors, comment ça s'est passé?

— Pas trop mal, bredouille-t-il. Cette fois-ci, j'ai sauvé le père.

34 ☐

Un petit garçon de cinq ans demande à sa mère comment elle est née.

— Euh, répond la mère embarrassée, euh... dans un bouquet de roses.

Pas satisfait pour autant, le petit bonhomme va voir son père pour lui poser la même question.
— Je suis venu dans un chou, lui dit son père.
En désespoir de cause, le môme va trouver sa grande sœur Brigitte et il se plante devant elle :
— Et toi, Brigitte, tu es née dans une rose ou dans un chou ?
— Eh bien, dit la fille, ni l'un ni l'autre ! C'est une cigogne qui m'a apportée...
— Alors, dit le gamin, si j'ai bien compris, il n'y a pas eu une seule naissance normale dans cette foutue famille...

☐ **35**

C'est un accouchement très difficile, parce que le nouveau-né se tord de rire. Enfin le médecin réussit à l'extraire à l'air libre, il lui donne deux claques, il le secoue et il constate que le bébé garde le poing obstinément fermé.
Alors, il lui déplie la main de force et dedans, il y a une pilule.

☐ **36**

Elle vient de mettre au monde des triplés. Elle est rouge de fierté. Et elle dit à sa mère qui est venue la voir à la clinique :
— Tu sais, maman, le docteur m'a dit que cette chose-là n'arrivait qu'une fois sur cent mille !
Alors la mère réfléchit avant de répondre :
— Fichtre ! Mais alors, comment faisais-tu pour faire les courses et la cuisine ?

☐ **37**

C'est une sage-femme qui connaît bien son boulot, mais elle est un peu empotée. On l'appelle pour un accouchement. Elle arrive avec sa petite trousse, elle entre dans la chambre et elle dit au père :
— Vous ! Sortez d'ici, c'est pas votre affaire !

Et au bout de dix minutes, elle passe la tête par la porte et dit :

— Vous n'avez pas des tenailles ?

— Hein ? fait le père, très inquiet.

— Des tenailles, dépêchez-vous, cherchez pas à comprendre, je connais mon métier !

Le gars va lui chercher des tenailles et au bout d'un quart d'heure, elle réapparaît à la porte.

— Vous n'avez pas une grosse clef anglaise ?

— Une clef anglaise ? Mon Dieu, qu'est-ce qui se passe ?

— Rien ! Vous inquiétez pas ! J'ai mes diplômes ! Mais j'ai besoin d'une clef anglaise...

Il lui apporte une clef anglaise. Elle referme la porte. On entend des bruits métalliques affreux... Bing ! Clank ! Bromm ! Le père se fait un sang d'encre. Un autre quart d'heure se passe et la tête de la sage-femme apparaît à la porte, toute transpirante :

— Écoutez, dit-elle, appelez une de mes collègues ! Je peux pas arriver à ouvrir ma trousse !

38 ☐

La maternité retentit de cris abominables. L'infirmière s'approche d'une femme qui est en douleurs et elle lui dit :

— Mais enfin, calmez-vous et ne faites pas l'enfant...

39 ☐

A la ferme, le docteur vient d'arriver en courant et la vieille mémé n'arrête pas de faire chauffer des bassines d'eau. Au bout d'une heure, la mémé sort de la chambre et elle dit à tout le monde :

— Ça va ! C'est un beau bébé !

Alors le père, qui se ronge les sangs, la secoue par les épaules :

— C'est un garçon ou une fille ?

Et la mémé, hésitant un peu avant de répondre :
— Euh ? Je crois que... Enfin, si j'ai bonne mémoire, c'est... euh... c'est un garçon...

☐ **40**

Un père angoissé se morfond dans la salle d'attente d'une clinique d'accouchement. Il marche de long en large en se rongeant les ongles et en fumant cigarette sur cigarette. Soudain, la porte s'ouvre et une infirmière apparaît. Elle résiste visiblement à une irrépressible envie de rire, mais elle se tient la main sur la bouche pour conserver un peu de tenue. Derrière elle, dans le couloir, des médecins au visage hilare se bousculent en répétant :
— On veut voir sa tête ! On veut voir sa tête !
Alors l'infirmière s'approche du bonhomme qui n'en peut plus d'anxiété et elle lui dit en se fendant la pêche :
— Cher monsieur, dites-moi un chiffre au hasard entre cinq et neuf...

☐ **41**

Dans une clinique d'accouchement, une dame fait un numéro de téléphone et elle déclare à toute allure :
— Allô ! La Caisse d'Allocations familiales ? Il faut m'envoyer de l'argent tout de suite... Je viens d'avoir sept enfants d'un coup !
Et à l'autre bout du fil, elle entend la voix ahurie d'un employé qui dit :
— Qu'est-ce que vous dites ? Je crois que j'ai pas bien compris ! Vous voulez pas recommencer ?
— Ah ! non, fait la dame. Une fois, ça suffit !

☐ **42**

Un môme discute avec sa sœur :
— Tu sais comment ça vient, les enfants ?

— Non. Et toi ?
— Non plus. Mais toi, un jour, tu pourras te rendre compte, tandis que moi, jamais !
— Ah ! Et pourquoi ?
— Parce que je me promènerai dans le couloir...

43 □

Le père entre dans la chambre de l'accouchée. Sa femme lui dit :
— Tu as vu la petite ?
— Oui, dit-il, gêné, mais écoute, on va pas demander le divorce pour ça...

44 □

Le mari est très inquiet. Sa femme, qui est enceinte, est presque arrivée au terme de sa grossesse, et elle ne veut pas entrer en clinique.
— Chérie, enfin, il faudrait au moins faire venir une sage-femme !
— Jamais de la vie ! Tu connais mes principes. Je suis d'avis qu'il ne faut pas avoir peur de laisser les enfants sortir seuls !

45 □

On fait entrer le père dans la chambre de la jeune accouchée. Il embrasse sa femme en pleurant. Il se penche sur le berceau et il s'aperçoit que le bébé est tout noir.
Il recule, horrifié, et sa femme lui lance d'une voix acariâtre, sans lui laisser le temps de réagir :
— Espèce de salaud ! Tu ne vas pas continuer à nier que tu couches avec la bonne sénégalaise !

46 □

Le médecin fait sa visite dans la salle des femmes qui terminent leur grossesse. En passant devant chaque lit, l'infirmière le renseigne :

— Le trente-huit, c'est pour après-demain... Le trente-neuf, c'est pour après-demain... Le quarante, c'est pour après-demain... Le quarante et un...

— Eh bien, interrompt le toubib en s'adressant à la très belle fille qui est dans le lit suivant, vous aussi, c'est pour après-demain ?

Alors il entend derrière lui trois voix qui s'exclament de concert :

— Oh ! non, docteur ! Elle n'était pas à la surboum !

☐ 47

Deux hommes font les cent pas dans la salle d'attente d'une maternité. Le premier dit à l'autre :

— Ça tombe mal ! Ça me fout mes vacances en l'air !

Et l'autre répond :

— Moi, c'est pire ! Ça arrive juste pendant le voyage de noces !

☐ 48

L'infirmière sort de la clinique d'accouchement et elle se précipite sur un gars qui stationne devant, au volant de sa voiture :

— Vite, dit-elle, venez vite !

— Mais... Mais ce n'est pas possible, je suis en double file !

— Justement ! Vos jumeaux aussi...

☐ 49

Un futur père, rongé d'angoisse, grille cigarette sur cigarette dans le couloir de la maternité. Une infirmière passe et il lui dit :

— Mademoiselle, vous allez me trouver incongru, mais une chose m'obnubile ! J'attends mon premier bébé et je voudrais savoir au bout de combien de temps je pourrai recommencer à... enfin, je veux dire quand est-ce qu'il sera possible de reprendre les relations avec ma femme?

— Ben, monsieur, dit-elle calmement, ça dépend si elle est en salle commune ou en chambre individuelle...

50 □

La scène se passe dans une clinique d'accouchement. Seul dans une salle d'attente, un homme se mange les sangs, s'arrache les cheveux, se tape la tête contre les murs. Soudain entre une infirmière qui lui dit:

— C'est une fille!

Alors, le type, rayonnant de bonheur:

— Ah, ben, tant mieux! Au moins elle ne passera pas par tout ce que j'ai souffert!

adam

51 □

Au paradis terrestre, Ève fait une scène à Adam.

— Tu es rentré tard ce soir. Avec qui étais-tu?

— Mais enfin, tonnerre! réplique Adam, avec qui veux-tu que je te trompe? Il n'y a que nous deux ici.

Ève n'est pas convaincue. Elle attend la nuit et quand Adam s'est endormi, eh bien, elle lui compte les côtes du bout des doigts.

52 □

Le péché originel, au fond, c'est tout simple: une pomme, deux poires et beaucoup de pépins.

53 □

— C'est pas croyable, dit Adam, il a fallu qu'on me

refile une bonne femme qui couche avec le premier venu !

adjudant

☐ **54**

Le colonel apprend par un télégramme la mort de la mère du soldat Claquemuche. Il fait venir l'adjudant de semaine et il lui dit :

— Le soldat Claquemuche a perdu sa mère. Vous allez me faire le plaisir de lui annoncer la nouvelle. Et je compte sur vous pour y mettre les formes.

— Bien, mon colonel, dit l'autre.

Cinq minutes plus tard, il fait rassembler toute la compagnie au garde-à-vous et il crie :

— Les ceusses que leur mère, elle est morte, un pas en avant, exécution !

Personne ne bouge. Alors l'adjudant se met à hurler :

— Claquemuche ! Bourrique ! Me ferez quinze jours !

☐ **55**

Un adjudant rassemble la compagnie et il annonce :

— Dimanche prochain, il y a le défilé de la Victoire. S'il pleut le matin, il aura lieu l'après-midi. Et s'il pleut l'après-midi, il aura lieu le matin...

☐ **56**

Un gros adjudant de la coloniale arrive à la cuisine pour faire une inspection. Il soulève la marmite et il demande :

— C'est pour qui, cette grosse soupasse ?

— C'est pour vous, mon adjudant, répond le cuistot.

— Ah! fait l'adjudant rayonnant, c'est pour moi, cette petite soupette?

57 ☐

Alors? On ne salue plus? hurle l'adjudant à une jeune recrue. Me ferez quinze jours!

Au bout de quinze jours, le bidasse sort de taule et il retombe sur le même adjudant. Il le regarde naïvement et il ne salue pas. Alors l'autre explose:

— Quinze jours, ça vous suffit pas? La leçon n'a servi à rien? Cette espèce de tête de mule ne veut toujours pas me saluer?

Et le gars, penaud:

— Mais, mon adjudant, je croyais qu'on était fâchés!

58 ☐

Un adjudant arrête un soldat complètement éméché et qui titube dans la cour du quartier:

— Petit imbécile! Si au moins, tu ne buvais pas, tu pourrais peut-être devenir adjudant!

— Je m'en fous, dit le gars. Quand je bois, je suis colonel...

59 ☐

Une recrue traverse le casernement et un adjudant l'arrête:

— Hé, vous! Comment vous appelez-vous?

— Samuel Levy...

— Quelle compagnie?

— Levy et Compagnie...

60 ☐

Un adjudant, c'est tellement bête que les autres adjudants ne s'en aperçoivent jamais...

☐ **61**

La voix de l'adjudant de semaine tonne dans la cour du quartier :

— Rassemblement par ordre alphabétique, les plus petits devant !

☐ **62**

L'adjudant est en train de passer l'inspection du quartier, quand soudain il aperçoit à une fenêtre de la troisième chambrée une énorme paire de fesses qui prend l'air. Il monte les étages quatre à quatre et fait irruption dans la chambrée en criant :

— Quel est l'imbécile qui a mis son cul à la fenêtre ?

— C'est moi, mon adjudant, dit un bidasse peureusement. Il faisait tellement chaud...

— Mais espèce de petit couillon, tu ne te rends pas compte que le général aurait pu passer devant ?

— Mais il est passé, mon adjudant !

— Quoi ? hurle l'adjudant. Il est passé ? Et qu'est-ce qu'il a dit ?

— Il a dit : bonjour, mon adjudant !

☐ **63**

Un adjudant demande à une recrue :

— Bleu, blanc, rouge, qu'est-ce que c'est ?

— Euh... C'est les couleurs du drapeau !

— Bravo ! C'était un piège, mais vous vous en êtes bien sorti !

☐ **64**

Un bidasse se plaint à l'adjudant chargé de l'intendance :

— Mon adjudant, on nous a servi du pâté de canard au réfectoire et je peux vous jurer qu'il n'y avait pas un gramme de canard dedans...

— Et alors ? réplique l'adjudant. Vous avez déjà mangé des biscuits de soldat ?
— Euh... oui, mon adjudant.
— Et vous avez trouvé des soldats dedans ?

65 □

Un adjudant questionne un autre adjudant :
— Combien peux-tu manger de pommes à jeun ?
— Oh ! dit l'autre, quatre...
— Mais non, abruti ! Dès que tu en as mangé une, tu n'es plus à jeun !
Mortifié, le second adjudant se précipite chez un troisième, histoire de le posséder à son tour, et il lui lâche tout d'une traite :
— Combien peux-tu manger de pommes à jeun ?
— Trois, dit l'autre.
— Ah ! zut ! Si tu avais dit quatre, je t'en aurais raconté une bien bonne !

administration

66 □

Notice du ministère des Postes et Télécommunications à l'usage des Postiers auxiliaires affectés au tri des correspondances :
« Le trieur se tient debout, droit mais sans raideur, à gauche du milieu de la partie du casier devant laquelle il travaille, de façon que sa main droite puisse atteindre les cases extrêmes de gauche et de droite sans déplacement des jambes.
Il prend dans la main gauche, entre le pouce et les autres doigts, un nombre de lettres formant une épaisseur d'environ cinq centimètres, épaisseur variant avec la grandeur de la main, et il porte cette main à hauteur de la poitrine du côté gauche. Il dégage avec le pouce la lettre à classer et la fait

glisser, soit de bas en haut, soit de haut en bas, de manière à la faire déborder légèrement de la poignée des correspondances tenues dans la main gauche, et à permettre à la main droite de la saisir facilement.

Le trieur lit la destination, prend la lettre, une seule à la fois, de la main droite et la porte en droite ligne dans la case. Il faut placer la lettre et non la jeter. Les lettres sont placées dans les cases méthodiquement, toujours dans le même sens, parallèlement les unes aux autres, en un tas ayant pour base toute la largeur de la case. Pour éviter la fatigue, le trieur droit travailler avec souplesse et sans mouvements inutiles.

Quand une case est presque remplie et que le trieur est sur le point d'éprouver des difficultés pour y placer des lettres, les correspondances doivent être sorties en bloc de la case, ce qui se fait avec la plus grande facilité si l'on s'est conformé aux prescriptions ci-dessus... »

☐ **67**

Rapport du maire de Saint-Mesnin sur une chasse au loup qui a eu lieu sur le territoire de la commune le 16 mars 1904 :

« Aujourd'hui, devant moi, assisté de mon adjoint, ont comparu les sieurs Benoist et Gratté, lesquels ont déclaré avoir rencontré un loup conduisant leurs légumes au marché de Saint-Gratien. Le susdit loup ayant traversé le bois dont ils avaient rencontré les pattes sur le sable mouillé et s'étant dirigé du côté de la rivière avec préméditation d'y boire, avons ordonné et ordonnons une battue générale armée de fusils et d'autres instruments de labour.

Après une série consécutive de trois ou quatre heures sans manger, nous avons vu le loup, moi dit maire, assisté de mon adjoint pour la première fois et les dits Benoist et Gratté pour la deuxième fois, le reconnaissant pour ledit loup déclaré du matin qui allait boire comme de fait à cent pas de l'eau. Après que j'eus ordonné tous nos gens bien armés, moi dit maire, assisté de mon adjoint resté sur le derrière dans le cas, prévoyant par prudence que le susdit loup se puisse rétrograder ou ait été suivi d'un plus grand nombre d'autres comme ils ont coutume de se conduire.

J'attends donc sans balancer le loup qui s'enfuyait armé d'un fusil assisté de mon adjoint dont il voulait aussi se défaire pour le bien de la commune. Au bout d'une heure, le loup avait été fait périr à la tête de la troupe dont il fut massacré d'un coup de pioche par le nommé Romorantin, lequel avait huit petits dans le ventre. Déclaré par moi ledit loup être une louve assisté de mon adjoint peut-être enragé.

De ceci dressons procès-verbal et le mettons sous les yeux de Monsieur le Préfet et pour que récompense soit distribuée à qui de droit au nommé Romorantin pour avoir tué une louve pleine comme je l'atteste ici, assisté de mon adjoint, dont les oreilles sont annexées au présent procès-verbal... »

68 ☐

Rapport de gendarmerie retrouvé dans les archives de l'administration française au Maroc à l'époque du protectorat :

« Nous, Rossi Jean-Baptiste, brigadier des Régies municipales de la ville de Rabat, dûment assermenté,

Étant de service au poste de perception de Bab-Tamasna, nous avons vu deux individus et un individu qui n'était pas un homme, et qui paraissait une femme arabe portant une voiture, qui en premier lieu a refusé de s'arrêter en passant sur la route.

Nous nous sommes alors précipités avec le gardien et le gardien adjoint pour saisir cette dernière, mais au moment où nous courions dessus, elle s'est enfuie au grand galop, et alors moi, nous sommes restés tout seul en criant d'arrêter qu'on lui ferait un procès-verbal, parce que le gardien adjoint et le gardien étaient déjà rentrés dans le bureau et n'avaient pas poursuivi la poursuite.

Quand le cheval était arrivé devant nous, nous avions vu dedans les chaussures qui tenaient au milieu la femme arabe. Alors vu que ladite femme faisait dépasser son pied qui n'était pas de femme car il était de sanglier, et une figure qui n'était pas la sienne puisqu'elle était aussi de sanglier, nous avons compris tout de suite que cette femme avait besoin d'être considérée comme louche et visitée, qu'elle était faite exprès pour cacher la qualité d'un cochon mort ou sauvage que les chasseurs se sont tués le jour avant pour leur consommation personnelle, parce que nous les avions vus sortir de la ville le matin à l'ouverture des bureaux. Et voilà où est le motif pour quoi que nous avons tenté de saisir et que nous ne saisîmes pas.

Le lendemain de cette affaire, nous avons constaté en pratiquant l'ouverture de notre courrier par la poste pour en avoir connaissance, qu'une boîte de forme longue contenait une queue de sanglier entortillée, probablement et certainement mort, puisque la queue nous la tenons toujours, et nous avons pensé qu'il y avait flagrante et impossible à nier connivence entre cette queue et la prétendue femme arabe, que les chasseurs voulaient nous faire croire pour nous tromper qu'elle était une femme arabe et qu'il ne pouvait être qu'un sanglier sauvage habillé en femme arabe qu'ils trimballent au milieu de tous les deux.

Nous avons prononcé la saisie de cette queue et l'avons mise dans du sel, pour valoir tout droit à l'appui du présent délit. De quoi nous avons dressé le présent procès-verbal pour être transmis à Monsieur le Juge de Paix aux fins qu'il appartiendra. »

□ **69**

Voici une lettre authentique reçue par les services de la Sécurité sociale:

« Je vous écris parce que je ne peux plus aller faire la queue chez vous. La dernière fois, on m'a fait attendre une heure, toute seule, en file indienne. Pour l'histoire du dentiste, les dents de devant vont bien, mais les dents de mon derrière me font très mal. Enfin, ce n'est pas le plus important. Pour finir ma grossesse, j'ai été au lit avec le docteur pendant une semaine et il ne m'a fait aucun bien. Il faut que je me procure un autre docteur. Mais enfin, tout s'est bien terminé puisque selon vos instructions j'ai donné le jour à deux jumeaux dans une enveloppe ci-jointe... »

70 □

« Dans la journée d'hier, on a trouvé pendu à un arbre dans le bois entre Villeneuve-Saint-Georges (Doubs) et Courtefontaine (Jura) le cadavre de M. Marcel Pradel, âgé de 70 ans. Deux brigades de gendarmerie sont venues sur les lieux pour les constatations : celle de Saint-Vit (Doubs) et celle de Fraisan (Jura). Il y avait en effet litige : on ne savait pas sur quel territoire s'était déroulée la pendaison, le tronc de l'arbre se trouvant sur la commune du Doubs et les branches sur celle du Jura. » (*L'Est républicain.*)

---

adultère

---

71 □

La clef tourne dans la serrure et l'amant a tout juste le temps de se jeter sous le lit.

Le mari se déshabille, se couche près de sa femme et lui fait mille amabilités une grande partie de la nuit. Elle s'offre à lui d'ailleurs avec d'autant plus de complaisance qu'elle sent le besoin de se faire pardonner. Ils finissent leurs cabrioles si tard qu'il fait grand jour.

Alors, la femme se lève, elle va faire du café au lait à la cuisine et elle revient avec un grand plateau.

— Chéri, dit-elle, tu veux des tartines avec du miel ou avec des confitures ?

— Moi, ce sera avec du miel, dit le gars.

Et se penchant pour regarder sous le lit, il ajoute :

— Mais peut-être que Monsieur préfère les confitures ?

□ 72

Un mari chétif rentre chez lui à l'improviste et il trouve sa femme dans les bras d'un champion de catch. Alors il serre les dents, il serre les poings, il devient tout rouge, il se met à tourner comme un lion en cage et il finit par tomber sur le parapluie que le visiteur a laissé dans l'entrée. Il se jette dessus et il le casse en deux. Puis il pousse un grand soupir et il siffle entre ses dents :

— Et maintenant, je suis sûr qu'il va pleuvoir !

□ 73

Un général en larmes tient tendrement la main de sa femme qui est en train de mourir. Et elle lui dit :

— Mon chéri, je ne peux pas partir sans te dire la vérité. Il faut que tu saches que je t'ai trompé depuis que nous sommes mariés. Mais seulement deux fois. D'abord avec ton ordonnance, et ensuite avec le vingt-troisième régiment d'artillerie...

□ 74

Il est riche. Il a un château et dix domestiques. Il vient juste d'arriver chez lui et il tend son pardessus à son valet de chambre. Et celui-ci lui dit calmement :

— Monsieur rentre bien tôt aujourd'hui. Madame ne s'y attendait sûrement pas. Madame va être bien étonnée. Monsieur aussi d'ailleurs. Enfin, je veux dire que Madame, Monsieur et Monsieur vont être bien surpris tous les trois !

75 ☐

— Tu m'as encore trompée ! J'en ai assez ! Si ça continue comme ça, je vais retourner chez ma mère !
— Ah, bon ! C'est d'accord. Si tu retournes chez ta mère, moi je vais retourner chez ma femme...

76 ☐

— Qu'est-ce que tu fais dans la rue à minuit, toi, un homme si rangé ?
— Ben, je ne peux pas rentrer chez moi, parce qu'en ce moment ma femme est avec son amant et ce type-là, il n'a aucune conversation !

77 ☐

Un mari entre chez lui plus tôt que d'habitude et il trouve sa femme au lit dans les bras du voisin.
— Nom de Dieu ! hurle-t-il, ça ne se passera pas comme ça !
Il ouvre la commode, il sort un revolver, il vise le gars au milieu des draps... Alors sa femme lui abaisse le bras en disant :
— Dis donc ! Faut pas charrier ! C'est moi qui paie l'appartement, c'est moi qui te nourris, c'est moi qui te donne le fric pour aller jouer aux courses ! C'est moi, l'homme, ici ! Alors, je peux bien me permettre un extra, non ?
Le mari passe la main sur son front, il pose son revolver, il s'approche de l'amant, il lui remonte la couverture jusqu'au menton et il lui dit :
— Vous inquiétez pas ! Je me taille. Mais surtout, prenez pas froid !

☐ **78**

Saint Pierre fait passer un examen d'entrée à une dizaine de candidats qui viennent de se présenter à la porte du ciel.

— Et pour commencer, dit-il, que ceux et celles qui ont joui en dehors du mariage passent derrière moi. Je les conduirai au purgatoire!

Il s'aperçoit alors qu'un couple n'a pas bougé

— Hé! Vous, les sourds, leur crie-t-il, allez rejoindre les autres!

☐ **79**

Le mari rentre chez lui et il dit à sa femme:

— Je suis inquiet, tu sais. Ça fait quinze jours qu'un gars m'aborde tous les soirs à la sortie du bureau, au moment où je vais traverser la rue. Et à chaque fois, il me dit: cocu, vilain cocu!

— Mais enfin, lui répond sa femme, tu ne vas tout de même pas attacher de l'importance aux divagations du premier farceur venu. Tu sais bien que je t'aime et cet imbécile n'y peut rien!

Alors le mari s'endort rassuré. Et le lendemain soir, quand il sort de son bureau, au moment où il va traverser la rue, le même personnage s'approche de lui et lui glisse à l'oreille:

— Cocu! Vilain cocu! Et rapporteur en plus...

☐ **80**

Rentrant de voyage plus tôt que prévu, un mari trouve un rival dans le lit de sa femme.

— Comment? s'écrie-t-il. Qui est cet homme?

— Mais au fond, c'est vrai, dit la femme en se tournant vers son amant. Comment donc vous appelez-vous?

☐ **81**

Deux copains se rencontrent:

— Comment ça va?
— Mal! Ma femme a foutu le camp de chez moi! Et ce n'est encore rien! Elle a tout emporté! J'avais un très joli poisson que j'avais apprivoisé dans un bassin du jardin, un petit thon... Eh bien, elle est partie avec! J'avais une collection complète de Taine, reliée en maroquin. Eh bien, elle l'a emportée aussi... Et ce n'est encore rien! Elle est partie avec mon oncle!
— Ben, c'est pas de veine! En somme, elle est partie avec ton thon, ton Taine et tonton...

82 □

Un gars rentre chez lui un peu plus tôt que d'habitude et son petit garçon lui dit:
— Papa, il y a un gros ogre dans la chambre de maman!
— Comment? Qu'est-ce que tu dis? Mais tu sais bien que les ogres n'existent pas!
— Si, papa, insiste le gosse. Il y a un ogre dans l'armoire de maman. Même qu'il y est entré au moment où tu arrivais!
Un peu interloqué, le gars monte dans la chambre de sa femme. Il voit celle-ci couchée dans son lit. Il va à l'armoire. Il l'ouvre. Et il y découvre un homme tout nu qui n'est autre que son meilleur ami.
— Oh! Antoine, s'écrie-t-il avec des sanglots dans la voix, comment as-tu pu me faire une chose pareille? C'est comme cela que tu me récompenses de vingt ans d'amitié et de dévouement, en te cachant tout nu dans cette armoire pour faire peur au petit?

83 □

Un voyageur de commerce rate son train, rentre à la maison et découvre un amant tout nu couché sur sa femme. Pris d'une colère hystérique, il ouvre tous les tiroirs à la recherche d'un revolver, d'un couteau, d'une massue... Mais il ne trouve rien.

En désespoir de cause, il flanque à son rival un formidable coup de pied aux fesses. Et l'autre s'écrie :

— Poussez pas, quoi ! Vous voyez bien que j'essaie de sortir...

☐ 84

Un brave homme rentre chez lui et il trouve son meilleur ami dans le lit de sa femme :

— Oh ! Ernest ! s'exclame-t-il douloureusement, quand je pense que nous avons usé nos culottes sur les mêmes bancs de classe et que je vous laissais copier par-dessus mon épaule en composition d'arithmétique ! Souvenez-vous ! Nous faisions l'école buissonnière ensemble : je montais dans les arbres et vous attendiez en bas que je vous lance les nids de rouges-gorges. Plus tard, c'est moi qui vous ai présenté la première jeune fille que vous avez connue. Et à l'armée, je vous passais mes chaussettes quand les vôtres étaient trouées ! Et le jour du bombardement, Ernest, c'est encore moi qui vous ai retiré des décombres de votre maison et qui vous ai sauvé la vie... Comment pouvez-vous être à mon égard d'une aussi répugnante ingratitude ? Ernest ! sacré nom d'une pipe, est-ce que vous ne pourriez pas au moins arrêter une minute pendant que je vous parle ?

☐ 85

Un gars fait irruption chez un de ses copains et il lui dit :

— Dis donc, est-ce que tu aimes les femmes avec des seins qui tombent sur le ventre ?

— Euh ? Non, dit l'autre.

— Et les femmes qui ont les cuisses comme des gros jambons flasques ?

— Non.

— Et les femmes qui ont des furoncles partout ?

— Non.

— Et les femmes qui puent du bec ?
— Non.
— Alors, pourquoi tu t'envoies ma femme ?

affaires

86 □

Isaac est marchand de frites, mais les affaires ne marchent pas tellement bien. Un beau jour, il se souvient que le grand banquier Levy a été son camarade d'école. Il va le trouver et il lui dit :

— Il faut que tu rendes un service à ton ancien ami Isaac. Il faut que tu me laisses installer mon éventaire devant ta banque !

Levy est compréhensif. Il dit qu'il est d'accord. Et comme désormais tous les employés de la banque lui achètent des frites, Isaac s'aperçoit que la vie est beaucoup plus belle quand on gagne un peu d'argent. Il commence même à en gagner tellement que son copain Schmohl vient le voir et lui dit :

— Il faut que tu rendes un service à ton ancien ami Schmohl. Il faut que tu me prêtes cinq mille francs...

— Tout ce que tu voudras, lui répond Isaac, mais pas du pognon. Vu que la banque Levy ne vendra jamais de frites, je leur ai promis sur l'honneur de ne jamais prêter d'argent...

87 □

Abraham rencontre Isaac et il lui dit :

— Ça y est. Je suis délivré ! Je ne m'occupe plus du tout de mes affaires. J'ai pris un fondé de pouvoir.

— Ah ! Et il te coûte cher ?

— Oh ! Je n'en sais rien. C'est le premier de *ses* soucis !

☐ 88

Samuel dit à Avrom :
— J'ai une affaire sensationnelle pour toi. Un lot de cent pantalons pour presque rien. Trente francs pièce. Tu veux voir ?
Avrom regarde, il sort un pantalon et il s'aperçoit qu'il n'a qu'une jambe.
— Comment, petit escroc ! Tu veux me bazarder des pantalons qui n'ont qu'une seule jambe. Personne ne pourra les mettre...
— Écoute, dit Samuel. Ne te mets pas en colère. Ce ne sont pas des pantalons pour mettre. Ce sont des pantalons pour vendre...

☐ 89

Un journaliste interroge un milliardaire :
— Quelle est la règle qui est à l'origine de votre réussite ?
— C'est très simple, répond l'autre. J'ai la conviction que l'argent n'a pas d'importance et que la seule chose qui compte, c'est le travail...
— Ah ! bon... Et c'est en ayant cette conviction que vous êtes devenu si riche ?
— Non ! C'est à partir du moment où je l'ai fait partager à tout mon personnel...

☐ 90

Le petit Isaac rentre chez lui, tout content, et il dit à son père :
— Papa, tu sais, j'ai gagné au moins cinq francs aujourd'hui...
— Ah ! Oui ? Comment t'as fait ?
— J'ai couru après l'autobus. Et au lieu de le prendre, j'ai couru jusqu'au bout !
— Petit idiot ! Si tu avais seulement couru après un taxi, tu aurais gagné dix fois plus...

91 □

Cet homme d'affaires est en train de mourir lentement. Son associé se tient à côté de lui, les yeux mouillés de larmes. Et soudain le mourant sort du coma, il voit son ami ravagé par la douleur et dans un souffle, il lui confie :

— Il faut que tu saches. Le coffre qui avait été cambriolé, c'était moi. La faillite de l'année dernière, c'était encore à cause de moi. Et même... l'amant de ta femme, c'était toujours moi.

— Ne t'en fais pas, dit l'autre. Tu peux mourir tranquille. L'arsenic dans les nouilles, c'était seulement moi...

92 □

Abraham se plaint à Isaac :

— J'ai des insomnies !

— Tu devrais compter les moutons pour dormir, dit Isaac.

— Comment ça, compter les moutons ?

— Ben oui. Tu comptes les moutons qui sautent par-dessus la haie. Et au bout d'un certain chiffre, tu finis par t'endormir...

— Tiens, tiens ! fait Abraham.

Et une semaine plus tard il retombe sur Isaac.

— Tu sais, j'ai compté les moutons comme tu m'avais dit. Eh bien, ça ne va pas !

— Pourquoi ?

— Parce qu'arrivé à cinq mille, je me suis dit qu'il ne fallait pas laisser passer une aussi belle affaire. Alors j'ai tondu toute leur laine et j'ai fait des pardessus. Et maintenant je me casse la tête pour savoir où je vais trouver des doublures pas cher...

93 □

— Qu'est-ce que tu deviens ?

— J'ai laissé tomber les timbres-poste. Maintenant, je suis collectionneur de gestes obscènes !

— Ça, par exemple ! Montre-m'en un...
— Pas possible ! je ne fais que des échanges.

☐ 94

Les frères Morgenblitz sont en train d'assister au service religieux à la synagogue quand soudain, leur secrétaire particulier entre en coup de vent, bouscule tout le monde et vient leur dire en haletant :
— Messieurs ! Messieurs ! Vous ne savez pas ce qui arrive ? Les actions de l'Irak Petroleum sont en train de s'effondrer !
Alors les frères Morgenblitz foudroient le bonhomme du regard et lui répondent d'un air pincé :
— Vous êtes renvoyé, mon ami. Premièrement, pour avoir abandonné la banque. Deuxièmement, pour avoir dérangé l'office. Et troisièmement, parce que nous traitons l'Irak Petroleum à 1 600 depuis trois minutes...

☐ 95

Isaac rentre chez lui et il s'aperçoit qu'un amant vient juste de quitter le lit de sa femme. Il se précipite sur son revolver, dans le tiroir de la commode, et il s'apprête à tirer sur l'infidèle. Celle-ci se jette à ses pieds :
— Non ! Non ! Pitié ! Je n'ai pas fait ça pour te trahir... Je l'ai fait pour de l'argent...
— Ah ! Alors c'est différent, déclare Isaac, dont le visage s'éclaire. Ce n'est plus du vice, c'est du commerce ! Et combien t'a-t-il donné, ce salaud ?
— Cent balles !
— Quoi ? hurle Isaac en reprenant son revolver. Tu n'as pas honte ! Ma femme se vend pour cent balles ! Ma femme n'est pas foutue d'évaluer la marchandise !
Et il décharge son arme sur elle.

96 ☐

Isaac, qui est drapier rue des Rosiers, a entendu dire que le grand Rothschild voulait marier sa fille. Isaac ne gagne pas des millions, mais il a trouvé une combine. Il met son plus beau costume, il va voir le grand Rothschild et il lui déclare :

— Monsieur le baron, j'ai à vous proposer un très beau parti pour votre fille ! Que diriez-vous de la marier au directeur de la Banque de France ?

— Très bonne idée, dit le banquier. Mais le directeur de la Banque de France est assez vieux...

— Oh ! Monsieur le baron, je ne parle pas de l'actuel directeur qui arrive en fin de carrière, mais de son successeur...

— Eh bien, ce serait parfait !

— Alors faites-moi confiance, je vous donne des nouvelles d'ici quelques jours...

En sortant de chez Rothschild, Isaac demande une audience au ministre des Finances. Dès qu'il est reçu, il lui lâche tout de go :

— Monsieur le ministre, le directeur de la Banque de France doit prendre sa retraite ce mois-ci. Que diriez-vous du gendre de Rothschild pour le remplacer ?

97 ☐

Abraham appelle son fils Samuel et il lui dit :

— Il est temps que je t'explique les choses de la vie. On va commencer par la main. Tu vas tâcher de bien retenir à quoi servent les doigts de la main ! Le pouce, c'est pour montrer qu'une affaire est bonne : on le dresse en fermant le poing... L'index, c'est pour montrer ce qu'il y a de meilleur dans une affaire. Le médius (*il abaisse la voix*), on le pointe en repliant tous les autres et ça devient le doigt de la jouissance. L'annulaire, c'est pour mettre l'anneau quand on a fait un mariage d'argent. Et l'auriculaire, c'est pour se curer l'oreille. Tu as bien compris ?

— Oui, papa. Mais à quoi ça sert, le doigt de la jouissance?

Alors Abraham se penche vers son fils et lui souffle à mi-voix:

— C'est pour le soir, sous les draps, quand il faut compter les billets...

afrique

☐ **98**

Un groupe de missionnaires arrive dans un village complètement primitif, où d'innombrables bestiaux partagent la vie des indigènes. Le plus vieux missionnaire déclare:

— Nous sommes tous frères, nous vous aimons!

Tous les hommes crient:

— Gouikra! Gouikra!

Le missionnaire continue:

— Nous allons soigner vos malades!

Le peuple hurle:

— Gouikra! Gouikra!

Le missionnaire, un peu surpris, ajoute:

— Et nous allons vous faire connaître le vrai Dieu!

Une immense clameur emplit tout le village:

— Gouikra! Gouikra!

Alors le chef de la tribu s'approche des missionnaires et il leur dit:

— Venez. Je vais vous faire visiter le village, mais faites attention de ne pas marcher dans la gouikra...

☐ **99**

Un fourmilier va boire à la rivière. Une fois désaltéré, il aperçoit son image dans l'eau.

— Tiens, dit-il, un autre fourmilier. Probablement il se baigne. Évidemment, il fait très chaud.

Deux jours après, il retourne boire à la rivière et, bien sûr, il retrouve son reflet dans l'eau.

— Oh ! s'écrie-t-il, il est encore là, celui-là ? Hé, vous ! Est-ce que vous m'entendez ? Écoutez-moi ! Qu'est-ce que vous faites là-dedans ? C'est complètement idiot. Il n'y a jamais de fourmis dans les rivières. Sortez donc de là, si vous ne voulez pas mourir de faim !

Et l'autre fourmilier lui répond :

— Mêlez-vous de vos affaires ! Et si moi, je préfère le poisson ?

100 ☐

L'histoire se passe au Congo belge. L'épouse d'un colon fait venir son boy et lui pose une question grave :

— Dis donc, tu es bien sûr que tu n'es pas capable d'entrer dans notre chambre en pleine nuit et de nous couper en morceaux ? Est-ce que tu pourrais nous faire ça ?

— Oh ! non, maîtresse, proteste le boy. Pas moi ! Mais je me suis arrangé avec le boy des voisins. Il s'occupera de vous et moi, j'irai à côté.

101 ☐

Une maman négresse offre à son petit un boomerang tout neuf. Et naturellement, il essaie de jeter le vieux. Il essaie une fois, deux fois, trois fois... Il essaie encore et... il essaie toujours.

102 ☐

Un administrateur fait sa tournée dans un village de la brousse. Il s'arrête au chevet d'un jeune malade et il lui dit :

— Toi, y a pas t'en faire, toi, y en a reprendre bientôt travail !

— Oui, fait le jeune Noir. Moi, y en a être content reprendre mois prochain ma place maître conférences en Sorbonne !

☐ 103

Le chef de la tribu des Baloubalous revient d'Angleterre dans son pays natal et il raconte l'événement qui l'a le plus bouleversé : une partie de rugby...

— C'était prodigieux. Il y avait bien trente mille Blancs en prière autour d'une grande prairie verte. Et puis quinze guerriers en culotte rouge sont arrivés en courant, suivis de quinze autres en culotte blanche. Et après, le silence s'est fait. Le sorcier est entré sur le terrain avec un gros œuf de cuir à la main. Il a donné un coup de sifflet. Et c'était vraiment extraordinaire, parce que juste à ce moment-là, le miracle s'est produit : il a commencé à pleuvoir...

☐ 104

Un petit avion militaire survole le Sahara, quand le pilote aperçoit une forme perdue dans l'infini des dunes. Il s'approche et il distingue un homme en maillot de bain, avec une serviette éponge à la main. Tout à fait décontenancé, il atterrit, il va à la rencontre du gars et il lui dit :

— Qu'est-ce qui vous arrive ? Vous vous êtes perdu ?

— Non, fait le gars. Je suis pas du tout perdu. Je vais me baigner...

— Vous baigner ? Mais vous êtes cinglé ! Vous êtes en plein désert de sable. La mer est au moins à cinq cent kilomètres !

— Eh, eh ! fait le gars avec une moue souriante, jolie plage, hein ?

☐ 105

Dans une petite ville du Nigeria, un flic noir règle

la circulation. Il arrête une dame qui passe dans une voiture décapotable et il lui dit :
— De quelle couleur je suis, madame ?
— Ben, vous êtes noir, fait la dame.
— Non, madame ! Quand vous me voyez de dos, la main en l'air, je suis rouge. Et quand vous me voyez de profil, les bras tendus, je suis vert...

106 ☐

Ça se passe au Cameroun en l'an 2000. Deux gentlemen noirs sont en train de se faire cirer les chaussures par un vieux cireur blanc, et tout en lustrant le cuir, celui-ci chantonne entre ses dents :
— *Ah ! Le petit vin blanc... Qu'on boit sous les tonnelles...*
Alors l'un des Noirs se tourne vers l'autre et lui dit :
— Tu as entendu ? Ces gars-là, c'est fou ce qu'ils ont le sens du rythme...

107 ☐

Un Angolais rencontre un Marocain et il lui dit :
— Vous savez, nous autres, ça y est, on est indépendants !
— Nous aussi, fait le Marocain. Ça fait même déjà trente ans !
— Sans blague ? dit l'autre... Trente ans, et vous êtes déjà blancs ?

108 ☐

Mobutu a invité Tschombé à déjeuner. Ils se font des tartines de pâté et, en même temps, ils discutent politique. Et Tschombé demande :
— Qu'est-ce que vous pensez de Lumumba ?
— Ben, finalement, opine Mobutu, je ne trouve pas que ce soit un mauvais bougre.
— Bon, dit Tschombé en lui tendant l'assiette de pâté, alors reprenez-en...

☐ **109**

A Bamako, un jeune Noir rencontre un de ses compatriotes qui a fait ses études en même temps que lui.

— Alors, ça va ?

— Ça va très bien. Maintenant, je travaille pour le gouvernement du Mali. J'ai un bureau au ministère !

— Quel ministère ?

— Le ministère des Colonies...

☐ **110**

Deux Noirs congolais, tous nus et couverts de peinture, sont en train de déguster un Blanc après l'avoir préparé à l'étouffée dans une grande cuve. Et le premier, tout en rongeant avidement un os, dit au second qui se lèche les babines :

— On dira ce qu'on voudra ! C'est quand même meilleur qu'au restaurant universitaire...

☐ **111**

Un fonctionnaire du fisc essaie d'expliquer à un brave paysan noir pourquoi il doit payer des impôts :

— Vous comprenez, cet argent que vous donnez à l'État, il finit par vous revenir, parce que l'État veillera à ce que vous ne manquiez jamais de nourriture...

— Ah ! bon, dit l'autre. C'est comme si je coupais la queue à mon chien pour lui donner un bon morceau de viande...

☐ **112**

Dans un village africain, au fond de la jungle, un sorcier se lamente amèrement :

— Ah ! On peut vraiment dire qu'on la regrette, la

colonisation ! Quand les Blancs étaient là, ça faisait bouillir la marmite...

113 ☐

C'est un roi qui a promis monts et merveilles à une petite starlette si elle acceptait de l'épouser. Il lui a offert mille bijoux et trente esclaves. Il a été si persuasif qu'elle a fini par lui céder. Pour fêter le mariage, une grande fête barbare commence et la tribu tout entière danse pendant trois jours et trois nuits. Puis les époux se retirent dans la case royale.

C'est vraiment extraordinaire de faire l'amour comme au bon vieux temps de l'Afrique sauvage. Et pourtant, il doit y avoir quelque chose qui cloche, parce que vers trois heures du matin, la fille se dresse sur sa couche, et elle dit :

— Écoutez, Majesté, enfin... je veux dire mon chéri, vous êtes un amant tout à fait incomparable, mais vraiment, cette manie de péter tout de suite après avoir joui, je trouve ça dégoûtant...

Alors le roi se met à glousser :

— Quand quéquette contente, cul-cul tam-tam...

114 ☐

Dans un coin perdu du Sahara, un aumônier militaire est venu visiter un détachement de légionnaires. Auparavant, le capitaine a fait la leçon à ses hommes :

— Surtout, pas de jurons ou d'obscénités pendant la visite de l'aumônier ! Montrez-lui que si vous savez vous battre, vous savez aussi vous tenir...

Puis, l'aumônier prend la parole devant le détachement au grand complet :

— Vous vivez loin de tout, mais vous pouvez être fiers de vos traditions. Je suis venu vous apporter le salut de Jésus-Christ qui fut aussi un héros dans son genre. Et qu'y a-t-il de plus pur que l'héroïsme, qu'y a-t-il de plus beau ?

A ce moment, quelques légionnaires vont pour ouvrir la bouche, mais le capitaine se lève et hurle :
— Le premier qui dit *mon cul*, je le fous au trou !

☐ 115

Un grand dignitaire guinéen est reçu avec force courtoisie dans un village de la brousse où le chef lui fait signer le livre d'or. Il prend la plume qu'on lui tend et il marque trois croix. Alors, le chef, tout étonné, lui demande :
— Pourquoi vous signez de trois croix, Bahou-Bahou ? D'habitude, vous signez seulement de deux croix.
— Parce que j'ai fait des études et maintenant je suis docteur ! Docteur Bahou-Bahou !

☐ 116

Trois nègres sont en train de discuter sur le bord du Niger.
— Moi, dit le premier, je crois que l'animal le plus méchant, c'est le lion.
— Et moi, dit le second, je suis pas d'accord. L'animal le plus méchant, c'est le crocodile.
— Vous vous trompez tous les deux, dit le troisième. L'animal le plus méchant, c'est le *crocolion*.
— Hein ? s'exclament les deux autres. Qu'est-ce que c'est que ça, le *crocolion* ?
— Le *crocolion*, c'est un crocodile par-devant, avec la gueule et les pattes de crocodile, mais à la place du derrière, il y a une moitié de lion avec la gueule et les pattes de lion !
— Mais alors, il peut pas faire caca ?
— Ben justement ! C'est pour ça qu'il est très méchant...

allemagne

117 □

Deux Allemands visitent Paris. Mais comme ils sont très snobs, ils veulent passer pour des touristes anglais. Ils entrent dans une brasserie des Champs-Élysées et le premier demande :

— Two martinis, please !

— Dry ? fait le barman.

Alors l'autre Allemand :

— Nein ! Zwei !

118 □

A Munich, un professeur de français dit à ses élèves :

— On accuse toujours la langue allemande d'être gutturale. C'est un mensonge. Et je vais même vous le prouver tout de suite. Prenez en allemand une phrase simple, par exemple (et il prononce les mots avec une douceur inspirée et chantante) : « *Die Vögel singen auf den Bäumen...* » Vous constatez à quel point ces sonorités évoquent l'harmonie de la nature... Au contraire, si vous traduisez cette phrase en français, vous obtenez une horrible et insupportable cacophonie (et il dit en hachant durement chaque syllabe) : « *Les tssoisseaux katssouillent dans les tssarpeurs...* »

119 □

Un industriel bavarois arrive à Paris et il va voir un bon ami français qu'il a connu pendant la guerre :

— Dis-donc, lui demande-t-il, comment est-ce que je peux faire pour avoir des petites femmes ?

— Oh ! ben c'est facile, dit l'autre, tu vas dans un bar américain et tu te choisis une entraîneuse !

— Ach ! Wunderbar ! Mais après, qu'est-ce que je dois faire pour avoir l'amour à la française ?

— Je vais t'expliquer. Tu l'emmènes dans un grand hôtel des Champs-Élysées. Tu fais monter un petit souper avec du champagne. Tu mets de la musique douce. Et quand tu sens qu'elle est à point, tu t'approches d'elle et tu lui verses doucement du champagne dans le cou en murmurant des mots tendres. En général, elles raffolent de ça !

— Ah ! Kolossale finesse ! Sensationnel ! crie l'Allemand béat. Mais est-ce que je peux faire avec de la bière ?...

□ **120**

Dans un ghetto de Prusse-Orientale, un officier de la Wehrmarcht s'approche d'un vieux marchand juif et lui dit :

— Et d'abord, de quoi te plains-tu ? La vie est bien meilleure pour toi sous l'ordre nouveau. Avant tu achetais des meubles, tu achetais des tissus, et qui recevait l'argent ? Les ploutocrates ! Et maintenant, tu vends tes habits, tu vends tes meubles et qui reçoit l'argent ? Toi, Isaac ! Toi tout seul...

□ **121**

Dans un restaurant de Berlin où pullulent les espions, les contre-espions et les agents doubles, un client appelle le garçon :

— Vous m'avez servi trois boulettes de viande hachée, mais je n'arrive pas à couper la troisième !

— Normal, dit le garçon. La troisième, c'est le microphone !

□ **122**

Un paysan arrive à Berlin-Est et il demande à un agent de la circulation :

— Pour aller à la Rheinstrasse ?

— Très simple, dit l'agent. D'abord, il faut que je vous dise que ce n'est plus la Rheinstrasse, c'est la Leninstrasse. Alors, vous prenez la Marxstrasse, ex-Goethestrasse. Au bout, vous tournez à droite dans l'allée Staline, ex-allée Bismarck. Vous continuez jusqu'à la Moskowaplatz, ex-Siegfriedplatz et après, c'est la première à droite...

— Merci, dit le paysan. Ex-heil Hitler!

123 ☐

Deux titis sont en train d'observer des touristes allemands qui visitent Paris.

— Mais, dit le premier, qu'est-ce qu'ils ont à s'engueuler comme ça?

— Ils ne s'engueulent pas, dit l'autre. Ils parlent de la douceur de vivre en France...

124 ☐

Un évêque allemand visite Paris, accompagné d'un chanoine français, quand tous deux voient passer une fort jolie fille:

— *Schön! Schön!* siffle l'évêque entre ses dents.

— Et abstinence... ajoute le chanoine.

125 ☐

Deux généraux allemands sont allés voir au cinéma le film *Mein Kampf* sur les atrocités hitlériennes. En sortant, le premier dit à l'autre:

— C'est beaucoup moins drôle que le livre...

126 ☐

Pendant la drôle de guerre, on s'ennuie ferme dans les tranchées. Un beau matin, le petit Mimile de Ménilmontant commence à trouver le temps long. Il se lève, il prend son fusil et il dit aux autres fantassins:

— Vous allez voir! On va se marrer! Je vais descendre un fridolin dans la tranchée d'en face... Il y en a sûrement un qui s'appelle Hans!

Et s'abritant derrière le bord de la tranchée, il se met à gueuler à tue-tête:

— Hans!

Aussitôt, à cinquante mètres de là, dans la tranchée allemande, un soldat allemand se dresse en criant:

— Ya!

Alors, Mimile le met en joue soigneusement et pan! il le descend. Mais il ne s'en tient pas là. Le lendemain matin et tous les jours suivants, juste à l'heure du café noir, il recommence le même manège. Et à chaque fois il zigouille un gars avec la même facilité.

Au bout d'un certain temps, du côté des Allemands, on finit par trouver la plaisanterie mauvaise. Alors, il y a le gros Hans qui dit à ses camarades:

— Ces Français, ils s'imaginent qu'on est des imbéciles épais! Mais moi, je vais leur montrer de quel bois je me chauffe. Il y en a sûrement un qui s'appelle Mimile. Il n'y a qu'à l'appeler et dès qu'il se montrera, on lui fait son affaire!

Et s'abritant derrière le bord de la tranchée, le gros Hans hurle à pleine gorge:

— Mimile!

— Oui! répond Mimile, qui est resté à couvert. C'est toi, Hans?

— Yawohl! braille le gros Hans en montrant sa grosse tête.

Et pan! Mimile le descend...

amérique

127 □

Un légat du pape arrive aux États-Unis et se présente chez le cardinal-archevêque de New York.

— Oh ! le cardinal est sur la plage, répond un vicaire, mais je vais vous y mener...

On conduit donc le légat pontifical au bord de l'eau et il voit arriver à sa rencontre un grand gaillard athlétique, bronzé jusqu'aux fesses, qui lui tape tout de suite dans le dos :

— Alors, vieille branche, on arrive de Rome ? Attends une minute !

Il se retourne vers la mer, où l'on voit passer une créature de rêve qui fait du ski nautique en bikini et il lui crie :

— Hello, Molly ! On se retrouve au bar dans un quart d'heure !

— Heu, fait le légat de Sa Sainteté, vous connaissez cette...

— Bien sûr, répond le cardinal, c'est la Mère supérieure des Carmélites...

128 □

Un Français découvre l'Amérique. Dans une gare de l'Illinois, il avise une machine automatique portant l'inscription : *Je vous dis qui vous êtes.* Il glisse une pièce dans la fente et un haut-parleur se met en marche :

— Vous vous appelez Jules Martin ; vous êtes de passage dans la gare de Middlepoint ; vous faites un voyage d'agrément aux États-Unis. Vous travaillez dans une banque à Paris, rue de la Paix ; vous avez un grain de beauté sur la cuisse gauche ; vous êtes marié ; vous avez trois enfants dont un qui a la coqueluche, et vous prenez dans douze minutes le train pour Los Angeles...

— Ça, c'est formidable, quand même, dit le gars. Mais il doit y avoir un truc...

Et l'idée lui vient d'essayer de tromper la machine. Il va fouiller dans la valise de sa femme, il s'enferme dans les toilettes et il s'accoutre d'une robe, d'un foulard, et d'une perruque. Puis il revient vers la machine et il remet une pièce.

Alors la même voix lui dit :

— Vous vous appelez toujours Jules Martin ; vous êtes toujours en voyage d'agrément aux États-Unis ; vous travaillez toujours dans la même banque de la rue de la Paix ; vous avez toujours un grain de beauté sur la cuisse gauche ; vous avez toujours trois enfants dont un qui a la coqueluche, mais avec vos conneries, vous venez de rater le train pour Los Angeles et je vous avertis qu'il n'y en a pas d'autre avant demain !

□ **129**

A bord d'un paquebot transatlantique, un Anglais s'approche d'un Américain et il lui dit :

— Pardonnez mon indiscrétion, mais pourriez-vous me dire qui a découvert l'Amérique ?

— C'est Christophe Colomb, répond l'Américain.

L'Anglais se confond en remerciements. Et quelques jours plus tard, alors que le bateau entre en rade de New York, il aborde de nouveau le même Américain :

— Je suis navré de vous déranger encore, mais imaginez-vous que j'ai oublié le nom de cet homme qui a découvert l'Amérique...

— C'est Christophe Colomb, répond l'Américain.

— Oh, c'est ça, bien sûr, fait l'Anglais.

Et il ajoute à part lui :

— Je me demande d'ailleurs comment il aurait pu ne pas la voir !

130 ☐

Dialogue entendu à Birmingham (Alabama) :
— John, il faut que je te dise un truc. La chose au monde dont j'ai le plus horreur, c'est le racisme !
— T'es sûr de ce que tu dis ?
— Oui. Il n'y a que les nègres qui me dégoûtent encore plus...

131 ☐

Aux États-Unis, le dernier jeu qui fait fureur s'appelle : *Do it yourself !* (faites-le vous-même !)
Car là-bas, on vend de plus en plus de choses en pièces détachées, avec un mode d'emploi, pour laisser au client le plaisir de monter l'objet lui-même.
Entre autres boîtes qu'on s'arrache dans les magasins, il y en a une qui contient deux madriers, des clous, un marteau et un Juif de trente-trois ans...

132 ☐

Un touriste belge, de passage à New York, tombe en arrêt devant une étrange machine automatique, sur laquelle trône un écriteau : *Je fais ça mieux que votre femme !* Et il assiste, éberlué, à une scène curieuse. Un passant s'est approché de la machine, et il vient de se coller la braguette tout contre.
Assez excité, notre homme s'avance à son tour, il met une pièce dans la fente, il entrouvre son pantalon et il s'offre à la machine comme il l'a vu faire. Alors on entend un horrible hurlement, et l'infortuné se retrouve avec un bouton cousu au bout de son extrémité la plus sensible.

□ **133**

Un gars de Belleville a gagné grâce aux jeux télévisés un voyage en Amérique. Il arrive à New York. Il cherche un petit taxi pour le conduire dans un petit hôtel et il ne trouve qu'un taxi grand comme un autobus qui le laisse devant un gratte-ciel.

Il entre dans l'hôtel, il demande une petite chambre sur la cour et on lui donne un appartement de neuf pièces. Alors, il se dit :

— S'il y a neuf pièces, il doit sûrement y avoir des chiottes quelque part...

Il ouvre toutes les portes. A la fin, il en voit une qui ressemble à une porte de toilettes. Il l'ouvre aussi et il tombe dans une piscine.

— Nom de Dieu, dit-il, avec le pot que j'ai aujourd'hui, je suis sûr qu'un corniaud va tirer la chasse.

□ **134**

Un homme d'affaires américain est en train de travailler dans son bureau au soixante-neuvième étage d'un building de New York. Soudain il entend la corne des pompiers et il sent une petite odeur de brûlé.

Il ouvre sa porte et il recule devant un mur de flammes. Il se précipite à la fenêtre et il voit, tout en bas, les pompiers qui lui font signe de sauter dans une grande bâche qu'ils ont tendue. Il hésite, mais comme la fumée commence à tout envahir, il se décide à sauter. Il se jette dans le vide, il atterrit en plein au milieu de la bâche.

Mais la toile est tellement raide que le gars rebondit en l'air comme une balle de tennis. Du coup, il repasse par la fenêtre de son bureau et il se retrouve dans son fauteuil.

Complètement affolé, il se rejette par la fenêtre, il rebondit dans son bureau, il se rejette par la fenêtre, il rebondit, il se rejette...

— C'est pas la peine d'insister, dit le capitaine des pompiers. Donnez-moi un fusil, on va l'abattre...

135 □

Un touriste français entre dans un snack-bar de New York et il dit au garçon :
— Qu'est-ce qu'il y a à manger ?
— Il y a du hot-dog, dit le garçon.
— Qu'est-ce que ça veut dire en français ?
— Ça veut dire un chien chaud.
— Mais c'est écœurant, ça ! C'est un plat du pays ?
— Oui.
— Bon ! Alors, il faut ce qu'il faut ! Donnez-moi un chien chaud !
Et le garçon lui sert une longue saucisse dans un petit pain.
Alors le gars, outré :
— Dites donc ! Y a quand même autre chose que cette obscénité dans le chien !

136 □

Quelque part du côté de l'Arkansas, un personnage à l'allure assez équivoque entre en se dandinant dans un saloon, s'approche du comptoir et réclame un sirop de menthe.
— Ici, on sert pas les pédés ! lance le barman d'un air mauvais.
Le gars papillotte des yeux, mais il ne se démonte pas pour si peu. Il s'éclipse et revient au bout d'une demi-heure, harnaché de pied en cap comme un vrai hors-la-loi : ceinture, bottes, pistolets. La bouche tordue, le regard impitoyable, les mains tout près de ses pétards et roulant des épaules, il jette d'une voix de basse :
— Un whisky triple et en vitesse !
Le barman lève un œil et répète imperturbablement :

— T'es sourdingue ou quoi ? J' t'ai déjà dit qu'on sert pas les pédés !

— Ah ! Cette fois-ci, vous charriez ! fait le gars en s'exhibant ostensiblement à l'attention des clients. Est-ce que j'ai encore l'air d'un pédé ?

Mais il ajoute soudain avec un petit cri affolé :

— Oh, merde ! J'ai gardé mon sac à main...

☐ **137**

Aux États-Unis, la plupart des éducateurs professent qu'il ne faut pas contredire les enfants. Cela les brime. Si votre enfant veut se jeter par la fenêtre, laissez-le faire. De toute manière, il ne recommencera pas...

☐ **138**

On demande à la femme du président Reagan quel a été son premier geste en entrant à la Maison Blanche.

— Euh, dit-elle. Eh bien, j'ai vendu mes esclaves...

☐ **139**

Dans une université américaine, un groupe de jeunes filles passe une visite médicale. La première qui se présente porte une énorme marque en forme de « H » sur la poitrine.

— Qu'est-ce que c'est que ça ? demande le médecin intrigué.

— Ce n'est rien, répond-elle en rougissant. C'est simplement mon boy-friend qui s'appelle Harry. Il s'est fait tatouer son initiale sur le torse et je crois qu'il m'a serrée tellement fort que c'est resté gravé...

La jeune fille suivante s'avance alors et le médecin s'aperçoit qu'elle a aussi la poitrine gravée, mais d'un grand « M ».

— Eh bien, dit-il en souriant, décidément cette histoire de tatouage est à la mode... Et je suppose que le jeune homme qui vous aime s'appelle Mike ou Martin ?

— Euh... non, docteur ! Il s'appelle William...

140 □

Au cours d'une grande réception officielle, une ravissante dame s'approche d'un sénateur américain et elle lui dit en minaudant :

— J'ai beaucoup entendu parler de vous !

Alors l'autre réplique :

— C'est possible, mais prouvez quelque chose !

141 □

Quelque part du côté du rio Colorado, un pasteur presbytérien raconte à sa femme :

— Je suis allé au saloon et j'ai été pris dans une rixe... L'un de ces ivrognes m'a même lancé une bible en pleine poitrine. Heureusement, j'avais une balle de revolver dans la poche, juste à l'endroit du cœur... Ça m'a sauvé la vie !

142 □

A Montgomery, dans l'Alabama, la police vient d'arrêter un Noir pour port d'armes. Il avait un couteau dans le dos...

143 □

Un businessman américain arrive à Chicago, épuisé par un long voyage, et il loue un appartement dans un grand hôtel. A peine entré dedans, il se fait couler un bain, il se déshabille et il se jette voluptueusement dans la baignoire en faisant des tas de bulles et de glouglous. Cinq minutes plus tard, un groom se présente devant lui, portant une bouteille de bière fraîche sur un grand plateau.

— Qu'est-ce qui vous prend ? s'écrie le gars. Qu'est-ce que vous venez faire ici ?
— Mais, monsieur, proteste le groom, j'apporte la bouteille de bière que vous m'avez demandée !
— Moi, je vous ai demandé de la bière ? Mais vous rêvez, mon ami !
— Ah ! Je demande pardon à monsieur, mais j'ai distinctement entendu que monsieur criait à travers la porte : « *Bring me a bottle of bubbling beer...* »

□ **144**

Quand les fées créèrent les États-Unis d'Amérique, elles décidèrent d'apporter dans le berceau du premier Américain, et de tous ceux qui naîtraient après lui, les plus belles qualités de la terre : les Américains seraient honnêtes, intelligents et capitalistes.
Mais on avait oublié d'inviter la fée Carabosse. Furieuse d'avoir été tenue à l'écart, celle-ci se mit à hurler :
— Les bonnes fées n'auront pas le dernier mot, car j'ai le pouvoir de défaire leurs promesses. Je proclame solennellement que les Américains n'auront jamais ces trois qualités à la fois, mais seulement deux. Ceux qui seront intelligents et honnêtes ne seront pas capitalistes. Ceux qui seront intelligents et capitalistes ne seront pas honnêtes. Ceux qui seront honnêtes et capitalistes ne seront pas intelligents. Qu'il en soit ainsi pour l'éternité !

□ **145**

Il y a de cela un certain temps, un touriste américain était interrogé à brûle-pourpoint sur les Champs-Élysées par un reporter de la télévision française :
— Cher monsieur, pouvez-vous nous dire quel est votre type de femme préféré ? Est-ce que vous aimez mieux les Américaines ?

— Oh ! non.
— Alors, les Scandinaves ?
— Pas tellement !
— Les Allemandes ?
— Euh... non. Si vous tenez absolument à le savoir, je préfère les Françaises !
— Mais c'est très bien, monsieur ! Vous nous faites très plaisir. Et quelle est la Française type, à vos yeux ?
— Ben... Grace Kelly !

146 ☐

Dans une ville de l'Alabama, un Noir, au volant d'une vieille voiture déglinguée, vient de brûler un feu rouge. Le policeman de service se précipite pour l'arrêter et l'agonit d'injures :
— Alors, espèce de mal blanchi, on se croit tout permis ? On passe au feu rouge ?
— Ben, monsieur l'agent, fait le Noir humblement, j'ai vu les Blancs passer au vert... Alors j'ai cru que le rouge était pour les Noirs...

147 ☐

Une histoire qui se raconte à New York, maintenant qu'on n'y parle plus du Viêt-nam. Dialogue entre deux Afghans dans une rue de Kaboul :
— Tu connais la nouvelle ? Les Russes sont arrivés sur la planète Mars !
— Non, c'est pas possible ? Tous ?

amoureux

148 ☐

Lui : — Mon amour, je t'en supplie, dis-moi que je suis vraiment le premier dans ta vie...

Elle : — Mais bien sûr, chéri. Je me demande ce qu'ils ont, les hommes, à poser tous la même question !

□ 149

Un joli petit couple s'est échappé dans la campagne et ces amoureux s'embrassent avec frénésie. Au bout d'un moment, elle lui dit :

— Attends ! Je vais aller derrière la haie et quand je reviendrai, tu auras une grosse surprise !

Et elle fait ce qu'elle a dit. Le gars attend, debout, le pantalon sur les chevilles. Il attend. Et puis il entend une voix derrière la haie :

— Cent vingt-deux... cent vingt-trois... cent vingt-quatre...

Le gars se demande ce qu'elle fait, mais comme il attend sa surprise, il ne bouge pas. Et au bout d'une demi-heure, il entend la même voix qui fait :

— Neuf cent quatre-vingt-dix-huit... Neuf cent quatre-vingt-dix-neuf... Au secours ! C'est un mille-pattes !

□ 150

C'est un philosophe qui a déniché une fille belle comme le jour. Elle est fascinée par son intelligence. Il est subjugué par sa beauté. Il lui dit :

— Désormais, nous ne devons plus faire qu'un !

Et elle lui réplique :

— Oui, mon amour ! Mais lequel ?

□ 151

— Chéri, dis-moi ce que tu préfères. Une femme jolie ou une femme intelligente ?

— Ni l'une, ni l'autre, chérie ! Tu sais bien que je n'aime que toi.

152 ☐

Dans le coin sombre d'un porche, deux amoureux se mangent de baisers. Deux petits mioches sont en train de les regarder et il y en a un qui dit à l'autre :

— Vise un peu ! Il essaie de lui piquer son chewing-gum !

153 ☐

Déclaration d'amour au téléphone :

— Chérie ! Je n'en peux plus de vivre sans toi ! Je suis prêt à tout pour te garder... Et si tu me quittais, je ferais le tour du monde à pied pour te retrouver ! Je traverserais la mer, la jungle et les déserts...

Et à l'autre bout du fil, la fille glousse :

— Oh ! Mon amour... Viens tout de suite ! Je t'attends ! Je commence à me déshabiller...

— Euh... Pas ce soir ! balbutie le gars. Y a du crachin...

154 ☐

Un samedi soir au bois de Boulogne... La nuit d'été est douce et il y a plein d'amoureux allongés dans les bosquets. Dans un coin, une fille se laisse enlacer par un beau garçon et elle lui glisse dans l'oreille :

— Oh ! mon chéri ! Comme c'est romantique ! Tu entends les grillons ?

— C'est pas les grillons, fait le gars. C'est les fermetures Éclair...

155 ☐

Un jeune garçon fait la cour à une charmante demoiselle. Mais il est tellement timide que c'est plutôt elle qui parle.

— Dites-moi, mon petit Jean-Paul, vous ne trouvez pas que j'ai les yeux comme des perles d'Océanie ?

— Euh... oui !

— Et mes jolis cheveux cendrés ne vous font pas penser à des fils de la vierge?

— Mais oui!

— Et le bas de mon ventre n'est-il pas comme un nid de chardonnerets?

— Oh! oui...

— Mon Dieu, mon chéri, comme j'aime quand vous me dites d'aussi jolies choses!

☐ **156**

Deux fiancés se présentent à la mairie pour la publication des bans.

— Voyons voir, dit l'employé. Nous disons Sorgue Gilbert et Sorgue Marguerite... Tiens, c'est curieux, vous portez le même nom? Ça n'arrive pas souvent! Il y a une relation?

— Oh! Juste une fois, dit le jeune homme en rougissant. On ne pouvait plus se retenir...

☐ **157**

Une belle histoire d'amour pour faire méditer les mathématiciens:

«Deux parallèles s'aimaient... Hélas!»

☐ **158**

Il a ramassé une jolie fille sur la route, une charmante petite paysanne du terroir. Il l'emmène chez lui. Il sort une bouteille de whisky, il ouvre une boîte de caviar et lui fait des tartines. Il met de la musique douce. Elle mâche un peu et elle lui dit:

— C'est joli chez vous, mais la confiture de mûres, elle sent un peu le poisson...

☐ **159**

Un garçon qui a beaucoup de succès auprès des femmes accoste une fille assez belle et il lui dit:

— Je n'ai pas de temps à perdre ! C'est oui ou c'est non ?
— Ben, fait la fille, vous voulez qu'on aille chez vous ou chez moi ?
— Oh ! Si vous commencez à discuter, répond le gars, n'en parlons plus !

160 ☐

On ne s'est jamais demandé pourquoi les filles baissent les yeux quand les garçons leur font des déclarations d'amour.
Eh bien, c'est tout simplement pour savoir si c'est vrai...

161 ☐

Deux amis se rencontrent :
— Qu'est-ce qui t'arrive ? Tu as perdu la voix ?
Et l'autre, complètement aphone :
— Oui. Imagine-toi que je suis tombé amoureux d'une girafe et elle ne veut rien entendre...

162 ☐

Un morceau de sucre, follement épris d'une petite cuillère, lui demande, le cœur battant :
— Où pourrions-nous prendre un rendez-vous ?
Et la petite cuillère lui répond hypocritement :
— Dans un café...

ange

163 ☐

Un ange a reçu de saint Pierre l'autorisation exceptionnelle de retourner sur terre pour quelques jours. Mais le gardien du Ciel l'a bien averti :

— N'oublie pas que si tu te laisses aller à un seul désir, tes ailes disparaîtront!

Le bel ange résiste à toutes les tentations, et pourtant il va au cinéma, aux Folies-Bergère et dans tous les lieux de perdition. Mais soudain il tombe en arrêt dans un square devant la statue d'un ange tout nu qui lui lance des flèches.

Alors il se rend compte que ses ailes sont en train de diminuer et, terrorisé, il remonte à toute allure au ciel où saint Pierre le reçoit, haletant, et le fait rentrer dans le rang.

Quinze jours se passent et l'ange, qui ne peut plus se dépêtrer des beaux souvenirs de son voyage, demande à saint Pierre de le laisser repartir:

— Je vous en supplie! Je m'ennuie trop ici! Je veux retourner sur terre. Et cette fois-ci, je serai très fort...

Il plaide sa cause tant et si bien qu'il obtient une seconde permission. Et tandis qu'il s'envole, joyeux, saint Pierre le regarde s'en aller, mais tout d'un coup le vieux patriarche se sent une démangeaison dans le dos: ce sont ses ailes qui diminuent, qui diminuent...

☐ **164**

La portière de sa voiture à travers la gueule, un homme se présente à la porte du Paradis:

— Dites donc, vous êtes drôlement ébréché, lui dit saint Pierre. Comment avez-vous fait votre compte?

— Je ne sais pas, fait l'autre. Il a dû se passer quelque chose... Ah, si! Maintenant je me souviens... Je roulais sur la Nationale 7 et tout d'un coup ma femme m'a dit: Passe-moi le volant, tu seras un ange...

☐ **165**

Deux anges font la causette.

— Quel temps fera-t-il demain?

— Nuageux.
— Ah, tant mieux ! On pourra s'asseoir...

166 □

Pendant la création du monde, le Bon Dieu appelle un ange et il lui passe un savon :
— Regarde ce que tu as fait, lui dit-il en lui montrant une sole. Je t'avais dit de la laver, mais pas de la repasser !

---

angleterre

---

167 □

Dans un pub anglais, un type a pris l'habitude de venir tous les soirs avec son chien et sa chienne. Et tous les trois, ils se tapent un scotch.
Un jour, par hasard, le chien et la chienne viennent seuls. Le barman est tellement habitué qu'il les sert quand même. Le lendemain, le gars s'amène et il dit au barman :
— Hier soir, j'ai pas pu venir, mais je vous dois deux whiskies pour les bêtes. Vous avez été tellement gentil avec ces deux-là en mon absence, vous avez si bien compris qu'ils ne pourraient pas se passer de leur petit alcool, que vous méritez un petit cadeau. Alors, tenez, je vous ai apporté une belle langouste.
— Ah ! Merci, monsieur, fait le barman, je vais l'emmener chez moi pour dîner...
— Oh ! Non, non, répond l'autre. S'il vous plaît, ne faites pas ça ! Elle a déjà mangé, je veux dire, cette langouste a déjà mangé ce soir. Vous n'avez plus qu'à la mettre au lit...

168 □

Un touriste français s'est perdu dans le fameux

brouillard de Londres. Comme quelqu'un le heurte soudain, il lui demande :

— Vous ne savez pas de quel côté est la Tamise?

— Certainement. Elle est juste derrière moi!

— Vous en êtes sûr?

— Je pense bien. J'en sors à l'instant...

☐ **169**

— Vous, les Français, déclare un lord britannique, vous ne savez pas ce que c'est que le tact. Par exemple, quand vous entrez par mégarde dans une salle de bains où se trouve une dame nue, vous refermez la porte en disant: *Pardon, madame!*

— Ah? Et qu'est-ce qu'il faut faire?

— Refermer la porte, bien sûr, mais dire: *Pardon, monsieur!*

☐ **170**

La cuisine anglaise? Si c'est chaud, c'est de la soupe. Si c'est froid, c'est de la bière.

☐ **171**

Un client téléphone à la fameuse firme d'import-export *Smith, Smith, Smith and Smith*:

— Allô! je voudrais parler à monsieur Smith, s'il vous plaît.

— Oh, monsieur, je suis navré, mais monsieur Smith est en croisière aux Bahamas.

— Ah, bon, eh bien alors, pouvez-vous me passer monsieur Smith?

— Cela ne me semble guère possible, monsieur, car monsieur Smith est en traitement: il ne vient plus à son bureau depuis huit jours.

— Voilà qui est ennuyeux... Mais pourrais-je avoir monsieur Smith en communication?

— Non, monsieur. Décidément vous jouez de malchance. Monsieur Smith est en conférence à la Bourse de Commerce.

— Dans ces conditions, y a-t-il quelqu'un qui remplace monsieur Smith?
— Mais certainement, monsieur. Vous pouvez parler avec moi-même: je suis monsieur Smith.

172 ☐

Quelle est la différence entre l'étudiant d'Oxford et l'étudiant de Cambridge?
L'étudiant d'Oxford croit que le monde lui appartient. L'étudiant de Cambridge se moque éperdument de savoir à qui appartient le monde, pourvu que lui, il appartienne à un certain monde.

173 ☐

Dans un de ces clubs anglais où les gentlemen doivent rester assis des heures dans des fauteuils voisins sans jamais s'adresser la parole, un jeune comte se risque à aborder un vieux lord:
— Est-ce que vous fumez, sir?
— Non, merci. Je n'ai fumé qu'une fois, ça m'a suffi!
Un grand silence, puis le jeune comte reprend:
— Voulez-vous un whisky, sir?
— Non, merci. J'ai bu de l'alcool une seule fois et je ne recommencerai jamais.
Au bout d'un quart d'heure, le jeune comte se décide à reprendre la parole:
— Voulez-vous que j'aille vous chercher un journal, sir?
— Non, merci, fait le lord, je n'ai lu un journal qu'une seule fois dans ma vie et on ne m'y reprendra plus.
Du coup, le jeune comte se sent glacé, mais au bout d'un moment, surprise! c'est le lord qui fait rebondir la conversation:
— Vous m'êtes très sympathique, jeune homme, il faudra que je vous présente ma fille!
— Oh! dit le comte, fille unique naturellement?

□ 174

A la chambre des Lords, deux hauts dignitaires britanniques se croisent dans les couloirs.

— Cher ami, dit le premier, je suis profondément navré d'apprendre que vous avez dû enterrer votre épouse...

— Que voulez-vous, répond l'autre, j'étais bien obligé : elle était morte.

□ 175

Un grand bourgeois anglais et sa femme sortent du théâtre. Ils s'apprêtent à prendre un taxi, mais ils s'aperçoivent que quelqu'un l'a hélé avant eux. Or, ce personnage se retourne, s'avance vers eux et leur adresse la parole avec la plus exquise urbanité :

— Prenez donc ce taxi à ma place. Je ne suis pas pressé et je peux attendre le suivant.

— Merci mille fois, monsieur, dit la femme. Nous sommes confus.

— Tout le plaisir sera pour moi, répond l'homme en souriant. Oserais-je cependant vous demander du feu... Je n'ai pas d'allumettes sur moi.

— Comme je regrette, dit le mari. Moi non plus. Mais merci encore pour votre obligeance !

Une fois dans la voiture, la dame prend son mari à partie.

— Enfin, William, je ne vous comprends pas. Pourquoi ne pas avoir donné du feu à un être aussi serviable ? Je sais très bien que vous avez des allumettes sur vous !

— Mary, lui répond-il, vous êtes une tête sans cervelle. Si je lui avais donné du feu, nous aurions engagé la conversation. Naturellement, nous nous serions trouvé des amis communs. Nous aurions probablement pris le même taxi, et arrivés à la maison, nous aurions été obligés de l'inviter à prendre un verre. Comme à cette heure, notre fille Evelyne n'est pas encore couchée, il aurait fait sa connaissance. Or, vous savez bien qu'Evelyne est très influençable. Je pense qu'elle serait tombée amoureuse de ce parfait gentleman. Alors, le voilà qui revient nous voir, plusieurs fois par semaine, et dans deux ou trois mois, il nous demande Evelyne en mariage. Voyons, Mary, réfléchissez un peu. Comment voulez-vous que je donne ma fille à quelqu'un qui n'a même pas d'allumettes sur lui ?

176 □

Un homme d'affaires anglais écrit à un concurrent qui lui a fait une entourloupette :

— Cher monsieur, ma secrétaire, étant une *lady*, ne peut se permettre de vous écrire ce que je pense de vous. Moi-même d'ailleurs, qui suis un *gentleman*, je ne peux le penser. Mais puisque vous n'êtes ni l'un ni l'autre, et vu l'obscénité de la chose, je suis sûr que vous m'avez deviné...

177 □

Un autobus londonien s'arrête devant Hyde Park. Le chauffeur est noir, le receveur est noir et comme par hasard, tous les voyageurs sont noirs à l'exception d'un petit vieux très propre assis au milieu.

Alors, il y a un Anglais qui monte dans l'autobus, il considère le spectacle en levant imperceptiblement le sourcil, il s'approche du seul voyageur blanc et il lui dit en s'inclinant :

— *Doctor Livingstone, I presume ?*

178 □

Un Juif polonais s'est expatrié en Angleterre. Un matin, il a débarqué à Londres, sans aucune valise, avec sa longue tunique de soie noire tout usée et son chapeau de fourrure traditionnel.

Mais bien sûr, il a su prendre les habitudes britanniques. Et maintenant que ses affaires sont florissantes, il décide de devenir un vrai gentleman. Il se rend chez le plus grand tailleur de Saville Row et il commande un habit de cérémonie. On lui prend ses mesures. Une semaine plus tard, il vient pour l'essayage. Il se regarde dans une glace. Il est stupéfait de se voir si noblement vêtu. Pourtant, il ne se trouve pas encore tout à fait anglais.

Le tailleur s'en aperçoit et lui pose sur la tête un chapeau melon. C'est mieux, mais ce n'est pas encore ça. Alors le tailleur lui tend une canne à pommeau d'argent. Le gars se regarde encore et il sent qu'il manque un tout petit quelque chose pour qu'il soit parfaitement britannique.

Tout d'un coup, le tailleur se frappe le front, il sort un œillet rouge d'un vase et il le lui épingle à la boutonnière. Maintenant, c'est un vrai gentleman qui recule de deux pas pour se considérer tout entier dans le grand miroir. Et le tailleur lui dit :

— Monsieur est parfait ! Monsieur est un vrai lord !

Alors le type ferme les yeux, il pince les lèvres, une longue larme coule sur sa joue et il murmure en sanglotant :

— Quel malheur que nous ayons perdu les Indes...

□ 179

Dans un club de Londres, deux gentlemen sont en train de lire silencieusement le *Times*. Après un très long silence, le premier prend son courage à deux mains et se décide à engager la conversation :

— Vous étiez officier, je suppose ?
— Certainement !
— De l'armée des Indes ?
— Oui.
— Votre régiment était cantonné à Calcutta ?
— Exactement.
— Homosexuel ?
— Non.
— Alors, vous devez être le major Macaulan du Troisième Lanciers ?

180 ☐

Qu'est-ce qu'un gentleman ?

C'est un homme capable de deux choses. Premièrement : décrire une vamp sans faire de gestes. Deuxièmement : entendre toujours une histoire drôle pour la première fois...

181 ☐

Un jeune Anglais est venu gagner sa vie à Paris. Il s'est fait crieur de journaux. Il se promène sur les grands boulevards en hurlant :

— Édition spéciale ! On a émasculé le président de la République ! Édition spéciale ! Le président de la République n'est plus un homme !

Naturellement, la foule s'arrache les journaux. Il y a même une telle bousculade qu'un flic s'approche et prend le gars au collet :

— Attendez un peu ! Je vais vous fourrer au bloc pour propagation de fausses nouvelles...

— Mais c'est pas *un faux nouvelle*, proteste l'Anglais. Regardez ! C'est écrit noir sur blanc : le chef de l'État vient de donner *sa seconde bal* pour *le* Croix-Rouge...

182 ☐

En 1940, ne sachant plus quoi faire pour envahir l'Angleterre, Hitler a décidé d'assécher la Manche.

Il a fait masser un million de soldats allemands tout le long de la côte normande, à un mètre les uns des autres, et au commandement des officiers, *ein, zwei, drei*, chacun d'eux doit avaler trois gorgées d'eau de mer.

Pendant toute la première journée, l'opération marche très bien, mais au coucher du soleil, la brise du soir apporte des côtes anglaises une énorme rumeur :

— *One, two, three, pipi !*

☐ **183**

Un gars demande à un copain :
— Qu'est-ce que ça veut dire : *I don't know* ?
Et l'autre répond :
— Je ne sais pas !

☐ **184**

Deux petits Anglais sont assis devant une soupière de potage et le premier dit à l'autre :
— *It is an interesting soup, not a great soup...*

☐ **185**

Un lord anglais fait venir son fils aîné et il lui dit :
— Mon cher William, il est temps que vous appreniez à jouer au golf. Je vais vous expliquer la règle de ce noble jeu. Il faut poser une petite boule de deux centimètres de diamètre sur une grosse boule de treize mille kilomètres de diamètre. Et puis vous prenez votre club et vous essayez de frapper la petite sans toucher la grosse...

☐ **186**

Un gentleman déjeune dans un club de Londres. Il ne s'est pas aperçu que sa braguette est ouverte. Alors le maître d'hôtel s'approche cérémonieusement et il lui tend une soucoupe d'argent sur laquelle est posé un billet plié en deux. L'Anglais pose sa fourchette lentement. Il prend le papier, il le déplie et il lit :
« Pardonnez-moi de vous déranger, mais votre braguette est ouverte ! Et sauf votre respect... je vous aime ! »

☐ **187**

C'est un Anglais qui remplit son devoir conjugal.

Soudain il rallume la lumière dans l'alcôve, il se penche vers sa femme et il murmure :
— Je vous ai fait mal ?
— Non, dit-elle.
— Tiens, c'est curieux ! Alors, pourquoi avez-vous bougé ?

188 □

— Voyez-vous, dit un membre de la Chambre des Lords à un sénateur français, je suis né Anglais, j'ai toujours vécu en Anglais et je tiens absolument à mourir en Anglais. Ce n'est pas du nationalisme, c'est de l'insularité...
— Mais alors, dit l'autre, vous n'avez aucune ambition ?

189 □

Dans une rue de Londres, deux Rolls-Royce se bouchent mutuellement le passage et aucun des deux chauffeurs ne veut céder la place. Le premier descend et crie :
— Laisse passer le duc de Bedford, espèce d'enflé !
Le second ouvre sa portière et montre sa passagère qui n'est autre que la reine d'Angleterre :
— Et ça, dit-il, c'est de la merde ?

190 □

Un Français, de passage en Angleterre, engage la conversation dans un pub avec deux Anglais fort distingués.
— Vous savez, dit-il, je connais déjà Londres. J'y suis resté deux ans pendant la guerre. C'est une ville que j'aime beaucoup.
— Ah ! bon, dit placidement l'un de ses interlocuteurs. Et où logiez-vous ?
— Dans le quartier de Carnaby Street.

Alors le deuxième Anglais, qui est un peu dur d'oreille, demande au premier :
— Qu'est-ce qu'il dit ?
— Eh bien, père, réplique l'autre, il dit qu'il a vécu à Londres.
Puis se tournant vers le Français, il ajoute :
— Mais alors, peut-être avez-vous connu Margaret Redgrave ?
— Margaret ! s'exclame le Français. Je pense bien ! C'était un sacré morceau, cette Margaret ! Elle s'envoyait en l'air comme une déesse...
— Qu'est-ce qu'il dit ? répète le vieil Anglais.
Et l'autre se met à hurler :
— Il dit qu'il a connu mère, père !

antiquité

☐ **191**

L'histoire se passe au temps des Romains. On a installé dans le Colisée une immense piste de patinage sur glace et la foule applaudit à tout rompre devant un gladiateur qui patine en faisant des *VIII*...

☐ **192**

Abel rencontre son frère et il lui dit :
— Comment ça va, Caïn ?
— Caha ! répond l'autre.

☐ **193**

Le philosophe Diogène vivait tout nu dans un tonneau installé au milieu de la rue. Il se branlait sans souci des passants. Et quand quelqu'un lui jetait de quoi manger, il se levait et allait lui pisser tranquillement dessus, en guise de remerciement... S'il arrivait que, par snobisme, un homme riche l'invite à dîner en lui recommandant de ne pas cracher par terre, alors il lui crachait au visage, prétextant que c'était le seul endroit dégueulasse qu'il avait trouvé dans toute la maison...

Un jour, Alexandre le Grand voulut faire un détour par Corinthe pour rencontrer cet homme étrange. Il se planta devant le tonneau de Diogène et déclara :

— Je suis Alexandre le Grand, l'homme le plus puissant du monde. Que puis-je faire pour toi ? Demande-moi ce que tu veux et tu l'auras...

Et Diogène répondit :

— Tu me fais de l'ombre. Ote-toi de mon soleil...

194 ☐

— Élève Vespasien, clame le professeur, je suis navré d'avoir à vous dire que vous sortez trop souvent pendant la classe !

195 ☐

Un gamin revient du catéchisme.

— Alors, que vous a-t-il raconté, le curé ? lui demande sa mère.

— Eh bien, voilà. Il y a les Hébreux, enfin, je veux dire les Israéliens, qui vont passer la mer Rouge. Ils grimpent sur des péniches de débarquement. Mais voilà que l'armée égyptienne se ramène. Alors, on appelle Tel-Aviv au téléphone et Tel-Aviv envoie un barrage aérien et des tanks amphibies. Si bien qu'à la fin du compte, les Égyptiens sont repoussés et les Hébreux passent la mer !

— Comment ? dit la mère, c'est comme ça qu'il a raconté l'histoire ?

— Non, pas du tout. Mais si je la racontais comme il l'a racontée, eh bien, personne n'y croirait.

196 ☐

Si Néron a fait mettre le feu à Rome, c'est pour fêter son anniversaire. Toutes les maisons brûlent. L'incendie dégage une harmonie extraordinaire. Dans le cirque, au même instant, on a jeté des centaines de chrétiens aux lions. Et sur la *Via Appia*, on a cloué deux mille esclaves sur des croix, à perte de vue...

L'empereur est au comble du ravissement. Il décide de passer en revue les suppliciés. Il roule sur son char, tout le long de cette longue file d'agonisants. Et tout d'un coup, il s'arrête. Il a cru entendre une parole.

Il s'approche d'un des crucifiés et il est certain maintenant que l'homme lui dit quelque chose. Il se fait apporter une échelle. Il monte jusqu'au dernier échelon pour se trouver à portée de voix du malheureux. Il tend l'oreille et il entend enfin, comme dans un dernier murmure:

— *Happy birthday to you!*

☐ **197**

Ça se passe dans l'Antiquité, en Terre Sainte, dans une grande exploitation agricole. Le père de famille s'aperçoit que son veau gras a fait une fugue. Il est très malheureux, parce que c'était sa plus belle bête et qu'il y tenait beaucoup.

Toute une saison s'écoule et un beau soir, voilà que le veau gras revient. Alors le père est tellement content qu'il fait tuer son fils prodigue.

---

aphrodisiaque

☐ **198**

Il a soixante-quinze ans. Il vient d'épouser une jeune fille de dix-neuf ans. Et il a peur de ne pouvoir la satisfaire. Alors il profite de ce qu'elle a le dos tourné pour se verser un aphrodisiaque dans son potage. Et soudain la mariée s'exclame:

— Mais mon chéri, qu'est-ce qu'ils ont vos vermicelles à se dresser brusquement comme ça?

199 ☐

Un petit vieux s'engueule avec son marchand de poissons :

— Vous m'avez vendu une douzaine d'huîtres, hier soir, espèce d'escroc ! Et vous m'avez dit que les huîtres, c'était aphrodisiaque ! Vous vous êtes foutu de ma gueule !

— Comment ça ? dit le poissonnier. Ces douze huîtres, ça ne vous a fait aucun effet ?

— Si ! dit le gars. Mais quatre seulement...

200 ☐

Cette douce jeune fille est un peu inquiète. Elle vient d'épouser un vieux barbon et elle n'est pas tout à fait sûre qu'il puisse encore la transporter au septième ciel. Alors elle est passée chez le pharmacien et elle a acheté une boîte de pilules aphrodisiaques.

— Vous lui en ferez avaler deux avant d'aller au lit, dit le pharmacien. Et vous allez voir ! Il va retrouver ses vingt ans...

Le lendemain, elle s'amène chez le pharmacien et elle lui confie :

— Extraordinaire, vos pilules ! Il a pensé que deux, ça serait pas suffisant. Alors, il a avalé tout le contenu de la boîte ! Nom de Dieu, quelle nuit ! Il m'a fait l'amour sept fois de suite... Ben, on peut dire que grâce à vous, il est mort heureux !

201 ☐

Les laboratoires américains viennent de mettre au point une nouvelle pilule d'amour qui est à la fois aphrodisiaque et tranquillisante. Elle fait bander comme un fou, mais si on ne trouve personne à tringler, eh bien, on s'assoupit gentiment...

arabe

☐ 202

Un richissime émir du Moyen-Orient fait visiter son harem à un journaliste américain. Au passage, il jette son mouchoir de dentelle à une jeune nymphette de seize ans, la désignant ainsi comme sa favorite de la nuit prochaine.

— Et les autres ? demande le journaliste, passablement excité. Comment font-elles pendant ce temps ?

— Eh bien, dit l'émir, elles se mouchent avec leurs doigts !

☐ 203

Mohamed travaille à Puteaux et il a envoyé son fils à l'école pour apprendre le français. Le môme, il est assis au troisième banc et tout d'un coup il dit :

— Y en a pas de crayon.

Alors, très gentiment, l'instituteur se lève, s'approche de lui et lui dit :

— Écoute, mon petit, on ne dit pas « Y en a pas de crayon ! » Il faut dire : « Je n'ai pas de crayon, tu n'as pas de crayon, il n'a pas de crayon, nous n'avons pas de crayon, vous n'avez pas de crayon, ils n'ont pas de crayon. » Tu as compris ?

— Oui. Mais alors, où qu'ils sont passés, tous ces crayons ?

☐ 204

Trois légionnaires, égarés dans les sables africains, ont été capturés par les gardes d'un sultan arabe, au moment où ils venaient de s'introduire dans son harem. On les emmène, enchaînés, au pied du trône, et le sultan leur déclare avec un sourire mauvais :

— Quiconque a tenté de séduire ou d'approcher mes femmes doit souffrir par où il a péché... Cependant, vous aurez le choix du supplice qui vous privera de vos attributs virils. Vous, le premier, que faisiez-vous dans l'existence ?

— J'étais bûcheron, fait le gars piteusement.

— Alors, on vous la hachera ! Et vous, le second ?

— J'étais pompier...

— Alors, on va vous la brûler !

A ce moment, le troisième légionnaire se met à sauter de joie et il crie :

— Et moi, j'étais marchand de sucettes, marchand de sucettes !

205 ☐

Un inspecteur de l'administration algérienne inspecte les campagnes dans la Mitidja. Il arrive dans la ferme de Mohamed et il découvre des plantations de tabac.

— Comment ! s'écrie-t-il. Tu sais bien, Mohamed, qu'il est interdit de cultiver le tabac sans une autorisation du ministère ?

— Le tabac ? déclare Mohamed innocemment. Mais c'est pas du tabac, c'est des artichauts !

— Des artichauts ? hurle l'inspecteur. Tu te moques de moi. Regarde ça ! Si ce n'est pas du tabac, je veux bien me faire pendre !

— Oh ! dit Mohamed, après tout, c'est possible qu'il ait poussé du tabac par-ci par-là. Quelqu'un a dû passer et jeter des mégots...

206 ☐

Après huit ans d'études médicales à Paris, le jeune Mohamed rentre dans son douar et ouvre un cabinet de consultation. Sur sa porte, il met un écriteau : *Gynécologie. De deux heures à six heures.*

Quelques jours plus tard, son père, le vieil Ibrahim,

vient le voir, et il est tout surpris de croiser à l'entrée une kyrielle de jolies moukères.

En sortant, il regarde bien l'écriteau sur la porte, il rentre chez lui, et le lendemain il met à son tour un écriteau devant sa maison : *J'y nique au gourbi à l'heure qu'ti veux...*

□ **207**

Un émir arabe, en grande djellaba blanche, s'approche d'un flic qui règle la circulation sur les Champs-Élysées et il lui demande :

— Vous ne connaîtriez pas une agence matrimoniale ?

— Certainement, fait le flic. Première rue à droite au numéro sept.

Et le bonhomme file à l'adresse indiquée, mais au bout d'un quart d'heure, il est de retour.

— Tiens, c'est encore vous, dit le flic. Alors, vous avez trouvé ce qu'il vous fallait ?

— Oh ! oui... J'ai trouvé quinze épouses blondes aux yeux bleus, exactement comme je les aime... Et maintenant, vous pourriez pas me donner l'adresse d'un grossiste ?

□ **208**

Deux ouvriers arabes bavardent sur un chantier :

— Tu sais qu'avec deux bites, on peut faire une jolie fleur ?

— Sans blague ? Comment ça ?

— Ben oui ! Zob et pine...

□ **209**

C'est un touriste qui se balade dans un souk de Tunisie. Et un marchand arabe lui propose d'acheter un chameau :

— Très belle bête ! Il coûte pas cher. Il boit rien. Il mange presque rien. Tu devrais faire l'affaire, mon z'ami...

Alors le gars achète le chameau. Et avant qu'il l'emmène, le marchand lui dit :
— Tu fais bien attention ! Pour le faire avancer, tu dis *ouf !* Pour le faire arrêter, tu dis *merde !* Ce chameau-là, il connaît pas d'autres mots, mais il les connaît bien...
Le bonhomme, il monte sur son chameau et il part faire une promenade dans les dunes. Et au bout de dix minutes, il voit que le chameau arrive au bord d'un précipice. Il commence à s'affoler. Il ne se souvient plus de ce qu'il faut dire. Et pris de panique, il se met à hurler :
— Merde !
Le chameau avait déjà un pied dans le vide. Mais il s'arrête net... Alors le gars sort son mouchoir, il s'essuie le front, il pousse un grand soupir de soulagement et il s'écrie :
— Ouf !...

210 ☐

Deux Algériens très distingués discutent affaires dans un bar élégant de la rue de la Paix. Le premier s'appelle Ahmed ben Mohamed ben Sadok-Slimane. Et l'autre, Bechir ben Ali Ahmed Naheli Gamal.
— Dis donc, demande le premier, comment s'appelle le type avec qui on a traité l'affaire des vins hier soir ? Je n'arrive pas à me rappeler son nom !
— Ben, dit l'autre, il s'appelle Durand.
— Ah oui ! C'est ça... Durand.

211 ☐

Ahmed pose une charade à son ami Kader :
— Ma première, y en a pas de première. Ma seconde, y en a pas de seconde. Et mon tout, y en a personne dedans ! Qu'est-ce que c'est ?
— Euh...
— Cherche pas ! C'est un train de marchandises...

☐ **212**

Dans un laboratoire médical, on a chargé un Algérien de séparer un lot de rats en mettant les femelles d'un côté et les mâles de l'autre.

Le lendemain, le professeur tombe en arrêt devant trois cages de rats et il lit trois inscriptions : mâles, femelles, pieds-noirs... Quand l'Algérien revient, il lui demande :

— Qu'est-ce que c'est que ça, les pieds-noirs ?

Et l'autre lui dit :

— C'est les rats pas triés...

☐ **213**

Un émir arabe du Koweit réunit ses quatre-vingts concubines et il leur déclare :

— Je dois vous annoncer que je vais vous quitter !

Il baisse la tête d'un air contrit et il ajoute :

— Je suis tombé amoureux d'un autre harem...

☐ **214**

Le tirailleur Mohamed vient se plaindre au capitaine :

— Mon capitaine, il y a Bechir, tous *li* soirs, il vient *sir* ma paillasse et il me *fi* des choses par-derrière !

— Mais c'est très libidineux, ton histoire, dit le capitaine.

— Non, mon capitaine, pas seulement *li bi di* nœud... Tout *li* morceau !

---

aristocratie

☐ **215**

Trois dames de la plus haute société britannique sont en train de prendre le thé dans un petit jardin du côté de Calcutta.

Soudain, un gorille sort d'un buisson, il s'empare d'une des ladies et il disparaît avec. Les deux autres ont un petit moment de gêne. Puis elles continuent à tourner leur thé avec une petite cuiller et il y en a une qui dit à l'autre :

— Je ne sais pas si vous êtes de mon avis, mais je ne vois vraiment pas ce qu'il lui trouve...

216 □

Deux lords anglais discutent politique :

— Si le gouvernement décide cela, jamais le peuple britannique ne l'acceptera !

— Mon pauvre Harold, comment pouvez-vous parler ainsi ? Vous ne connaissez pas le peuple anglais ! Vous n'avez pas le moindre contact avec lui. Vous vivez dans votre tour d'ivoire ! Je suis même sûr que vous n'avez jamais pris un autobus de votre vie...

— Un autobus ? Euh... Mon Dieu, c'est vrai, vous avez raison. Je parle peut-être trop présomptueusement. Vous venez de me faire honte ! Je vais prendre un autobus demain !

Et le lendemain, le lord prend la file d'attente à une station d'autobus. Quand l'autobus arrive, il monte dedans et il dit au conducteur :

— Menez-moi au numéro 87 d'Elms Street...

217 □

Un duc fait visiter son château à un groupe de touristes et voilà qu'il repère parmi eux quelqu'un qui lui ressemble comme un frère. Il profite d'une pause pour s'approcher de lui et il lui dit :

— Vous avez déja entendu parler de ma famille ?

— Euh, oui, fait le gars.

— Je vois ce que c'est, dit le duc. Votre mère a dû travailler ici comme femme de chambre ?

— Non, dit le gars. C'est mon père qui y était jardinier !

☐ 218

— Et comment s'appelle ce petit baptisé ? demande le prêtre au parrain.

— Il s'appelle Jean Adolphe Norbert Evariste Pommier de Chartier de la Mirandole...

— Oh ! fait le prêtre.

Il se tourne vers l'enfant de chœur et il lui lance :

— Va me chercher de l'eau à la sacristie. Je n'en aurai pas assez...

☐ 219

La comtesse vient de se confesser. Elle rentre au château et elle dit au comte qui est en train de lire son journal :

— J'ai dit à monsieur le curé que pendant tout ce carême, pas un morceau de viande ne m'avait traversé le corps...

Le comte enlève ses lunettes et il la regarde :

— Quand vous parlez de moi, ma chère, même à un prêtre, j'aimerais bien que vous employiez d'autres expressions...

☐ 220

Le paquebot vient de faire naufrage. La tête d'un lord anglais sort de l'eau et sa main s'accroche à une épave providentielle. De l'autre main, il se caresse le menton :

— Voyons, voyons ! Où en étais-je resté ? Ah oui ! *Au secours !*

☐ 221

Un lord anglais a soulevé un petit rat de l'Opéra et il l'emmène passer une fausse lune de miel dans son château du Northumberland.

Un soir, il est installé dans sa bibliothèque, en train de lire un ouvrage héraldique quand soudain la porte s'ouvre et la petite danseuse fait son apparition. Il se retourne furieux et lui lance :

— Je vous avais pourtant dit de ne jamais me déranger à cette heure-ci !

— Mais Milord, gémit-elle, c'est pour une chose importante ! Je voulais vous avertir que je suis enceinte de vous...

— Ah ! réplique-t-il, glacial. Et que comptez-vous faire ?

— Mon Dieu ! gémit-elle en fondant en larmes, je crois que je vais me suicider !

Alors il se lève, s'approche d'elle, lui passe la main dans les cheveux et lui dit avec un bon sourire :

— Je savais bien que vous seriez fair-play...

222 □

C'est une vieille duchesse toute ridée qui veut traverser la rue. Mais les voitures ne la laissent jamais passer... Alors un jeune homme exquis s'approche d'elle et lui dit :

— Permettez-moi, madame la duchesse, de vous tendre un bras secourable et de vous accompagner sur l'autre trottoir !

Et ils traversent tous les deux. Alors la duchesse se répand en remerciements :

— Jeune homme, vous rachetez à vous seul toute la jeunesse française ! Permettez-moi de vous féliciter pour votre courtoisie et votre savoir-vivre !

— Ce n'est rien, fait le gars, mais si je n'avais pas été là, ces cons-là vous auraient écrasée comme une vieille merde !

223 □

C'est un monsieur très vieille France, un descendant des princes de la Roche Taillée, avec un monocle vissé sur l'œil et toujours un pli impeccable au pantalon.

Il est en train de faire une croisière sur un grand paquebot et voilà que le paquebot sombre, corps et biens. Le gars remonte à la surface en pleine mer. Il tient son monocle d'une main et il nage de l'autre.

Et soudain, il se trouve face à face avec un requin. Alors il ne perd pas son sang-froid, il sort un canif de sa poche et il s'apprête à défendre sa vie. Mais le requin lui dit :

— Comment, mon prince! Du poisson avec un couteau?

☐ 224

La duchesse de Beaumanoir donne un souper de quatorze couverts. Mais à la dernière minute, un invité se décommande. La duchesse qui est très superstitieuse ne veut pas d'une table où l'on se retrouve à treize. En désespoir de cause, elle téléphone au colonel qui commande la garnison et elle lui dit :

— Mon colonel, il faut absolument que vous m'envoyiez un de vos plus beaux officiers en tenue de gala pour ce soir.

— Mais certainement, madame, et croyez que je suis très honoré de pouvoir vous rendre ce service.

— Comme c'est gentil de votre part, dit la duchesse. Je vous assure que vous m'enlevez une sérieuse épine du pied. Ah, mon Dieu! J'oubliais de vous dire quelque chose d'un peu délicat. Surtout, ne m'envoyez pas un officier juif! Nous ne pouvons pas supporter ces gens-là ici.

— Mais n'ayez crainte, madame, dit le colonel.

Et le soir, à huit heures très précises, un magnifique lieutenant sénégalais se présente à la porte du salon.

— Dieu du ciel, dit la duchesse en se précipitant vers lui, mais ce n'est pas possible! Le colonel a dû se tromper...

— Oh non, madame, dit le lieutenant en s'inclinant courtoisement. Le colonel Lévy ne se trompe jamais !

assassin

225 □

Un gars était tellement misanthrope qu'il voulait tuer toute l'humanité. Quand il fut passé aux actes et qu'il se retrouva seul sur terre, le diable se présenta à lui en souriant :
— Eh bien, tu as oublié quelqu'un ! Et toi ?
— Oh ! mais moi, dit le gars, je suis pas humain...

226 □

Deux amis se rencontrent dans l'autobus et engagent la conversation. Le premier a l'air tellement radieux que l'autre lui demande :
— T'as gagné à la loterie ?
— Non, dit le gars. Mais ma femme est morte !
— Hein ?
— Oui. Je l'ai tuée !
— Quoi ? Et la police ?
— Pas de police ! C'est une combine à moi ! Tout le monde croit qu'elle est morte de mort naturelle...
— Mais comment tu as fait ?
— Pas compliqué ! Je lui ai fait l'amour tout le temps jusqu'à ce qu'elle crève. Je faisais ça jusqu'à dix fois par jour. En deux mois, elle a été liquidée !
— Sensationnel ! Je te remercie du tuyau. Il n'est pas tombé dans l'oreille d'un sourd !
Et les deux copains se séparent. Quelque temps après, le premier, celui qui est veuf, décide d'aller rendre visite à l'autre. Son pote vient lui ouvrir et il est complètement méconnaissable : il a vieilli de trente ans, il bafouille, il est squelettique, c'est à peine s'il arrive à marcher !

En revanche sa femme est resplendissante, elle pète de santé, elle chantonne et elle fait des cabrioles.

Alors le vieil infirme tire son copain par la manche et il lui dit :

— Ta méthode est formidable ! Tu as vu ma femme ? Elle ne se doute de rien, mais la salope n'en a plus que pour quelques jours !

☐ 227

Un homme dévoré de jalousie vient de commettre un abominable crime passionnel. Mais bourrelé de remords, il sent le besoin de se confesser.

C'est un rabbin qu'il va voir d'abord mais celui-ci, brandissant l'Ancien Testament, menace presque de le dénoncer à la police.

Dépité, notre homme va trouver un pasteur protestant dans l'espoir qu'un homme marié pourra mieux le comprendre et l'absoudre. Hélas ! le pasteur, écœuré, se voile la face lui aussi.

En désespoir de cause, l'assassin entre dans le confessionnal d'une église :

— Mon père, j'ai tué...

Et il entend derrière le grille une voix calme et onctueuse qui lui répond benoîtement :

— Combien de fois, mon enfant ?

☐ 228

Un milliardaire américain est à l'agonie. Comme il n'a jamais pu avoir d'enfants, il convoque sa secrétaire à son chevet :

— Liz, lui dit-il, j'ai décidé de vous laisser toute ma fortune.

— Oh, monsieur, dit-elle, que c'est gentil à vous. Que puis-je faire pour adoucir vos derniers instants ?

— Eh bien, enlevez votre pied du tuyau d'oxygène...

229 ☐

Deux ménagères se croisent au marché :
— Tiens ! Comment ça va ? Et votre mari qui avait découpé sa maîtresse en morceaux ? Toujours en prison ?
— Non ! Il est sorti. Il a bénéficié d'une remise de peine pour bonne conduite !
— Formidable ! Qu'est-ce que vous devez être fière de lui !

230 ☐

Le président apostrophe l'accusé :
— Vous l'avez tuée. Qu'avez-vous à répondre ?
— Monsieur le Président, je l'aimais, je l'aimais à la folie.
— L'histoire est bien connue. Ce n'est pas une excuse. Je vous condamne à vingt ans.
Alors l'avocat se penche vers l'accusé et lui glisse :
— Rien à dire. Quand on aime, on a toujours vingt ans !

231 ☐

La tireuse de cartes :
— J'ai une horrible nouvelle à vous annoncer. Votre mari est en danger de mort.
La dame :
— Ah, bon ! Est-ce que je serai acquittée ?

232 ☐

C'est une bobonne qui s'est mise à détester son mari. Lui, il s'en fout, il lit son journal. Alors elle lui dit :
— Je vais te tuer !
Lui, il s'en fout, il lit son journal. Alors elle s'excite :

— Tu ne veux pas me croire ? Tu vas voir ! J'ai lu la recette des sorciers Bagoboulous. J'ai pris un cheveu de toi, je l'ai collé sur une photo de toi, et dès que je vais toucher le cheveu avec une aiguille à tricoter, tu vas crever d'une crise cardiaque !

Lui, il s'en fout, il lit son journal. Alors elle met son projet à exécution. Avec un rictus sauvage, elle vise le cheveu et elle transperce la photo. Mais c'est elle qui tombe, raide morte...

Lui, il s'en fout, il lit son journal, il dit seulement :

— Ça t'apprendra à te servir de mon peigne...

☐ 233

— Non, monsieur le Président, s'écrie l'accusé, vibrant de sincérité. Je vous jure que je n'ai pas étranglé ma femme ! Elle est seulement morte d'émotion quand je l'ai prise à la gorge...

☐ 234

Un journaliste anglais interroge un centenaire :

— Dites-moi, Jacky, à quoi attribuez-vous votre extraordinaire longévité ?

— Eh bien, lui répond le vieux, au fait qu'on n'a jamais retrouvé Jack l'Éventreur...

☐ 235

— Chéri, j'ai mal à la tête. J'ai tellement mal à la tête que je ne la sens plus...

— Mais non, mon amour. Elle est très bien, ta tête, dans la sciure...

assurances

236 ☐

Un petit bonhomme à l'allure timorée entre dans un building en s'appuyant sur un vieux parapluie, il s'approche d'un guichet et il dit :
— Je voudrais une assurance sur la vie !
— Mais certainement, monsieur, répond l'employé. Vous avez peut-être un métier dangereux ? Vous êtes cascadeur, acrobate, pilote de course ?
— Euh... non, fait le gars.
— Alors, vous prenez souvent l'avion ?
— Mais non !
— Eh bien, vous travaillez peut-être sur des échafaudages ?
— Pas du tout !
— Mais vous avez au moins une voiture ?
— Une voiture ? Oh ! non. Je ne sais pas conduire. Je travaille dans un ministère et j'y vais à pied...
— A pied ? Alors je suis navré, mais nous ne pouvons pas vous assurer. Il y a trop de risques...

237 ☐

— Allô ? La Compagnie d'Assurances ? Mon mari avait une assurance contre l'incendie et il vient juste de mourir. Vous pouvez m'envoyer l'argent ?
— Il est mort dans un incendie ?
— Non ! Il est mort d'une mauvaise grippe ! Mais je l'ai fait incinérer...

238 ☐

Une compagnie d'assurances vient de faire fortune en protégeant ses clients contre les risques qu'on court en signant des contrats avec les compagnies d'assurances...

atroce

☐ 239

— Il y a beaucoup de mouches dans votre ferme, dit le Parisien.

— Oh ! répond le paysan, c'est pas grave. Quand il y en a vraiment trop, le pépé s'en charge !

— Le pépé ? Comment ça ?

— Eh bien, on l'enduit de miel et toutes les mouches vont sur lui.

— Mais c'est atroce ! Le pauvre homme doit terriblement gigoter.

— Non. Il est paralysé...

☐ 240

— Maman s'est remariée et mon nouveau papa m'apprend à nager.

— Ah, bon ! Et tu te débrouilles bien ?

— Oh, oui ! Je commence déjà à sortir du sac tout seul...

☐ 241

Le petit garçon vient de recevoir un beau train électrique. Il se tourne, radieux, vers son père et il lui dit :

— Oh ! papa, c'est formidable ! C'est juste de ça que j'avais envie ! Mais tu sais, tu es trop gentil ! Ça aurait pu attendre Noël...

Et le père répond en bougonnant :

— Ah ! tu crois ça ? Et ta leucémie aussi, elle va attendre ?

☐ 242

— Dis maman, qu'est-ce que c'est qu'un vampire ?

— Tais-toi et bois avant que ça coagule...

243 □

— Toto, arrête de tourner en rond tout le temps, ça me donne mal au cœur. Toto! Je te dis d'arrêter tout de suite, ou sinon je te cloue l'autre pied...

244 □

Un petit garçon sort de l'école, il traverse dans le passage clouté et hop! un autobus lui passe dessus et lui coupe les deux bras.

Il se relève, parce qu'il est très courageux, il descend la rue, il arrive devant chez lui et hop! un rouleau compresseur lui passe dessus et lui écrabouille les deux jambes.

Alors, il se traîne jusqu'à la porte de sa maison, il frappe avec sa tête, sa maman vient lui ouvrir et il dit:

— Maman! Bobo...

245 □

C'est un gars vraiment pas favorisé par la nature. Il a une jambe plus courte que l'autre, les yeux qui se disent bonjour, les cheveux qui tombent par plaques, la peau grumeleuse et des tics plein la figure. Il a aussi une bosse dans le dos et un gros trou béant à la place du nez.

Un jour, après bien des recherches, il sonne chez une dame et il lui dit:

— Vous n'auriez pas, par hasard, fait une fausse couche en 1931, et ce petit, vous ne l'auriez pas, par hasard, foutu à la poubelle?

— Mon Dieu, fait la dame, mais oui! Comment le savez-vous?

Alors le gars fond en larmes et il crie:

— Maman!

☐ **246**

Un petit garçon hurle :
— Où elle est, maman ? Où elle est, maman ? J'ai besoin de maman ! Où elle est, maman ?
Exaspéré, son père soulève le couvercle de la marmite :
— Tiens ! Elle est là, ta mère !
Le môme regarde et il se met à hurler :
— C'est pas vrai ! T'as pas tout mis !

☐ **247**

Un Juif qui vient de mourir, torturé par la Gestapo, arrive au paradis. Toute une foule apitoyée l'entoure et Jésus lui-même arrive, avide de détails :
— Alors, dites-moi. Ces supplices, ce doit être épouvantable ? Surtout cette croix gammée. Ce que c'est que le progrès, tout de même !

☐ **248**

Dans un hôtel crasseux d'un quartier pourri, un type est monté derrière une fille qui n'est pas à toucher avec des pincettes. Il se jette sur elle et au bout de cinq minutes, il se met à crier :
— Ah ! Je nage dans le bonheur !
— Non ! dit-elle d'un air pincé. Tu nages dans le pus. T'es tellement excité que t'as fait sauter toutes mes croûtes !

☐ **249**

Papa ! Pourquoi tu veux pas me dire ce que c'est qu'un père indigne ?
— Tais-toi, petit connard, et suce !

☐ **250**

Qu'est-ce que tu as à crachoter des pépins comme ça ?

— C'est rien... J'ai fait une pipe... ttppp... à un type... ttppp... qui avait tringlé un pédé qui avait bouffé des figues...

251 □

Une clocharde poisseuse et un vieux pouilleux sont allongés sous un pont. Un rayon de lune se faufile jusqu'à eux. C'est l'été. Il fait doux. On entend voler beaucoup de mouches. Elle est sur le point de s'endormir. Machinalement elle avance la main vers lui et la surprise lui fait ouvrir un œil:
— Tu bandes, chéri?
— Non, dit-il, je chie...

252 □

Une dame entre dans un magasin de vêtements pour enfants et elle demande:
— Vous n'auriez pas une brassière noire pour mon petit mort-né?

253 □

Toto est en train de traîner une petite fille dans le ruisseau en la tirant par les cheveux. Horrifiés, des passants s'approchent et protestent:
— Qu'il est méchant ce petit! Tu n'as pas honte de faire mal à cette petite fille?
Et Toto de rétorquer avec insolence:
— Mêlez-vous de vos affaires! D'abord c'est pas une petite fille, c'est ma sœur! Et puis je lui fais pas mal, parce qu'elle est morte...

automobile

☐ **254**

En allant à l'école, une ravissante petite fille remarque les panneaux de stationnement dans la rue. A gauche : *Interdit du 1er au 15*. A droite : *Interdit du 16 à la fin du mois*.

— Mais c'est pas possible, dit-elle. Ils n'ont pas entendu parler de la pilule ?

☐ **255**

— Moi, je vous conseille d'acheter une deux-chevaux, dit le garagiste.

— Ah ! Pourquoi ? demande le client.

— Parce que la deux-chevaux, ça mène à tout, à condition d'en sortir...

☐ **256**

Un gars appelle un toubib de toute urgence :

— Venez vite, docteur ! Ma femme s'est trompée de bouteille. Elle a avalé un litre d'essence et elle n'arrête plus de tourner en rond dans le jardin...

— Ce n'est rien, dit le docteur. Fermez seulement le portail sur la rue. Elle s'arrêtera quand elle aura usé tout son carburant...

☐ **257**

Il est soûl comme un Polonais. Il vient à grand-peine de se hisser dans sa bagnole et il se met à hurler :

— Au secours ! C'est affreux ce qui m'arrive ! Ils ont tout emporté, les salauds ! Le volant, le tableau de bord, le pare-brise, les pédales ! Mais comment je vais faire pour repartir ? Il faut que j'appelle la police...

Et puis tout d'un coup, il a un éclair de lucidité :

— Sacré nom de Dieu, que je suis con ! Je me suis assis sur le siège arrière...

258 □

C'est une voiture suisse qui est arrêtée au feu rouge. Le feu passe au vert et elle ne démarre pas. Alors une voix vient de derrière :
— Hé ! Guillaume Tell ! T'attends qu'elle mûrisse ?

259 □

Deux garçons quelque peu efféminés roulent dans une voiture rose, derrière un énorme camion, quand soudain, celui-ci freine sec avec un horrible crissement. Et naturellement, la petite voiture va s'emboutir sur l'arrière du poids lourd.
Le jeune homme qui conduisait sort de sa bagnole, la cravate de travers, il se précipite vers la cabine du camion et il se met à crier d'une voix de fausset :
— Dites donc, espèce de vilain chauffeur, vous vous rendez compte de ce que vous avez fait ? Vous avez votre carte d'assurance ?
Le chauffeur, un vrai mastodonte, jette un regard de biais vers le petit mec et il laisse tomber :
— Ma carte, tu peux te la carrer dans l'oignon, pauvre pédale !
Alors, tout penaud, le jeune homme revient vers son ami. Il cherche quelque chose à dire et il fait :
— T'inquiète pas ! A la façon dont il m'a causé, je crois que ça va s'arranger à l'amiable...

260 □

Cette très jolie fille, qui faisait de l'auto-stop, a été embarquée par un homme d'affaires dans sa Jaguar. Au bout d'un moment, il lui dit :
— Vous voyez, je fais cette route de Paris-Lille très souvent et cette semaine, c'est la quatrième fois que je ramasse une femme enceinte...

— Mais je ne suis pas enceinte ! dit la passagère.
— Oui, mais vous n'êtes pas encore à Lille...

☐ **261**

Un flic arrête un gars qui roule à tombeau ouvert, à l'envers du sens unique :
— C'est déjà pas mal, lui dit-il, de prendre un sens unique à contre-courant, mais en plus vous dépassez la vitesse limite !
— Ben oui, dit le gars. Je dois être sacrément en retard puisqu'ils sont tous en train de revenir...

☐ **262**

— Alors, hurle l'agent de police, vous n'avez pas vu le feu rouge ?
— Oh ! vous savez, répond la femme du monde, les feux rouges, quand on en a vu un, on les a tous vus !

☐ **263**

C'est un gars un peu ruiné. Quand il marche dans la rue et qu'il va tourner, il tend le bras sur le côté. Forcément, ça finit par se remarquer. Un beau jour, un sergent de ville l'arrête et lui dit :
— Pourquoi faites-vous ça ?
— Oh ! Pardonnez-moi, monsieur l'agent, dit-il, mais c'est tout ce qu'il me reste de ma bagnole.

☐ **264**

Un pneu crevé en pleine cambrousse. Un mec furieux sort de sa voiture. Pour réparer, il lui faudrait un cric, mais il a oublié le sien. La nuit tombe, le village le plus proche est à cinq kilomètres.
— Y a pas à tortiller, se dit le gars. Faut que j'y aille à pied. Je trouverai bien un garagiste pour me prêter un cric.
Et il se met courageusement en marche. Mais son front s'obscurcit lentement :

— Évidemment, il y a sûrement un garage dans ce bled, seulement il sera fermé quand j'arriverai. Alors, il faudra que je réveille ce foutu mécanicien en pleine nuit et il va la trouver mauvaise!

Et tout en marchant, il continue de réfléchir:

— Il va peut-être me prêter son cric, mais il me fera payer le dérangement. Ça va me coûter bonbon! Oui, je le vois venir avec son tarif de nuit. Il va me demander les yeux de la tête!

Il avance toujours, il a fait au moins la moitié du chemin et il pense à part lui:

— Ces gars-là sont tous des saligauds. Ils profitent de n'importe quoi pour se beurrer. Et moi, je serai obligé d'accepter, parce que je n'ai pas d'autre solution!

Maintenant, le village est en vue. Le gars commence à pester à voix haute:

— Avec les ploucs, c'est toujours pareil. Il détestent les gens de la ville. Il va carrément me prendre à la gorge. Je ferais mieux de lui dire non et d'aller me plaindre à la gendarmerie. J'ai horreur d'être pigeonné.

Enfin, le bonhomme arrive devant le garage, complètement épuisé et au comble de la colère. Naturellement, le garage est fermé.

Alors le gars ramasse une grosse caillasse et il l'envoie dans la fenêtre du premier étage. Réveillé en sursaut, le garagiste ouvre la fenêtre et il voit une forme noire qui hurle:

— Voleur, vampire, sale pédé! J'en veux pas de ton cric! Tu peux te le foutre au cul!

265 ☐

Une ravissante jeune fille passe son permis de conduire.

— Et à quoi sert la ligne jaune? lui demande l'examinateur.

— Euh... Ça doit être pour les cyclistes!

☐ **266**

Un automobiliste s'arrête devant une station-service et il dit au garagiste :

— Voudriez-vous jeter un coup d'œil sur ma voiture. Il y a quelque chose qui ne tourne pas rond...

Et pendant que l'autre s'exécute, il ajoute :

— Je vous avertis que j'ai fait monter un économiseur sur le carburateur. Et puis j'ai aussi branché une pipe d'épargne sur le tuyau d'admission... Et ce n'est pas tout. J'ai un tuyau d'échappement expérimental, grâce auquel je consomme beaucoup moins...

Le garagiste est complètement éberlué.

— Ben, mon vieux, dit-il, ça doit coûter cher tout ça !

— Bien sûr, opine l'autre, mais je me rattrape sur l'essence. Sans compter que j'ai fait installer dans le moteur un relais automatique qui surmultiplie la vitesse pour la même combustion !

Alors le garagiste, écœuré, demande au gars :

— Parfait. Dans ce cas, qu'est-ce qui ne tourne pas rond ?

— Ben, je vais vous dire ! J'ai fait le plein il y a plus de cent kilomètres et maintenant, j'ai mon réservoir qui déborde...

☐ **267**

Un motard de la gendarmerie siffle un automobiliste lancé à cent trente à l'heure dans la traversée d'un village. Il poursuit la bagnole qui finit par s'arrêter sur le bas-côté de la route. Alors le chauffeur passe la tête par la portière et il dit gentiment :

— Excusez-moi, monsieur l'agent, mais comme je n'ai plus de freins, je me dépêche de rentrer chez moi avant d'avoir un accident...

☐ **268**

Un petit inventeur vient de mettre au point la

voiture électrique. Il s'amène tout faraud chez le directeur de Renault et il exulte :

— Regardez-moi ça ! C'est une révolution dans le domaine de l'industrie automobile. Avec ma petite merveille, vous pouvez faire Paris-Lille pour le prix d'un paquet de cigarettes !

L'autre le regarde, un peu incrédule. Il contemple longuement le prototype qu'on lui présente et il déclare en toussotant :

— Un paquet de cigarettes ? Vous êtes sûr ?

— Je pense bien ! Mais naturellement, il faut s'acheter deux cents kilomètres de fil électrique...

269 □

Au Salon de l'Automobile, un provincial s'approche d'un employé qui surveille un stand de plus de mille mètres carrés.

— Bonjour, monsieur, lui dit-il. Je voudrais acheter une berline six cylindres...

— Ah ! Je suis navré, fait l'autre, mais vous vous trompez... Ici nous ne vendons que des plantes vertes !

— Des plantes vertes ? Mais c'est pas possible... Alors, c'est pour quoi faire, toutes ces bagnoles dans votre stand ?

— Ben, c'est pour la décoration...

270 □

Un touriste belge est en vacances à l'étranger. Il entre dans un bistrot et il déclare :

— S'il vous plaît, vous n'auriez pas un bout de fil de fer ? Je ne sais plus ouvrir la portière de ma voiture, mais comme la glace est restée un peu baissée, je voudrais essayer d'accrocher une fois la poignée intérieure...

Et le voilà reparti dans la rue à essayer de crocheter sa portière avec son fil de fer en se contorsionnant comme un beau diable. Au bout d'un

moment, on entend une voix qui vient de l'intérieur de la bagnole. C'est sa femme qui lui dit :
— Un peu plus à gauche !

☐ 271

Au Salon de l'Auto, un démonstrateur est en grande conversation avec des clients :
— Écoutez-moi bien ! Si vous commandez cette deux-chevaux avec des harnais de sécurité, vous n'aurez plus de vignette à payer !
— Mais comment ça se fait ?
— Tout simplement parce qu'avec des harnais de sécurité, elle est considérée comme un sac à dos...

☐ 272

Lui : — Tu as garé ta voiture, mon chou ?
Elle : — Oui, chéri. En partie...

☐ 273

Un gars arrête un taxi et il dit au chauffeur :
— Faites-moi faire le tour du quartier. Je ne sais plus où j'ai garé ma voiture...

☐ 274

Après une étape particulièrement fatigante, un chauffeur de poids lourd s'est rangé sur le côté de la route et il s'est endormi sur son volant, quand soudain il entend une voix qui lui dit :
— Oh ! Monsieur, vous ne pourriez pas venir m'aider, s'il vous plaît ?
Et il voit une fille roulée comme une déesse qui lui explique comment son cabriolet est tombé en panne... Alors, il descend de son vingt tonnes et il va jeter un coup d'œil sur le moteur de la belle. En cinq minutes, il a réparé l'anicroche et la fille lui saute au cou :
— Oh ! Merci, monsieur ! Ce que vous pouvez être gentil, vous alors ! Et moi qui vous ai réveillé en plein

sommeil.... Je suis confuse. Mais dites-moi, vous êtes très mal installé pour dormir dans cette cabine ! Si vous veniez dormir chez moi ? Je n'habite pas très loin... Et demain matin, je vous ramènerai à votre camion frais et dispos !

— Dormir chez vous ? bredouille le gars qui n'en croit pas ses oreilles.

— Mais oui, susurre-t-elle.

Et elle l'embarque dans son cabriolet. Une heure plus tard, il monte le perron d'une merveilleuse villa blottie au fond d'un grand parc. Sur une petite table, un souper aux chandelles est servi.

— Mon Dieu ! s'écrie le camionneur, du petit salé aux lentilles ! C'est ce que je préfère ! Mais vous n'êtes pas une femme, vous êtes une fée !

— Peut-être ! dit-elle en battant des cils.

Et quand il a fini son repas, elle lui offre un délicieux armagnac. Puis elle ajoute :

— Vous êtes mort de fatigue ! Je vous ai préparé la chambre bleue.

Et le gars se met au lit dans des draps soyeux en murmurant :

— C'est incroyable, ce qui m'arrive !

Et comme il vient d'éteindre la lumière, il entend gratter à la porte. Il se redresse sur son lit et à la lueur du clair de lune, il voit entrer son hôtesse, vêtue seulement d'un petit collier de perles. Elle s'approche doucement de lui et elle murmure d'une voix languissante :

— J'ai peur de coucher toute seule ! Vous ne voulez pas me faire une place à côté de vous ?

— Bien sûr ! bégaie-t-il.

Et la fille, entrant dans son lit, se blottit dans ses bras en disant :

— Poussez-vous encore un peu ! C'est tellement étroit !

Alors il se pousse encore un peu et... il tombe du camion !

☐ **275**

Au lieu de suivre les flèches de circulation, un chauffard bifurque n'importe comment, créant un désordre indescriptible. Un motard le prend en chasse, arrive à sa hauteur et lui crie :

— Et alors ? Vous n'avez pas vu les flèches ?

— Non, fait le gars. J'ai pas vu les flèches, j'ai pas vu les Indiens, j'ai rien vu...

☐ **276**

Une dame se présente dans une station-service avec sa voiture en accordéon :

— Est-ce que vous pouvez faire quelque chose ? dit-elle.

Alors, le garagiste regarde la bagnole en penchant la tête et il réplique :

— Désolé. Ici, on lave, mais on ne repasse pas...

☐ **277**

C'est un tout petit flic qui règle la circulation à un feu rouge. Et tout d'un coup une belle voiture décapotable passe, avec une fille encore plus belle dedans, qui brûle le feu rouge. Le flic siffle comme un fou, mais la voiture file à toute allure.

Alors il se met à courir derrière en pensant qu'elle sera obligée de s'arrêter au feu rouge suivant. Et il se tape un cent mètres pour rien, parce qu'il arrive juste au moment où la voiture redémarre.

Du coup, il devient violet. Pris au jeu, il reprend ses jambes à son cou en sifflant de plus belle. Il ameute tout le quartier et au bout d'un kilomètre de course, il arrive enfin à rattraper la bagnole, qui a été arrêtée par un encombrement.

Il s'effondre sur la portière en tirant la langue comme un chien de chasse. Il enlève son képi, il s'essuie le front, il essaie de reprendre son souffle et tout d'un coup il se met à hurler à l'adresse de la fille :

— Vous n'avez pas entendu que je sifflais, non ?
— Mais non, monsieur l'agent, dit la fille étonnée.
Alors le petit flic jette son képi par terre, il le piétine sauvagement et il éclate en sanglots :
— Mais alors, bon Dieu, à quoi je sers, moi ?

278 □

Un gars raconte à un copain :
— J'avais dragué une fille extraordinaire. Je lui paie un verre. Je l'emmène au cinéma. Et puis je lui propose d'aller faire un tour en voiture avec moi. Elle me dit : « D'accord ! » On va chercher la voiture. Elle me dit : « Il fait chaud ! Ça vous ferait rien de décapoter la bagnole ? » Je lui dis : « D'accord. » Eh bien, tu ne vas pas vouloir me croire ! Le temps de décapoter la voiture, elle avait foutu le camp !
— Mais enfin, ça ne tient pas debout. A moi aussi, il m'est arrivé des coups de ce genre. C'est pas dans les trois ou quatre secondes qu'il faut pour décapoter une voiture, que la fille peut se barrer !
— Ah ! Peut-être ! Mais toi, tu as une voiture décapotable !

avion

279 □

Dans l'avion, l'hôtesse de l'air annonce :
— Pour vous éviter d'avoir à remplir les fiches de police, je vais passer parmi vous et vous demander vos noms...
Puis elle s'approche d'un passager et elle lui dit :
— Vous vous appelez ?
— Konschtrikoff, dit-il.
— Ah ! Vous êtes russe ! Vous m'épelez ?

— Oh ! fait l'autre avec un grand sourire, vous me plaît aussi, mademoiselle !

□ 280

Le super-jet, nouveau modèle, vient de décoller pour la première fois de l'aérodrome de Los Angeles. Les passagers sont assis dans de superbes fauteuils et ils entendent une voix feutrée dans un super-haut-parleur qui leur dit :

— Mesdames, messieurs, *ladies and gentlemen,* vous êtes les premiers passagers à voyager à bord du *MEV 312*, qui représente le dernier cri de la technique en matière d'aviation. Vous n'êtes pas sans savoir qu'il n'y a pas d'équipage à bord. Mais la sécurité est absolue et vous n'avez rien à craindre, car le pilotage est fait par une machine électroni... chine électroni... chine électroni... chine électroni...

□ 281

Un fou ouvre la porte de l'avion, il va pour sauter dans le vide, puis il se ravise et il appelle l'hôtesse :

— Zut ! Il pleut ! Donnez-moi un parachute...

□ 282

C'est une hôtesse de l'air sensationnelle. Elle s'approche du passager et elle lui dit :

— Thé, café, coca-cola ou moi ?

□ 283

Un jeune pilote de l'École de l'Air vient en permission dans sa famille, une brave famille de paysans des environs de Romorantin. Il raconte ses exploits :

— Je pilote des avions à réaction. Je vole à dix mille mètres et à mille à l'heure. On peut faire ce qu'on veut avec ces engins. Mais le plus difficile, c'est de décoller !

Alors, l'arrière-grand-mère, cassée dans son fauteuil, qui est un peu sourde et qui n'a entendu que la fin de la phrase, se penche vers lui et murmure :
— Pauvre petiot ! Est-ce que tu as essayé avec de l'eau chaude ?

284 ☐

Un grand industriel américain entre en courant dans le bureau du président des États-Unis et il s'écrie :
— Ça y est ! Nos ingénieurs ont trouvé un son qui va plus vite que les avions !

285 ☐

Un avion de ligne vient de s'écraser dans la brousse. Il en sort un seul rescapé. C'est une fille superbe, un ange de beauté. Rien qu'à la regarder, on se sent des picotements entre les cuisses. Et le plus fort, c'est qu'elle n'est même pas blessée. Seulement un peu étourdie par le choc. Ses seins tremblent derrière les déchirures de son corsage. Et on dirait qu'elle va fondre en larmes...
Caché dans un fourré, un grand sauvage noir est en train de contempler cette vision fascinante depuis un bon moment. Il a l'air complètement hypnotisé ! Et à côté de lui, un gamin commence à s'impatienter :
— Eh bien, papa ? Tu te décides ? On va la bouffer ?
Alors le grand nègre sort de sa rêverie et il dit :
— Non... On va bouffer maman !

286 ☐

Sur l'aérodrome, le dernier modèle d'avion supersonique s'apprête à décoller en emportant deux mille cinq cents passagers.
— Mesdames, messieurs, susurre la voix feutrée de l'hôtesse de l'air dans les haut-parleurs, nous vous

souhaitons la bienvenue dans la *Flèche supercosmique*. Nous allons voler de Paris à Tokyo en dix-neuf minutes, à l'altitude moyenne de 70 0000 mètres. Vous trouverez, au pont numéro un, notre court de tennis et notre terrain de golf... Au pont numéro deux, notre grand restaurant panoramique. Au pont numéro trois, l'église catholique et le temple protestant. Au pont numéro quatre, notre clinique médicale avec cabinet dentaire et salle de chirurgie. Au pont numéro cinq, notre grande allée commerciale avec quarante-trois boutiques. Nos quatre-vingt-dix hôtesses et nos soixante-dix stewards demeureront à votre entière disposition pendant toute la durée de votre voyage. Et maintenant, veuillez éteindre vos cigarettes et attacher vos ceintures, car le commandant de bord va essayer de faire décoller cette satanée pourriture de putain de saloperie d'appareil...

□ **287**

Un général d'aviation est monté dans le même appareil qu'un élève de l'École de l'Air auquel il doit faire passer un examen de pilotage. L'élève-pilote s'en tire fort bien. Il coupe les gaz, descend en piqué, parcourt en rase-mottes le champ d'aviation, frôle les hangars, fait d'admirables loopings. Au bout d'un moment, le général lui dit :

— Vous auriez dû atterrir tout à l'heure. J'aurais pu juger encore mieux de votre adresse.

— Mais mon général, fait observer le jeune pilote, je ne pouvais pas atterrir. Vous oubliez que nous sommes dans un hydravion !

Le général se mord les lèvres, conscient d'avoir fait une terrible gaffe. Il essaie tout de suite de se rattraper.

— Très bonne réponse, jeune homme ! Je voulais voir si vous tomberiez dans le piège. Vous vous en êtes bien sorti ! Allons, nous pouvons rentrer maintenant...

Et l'hydravion redescend doucement pour aller amerrir tout près du rivage. Alors le général se lève d'un bond, il ouvre la porte de la carlingue et... il pique une tête dans la flotte...

288 □

A l'automne de 1944, les Américains mettent en service au-dessus de l'Allemagne une superforteresse volante, l'avion bombardier le plus grand qu'on ait jamais construit : dix moteurs, cent cinquante hommes d'équipage, trois cents bombes dans les soutes...

Ce monstrueux appareil est en mission au-dessus de la Ruhr, quand tout d'un coup, les mécaniciens entendent un petit bourdonnement à l'arrière.

— Va voir ce que c'est, dit le commandant de bord à l'un de ses adjoints.

L'autre prend sa moto, il file à l'arrière de l'appareil, et il revient au bout d'un quart d'heure en disant :

— C'était pas grand-chose. Juste un Messerschmidt qui était entré par un hublot. Il a laissé une petite éraflure sur la carlingue...

— Ah ! bon, murmure le commandant. Et qu'est-ce que tu as fait ?

— J'ai mis du papier tue-mouches...

289 □

Deux amis se rencontrent à l'aérogare des Invalides et s'aperçoivent qu'ils sont tous les deux en instance de départ pour Rome.

— Tu prends le même avion que moi ? demande le premier.

— Oh ! Sûrement pas, répond le second. J'y vais par le train. Je regarde toujours les statistiques et je tiens à mettre toutes les chances de mon côté. Et les statistiques disent que sur un avion en vol, il peut toujours y avoir une bombe à bord...

L'autre sourit, branle la tête et prend son avion. Quinze jours plus tard, il rencontre le même copain au même endroit, mais cette fois-ci avec une valise à la main.

— Eh bien, lui dit-il. Je croyais que tu ne prenais jamais l'avion à cause de la bombe qu'il peut y avoir à bord... Tu as changé d'avis?

— C'est pas tellement que j'ai changé d'avis, réplique le gars, mais j'ai lu une nouvelle statistique qui prouve qu'il est impossible qu'il y ait deux bombes en même temps sur le même avion...

— Et qu'est-ce que ça y change?

— Ben, je n'ai plus rien à craindre, puisque moi, je voyage toujours avec ma bombe...

□ **290**

Les ingénieurs d'une grande usine de construction aéronautique s'arrachent les cheveux. Leur nouveau prototype n'arrive pas à voler. Il prend l'air, tout semble marcher très bien... et puis soudain les ailes se déchirent du corps de l'avion et c'est la catastrophe! On a tout essayé en vain. On a beau renforcer l'accrochage des ailes à la carlingue, c'est toujours à cet endroit que le métal craque...

Alors un vieux balayeur va trouver l'ingénieur en chef et lui dit:

— Moi, ça ne me regarde pas, mais vous devriez faire une ligne de petits trous entre les ailes et le fuselage. Je suis sûr que ça tiendrait le coup!

Naturellement, on prend le gars pour un pauvre dingue. Mais au fond, pourquoi pas? Puisqu'on a tout tenté et que rien ne réussit, on finit par suivre son conseil en désespoir de cause. Et comme par miracle, voilà que le prototype ainsi modifié se révèle d'une résistance absolue... Plus un seul accident!

Du coup, le grand patron fait venir le vieux balayeur et il le congratule joyeusement:

— Bravo! mon cher ami. Vous avez eu une idée de génie! Comment ça vous est venu?

— Ben, dit l'autre, vous avez déjà vu du papier-cul qui se déchire au pointillé ?

291 □

Un garnement s'arrête devant la vitrine d'un magasin d'objets de piété. Il y a au moins deux cents crucifix. Le môme, il est médusé.
— Putain, dit-il, quelle escadrille ! Mais quand est-ce qu'ils décollent ?

292 □

Le pilote d'essai est en train de piquer verticalement vers le sol, quand tout d'un coup, il y a un de ses réacteurs qui prend feu. La sueur au front, il appelle la tour de contrôle :
— Allô ! Mon réacteur droit est en flammes ! Qu'est-ce que je dois faire ?
Et on lui répond :
— Manœuvrez l'extincteur électronique !
Mais à peine a-t-il obéi, que l'autre réacteur s'embrase à son tour.
— Allô ! hurle-t-il. Mon autre réacteur a pris feu ! Qu'est-ce que je dois faire ?
Et la tour de contrôle lui répond :
— Faites fonctionner votre siège éjectable et déployez votre parachute !
Alors le gars se met à appuyer fébrilement sur des boutons, mais les circuits ne marchent pas.
— Allô ! Allô ! La tour de contrôle ? C'est terrible, ce qui m'arrive ! Le siège éjectable ne fonctionne pas ! Qu'est-ce que je dois faire ?
— Répétez après nous : Notre Père qui êtes aux cieux...

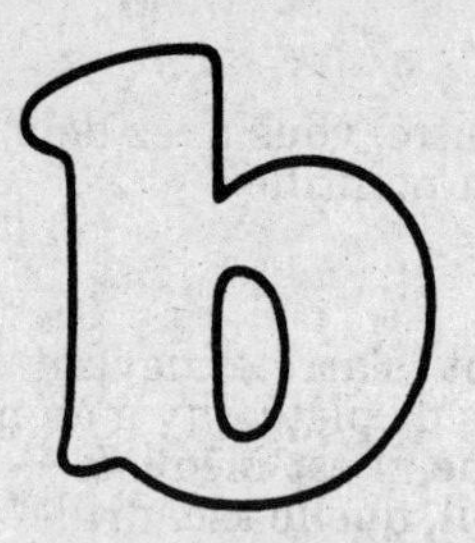

bagarre

☐ **293**

Un gosse entre en courant dans un commissariat de police :

— Vite, monsieur l'agent, venez vite ! Il y a un salaud qui est en train de casser la gueule à mon père...

Le flic sort dans la rue et il voit deux gars en train de se tabasser sérieusement. Il se tourne vers le gosse et il lui dit :

— Attends un peu. Je m'en vais les séparer. Lequel est ton père ?

— C'est que justement, je ne sais pas, fait le gosse. C'est pour ça qu'ils se battent !

☐ **294**

Un type arrive dans un bar et il dit :

— Un whisky double, avant la bagarre.

Il se tape son whisky d'une seule lampée et il dit :

— S'il vous plaît, un autre whisky, avant la bagarre...

Il en boit quatre comme ça. Puis il dit au barman :

— Et maintenant, donnez-moi tout de suite la bouteille, parce qu'il va y avoir une bagarre...

— Mais de quelle bagarre parlez-vous ? demande le barman.
— Quelle bagarre ? Attendez un peu de savoir que j'ai pas un rond sur moi...

295 ☐

Un gars rentre chez lui, l'œil au beurre noir, le bras droit en écharpe, des points de suture plein la gueule et il saigne d'un peu partout. Sa femme lui dit :
— Qu'est-ce qui t'est arrivé ?
— En sortant du bureau, dit le gars, j'ai cru qu'un petit minable me bousculait.
— Et alors ?
— Et alors, c'était pas un petit minable...

296 ☐

Un énorme hercule est en train d'écluser une bouteille de cognac au zinc d'un bistrot, quand un petit monsieur vient à passer, qui le bouscule par inadvertance. Le colosse se retourne, furibard, il saisit le gringalet par le jabot, il le soulève de terre et il se met à rugir :
— Alors, petit nabot ! On peut pas s'excuser, non ? Si je te balance une tarte, tu exploses ! Espèce d'affreux moucheron !
Et le petit gars, toujours en l'air, avec les pieds qui balancent dans le vide, montre la joue du type et il déclare placidement :
— T'as de l'œuf, là !

297 ☐

Un petit mec sort d'un bistrot avec les deux yeux pochés. Il va trouver un agent de police au coin de la rue et il lui dit :
— Il y a un gros type, dans le bar là-bas, qui m'a cassé la figure !
— Attendez ! dit le flic. Je viens voir ça tout de suite !

Et emboîtant le pas au plaignant, il entre dans le bistrot, il s'approche d'un colosse à la mine patibulaire qui s'est accoudé au zinc et il lui dit :
— C'est vous qui faites du désordre ?
— Parfaitement, dit l'énorme brute.
— C'est vous qui avez esquinté ce monsieur ?
— Et comment !
— Et vous oseriez toucher à un agent de police ?
— Je vais me gêner, dit le gars.
Et joignant le geste à la parole, il balance au flic une tarte qui l'envoie rouler à trois mètres...
Alors le flic se relève, il se brosse un peu l'uniforme, il se retourne vers le bonhomme amoché et il lui dit avec un geste d'impuissance :
— C'est pas la peine de discuter ! C'est un maniaque...

☐ **298**

Un gars rencontre un copain qui a les deux yeux au beurre noir.
— Sapristi ! Qu'est-ce qui t'est arrivé ? Tu t'es bagarré ?
— Non, dit l'autre piteusement. C'est en recousant un bouton de braguette...
— Un bouton de braguette ? Comment ça ?
— Ben, oui.... Tu sais que j'habite dans une petite pension de famille. L'autre jour, je m'aperçois que j'avais perdu un bouton de braguette. Je vais trouver la maîtresse de maison et je lui demande poliment si elle peut me le recoudre. Bien sûr, elle accepte et elle me dit même que c'est pas la peine d'enlever mon pantalon, qu'elle va faire ça tout de suite. Elle va chercher une aiguille et du fil et elle me recoud ça en cinq sec. Et puis, quand elle a fini, elle fait un nœud avec son fil et elle se penche pour le couper avec ses dents. Et c'est juste à ce moment-là que son mari est entré...

bain

299 □

Deux jolis tendrons sont venus se baigner près d'une cascade. Après avoir vérifié qu'il n'y a personne dans les alentours, elles abandonnent tous leurs vêtements dans le petit bois de saules au bord de l'eau et elles plongent dans la rivière.

Et en sortant, sans même se sécher, troublées par le printemps, elles se laissent aller à certaines privautés. Puis soudain, derrière elles, une grosse voix se met à hurler :

— Première section de camouflage, opération terminée !

Et le petit bois de saules s'en va au pas cadencé...

300 □

Aux bains de mer, un gars s'approche d'une dame étendue sous un parasol et il lui dit :

— Je ne voudrais pas vous déranger, mais je crois que votre fils est en train d'enterrer mon casse-croûte sous le sable...

— Pas du tout, monsieur, ce n'est pas mon fils. C'est mon neveu. Mon fils, lui, il est en train de noyer votre petit bébé...

301 □

— Madame est dans son bain, dit le valet de chambre. Si vous voulez bien attendre qu'elle en soit sortie...

— Oui, répond le visiteur. D'autant plus que dans l'eau on voit tout flou...

☐ **302**

Une fille particulièrement bien roulée rentre à la maison avec un manteau de vison sur le dos.

— Tiens ! lui dit son mari en levant les yeux de son journal. Où as-tu trouvé ça ?

— Oh ! C'est rien, fait-elle, je l'ai gagné à la loterie.

Et le lendemain, il la surprend en train de se faire couler un bain. Elle est en train de se déshabiller et il découvre autour de son cou un fort beau collier de perles qu'il n'avait jamais vu.

— Ah ! Ça par exemple... dit-il. D'où sors-tu ce collier ?

Et elle répond sur un ton négligent :

— C'est un truc que j'ai gagné à la loterie !

Alors il se racle la gorge et il lui lance :

— Tu devrais pas te baigner, ma chérie. Ton billet de loterie, il peut encore servir. Faut pas le mouiller !

☐ **303**

— Ça s'est bien passé, tes vacances au Touquet-Plage ?

— Non. On m'a amputé d'une jambe !

— Comment ça ?

— Ben, je suis parti en mer. J'étais fatigué de nager. J'ai fait la planche. Et j'ai rencontré un poisson-scie.

☐ **304**

Le garde-champêtre aperçoit un baigneur dans la rivière et il lui crie :

— Vous n'avez pas vu la pancarte ? C'est défendu de nager ici !

Et l'autre, qui gigote comme un forcené, réussit à répondre :

— Je nage pas. Je me noie !

— Ah, bon ! dit le garde-champêtre. Alors faites, faites !

305 □

Toto est en train de sécher sur son devoir de sciences physiques. Il demande à son père qui est dans la salle de bain :
— Papa ! Qu'est-ce qui arrive quand un corps est plongé dans l'eau ?
— Quand un corps est plongé dans l'eau ? crie son père à travers la porte. Eh bien, en général, c'est à ce moment-là que le téléphone sonne...

306 □

Un gosse arrive tout mouillé et pleurnichant vers son père :
— Papa ! Je suis tombé dans la rivière !
— Hein ? fait le père. Et qui t'en a sorti ?
— C'est un gentil monsieur qui a plongé tout habillé et qui m'a ramené sur le quai...
— Ah, oui ? Et où est-il ce monsieur ?
— Il est là-bas au bord, en train de se sécher...
Alors le père se précipite vers le sauveteur qui est tout grelottant et il lui dit :
— C'est vous qui avez sorti mon fils de la flotte ?
— Oui, dit l'autre. Mais, vous savez, c'est tout naturel !
— Ah, oui ? Vous trouvez ça naturel ? Et sa casquette, qu'est-ce que vous en avez fait ?

307 □

A la piscine municipale, un employé s'approche d'un baigneur et lui dit :
— Monsieur, nous ne pouvons plus vous accepter ici. Nous avons remarqué que vous faisiez pipi dans la piscine...
— Mais enfin, rétorque l'autre, vous n'imaginez

tout de même pas que je suis le seul à faire pipi dans la piscine !

— Si monsieur ! Du haut du plongeoir, vous êtes le seul...

bal

☐ **308**

Un légionnaire arrive en permission à Paris et il se précipite dans le premier bal venu. Il attrape une fille par la taille, il la fait danser et à la troisième mesure, il lui dit :

— On baise ?

Et pan ! Il reçoit une gifle en pleine gueule ! Il se frotte la joue, il commence à râler et tout près de lui, quelqu'un qui a suivi la scène lui adresse la parole :

— Mon vieux, vous exagérez !... Avec les femmes, il faut y mettre les manières. Il faut d'abord être gentil, aller lentement... Il faut commencer par parler !

— Ah ! Vous croyez qu'il faut parler ? fait le gars.

Il avise une autre fille, il la prend dans ses bras, il la fait valser et au bout d'un moment, il lui dit :

— Vous connaissez l'Afrique ?

— Euh !... Non, fait la fille.

— Alors, dit le gars en roulant les yeux, on baise ?

☐ **309**

— Voulez-vous danser avec moi ? demande un charmant minet de douze ans à une dame d'un certain monde.

— Non mais des fois ? dit la dame. Je ne danse jamais avec un enfant.

— Oh ! excusez-moi, dit le garçon. Je ne savais pas que vous étiez enceinte...

310 ☐

Une vieille veuve, couverte de varices, reçoit une invitation pour un bal travesti.

— Comment diable est-ce que je vais me déguiser ? se demande-t-elle. Oh ! Et puis tiens, je vais me mettre en carte routière... J'y vais toute nue !

311 ☐

Dans un bal travesti, le maître de maison s'approche d'une jeune fille toute nue qui ne porte que des gants noirs et des bottines noires. Et très étonné, il lui demande :

— Excusez mon inconvenance, mais vous êtes déguisée en quoi ?

— Ben, dit-elle, en cinq de pique...

312 ☐

Au bal du 14 Juillet, sur la place de la mairie, il y a un couple qui valse divinement depuis une demi-heure. Alors le gars dit à la fille :

— Ça vous fait rien qu'on change de sens ? J'ai ma jambe de bois qui se dévisse...

313 ☐

— Mais comment fais-tu pour avoir tant de succès avec les filles ? demande un gars à un de ses copains.

— Écoute-moi, c'est très simple, dit l'autre. Au moment de les inviter à danser, je fais tourner entre mes doigts les clefs de la Ferrari. Et elles tombent toutes dans mes bras !

— Ah ! Forcément... si tu as une Ferrari !

— Mais je n'ai pas de Ferrari, imbécile ! J'ai seulement les clefs...

— Ah ! Pas bête, ça ! Prête-moi les clefs, je vais essayer !

Le samedi suivant, les deux amis se retrouvent.

— Tiens! Tu peux reprendre les clefs, dit le premier. Ça ne sert pas à grand-chose...

— Comment? Ça n'a pas marché?

— Rien du tout! J'ai fait tourner les clefs tout le temps et il n'y en a pas une seule qui a accepté de danser avec moi...

Alors le gars futé toise son copain de la tête aux pieds et il lui dit:

— Je parie que tu n'as même pas enlevé ton béret basque et tes pinces à vélo!

banane

☐ **314**

Dans le métro bondé, tout d'un coup, une jolie fille se retourne vers un voyageur et elle lui flanque une gifle.

— Écoutez, mademoiselle, fait le gars en se frottant la joue, je vous jure que vous vous trompez! C'est seulement une banane que j'ai dans la poche...

— Ah! oui, dit la fille. Et probablement cette banane a poussé entre Madeleine et Richelieu-Drouot?

☐ **315**

La scène se passe dans le métro. Sur le banc du fond, un gars est en train de lire son journal, mais la chose la plus surprenante, c'est qu'il a une banane enfoncée dans l'oreille. En face de lui, il y a une dame très comme il faut, mais au bout d'un moment, n'y tenant plus, elle s'adresse à son étrange voisin:

— Pardon, monsieur, veuillez excuser mon impertinence, mais vraiment j'ai besoin de savoir! Pourquoi est-ce que vous avez une banane dans l'oreille?

Et l'autre ne répond rien. Alors la dame s'énerve et elle répète sa question un peu plus fort. Mais le gars continue à lire son journal. Du coup la dame pique un coup de sang, elle arrache le journal des mains du bonhomme et elle se met à hurler :

— Oui ou non, est-ce que vous allez me dire pourquoi vous avez une banane dans l'oreille ?

Et le gars lève vers elle un regard étonné :

— Qu'est-ce que vous dites ? Parlez plus fort ! Vous ne voyez pas que j'ai une banane dans l'oreille ?

316 □

— Ah ! Le strip-tease, mon vieux ! Qu'est-ce que ça peut être excitant ! Tu devrais apprendre ça à ta femme...

— Ma femme ? J'ai rien à lui apprendre. Elle m'excite comme un fou rien qu'à éplucher une banane...

317 □

Il y a longtemps qu'Ahmed a perdu de vue son copain Sadok. Et puis voilà qu'un jour il le rencontre, roulant dans une Cadillac avec un chauffeur en livrée.

— Ça alors ! s'écrie-t-il. Tu as gagné à la loterie ou quoi ?

Alors Sadok descend de sa voiture, il embrasse son ami avec effusion et il lui dit :

— Non ! J'ai pas gagné à la loterie. Mais c'est beaucoup mieux ! J'ai inventé une pommade qui me rapporte des millions ! C'est une pommade qu'on met sur le zob et qui donne le goût de banane !

— Ah ! Formidable, dit Ahmed.

Mais ça ne tombe pas dans l'oreille d'un sourd.

Trois mois plus tard, Sadok se balade sur le port et il aperçoit un superbe yacht, rutilant, avec une piscine à bord, et dans la piscine, il y a Ahmed qui est en train de se baigner...

— Eh bien, mon vieux, lui dit-il. Si je ne le voyais pas, je ne le croirais pas. C'est à toi ce bateau ?
— Bien sûr ! dit Ahmed.
— Mais avec quoi tu l'as payé ?
— Je vais te raconter, explique Ahmed. Je suis devenu millionnaire. Le fric, il pleut de tous les côtés...
— Et comment tu as fait ton compte ?
— Ben, voilà. Imagine-toi que j'ai inventé une pommade !
— Tu as inventé une pommade ? Espèce de salaud ! Tu veux dire que tu m'as volé ma pommade ?
— Pas du tout ! La mienne, elle est pas pareille. C'est une pommade qu'on met sur les bananes et qui donne le goût de zob...

☐ 318

C'est un petit Chinois qui revient de faire ses commissions. Il a un petit bout de papier à la main. Il a déballé tous ses paquets devant lui. Et il collationne tout ce qu'il a acheté :
— Kitikomi ? Kitikomi ! Nian-Hong ? Nian-Hong ! Ling-Niak ? Ling-Niak ! Gah-Nahn ? Gah-Nahn ! Tokidong ? Tokidong !... Oh ! merde... j'ai oublié les bananes !

---

bandit

☐ 319

C'est un petit couple, très petit-bourgeois, qui voyage en Bolivie. Un jour, sur la route, un bandit de grand chemin les arrête. Il a trois revolvers, une énorme barbe et un ventre qui lui bat sur les cuisses. Il dit au mari :
— Fais bien attention ! Je vais violer ta bonne

femme... Et toi, petit gringalet, tu ne vas pas bouger ou je te brûle !

Là-dessus, il trace un cercle par terre, il soulève le petit bonhomme par les cheveux, il le met dans le cercle et il rugit :

— Si tu sors de là-dedans, t'es un homme mort !

Alors il se jette sur la femme et lui fait subir mille avanies. Et puis, il repart, repu et guilleret. Il n'a pas plus tôt disparu que le petit mari se tape sur les cuisses en hurlant de rire. La femme est en train de s'épousseter, assez mortifiée, et elle lance à son époux des regards outragés :

— Lâche ! Espèce de petit couard ! Et en plus tu oses rire !

— Oui, fait-il entre deux hoquets. Je l'ai bien possédé, le gros ! Pendant qu'il s'occupait de toi, je suis sorti trois fois du cercle et il ne s'en est même pas aperçu !

320 ☐

L'histoire se passe en Calabre. Un Américain dans une somptueuse Cadillac se fait arrêter par un groupe de bandits de la montagne. On le fait descendre sur la route, on le fait déshabiller. On lui prend la bagnole, on lui prend le portefeuille, on lui prend le costume. On l'abandonne nu comme un ver. Alors il gémit :

— Vous pourriez au moins me laisser quelque chose !

Le chef de bande se retourne, il hésite un peu, puis il dit à un grand noiraud qui rumine des mâchoires :

— Cesare, rends-lui son chewing-gum...

321 ☐

Dans les montagnes sardes, une troupe de bandits a tendu une embuscade à un car de touristes. Le chef,

tignasse et moustache au vent, hurle à ses complices :
— Allons, vite ! Fouillez les femmes et violez les hommes... euh... je veux dire fouillez les hommes et violez les femmes !
Et au fond du car, on entend la voix d'un petit jeune homme :
— Ah... non ! Ce qui est dit est dit !

□ 322

Sur une route de Sicile, un brave commerçant d'une soixantaine d'années qui roule dans une petite camionnette, se fait stopper à un croisement de routes par un jeune homme menaçant avec un fusil à la main. Terrorisé, il lève les bras en l'air en criant :
— Je n'ai pas d'argent sur moi !
— C'est pas pour l'argent, jette le bandit. Je veux seulement que tu te branles !
— Hein ? Quoi ? Que je...
— Fais vite, ou tu es un homme mort !
Alors le pauvre mec, blanc comme un linge, fait ce qu'on lui dit. Et quand il a fini, l'autre lui ordonne :
— Recommence !
— Mais je...
— Recommence, je te dis, si tu tiens à la vie !
Et le gars recommence péniblement. Il met au moins une demi-heure à y arriver. Alors l'autre lui dit :
— Encore une fois !
— Mais écoutez, gémit le gars, c'est pas possible. Ayez au moins pitié de mon âge. Je n'en peux plus. Je ferai juste de quoi coller un timbre-poste !
— Encore une fois, hurle le bandit, le doigt nerveux sur la gâchette.
Et le brave vieux s'y remet. Au bout d'une heure et demie, il lâche un petit râle et il tombe sur le bord de la route, quasiment mort. Alors une belle jeune fille sort de derrière un bosquet et le bandit, tout souriant, dit au bonhomme effondré par terre :

— Bon! Ça va! Dites-moi, monsieur, est-ce que vous pourriez accompagner ma sœur à Palerme?

bébé

323 ☐

C'est une dame qui vient de mettre au monde un bébé un peu noir. Elle se tourne vers son mari et elle lui dit:

— Tu vois! C'est idiot, cette manie que tu as d'éteindre la lumière!

324 ☐

Dans le métro, une jolie dame est assise avec un joli bébé sur les genoux. En face, il y a un monsieur qui essaie d'être aimable:

— Oh! Qu'il est beau, ce petit, lance-t-il. Qu'il a de jolis cheveux. Son papa devait être roux?

— J'en sais rien, dit la fille sèchement. Il avait gardé sa casquette...

325 ☐

Un curé est en train de distribuer la communion. Une brave femme est venue à la table sainte avec son bébé sur les bras.

Au moment où le curé tend l'hostie à sa paroissienne, le bébé avance le bras pour la prendre. Le curé se recule. Il essaie de recommencer, mais à chaque fois, le moutard tend la main.

A la fin, le curé, excédé, lui lance:

— Touche pas à ça. C'est du caca!

326 ☐

— Et comment nous allons l'appeler, ce petit? dit l'employé de mairie au père.

— *Olfwjuimkzof*, à cause de son parrain...
— Ah, bon ! Son parrain est slave ?
— Non. Il est oculiste.

☐ **327**

Dans le train, une dame particulièrement plantureuse a défrafé son corsage pour donner le sein à son bébé. Juste en face, il y a un petit garçon de cinq ans qui dit à sa mère :
— Maman ! Qu'est-ce qu'elle fait, la dame ?
— Ben, tu vois, elle donne à manger à son petit.
Alors le môme a un instant de silence, puis il dit :
— Merde alors ! Et il va manger tout ça sans pain ?

☐ **328**

C'est un monsieur qui vient d'acheter une layette de bébé et il rentre chez lui, tout content. Et dans sa salle de bains, il trouve un gars tout nu en train de se raser. Alors il entre dans la chambre de sa femme et il lui dit :
— Quand tu m'as dit qu'on allait être trois, t'aurais quand même dû m'expliquer...

☐ **329**

Deux petits jumeaux attendent de naître. Ils sont dans les bras l'un de l'autre, bien au chaud, dans le ventre de leur mère. Et tout d'un coup, il y en a un qui dit à l'autre :
— Tiens ! Une visite... Ça doit encore être papa...
Et l'autre réplique :
— Mais non ! T'as pas bien regardé. C'est un invité ! Il a mis des gants...

☐ **330**

Dans une tribu cannibale de l'Oubangi-Chari, un

sorcier pénètre dans la case du grand chef et il lui annonce :

— Félicitations ! Vous êtes l'heureux papa d'un beau garçon de quatre kilos. C'est pour emporter ou pour manger tout de suite ?

331 ☐

A la maternité, une maman se désole d'avoir eu un bébé trop maigre.

— Vous en faites pas pour ça, lui dit l'infirmière. Tenez, moi, quand je suis née, je ne pesais qu'un kilo et demi ! Eh bien, je voudrais que vous me voyiez maintenant !

332 ☐

Une dame entre dans une confiserie, elle tend une pièce de cinq francs et elle dit :

— Je voudrais un bébé en chocolat !

— Certainement, dit la vendeuse. Vous voulez un garçon ou une fille ?

— Euh... Un garçon !

— Alors, c'est cinq francs cinquante...

333 ☐

— Alors ? Tu es content d'être père ? Comment est-elle, cette petite fille ?

— Oh ! C'est un joli bébé ! Elle a des petits cheveux d'ange. Elle a une peau douce. Elle a des cuisses roses. Elle a des yeux qui papillottent. Elle a un cul magnifique. Alors, moi, je la lave tout le temps, je lui mets du talc dans tous les plis... Je lui mets des déshabillés vaporeux... Et je bande comme un fou !

334 ☐

A la maternité, deux poupons bavardent :

— Tu es un garçon ou une fille ?

— Ben, je sais pas !

— Attends ! Je vais te dire ça tout de suite !
Et le premier bébé soulève le drap de l'autre, puis il s'exclame :
— Tu es une petite fille !
— Ah ? Et comment tu le sais ?
— Tu as des chaussons roses...

☐ 335

— J'adore les bébés, dit une jeune fille à une autre.
— Moi aussi ! Quel dommage que ça déshonore...

☐ 336

C'est un jeune ménage très doux. Quand le mari rentre chez lui, un soir, il trouve sa femme en train de tricoter.
— Qu'est-ce que tu fais ? lui dit-il.
— Je tricote, lui répond-elle à voix basse.
— Qu'est-ce que tu tricotes ?
— Je tricote une brassière, souffle-t-elle.
— Une brassière ? Dieu du ciel, ma chérie ! Mais alors nous attendons un petit bébé !
— Oui, lui murmure-t-elle dans l'oreille, mais ne parle pas si fort, je voudrais lui faire une surprise !

☐ 337

Deux amis se croisent dans la rue. Le premier dit à l'autre en voyant sa mine catastrophée :
— Tu as perdu quelqu'un ?
— Non. C'est plutôt le contraire ! J'attends un bébé !
— Et c'est pour ça que tu fais cette gueule d'enterrement ?
— Oui. Je me demande comment l'apprendre à ma femme...

338 ☐

Une fille blanche épouse un Noir un peu efféminé. Et quand elle met un bébé au monde, il n'est ni blanc ni noir : il est à carreaux blancs et noirs ! Alors elle dit à son mari :
— Chéri, quand je te disais qu'on jouait aux dames trop souvent !

339 ☐

Cette pauvre femme vient d'accoucher et l'infirmière lui apporte son beau bébé enveloppé dans des langes, un beau bébé sans bras... Et l'infirmière lui dit :
— Regardez comme il est moignon...

340 ☐

— C'est quand même curieux, docteur ! Le bébé que ma femme vient de mettre au monde est complètement roux. Et je peux vous certifier que je ne suis pas roux. Ni ma femme. Ni ses parents, ni les miens, ni les grands-pères, ni les grand-mères, ni personne de nos ancêtres !
— Ah ! fait le docteur. Voilà qui est embarrassant ! Mais, dites-moi, vous faites l'amour souvent avec votre femme ?
— Ben... euh...
— Vous faites cela tous les jours ?
— Oh ! non, docteur !
— Toutes les semaines ?
— Oh ! non, docteur ! fait le père de plus en plus rougissant.
— Alors, peut-être une fois par mois ?
— Oh ! non, docteur !
— Vous n'allez tout de même pas me dire que vous faites l'amour une fois par an ?
— Eh bien, c'est-à-dire que... oui, c'est à peu près ça !

— Alors, ne cherchez pas plus loin. C'est normal qu'il soit roux. C'est la rouille!

bègue

☐ **341**

Dans une église, deux petits truands minables viennent de cambrioler le tronc des pauvres. Et comme justement il y a pas mal de paroissiens qui font la queue pour se confesser, ils décident d'y aller aussi, histoire de se marrer un coup en racontant leur petit fric-frac au curé. Au bout d'un moment, le premier sort du confessionnal et il dit à l'autre:

— Sacré bon sang! J'ai six chapelets à réciter et en plus, il veut que je rapporte le fric...

L'autre va s'agenouiller à son tour. Mais c'est un bègue. Il dit au curé:

— Je... J'ai pi... pi.... piqué du... dudu...

— Dépêchez-vous, fait le curé. Il y a du monde qui attend...

— J'ai... fre... fra... frac... fri... fractu... tutu... turé... le... le...

— Oh! On n'en sortira pas! Laissez la place au suivant...

Le gars sort du confessionnal et son copain se précipite sur lui:

— Alors, qu'est-ce qu'il t'a donné comme pénitence?

— Ri... Rien du... dudu... dut... du tout!

— Pas possible! Comment t'as fait?

— Oh! Mé... mé... mais moi... je... je... sais... mess... mess... mess... m'expli... m'expliquer!

☐ **342**

C'est un bègue qui suit des cours d'élocution pour apprendre à parler convenablement. Au bout d'un an, il rencontre un ami qui lui demande:

— Alors, ça marche? Tu parles mieux maintenant?

Et l'autre lui lâche tout d'une traite:

— Six chasseurs sachant chasser sans leurs six chiens de chasse, ce sont six chasseurs champions...

— Formidable, fait le copain. Tu ne bégaies plus du tout!

— Oui, dit le bègue, mais tu... tututu... con... concon... comprends, c'est tututu... une phrase dro... drodol... drôlement didi... fifi... difficile à plapla... à placer...

343 ☐

Un bègue entre chez un marchand d'oiseaux. Il regarde les perroquets. Il y en a bien une vingtaine. Et puis il dit:

— Je vouvou... jeje... je voudrais un pépépé... un perro... un pépé... un roro... un...

— Monsieur, je ne vous comprends pas, dit le vendeur.

— Jeje... je vous dididididi... dis que je vouvou... voudrais ach... ach... acheche... acheter un pépépé...

Alors le vendeur le prend par l'épaule et il le raccompagne à la porte:

— Écoutez, monsieur, si vous restez ici une minute de plus, vous allez me gâter ma marchandise...

344 ☐

— Pour aller à l'Opéra, s'il vous plaît?

— Vous pre... prenez la pre... mière à gogo... gauche et puis apapa... apa... après c'est toutoutou... tout droit.

— Ah! bon. Et c'est loin?

— Papapa... pas dudu... pas du tout. Si jejeje... je ne bébébé... bégaga... bégayais pas, vous seriri... seriez dédé... déjà arriri... arrivé!

☐ **345**

C'est une très jolie fille qui est bègue, affreusement bègue. Et elle dit tout le temps :

— Je ne... ne suis... suis papapa... pas celle queque... celle que vouvou... vous croi... croi... croi... cro...

Mais le temps de dire ce qu'elle n'est pas, eh bien, elle l'est...

☐ **346**

A la gare de Lyon, un bègue aborde un employé et il lui dit :

— Par... pardon, monsieur, le tété... le train pour Aix-les-Bébé... les-Baba... Aix-les-Bains, c'est à queuque... quel... quéqué... quai, s'il vovovo... vous plaît ?

Et l'autre lui répond :

— Aix-les-Bababa... les-Bains, c'est au quai... nunu... numémémé... numéro...

Mais le voyageur, furieux, l'interrompt :

— Vous êtes gongongon... gonflé... de vous foufou... foutre de mamama... ma gueugueule au lieu de... dedede... me renseigner !

Alors l'employé s'énerve :

— Je... jejeje... ne me foufoufou... fous pas de vous. Je ne peux papapa... pas parler pupu... plus vite. Votre train est au quéqué... quai nunu... numéro quaquaqua... quatorze, mais dédé... dépêchez-vous, parce quiqui... qu'il va papa... partir ! Ah ! ben, c'est tr... trop tata... tard : il est parti !

Et le voyageur explose :

— Si vous cococo... causiez comme tou... tout le monde, espèce dede... d'idiot, j'aurais pu lalala... l'attraper !

☐ **347**

Un gars à la mine anxieuse se présente à la morgue :

— Vous n'auriez pas retrouvé le corps de ma femme par hasard ? Elle est partie en disant qu'elle allait se suicider...
— Attendez voir, dit l'employé. Elle a un signe particulier ?
— Euh... oui, elle bégaie...

348 ☐

Malheureusement, Levy est bègue. Mais c'est un bègue courageux. Il a essayé de se présenter à un concours pour le poste de speaker à la radio.
— Comment ça c'est passé ? lui demande son ami Samuel.
— For... Formimimi... For... Formidable ! Je suis sor... sorsorsorti... sorti premier papapa... par... partout !
— C'est merveilleux ! Alors ils t'ont engagé ?
— Non ! Les sa... sasasa... salauds ! C'est une bobobo... boiboi... boîte où ils sont toutoutou... tous antititi... antisémites.

349 ☐

C'est un bègue qui est en train de faire la queue à la poste. Quand il arrive au guichet, il dit :
— Je vou... je vouvou... je voudrais... un tintintin... un timbre-popopo... un tintintin... un timbre-popo... popopo...
Derrière lui, il y a un gars qui s'impatiente. Il dit :
— Dépêchez-vous, mon vieux ! On est dix à vous attendre !
Et le bègue se retourne, furieux :
— C'est pas mamama... ma faute si je suis bébébé... bègue ! C'est ma papa... partiti... particucu... particularité. Sûrement que vouvou... vous en avez une aussi ! Je papapa... parie que vous toutoutou... tournez votre caca... votre café avec la mama... main... la main droite ?
— Ben oui, dit le gars.

— Justete... justement! Tous les autres sesese... se servent dududu... d'une cuillère!

☐ 350

— Vous connaissez l'histoire du bègue qui a le hoquet?
— Non.
— Ben, je vous la raconterai une autre fois, parce qu'elle est interminable...

☐ 351

Un bègue que rien n'a jamais pu guérir de son infirmité se rend chez un grand médecin et lui dit:
— Je ne... ne... nenene... ne sais pupu... plus quoi faire poupou... pour ne plus bébébé... bégayer...
— Attendez, dit l'autre, je vais vous ausculter de fond en comble.
Et après trois quarts d'heure de recherches, d'analyses du sang et de cardiogrammes, il ajoute:
— J'ai trouvé d'où ça vient! Vous avez un trop-plein d'énergie sexuelle qui provoque une paralysie des cordes vocales. Je ne puis vous proposer qu'une seule chose: c'est de vous amputer de votre virilité. Je peux vous certifier qu'ensuite, vous retrouverez une parole tout à fait normale...
Le gars souffre depuis si longtemps des moqueries et des sarcasmes de tout son entourage qu'il finit par accepter en désespoir de cause. Quinze jours plus tard, il sort de clinique à l'état d'eunuque, mais avec une diction absolument impeccable.
Un mois se passe et voilà que le bonhomme commence à regretter ce qu'il a perdu. Au bout de deux mois, il préférerait carrément redevenir bègue. Alors il retourne chez le grand spécialiste et il lui dit:
— Il faut absolument me greffer ce que vous m'avez coupé. Je n'en peux plus. Je suis prêt à payer n'importe quel prix.

Et le médecin lui répond d'un air contrit :
— C'est trotata... trop tard ! C'est dédédé... déjaja... déjà fait !

belgique

352 □

Le soir de ses noces, un gros négociant belge éclate d'un rire gras et dit à sa jeune épouse :
— Allez ! Viens une fois ! On va faire ça comme les chiens...
Et elle lui répond :
— Écoutez, chéri, maman m'a dit de faire une fois tout ce que vous demanderez parce que ça est dû. Alors, je veux bien faire comme les chiens, mais pas dans une rue où on me connaît...

353 □

Deux Anversois ont fait la grande tournée des cabarets. Il est quatre heures du matin et ils sont soûls comme des bourriques. Ils entrent en titubant dans un hôtel et ils demandent deux chambres.
Mais comme il n'y en a qu'une de libre et qu'ils ne tiennent plus debout, on les colle tous les deux dans le même lit, sans qu'ils s'en aperçoivent. En pleine nuit, il y en a un qui se réveille, qui se remue, et il se met à crier :
— Eh ! Jeff ! Il y a un salaud de pédé qui est monté une fois dans mon lit !
— Sacré nom ! fait l'autre. Mais moi aussi, j'ai une grande brute qui a essayé de coucher avec...
— Écoute, dit le premier. On va proprement les vider une fois !
Ils se jettent l'un sur l'autre dans le noir et au bout d'un moment, on entend une voix :
— Eh ! Jeff ! Cette espèce de vieille tante m'a foutu sur le tapis !

Et l'autre clame :
— Ça n'est rien ! Viens dormir avec moi, j'ai vidé le mien...

☐ **354**

Un touriste de passage en Belgique va visiter le champ de bataille de Waterloo. Pris d'un doute, il s'approche d'un passant et lui demande :
— Dites-moi, comment faut-il prononcer, Vaterloo ou Ouaterloo ?
— Ouaterloo, dit l'autre.
— Ah, bon ! Merci, dit le touriste.
Et il ajoute par politesse :
— Il est bien beau, votre pays !
— C'est pas mon pays, fait le gars. Je suis là en ouacances...

☐ **355**

Deux Belges, représentants en farces et attrapes, passent la nuit dans un petit hôtel de province. Le premier a versé subrepticement une bouteille de bière dans le vase de nuit de la chambre de son copain.
Dix minutes plus tard, l'autre l'appelle :
— C'est dégoûtant ! Viens voir ce que j'ai trouvé dans le vase...
Le gars s'amène, il prend le vase d'un geste plein d'assurance et il boit tout d'un seul trait.
— Ça alors, fait l'autre, si j'avais su que c'était si bon, j'aurais pas pissé dedans...

☐ **356**

Un trafiquant essaie de passer la frontière belge avec une valise pleine de cocaïne, mais il se fait arrêter par un douanier :
— Ouvrez-moi ça, une fois !
Le gars ouvre sa valise et le douanier lui dit :
— Allez, allez ! Vous en avez pour quinze ans de taule là-dedans !

— Tant pis, réplique l'autre, c'est joué, c'est perdu. Vous voulez une cigarette ?

— Non, je ne fume pas.

— Vous avez du feu ?

— Non.

— Est-ce que je peux aller chercher du feu au tabac à côté ? Pendant ce temps, vous garderez la valise...

— Oui, fait le douanier, mais dépêchez-vous !

Le gars disparaît et naturellement, on ne le revoit plus. Mais un mois après, il s'amène avec une autre valise deux fois plus grosse et alors là, franchement, il n'a pas de veine, parce qu'il tombe sur le même douanier, qui éclate d'un rire sarcastique :

— Ah ! Je vous reconnais une fois ! Probablement, c'est encore une valise de cocaïne ?

— Oui, fait le gars piteusement. C'est joué, c'est perdu. Vous avez du feu ?

— Rien du tout ! Je vous vois venir, mais vous ne m'aurez pas deux fois. Si vous voulez du feu, cette fois-ci, c'est moi qui irai en chercher et c'est vous qui garderez la valise...

357 □

L'histoire se passe en Belgique. Un bonhomme téléphone à un copain et il lui dit :

— Viens dîner chez moi samedi ! Seulement je t'avertis, j'ai déménagé. Maintenant, on habite dans un wagon ! Parfaitement ! Ça revient beaucoup moins cher. J'ai acheté un wagon sur une voie désaffectée et on s'est installés dedans, ma femme et moi !

Le samedi suivant, le gars s'amène au lieu indiqué et quand il arrive, il voit son copain sur le ballast, arc-bouté de toutes ses forces contre le wagon, en train de pousser pour le faire rouler sur les rails...

— Mais, dit-il, qu'est-ce que tu es en train une fois de fabriquer ?

— Je fabrique que ma femme, elle est au petit coin.

Alors, elle ne sait rien faire si le wagon ne marche pas une fois, parce que c'est défendu...

bidasse

☐ 358

Le soldat rentre chez lui après quinze jours de manœuvres et sa femme lui demande :

— Alors, ça s'est bien passé, cet exercice de camouflage ?

— Oui, dit-il. J'étais déguisé en arbre et je ne devais pas bouger. Ça semble très simple, mais je te jure que c'est pas marrant. Tu sais, quand les oiseaux te font leur nid dans les cheveux ou que les chiens te lèvent la patte dessus, ça passe encore. Mais ce qui est insupportable, c'est les écureuils qui t'enfoncent des noisettes dans le cul en te disant de les garder pour l'hiver.

☐ 359

Un bidasse se rend à la visite. Il veut faire croire qu'il a des hémorroïdes. Le gars est debout, tout nu, en train d'attendre. Et devant lui, il y a deux autres recrues qui sont en train de passer devant le major :

— J'ai des hémorroïdes, dit le premier.

— Internes ou externes ? demande le major.

— Euh... internes !

— Simulateur ! fait le major, quinze jours de prison !

Le second s'amène et il dit :

— J'ai des... Moi aussi, j'ai des hémorroïdes...

— Internes ou externes ?

— Ben, externes...

— Simulateur ! fait le major, quinze jours de prison !

Inutile de dire que le troisième, il n'en mène pas large. Mais c'est trop tard pour changer de tactique. Il s'avance et il dit :

— J'ai des hémorroïdes...

— Internes ou externes ?

— Euh... Elles sont plutôt demi-pensionnaires...

360 □

Un colonel, à la fin de l'instruction, interroge les conscrits :

— Qu'est-ce que c'est, la patrie ?

— C'est notre mère, mon colonel.

— Très bien. Et le drapeau, qu'est-ce que c'est ?

— Le drapeau, c'est le vêtement de la patrie !

— Parfait ! Et pourquoi faut-il mourir pour le drapeau ?

Alors le soldat :

— Eh oui ! C'est bien ce que je me demande !

361 □

En raison des vendanges, le capitaine a accordé une permission exceptionnelle à tous les paysans de la compagnie.

Malheureusement la fête au village a dépassé la mesure. Le vin a coulé à flots. Au moment du dernier train, les braves conscrits sont plus ou moins répandus sous les tables ou dans les caniveaux. Et le lendemain, tous rentrent au casernement avec un jour de retard.

Le capitaine, avant de fourrer tout le monde au bloc, exige des explications...

— Mon capitaine, dit le premier soldat, ce n'est pas de ma faute. Après la fête, ma famille m'a raccompagné à la gare en carriole. Et tout d'un coup, en plein milieu de la route, le cheval est tombé raide mort ! Peut-être un plaisantin l'avait fait boire. En tout cas, j'ai dû faire les cinq kilomètres à pied, et naturellement, quand je suis arrivé à la gare, le train était parti.

— Mon capitaine, dit le second soldat, moi aussi, mes parents ont voulu m'accompagner au train en carriole. Et puis en plein milieu de la route, le cheval s'est effondré par terre.

Et tous les gars se mettent à raconter la même rocambolesque histoire. Quand c'est au dernier de parler, le capitaine rugit :

— Alors, je suppose que ton cheval aussi est mort en plein milieu de la route ?

— Non, mon capitaine, fait l'autre, mais j'ai raté le train quand même, à cause de toutes ces charognes qui bouchaient le chemin...

□ **362**

L'adjudant a demandé au soldat Lafleur de creuser un grand trou pour y enterrer les ordures de la cuisine. Une heure après, il vient vérifier le travail. Il n'y a plus d'ordures, mais il y a un immense tas de terre. Alors, il s'écrie, furieux :

— Lafleur, vous me ferez huit jours, subséquemment que vous n'avez pas fait un trou assez grand pour contenir à la fois les ordures et la terre du trou...

□ **363**

Une vingtaine de garçons sont à la file, tout nus, dans une salle de la mairie. Ils vont passer devant le conseil de révision.

Et brusquement, ils éclatent tous de rire en se montrant du doigt l'un d'entre eux. C'est un petit gars rougeaud, avec un tout petit, tout petit instrument entre les jambes, quelque chose comme une fraise des bois... Alors le gars se met dans une colère noire :

— Ben quoi ! Ça peut arriver à tout le monde ! Vous n'avez jamais vu quelqu'un bander ?

364 ☐

En pleine nuit, l'adjudant de semaine entre dans la chambrée, réveille tout le monde et hurle :

— Je veux voir la section en tenue de campagne dans une minute !

Alors, un bidasse, à moitié endormi, demande :

— Si on veut, on peut être prêt avant ?

bistrot

365 ☐

Un grand gars au visage basané, le type parfait de l'aventurier, s'amène tous les soirs dans un bistrot et il dit :

— Deux cognacs !

Et hop ! Il s'avale ses deux cognacs.

Un beau jour, le barman trouve plus simple de lui verser un double cognac.

— Non ! dit le gars. Pas un cognac double ! Je veux deux cognacs !

— Mais enfin, dit le barman, ça revient au même, puisque vous les buvez tous les deux...

— Ça revient pas au même du tout. J'avais un copain. On était copains à la vie à la mort ! On a fait l'Indochine ensemble. Et puis le Congo. Et puis l'Amazone. Et puis la Nouvelle-Guinée. Maintenant, hélas ! la vie nous a séparés. Mais il y a encore un lien entre nous, une promesse qu'on s'est faite l'un à l'autre... A chaque fois qu'on commande un verre, on en commande deux pour ne pas s'oublier !

— C'est beau l'amitié, dit le barman.

Un bon mois se passe et voilà qu'un soir, l'homme aux deux cognacs entre dans le bar et il dit :

— Un cognac !

— Mon Dieu ! dit le barman, votre copain est mort ?

— Non, fait le gars, mon médecin m'a interdit l'alcool...

☐ 366

C'est un bistrot où on ne rencontre que des casseurs, des gorilles, des catcheurs, enfin, rien que des armoires à glace. Et puis un jour, il y a un petit mec, un tout petit mec, un mètre cinquante, le vrai gringalet, qui entre et qui commande un verre.

Alors un gars s'approche de lui en roulant des épaules, un gars comme une montagne, et il dit à l'avorton :

— Pauvre vieux ! Est-ce que tu sais qu'à nous deux, on en a cinq ?

Et l'autre lui lâche :

— Pourquoi ? T'en n'as qu'une ?

☐ 367

Un soldat est attablé à la terrasse d'un bistrot. Et comme un général vient à passer, il se dresse comme un ressort pour le saluer.

— Bravo ! dit le général. Mais est-ce que vous savez quel est mon grade ?

— Pour sûr, mon général ! Vous êtes général...

— Très bien ! Et qu'est-ce que ça commande, un général ?

— Oh ! Ce que vous voudrez ! Pour moi, ce sera un autre pastis...

☐ 368

Il est laid comme un pou. Il est vieux. Il est tout ridé. Et pourtant il a un succès extraordinaire auprès des filles. Personne ne comprend pourquoi. Sauf si on s'approche du bar où il est accoudé tous les soirs et où il attend tranquillement que les nanas lui tombent dans les bras... Alors on peut remarquer qu'il passe son temps à se lécher nonchalamment les sourcils !

369 ☐

— Mais enfin, garçon, c'est dégueulasse! Vous essuyez les verres avec votre mouchoir?
— Mon Dieu, monsieur, c'est vrai que c'est ridicule! Mon pauvre mouchoir! Je suis tellement enrhumé qu'il est trempé comme une soupe!

370 ☐

Deux gars entrent dans un bistrot. Le premier a les yeux vitreux, il titube, il s'approche du bar et soudain il s'effondre par terre, ivre mort. L'autre appelle le garçon et lui dit:
— Un whisky double!
— O.K.! fait le garçon. Et pour votre copain, qu'est-ce que ce sera?
— Vous rigolez ou quoi? Faut rien lui donner! C'est lui qui conduit...

371 ☐

Dans un bar américain, une entraîneuse s'ennuie horriblement. Elle se penche vers le barman et elle lui glisse:
— Il n'y a pas un chat ce soir. Si je ne suis pas au lit à minuit, je vais me coucher...

372 ☐

C'est un gars baraqué comme un colosse qui entre dans un bistrot et il commande un double cognac. Il l'avale d'un seul trait, puis il en commande un autre. Hop! Il l'écluse en un clin d'œil et il dit:
— Aujourd'hui c'est ma fête! Je paie la tournée générale...
Le barman sert à boire à tout le monde et il dit au gars:
— Vous voulez l'addition tout de suite?
— Non, dit l'autre. De toute manière, moi, je ne paie jamais!

— Quoi ? fait le barman. Attendez un peu ! Je vais chercher un agent...

Et il revient cinq minutes après, accompagné d'un petit flic, à qui il explique :

— Voilà. Il y a ce mec qui a commandé une tournée générale et il ne veut pas payer !

Alors le petit flic lève les yeux sur l'énorme bonhomme, il se rengorge et il lâche :

— Ah ! Il ne veut pas payer ? Bougez pas ! Je vais régler cette affaire en un clin d'œil. Ça ne va pas traîner... Euh... Combien ça fait ?

□ 373

Un gars entre dans un café et il dit :

— Je voudrais un sandwich avec du pain noir, un peu de beurre de Normandie, une petite tranche de foie du Périgord, un soupçon de moutarde à l'estragon, une cuillerée de sauce tartare, deux cornichons recouverts de paprika et quelques câpres...

— Parfait, dit le garçon. Pouvez-vous repasser demain pour le premier essayage ?

□ 374

Un bonhomme arrive dans un bistrot et il dit :

— Je voudrais un café crème et deux croissants.

— Je suis navré, dit le barman, je n'ai plus de croissants.

— Bon, fait le gars. Alors, donnez-moi un demi et deux croissants.

— Mais, monsieur, vous m'avez mal compris. Je vous dis que je n'ai plus de croissants.

— Ah ! bon... Eh bien, donnez-moi une tasse de thé et deux croissants.

— Mais enfin, monsieur, je vous ai déjà dit deux fois que je n'avais plus de croissants !

Alors un consommateur s'interpose et déclare au barman :

— Vous êtes bien trop patient, mon vieux. Si j'étais à votre place, il y a longtemps que je lui aurais foutu ses deux croissants à la gueule...

bonne

375 □

La mère de Toto rentre chez elle et elle lui demande :
— Alors ? Tu t'es bien amusé pendant mon absence avec ta petite copine ?
— Voui, dit Toto. On a joué à papa et à la bonne.

376 □

La bonne de Marie-Chantal vient de perdre sa mère.
— Quelle nouvelle désagréable, lui dit Marie-Chantal. Et naturellement, vous y teniez ?

377 □

La nouvelle bonne se présente. La maîtresse de maison lui dit :
— Vous avez de bons certificats ?
— Oui, Madame.
— Vous savez faire la cuisine ?
— Oui, Madame.
— Et vous aimez les enfants ?
— Euh... oui, mais cette fois-ci, j'aimerais mieux que Monsieur fasse attention...

378 □

Les bonnes sont de plus en plus susceptibles. Un rien les énerve et elles vous donnent leur congé. Ainsi, celle-ci, qui avant de quitter son service va trouver la maîtresse de maison :

— J'ai deux ou trois choses à dire à Madame. Monsieur m'a dit que j'étais plus jolie que Madame. Et les robes de Madame, Monsieur m'a dit que je les portais mieux que Madame. Et puis Madame doit savoir que je fais mieux l'amour que Madame.

— Tiens, tiens ! Et c'est aussi Monsieur qui vous l'a dit ?

— Non, Madame. C'est le facteur.

☐ **379**

La petite bonne vient trouver la maîtresse de maison :

— Madame, dit-elle, les larmes aux yeux, je suis obligée de vous quitter !

— Nous quitter, Marie-Louise, mais pourquoi ?

— Eh bien ! Euh... J'attends un enfant...

Madame sursaute, mais elle décide d'en parler à son mari. On ne trouve pas si facilement des domestiques. Et après tout, un enfant égaierait la maison. Le lendemain, Madame appelle sa bonne et lui dit avec un grand sourire :

— Écoutez, Marie-Louise, nous allons le garder, ce petit ! Monsieur et moi, nous avons toujours regretté de ne pas avoir d'enfant. Et vous pourrez l'élever sans inquiétude...

Et tout rentre dans l'ordre jusqu'à l'année suivante : la bonne s'amène, honteuse, en avouant qu'elle est encore enceinte. Cette fois-ci, le premier pas étant déjà fait, Monsieur et Madame acceptent avec facilité d'adopter le second bébé. Si bien que chaque année, à la même époque, la petite bonne revient engrossée et la famille s'augmente avec une régularité d'horloge.

Il y a maintenant six enfants au foyer, et voici que la petite bonne entre dans la chambre de Madame, la tête basse, en tripotant son tablier.

— Eh bien ! dit Madame, qu'est-ce qu'il y a encore, Marie-Louise ?...

— C'est pour vous dire, Madame, que je suis obligée de partir...

— Ah! non, Marie-Louise! Cette fois, ça suffit! Nous avons poussé la générosité jusqu'à adopter vos six enfants. Maintenant, vous pourriez quand même faire attention. Cela finit par être ridicule d'être enceinte tout le temps!

— Mais, Madame, je ne suis pas enceinte! C'est pas la question!

— Alors, pourquoi voulez-vous partir?

— Ben, vous savez, la place était très bonne... Mais depuis qu'il y a tous ces gosses, ça devient insupportable!

380 □

— Alors, c'est bien, cette place de bonne à tout faire que tu as trouvée?

— C'est pas mal. C'est pas compliqué. Suffit de répondre toute la journée: *Oui, Madame... oui, Madame... oui, Madame...* Et puis: *Non, Monsieur... non, Monsieur... non, Monsieur...*

381 □

Un petit garçon va trouver sa mère et il lui dit:

— Il est quand même drôle, papa! Suivant qu'il te parle ou qu'il parle à la bonne, il dit les choses à l'envers...

— Comment ça? demande la mère un peu inquiète.

— Ben oui. Il rentre le soir. Si c'est toi qui es là, il secoue son parapluie et il dit: *Quelle poisse!* Et puis il te demande: *Rien de nouveau?* Et tu lui dis: *Non...* Tandis que si c'est la bonne qui est là, il lui dit tout de suite: *Rien de nouveau?* Et elle répond: *Non!* Alors il dit: *Quelle poisse!*

382 □

— Ma femme est tombée malade! Alors je suis

obligé de tout laver dans la maison. Je lave le linge, je lave les vitres, je lave la vaisselle...

— Ben, et la bonne alors ?

— Non... La bonne, ma femme veut pas !

□ 383

Une bourgeoise appelle sa bonne et elle lui dit :

— Ça ne va pas ! Monsieur s'est plaint de ses pantalons qui sont mal repassés, de ses chaussures que vous ne cirez pas et de la cuisine qui est immangeable !

— Mon Dieu, quel sale caractère ! s'écrie la bonne. Et naturellement, vous voulez que j'aille régler ça avec lui ?

□ 384

Le vicaire est tout nouveau dans la paroisse. Mais à peine arrivé, il a tout de suite repéré la ravissante petite bonne du curé. Et un soir, il ne peut plus résister. Il décide de lui faire son affaire.

Il la coince dans un couloir, il la tient d'une main et de l'autre main, il lui soulève la jupe. Alors, il s'aperçoit qu'il a les deux mains prises et qu'il ne peut pas soulever sa soutane.

Il lâche la jupe, il soulève sa soutane. Et comme la jupe est retombée, il lâche sa soutane et il soulève la jupe. Et la soutane retombe.

Il ne sait plus quoi faire. Alors il entend la voix du curé qui a entrebâillé une porte par-derrière et qui lui crie :

— La soutane, avec les dents !

□ 385

Marie-Chantal sort de son armoire une robe qu'elle a portée deux fois :

— Impossible de remettre ça, dit-elle. Je vais la salir un peu et je la donne à la bonne...

386 ☐

— Étiennette, dit la dame à sa bonne, est-ce que vous avez vraiment l'intention de vous envoyer mon mari ?
— Oh ! non, Madame, comment pouvez-vous croire ?
— Alors, arrêtez de le lui dire. Ça le perturbe...

borgne

387 ☐

Un lord anglais joue au tennis avec sa femme qui est borgne. Tout d'un coup, il lui envoie la balle en plein dans l'œil qui lui reste et il le lui crève.
— *Sorry, darling*, dit-il sans se démonter.
Puis il ajoute presque tout de suite :
— *And good night !*

388 ☐

Une dame qui cherche un mari vient s'inscrire dans une agence matrimoniale. Elle est un peu ennuyée.
— Comme vous voyez, dit-elle, je suis borgne. Ça va sans doute être difficile ?
— Mais non ! dit l'employé. Vous inquiétez pas...
Et il inscrit sur la fiche :
Deux merveilleux yeux bleus, dont un en moins.

389 ☐

Ça doit bien faire la centième fois que ce pauvre mendiant tend la main au riche industriel à la sortie de sa Rolls-Royce. Mais c'est toujours en vain. Un beau jour cependant, l'homme d'affaires se sent de bonne humeur, il a peut-être une minute à perdre et il dit au clochard :

— Cent francs si tu devines quel est mon œil de verre !
— C'est le gauche, dit le mendiant.
— Exact, fait l'autre. Et comment l'as-tu deviné ?
— J'y ai vu briller une lueur humaine...

☐ **390**

Deux gars désœuvrés :
— J'te parie que je me mords l'œil droit, dit le premier.
— Impossible ! Je tiens le pari.
Mais voilà que le gars se fait sauter un œil de verre et il le mord.
— Formidable ! dit l'autre.
— Y a encore plus formidable ! J'te parie que je me mords l'œil gauche !
— Ah ! Ça, je peux pas y croire. Parce que tout de même, t'as pas deux yeux de verre ! Pari tenu.
Alors l'autre s'extrait le dentier de la bouche et il se mord l'œil gauche...

☐ **391**

Tous les soirs, le borgne enlève son œil de verre et il le pose dans une soucoupe sur la table de nuit. Mais un soir il se trompe d'œil : il s'enlève le vrai. Et aussitôt il s'exclame :
— Merde ! Les plombs ont sauté !

☐ **392**

Un borgne vient d'avaler par mégarde son œil de verre. Il se précipite chez son médecin et il lui dit :
— J'ai avalé mon œil ! J'ai avalé mon œil !
— Vous frappez pas ! dit le médecin. On va voir ça tout de suite... Ouvrez la bouche !
Le gars ouvre la bouche. Le docteur regarde le plus loin qu'il peut et il dit :

— Je ne vois rien de ce côté. Il faut que je regarde de l'autre ! Enlevez votre slip.

Le gars s'exécute. Le docteur se penche, très attentif. Soudain, il se redresse et il dit :

— Oh ! là, là ! Ce que vous pouvez être méfiant, vous alors !

bougnat

393 □

Deux Auvergnats jouent aux charades. Il y en a un qui dit :

— Mon premier est un petit poichon, mon second est un arbre et mon tout est un roi de Franche...

L'autre, il cherche et il dit :

— Je trouve pas.

— Tu peux pas trouver. C'est Anchois Pommier...

394 □

Une pauvre religieuse s'est perdue dans Paris. Elle entre chez un bougnat et demande :

— Pardon, monsieur, vous ne pourriez pas me dire où c'est, l'évêché ?

— Bien chûr, fait le bougnat, ch'est au fond de la cour à droite...

395 □

C'est un paysan auvergnat qui confie à son fils :

— Fais comme moi ! J'ai bâti ma vie sur deux principes : méfiance... méfiance !

396 □

Deux Auvergnats voient passer une voiture immatriculée CH.

— Tu connais cha, toi, CH ? Ch'est quel pays ?
— Pour chûr, je connais, ch'est la Chuiche...

bourgeois

☐ **397**

Monsieur et Madame passent la soirée chez eux. Elle tricote. Il lit son journal. Tout d'un coup, il éternue et elle lui dit :
— A tes souhaits !
Et elle tombe raide morte...

☐ **398**

Schmohl dit à sa femme :
— Tu sais, les affaires, ça marche, je crois qu'on peut laisser la petite soupente de la rue des Rosiers et s'installer boulevard de Sébastopol. J'ai trouvé un joli magasin.
Et ils déménagent. Un an plus tard, Schmohl dit à sa femme :
— On va pouvoir bazarder la vieille bagnole. L'argent rentre bien. On va acheter une belle voiture, comme les gens qu'on connaît.
Et ils achètent une Mercédès. Et un an plus tard, Schmohl dit à sa femme :
— J'ai bien réfléchi. Les gens qu'on connaît, ils habitent dans les beaux quartiers. Pour notre standing, il faut faire comme eux. J'ai trouvé un bel appartement de vingt pièces à l'avenue Foch. Et comme le commerce rend bien, on va encore déménager.
Et ils s'installent à l'avenue Foch. Et un an après, Schmohl dit à sa femme :
— Écoute, ma chérie. J'ai bien regardé les gens qu'on fréquente. Ils ont tous du personnel domes-

tique. Alors, comme en ce moment, on a de l'argent de côté, on va engager une femme de chambre, un chauffeur et un jardinier.

Et petit à petit les Schmohl reçoivent et se font recevoir dans le beau monde. Et un an après, ils assistent à une grande soirée très huppée. Schmohl se penche vers sa femme et il lui dit :

— Tu vois, Judith. Ça fait un moment que je regarde la manière de vivre des gens qu'on fréquente. Eh bien, ils ont tous une maîtresse. Alors, je suis vraiment obligé de faire comme eux. Regarde cette jolie blonde là-bas, dans le fauteuil. Eh bien, c'est la maîtresse du banquier. Et la grande brune, près du piano, c'est la maîtresse du ministre. Et la rousse qui s'avance pour te dire bonjour, eh bien, c'est ma maîtresse !

Alors la femme de Schmohl lui répond :

— C'est pas pour dire, mais c'est la nôtre qui est la mieux !

399 ☐

Une fille extrêmement bourgeoise dit à son fiancé :

— Arsène, décidément, je ne peux pas vous épouser. Maman ne veut plus.

— Mais enfin, chérie, demande-t-il, qu'est-ce que je lui ai fait, à votre mère ?

— Elle trouve que vous faites trop de sport.

— Trop de sport ? Écoutez, Madeleine, c'est justement pour ça que nous nous aimons ! Vous en faites autant que moi !

— Je sais bien. Mais maman dit qu'il en faut au moins un qui reste à la maison !

400 ☐

Tard dans la nuit, l'épouse attend toujours son homme qui a pris l'habitude fâcheuse de ne rentrer

qu'à l'aube. Tout d'un coup, on sonne à la porte. Elle se lève pour aller ouvrir et elle dit:
— Si ce n'est pas lui, qu'est-ce qu'il va prendre!

☐ **401**

Un gars confie sa détresse à un ami:
— Je ne comprends pas pourquoi ma femme me fait la gueule. Pourtant, je lui apporte son café au lit tous les matins et... elle n'a plus qu'à le moudre...

☐ **402**

Deux amis sortent ensemble d'une séance de sauna et se rhabillent tranquillement. Et il y en a un qui se glisse un porte-jarretelles autour de la taille. Éberlué, l'autre lui lance:
— Qu'est-ce qui te prend? Tu mets des machins de bonne femme maintenant ?
— Écoute, dit le premier, je vais t'expliquer. C'est ma femme qui a trouvé ça, coincé entre les coussins de ma voiture. Alors elle m'a dit: «Et naturellement, tu vas me faire croire que c'est à toi?»

☐ **403**

Un gars ouvre son courrier, il devient violet et il se met à hurler:
— Ça alors! Quel est le fumier qui ose m'écrire que je suis cocu?
— Ben, dit sa femme, ça doit être un de nos amis intimes. C'est obligatoirement quelqu'un qui nous connaît très bien tous les deux...

☐ **404**

Cette fois-ci, le ménage s'est disputé horriblement. Toute la vaisselle est cassée. Les voisins tremblent de peur. L'épouse a fait sa valise et elle a pris la porte. Mais au bout de deux heures, la voilà qui remonte

l'escalier. Et elle passe en coup de vent devant son mari en criant :
— Tu peux dire que tu as de la chance ! Ma mère vient juste de retourner chez sa mère...

405 ☐

Le mari rentre chez lui à quatre heures du matin. Sa femme le regarde, les bras croisés, et elle lui jette :
— C'est pas la peine de jurer que tu viens d'un banquet de camarades du régiment. Mets-toi au lit tout de suite... On va bien voir !

406 ☐

Une épouse à son mari :
— Le premier de nous deux qui meurt, eh bien, l'autre lui apportera des fleurs, et après, j'épouse quelqu'un de mieux...

407 ☐

— Chéri, de qui est la lettre que tu es en train de lire ?
— Pourquoi, bobonne ?
— Comment, pourquoi ? Tu es bien curieux...

408 ☐

Deux noctambules se font des confidences entre deux verres de gros rouge :
— Et que dit ta femme quand tu rentres très tard ?
— Je n'ai pas de femme !
— Ah, tiens ! Mais alors, pourquoi rentres-tu si tard ?

☐ **409**

Dans un petit intérieur bourgeois, le mari déclare entre la poire et le fromage :

— C'est incroyable ce que les gens peuvent être susceptibles. On peut dire n'importe quoi. Ils le prennent toujours pour eux...

Alors sa femme lui répond, le sourcil froncé :

— C'est pour moi que tu dis ça ?

boxe

☐ **410**

Sur le ring, il y a un boxeur qui est en train de se faire sérieusement malmener par son adversaire. Il a du sang sur les yeux. Il n'y voit plus grand-chose. Il envoie les poings en avant dans le vide. Entre deux rounds, il demande à son soigneur :

— Tu crois que j'ai encore une chance de l'avoir ?

— Pour sûr. Si tu continues à agiter l'air autour de lui, il va certainement attraper une pneumonie...

☐ **411**

C'est un boxeur qui a reçu un coup bas, mais vraiment un coup très bas, entre le ventre et le début des jambes. Il va voir un docteur et le docteur l'examine.

— Mon pauvre ami, lui dit-il, je crains fort que cet accident vous ait rendu impuissant pour toujours.

— Ah ! bon, dit le boxeur. J'avais peur que ça me donne les oreillons...

☐ **412**

— C'est dégueulasse, raconte un boxeur. Je suis allé disputer un match à Marseille contre un champion marseillais, mais l'arbitre aussi était marseillais. Au moment où j'ai glissé sur le tapis, il s'est mis à compter à toute vitesse : « Un, deux, trois, quatre, cinq, et cinq, dix ! »

413 ☐

Sur le ring, le combat est particulièrement féroce. Un boxeur revient dans son coin après le troisième round et son soigneur lui dit :

— Il t'a fermé l'œil gauche ? Ça ne fait rien. Tu vas gagner. Essaie seulement de t'esquiver...

À la fin du round suivant, le boxeur s'assied dans son coin dans un état lamentable. Son soigneur lui dit :

— Ça marche au poil ! Il t'a fermé l'autre œil, mais si tu arrives à t'esquiver, il ne pourra plus te toucher et c'est toi qui gagnes !

— D'accord, fait le gars. Mais comme j'y vois plus rien, surveille l'arbitre ! J'ai l'impression qu'ils sont deux à me taper dessus...

---

bureau

---

414 ☐

— Dites-donc, Martin ! hurle le patron, est-ce que vous vous rendez-compte que vous arrivez au bureau avec deux heures de retard ?

— Excusez-moi, monsieur, mais je vous assure qu'il m'est arrivé quelque chose de pas ordinaire.

— Qu'est-ce qui vous est arrivé ?

— Je suis tombé par la fenêtre de ma chambre.

— Ah ! Et à quel étage habitez-vous ?

— Au sixième, monsieur.

— Au sixième ? Vous êtes tombé du sixième et vous voulez me faire croire que c'est ça qui vous a pris deux heures ?

☐ **415**

Un bonhomme va trouver un vieux copain à lui qui est devenu ministre et il lui dit :

— Je t'ai rendu des services dans le temps. Il faut que tu me renvoies l'ascenseur. J'ai mon fils qui a vingt-cinq ans et qui ne sait rien faire. Est-ce que tu ne pourrais pas lui trouver une place ?

— Bien sûr, cher ami, dit le ministre. Je peux te le prendre demain matin comme attaché à mon cabinet. Deux briques par mois, ça va ?

— Non, c'est trop d'un seul coup !

— Alors, je l'engage comme chef de service. Une brique, c'est d'accord ?

— Non ! Je veux qu'il commence plus bas pour se faire la main.

— Alors, chef de bureau, à sept mille, qu'en dis-tu ?

— Non ! Il faut qu'il bouffe un peu de vache enragée, ça ne lui fera pas de mal.

— Eh bien, si tu veux, j'ai une place de coursier à quatre mille cinq par mois. Mais alors là, il y a un pépin : il faut qu'il ait son baccalauréat...

☐ **416**

Un type arrive en retard à son bureau et se fait coincer dans le couloir par son patron :

— Vous avez deux heures de retard ! Vous avez une excuse ?

— Oui. Ma femme va avoir un bébé !

— Ah ! Bravo... Elle a commencé d'accoucher ?

— Euh, non ! Dans neuf mois...

☐ **417**

Ce patron a ceci de particulier qu'il est du sexe féminin. Et qui plus est, une belle dame, parfaitement à l'aise dans sa peau... Elle appelle son secrétaire particulier, un garçon gentiment musclé et

plein de charme, et elle lui déclare sur un ton très admiratif :
— Venez vous asseoir sur mes genoux, mon petit Rodolphe ! J'ai une lettre à vous dicter pour le Mouvement de Libération des Femmes...

418 □

— Moi, dit un grand patron à un autre, je déteste les collaborateurs serviles. Ce qui me convient, ce sont les employés qui n'hésitent pas à me couper la parole avec un air insolent pour me lancer à la figure : « Je suis entièrement d'accord avec vous ! »

419 □

Pendant une importante réunion du gouvernement, un ministre se penche vers un autre ministre et lui glisse à l'oreille :
— Dites-moi... Vous avez combien de fonctionnaires qui travaillent sous vos ordres ?
Et l'autre répond :
— Oh ! Disons un sur dix...

420 □

— Monsieur le Directeur, je viens vous demander une augmentation. Que dis-je, demander ! Je viens exiger une augmentation !
— Comment, mon ami, mais je vous ai déjà augmenté le mois dernier !
— Ah ! Mon Dieu, monsieur le Directeur, je suis confus ! Ma femme ne m'en avait pas parlé...

421 □

Un employé raconte à un collègue de bureau :
— Si jamais le patron ne retire pas ce qu'il m'a dit, je le laisse tomber et je quitte cette sale boîte !
— Ah, oui ? Et qu'est-ce qu'il t'a dit ?
— Il m'a dit qu'il me flanquait dehors !

□ **422**

Le directeur s'approche d'un employé qui arrive au bureau en rasant les murs :

— Écoutez, Durand, ça ne peut plus durer. Ça fait la douzième fois ce mois-ci que vous arrivez à votre travail avec une heure de retard !

— Mais, monsieur le Directeur, bredouille le gars, ce n'est pas ma faute. C'est à cause de ma femme qui a eu un bébé...

— Vous vous foutez de ma gueule ou quoi ? Vous m'avez déjà dit ça je ne sais combien de fois. Une fois par an, ça pourrait passer, mais vous invoquez ce prétexte à chaque fois que vous êtes en faute !

— C'est normal, monsieur le Directeur. Ma femme est sage-femme...

□ **423**

— Il m'est arrivé une horrible aventure. Figure-toi que ma secrétaire m'a invité à prendre un verre chez elle pour fêter mon anniversaire...

— Et alors ? Qu'est-ce qu'il y a d'horrible ?

— Attends la suite. Elle m'offre un martini-dry, des olives et des amandes salées, elle met de la musique douce et puis elle me dit : « Maintenant, je vais vous faire une surprise. Je vais passer dans ma chambre et vous m'y rejoindrez dans cinq minutes ! Dans cinq minutes, vous entendez ? Pas avant ! »

— Formidable ! Et en plus, tu n'es pas content ?

— Mais attends la fin ! Quand je suis entré dans sa chambre, j'y ai trouvé tous les copains du bureau qui chantaient *Happy birthday !*

— Ben, il fallait prendre ça à la rigolade !

— A la rigolade, c'est facile à dire ! Parce que moi, j'étais à poil ! Et je bandais comme un Turc...

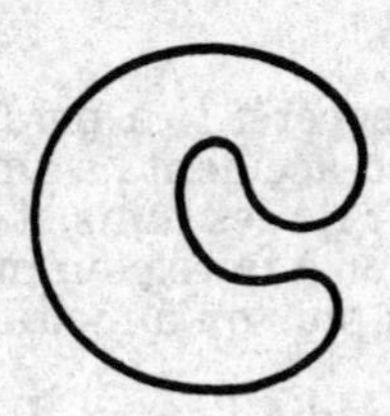

cafard

424 □

Un brave curé de campagne ramasse un cafard dans sa cuisine et tout peiné de le voir malheureux, il essaie de le consoler :

— Évidemment, tu es noir, ce n'est pas drôle. Mais moi aussi. Il n'y a pas de quoi se désespérer ! Dis-moi ce qui te chagrine...

Et le cafard lui répond, l'œil triste :

— J'ai l'homme...

425 □

— Dis donc, tu as mauvaise mine, toi ! Qu'est-ce qui t'arrive ?

— Oh ! tu sais, la vie, toujours la vie...

— Bah ! Ça passe, mon vieux. Viens donc prendre un verre.

— Oh ! Boire, toujours boire...

— Décidément, ça va mal ! Viens, je t'emmène dîner.

— Oh ! Bouffer, toujours bouffer...

— Mais si, mais si ! Viens à la maison. Ma femme sera très contente de te voir...

— Oh ! Coucher, toujours coucher...

☐ **426**

Un gars est désespéré. Il a perdu son travail. Sa femme l'a quitté. Un accident l'a amputé d'un bras. Il rencontre le dernier de ses amis et il lui dit :

— Il n'y a plus rien à faire pour moi ! Je n'ai jamais eu de veine. Je n'ai plus qu'à me tirer une balle dans la tête...

— Mais non ! lui dit l'autre. Il y a toujours de l'espoir. La vie n'est pas aussi dégueulasse que tu le dis. Le soleil brille. Il y a les oiseaux... Tiens, regarde un peu en l'air...

Et le type malchanceux lève la tête. Il y a justement un pigeon qui vole au-dessus de lui. Et le pigeon lui lâche une fiente en plein dans la gueule. Alors le bonhomme s'essuie lentement du revers de la main et laisse tomber amèrement :

— Ça fait quand même plaisir, un petit cadeau de temps en temps...

☐ **427**

Cette pauvre fille a beau être belle comme le jour, elle a eu un chagrin d'amour si violent qu'elle en est complètement désespérée. Elle achète un revolver et elle décide de se tuer. Elle vise d'abord à la tempe, mais elle se dit :

— Je ne peux pas me défigurer le visage. Ce serait trop affreux !

Et elle abaisse le revolver sur son cœur. Mais aussitôt elle pense :

— Une si belle poitrine ! Ce serait lamentable !

Et elle appuie le canon de l'arme sur son ventre. Puis juste au moment de tirer, elle a une arrière-pensée :

— Dire que j'ai un si beau bassin ! Je ne peux pas faire ça !

Et elle descend encore un peu son revolver. Elle va appuyer sur la gâchette. Mais à la dernière seconde, elle réfléchit. Elle retire le revolver.

Et puis non ! Il faut bien en finir ! Elle le remet... Elle hésite encore, elle le retire. Puis elle le remet... C'est trop bête ! Elle le retire... Elle le remet encore...
Et pour en finir, elle reprend goût à la vie !

campagne

428 □

Le petit cochon trottine entre les bâtiments de la ferme, mais il a deux jambettes de bois à la place des pattes de derrière. Le Parisien s'approche du fermier et lui confie, très admiratif :
— Dites donc, c'est merveilleux de soigner les animaux blessés avec tant d'attention ! Vous devez drôlement l'aimer, votre petit cochon !
— Oh ! oui, qu'on l'aime, dit le fermier. Même qu'on le mange par petits morceaux...

429 □

— Voilà, dit le médecin de campagne. Ce qu'il vous faut, c'est des suppositoires. J'ai mis le nom sur l'ordonnance.
Huit jours après, le paysan revient chez le docteur et il lui dit :
— Votre remède, je peux pas dire que je l'ai pas essayé. J'en ai avalé quatre par jour. Je me suis dit que peut-être c'était pas comme ça qu'il fallait faire. Je les ai pris dans la soupe. Je les ai fait fondre dans de l'eau bouillante et j'ai tout bu. Je m'en suis frotté ousque j'avais mal. Ben, docteur, excusez-moi si je vous contredis, mais vos machins, ils m'ont fait autant d'effet que si je me les étais flanqués au cul !

□ 430

— Il ne fout plus rien, l'Antoine, dit le père à la mère. On va l'envoyer à la campagne, chez l'oncle Mathieu.

Aussitôt dit, aussitôt fait. Le jeune Antoine se retrouve à la ferme et dès le premier jour, le père Mathieu vient le réveiller à quatre heures du matin :

— Allez ! Debout ! Faut aller couper du maïs pour les cochons !

Antoine, il se frotte les yeux, il s'ébroue un peu et il dit :

— C'est du maïs sauvage ?

— Non, c'est pas du maïs sauvage, dit le père Mathieu.

— Alors, fait l'Antoine, pourquoi diable aller lui tomber dessus en pleine nuit ?

□ 431

Un médecin a été appelé à la hâte dans une ferme perdue où une femme est sur le point d'accoucher. Malheureusement, il n'y a pas d'électricité. Et devant sa femme en travail, le mari est obligé de tenir à la main une lampe-tempête, pendant que le toubib s'affaire.

Au bout d'un moment, il extirpe un joli petit braillard. Mais il s'aperçoit que ce n'est pas fini ! Il y a encore du monde derrière. Et après pas mal d'efforts, la femme met au monde un second bébé aussi turbulent que le premier. Alors le docteur s'éponge le front et il dit :

— C'est pas possible ! Vous les faites à la chaîne ! Il y en a un troisième qui arrive...

Du coup, le mari commence à devenir vert. Il se mord les doigts et il bredouille :

— Écoutez ! Il vaut mieux que j'éteigne la lampe ! Ça les attire...

432 □

Un automobiliste s'est perdu dans un dédale de chemins vicinaux. Il aperçoit enfin un paysan et il stoppe pour lui demander conseil :

— Dites-moi, mon brave, où va cette route ?

— Ben, fait le plouc, par ici, elle va à ma ferme. Et par là, elle va tout droit...

433 □

Un véritable ouragan s'est déchaîné sur la campagne. Le lendemain, un vieux fermier va trouver son voisin et il lui dit :

— T'as pas retrouvé ma grange ? Elle s'est carrément envolée !

— Non, dit l'autre. Et toi, t'as pas retrouvé ma famille ?

434 □

Deux fleurs se font une déclaration d'amour :

— Oh ! Je t'aime ! dit la première. Si tu savais comme je t'aime...

Et l'autre répond en tremblant :

— Et moi, je meurs d'envie de toi... Si on appelait une abeille ?

435 □

C'est un paysan qui ne sait plus quoi faire, parce que son potager est envahi de taupes. Alors on lui conseille de faire venir un spécialiste qui est le plus grand tueur de taupes de tout le pays. Le type en question s'amène quelques jours plus tard et il passe toute la matinée à fouiner dans le jardin. Pendant ce temps, le paysan s'inquiète un peu. Et si le bonhomme allait lui tuer aussi ses artichauts et ses salades ? Si bien qu'au moment d'aller déjeuner, il le rejoint dans un carré de choux, où l'autre s'affaire mystérieusement, et il lui demande :

— Vous en avez tué beaucoup?

— Eh bien, réplique le gars, la première à neuf heures, la seconde à dix heures, la troisième à onze heures, et à la quatrième taupe, il sera exactement douze heures, zéro minute, zéro seconde...

□ **436**

Deux fermières se croisent devant l'église et la première dit à l'autre:

— Quel malheur! Vous savez, la belle truie que j'avais? C'était la plus belle du pays! Eh bien, elle est morte!

Alors l'autre, pour la consoler:

— Ce que c'est que de nous...

□ **437**

Un automobiliste tombe en panne dans un petit village et le garagiste lui dit:

— J'ai pas de cric pour vous soulever la bagnole. Il faut aller chercher le père Tonin.

— Le père Tonin?

— Oui, c'est lui qui nous sert de cric!

Effectivement, un gars s'amène, il rentre ses épaules sous la voiture, il fait une petite grimace et hop! il soulève tout le paquet, le temps de changer la roue...

— Ça, c'est formidable, dit l'automobiliste. Vous êtes drôlement musclé, vous!

— Voui, fait le bonhomme qui est costaud comme une armoire. Vous savez, c'est dans la famille. Mon père aussi faisait ça. Et même ma sœur, qui est allée vivre à Paris, il paraît qu'elle fait la grue...

□ **438**

— Tu ne veux pas me garder mon âne, pendant que je pars en voyage? demande le père Mathieu au père Martin.

— Je veux bien, mais l'avoine ? Ça va te coûter cent francs.

— Cent francs ? Tu exagères ! Tiens, je t'en donne vingt et n'oublie pas de me garder le crottin.

Quand le père Mathieu est parti, la mère Martin dit à son mari :

— Comment tu vas faire pour nourrir cet âne avec vingt francs et en plus, garder le crottin ?

— T'en fais pas ! Pour vingt francs, il y aura pas de crottin...

439 ☐

— Et d'abord, dit un brave paysan, moi, je ne suis pas superstitieux, parce que ça me porterait malheur !

440 ☐

Un fermier s'aperçoit que les renards entrent toutes les nuits dans ses enclos et lui bouffent des poules.

Le dimanche suivant, il va à la ville pour faire des courses et à la dernière minute, il se rappelle qu'il faut qu'il achète un piège pour les renards. Alors il fait irruption dans un grand bazar et il dit à la vendeuse :

— Vous avez des pièges pour mettre devant les poulaillers ?

— Gros comment ? dit la vendeuse.

— Le plus gros possible. Mais faites vite, parce qu'il faut absolument que j'attrape le train...

— Alors, si c'est pour attraper le train, dit la vendeuse, je suis navrée, mais je n'en ai pas d'assez gros...

441 ☐

C'est un plouc qui est venu faire des achats à la ville. Il passe devant la vitrine d'un marchand d'automobiles et il tombe en arrêt devant une voiture extraordinaire. Alors le vendeur, qui a remarqué sa stupéfaction, sort de la boutique et lui dit :

— C'est une belle bagnole, hein ?

— Oui, ça pour ça, oui, fait le gars.

— Et vous savez, vous pouvez vous taper du 160, avec ça !

— Taper du 160 ? Qu'est-ce que ça veut dire ?

Le vendeur, il voit qu'il a affaire à un demeuré, alors il lui explique :

— Ben, c'est simple ! Ça veut dire qu'avec cette voiture, si vous partez d'ici à dix heures du soir, vous êtes à Paris à minuit !

— A minuit ! Ben, mon gars, ça va plus vite que le train !

— Oui. C'est pour ça que vous avez tout intérêt à l'acheter !

— Vous voulez dire que si j'achète cette voiture, je peux partir d'ici en sortant de dîner et je suis à Paris à minuit ?

— Parfaitement !

— Ben, mon gars, je l'achèterai jamais, ta bagnole. Qu'est-ce que tu veux qu'on aille foutre à Paris à minuit, la Marie et moi ?

□ **442**

Un antiquaire parisien fait la tournée des brocanteurs de province, dans l'espoir de trouver quelque pièce rare. Il lui arrive même de faire halte dans de petites fermes où, sous prétexte d'acheter un œuf, il regarde le mobilier du coin de l'œil.

Un jour, il tombe en arrêt, chez un paysan, devant un objet rarissime : un vieux bol du Moyen Age qui semble ne servir qu'à donner du lait au chat. Il retient son souffle et il dit au fermier :

— Il est mignon votre petit chat ! Je voudrais l'acheter pour l'offrir à mon petit garçon. Vous seriez d'accord ?

— Pour sûr, dit le plouc.

Alors le gars paie le petit chat et il ajoute :

— Je vais prendre son vieux bol avec, puisqu'il a l'habitude de boire dedans...

— Ah, non! grogne le paysan. Le bol, vous le laissez. Il m'a déjà fait vendre douze chats depuis le mois dernier...

443 ☐

— Dimanche, on ira cueillir des fraises, dit la petite fille.

— Oh! Voui, voui, voui... dit le petit garçon, en battant des mains. Et c'est moi qui monterai sur l'arbre!

444 ☐

C'est le printemps! Les bourgeons éclatent partout.

Le vieux père Émile rentre des champs, il arrive dans sa cuisine et il crie à sa bonne femme:

— Allez, la Marie! Hop! Fous-toi à poil...

— Mais qu'est-ce qui t'arrive? dit-elle, interloquée. Ça fait bien dix ans que tu ne m'as plus touchée...

— Réfléchis pas! Allez! Enlève ta robe! Enlève ta chemise! Dépêche-toi! Je ne peux plus tenir! Allez! Hop! Enlève tes dessous! Ouh là là! Ce qu'on va se payer! Ça y est? T'as tout enlevé? T'es bien toute nue? Ah! Ah! Ah! Poisson d'avril!

445 ☐

Deux gosses de la campagne discutent en revenant de l'école:

— Tu sais qui c'est, l'animal le plus rapporteur?

— Non...

— Ben, c'est le cheval!

— Ah! Pourquoi?

— Parce que *cheval dire à ma mère...*

☐ 446

Ça se passe à la campagne. Le père Mathieu envoie un de ses fils chez le père Antoine, à la ferme voisine, pour emprunter une tondeuse mécanique. Mais à peine le môme a-t-il ouvert la bouche en arrivant chez le père Antoine que celui-ci éclate :

— Ouais ! Je sais ce que tu viens chercher ! C'est ma tondeuse mécanique... Ben tu pourras dire à ton vieux que je me la garde pour moi ! Parce que moi, quand je lui demande un service, il m'envoie paître. Et puis, tu pourras lui dire aussi que mes fesses, c'est pas un garage !

— Que vos fesses, c'est pas un garage ?

— Parfaitement. Tu lui diras ça tout de suite ! Comme ça, il pourra pas gueuler que ma tondeuse, je me la foute au cul...

☐ 447

Une réflexion désabusée de Joseph Prudhomme :

— Je me demande pourquoi on ne bâtit pas les villes à la campagne... L'air y est tellement plus pur !

☐ 448

Dans la cour de la ferme, une dinde dit à une autre :

— Et où comptez-vous passer les fêtes de Noël ?

☐ 449

C'est une dame qui est très vilaine. On pourrait même croire que son mari l'a achetée en pièces détachées et qu'il n'a pas su la remonter. Un jour, ils se promènent tous les deux dans la campagne et elle lui dit :

— Ah ! là ! là ! C'est fou ce que j'aime la nature !

— Ben, grommelle-t-il entre ses dents, t'es vraiment pas rancunière...

cancre

450 □

C'est un petit garçon qui revient de l'école en pleurnichant. Il a de très mauvaises notes, mais il prétend que c'est la faute de l'instituteur, que l'instituteur l'a pris comme tête de Turc, qu'il lui pose des questions trop difficiles, qu'il le persécute tout le temps. Alors le père se met en colère et il crie :

— Si c'est comme ça, ça ne va pas se passer comme ça ! Je vais aller le voir, ton instituteur ! Il va avoir de mes nouvelles !

Le lendemain, il se précipite à l'école avec son rejeton, il attrape presque l'instituteur par la peau du cou et il commence à l'engueuler :

— Espèce d'ignoble sadique ! Alors, vous croyez que c'est pour torturer mon fils que l'État vous paie ? Allez-y ! Osez faire votre sale besogne devant moi !

Alors l'instituteur se tourne vers le gosse et il lui dit :

— Voyons, mon petit, combien ça fait, un et un ?

Et le môme se met à geindre :

— Tu vois, papa, il recommence !

451 □

Un inspecteur de l'enseignement primaire passe dans une petite classe de la banlieue de Marseille où Marius est instituteur. Il demande à un élève :

— Combien ça fait, deux et deux ?

— Euh... dit le môme, trois...

Alors Marius lance avec un sourire un peu crispé :

— Boudiou ! Monsieur l'inspecteur, il l'a frôlé !

☐ 452

Le professeur regarde le cahier du petit Ernest qui est un vrai cancre. Sur le cahier, il n'y a que des pages blanches.

— Alors, dit le professeur, tu n'aurais pas pu marquer quelque chose sur ton cahier pendant la leçon de calcul ?

— Non, dit Ernest, parce que moi, je fais du calcul mental.

☐ 453

— Comment ! hurle le père. Dix en conduite et zéro en application. Mais enfin, Toto, comment te débrouilles-tu ?

— Ah ! Écoute, papa, je peux pas arriver à faire les deux en même temps...

☐ 454

Un petit garçon juif rentre de classe avec un carnet de notes affreux. Son père l'engueule. Le gosse se défend :

— Les professeurs sont tous des curés, dans cette école, tu le sais bien. Comment veux-tu qu'ils donnent des bonnes notes à un Juif ? Si tu veux que je travaille bien, il faut me faire baptiser !

Le père réfléchit. Il n'y a pas d'autre école que celle-là dans le patelin. Comment faire ? Il finit par accepter, la mort dans l'âme, qu'on baptise son fils. Mais la fois suivante, le gamin revient avec des notes encore plus pourries qu'avant. Cette fois, le père, le grand-père et toute la famille se mettent très en colère :

— Petit monstre ! Tu n'es pas digne de nous ! Jamais nous n'avons eu des notes aussi mauvaises à l'école. Nous étions toujours premiers !

— Oh, répond l'enfant, c'est pas étonnant. Vous, les Juifs, vous avez toujours su vous débrouiller...

455 ☐

L'instituteur interroge un élève :
— Et l'eau, elle bout à combien ?
— A quatre-vingt-dix degrés !
Alors Toto lance du fond de la classe :
— C'est pas vrai ! C'est l'angle droit qui bout à quatre-vingt-dix degrés...

456 ☐

Une très vilaine petite fille, très paresseuse, rentre de classe et dit à son père :
— Papa, tu connais la dernière ?
— Non.
— Eh bien, c'est moi !

457 ☐

A la tribune de l'O.N.U., un délégué demande :
— N'y aurait-il pas dans la salle un bon traducteur de français ?
Et une voix répond :
— Oui. Je.

458 ☐

L'instituteur convoque le père du petit Toto et il lui dit :
— Votre fils est un mauvais élève. Et en plus, il est malhonnête. En composition d'histoire, il a copié sur son voisin. D'ailleurs, tenez, voilà les deux copies. Vous pourrez constater vous-même qu'on y trouve les mêmes réponses : Qui a succédé à Napoléon ? Louis XVIII !
— Oh, vous savez, dit le père, ce n'est pas une preuve que mon fils a copié. Puisque la réponse est exacte, c'est normal qu'ils aient écrit la même chose tous les deux.
— Peut-être, rétorque l'instituteur, mais la ques-

tion suivante était : Où a-t-on exilé Napoléon ? Et ils ont répondu tous les deux : au château d'If !

— Oui, évidemment ! Mais il peut arriver à deux enfants de faire la même erreur... Ça s'est déjà vu !

— Je veux bien vous croire à la rigueur, mais attendez la troisième question : Quelle est la date de la mort de Napoléon ? Eh bien, le voisin de votre fils a répondu : je ne sais pas. Et vous savez ce qu'il a répondu, votre fils ? Il a répondu : moi non plus...

☐ 459

Un géant revient de l'école et rentre à la maison. Il a encore eu de mauvaises notes. Alors son père lui dit :

— Passe-moi l'échelle que je te foute une gifle !

cannibale

☐ 460

Une mère cannibale dit à son petit dernier qui se tient mal à table :

— Combien de fois devrais-je te répéter qu'il ne faut pas parler avec quelqu'un dans la bouche...

☐ 461

Le chef cannibale soulève le couvercle de la marmite de temps en temps. Et avec une énorme fourche, il pique cruellement le missionnaire qui est en train de cuire.

— Tout de même, lui dit le sorcier, foutez-lui au moins la paix. C'est déjà pas mal qu'on le mette au court-bouillon, c'est pas la peine de le torturer en plus !

— Comment ! réplique le grand chef, mais vous ne voyez pas qu'il est en train de bouffer tout le riz !

462 □

Un missionnaire tient une école en plein cœur de l'Afrique. Un jour, un des négrillons vient en classe avec un bébé tout noir sur les bras. Le missionnaire s'approche et lui dit:

— C'est ton petit frère que tu as amené? Peut-être que ta maman ne pouvait pas le garder à la maison?

— Non, dit le gamin. C'est pas mon petit frère. C'est mon goûter...

463 □

Quelque part du côté de Ouagadougou, une brave ménagère entre dans une boucherie anthropophagique et elle demande:

— Vous avez de l'épaule d'homme?

— Ah! non, fait le boucher.

— Et de la côtelette?

— La côtelette, j'en ai plus...

Alors la bonne femme ouvre la porte du frigo et elle voit un homme entier, pendu à un crochet par les pieds.

— Pourquoi vous me racontez des blagues? s'écrie-t-elle, furieuse. Vous voyez bien que vous pouvez me servir n'importe quel morceau...

— Jamais de la vie! dit le boucher. Celui-là, il est mort du diabète et on le garde pour faire de la compote...

464 □

Deux cannibales arrivent à Paris et ils vont se renseigner auprès d'un agent de police:

— Pardon, monsieur! Est-ce que vous pourriez nous donner l'adresse des Bouffes-Parisiens? On voudrait se taper un petit homme-sandwich!

☐ **465**

Au fin fond du Congo, un petit négrillon rentre dans la case où sa mère prépare la cuisine et il lui dit :

— Oh ! Ça sent bon, ça, maman ! Qui est-ce ?

☐ **466**

Un anthropophage se plaint d'avoir mal à la tête. Le grand sorcier l'ausculte et il lui dit :

— C'est parce que tu te bourres d'intellectuels...

☐ **467**

Un cannibale est un monsieur qui entre dans un restaurant et qui commande... un garçon.

☐ **468**

Un petit anthropophage voit passer un avion dans le ciel et il demande à sa mère :

— Maman, qu'est-ce que c'est, cet oiseau ? Ça se mange ?

— Oui, ça se mange. Mais c'est comme les langoustes : il faut d'abord décortiquer...

☐ **469**

Le cannibale rentre chez lui et il demande à sa femme :

— Qu'est-ce qu'on bouffe ce soir ?

— Un homme...

— Ah ! bon... C'est quelqu'un qu'on connaît ?

☐ **470**

Dans un avion d'une compagnie africaine, un cannibale appelle l'hôtesse et il lui demande avec une délicieuse courtoisie :

— J'ai faim ! Apportez-moi un homme !

— Je suis navrée, dit l'hôtesse avec un bon sourire, mais nous n'en avons pas au menu.
— Bon, tant pis! Alors, donnez-moi de l'eau chaude...
Et quand la fille lui a apporté un grand bol d'eau chaude, il tire une boîte de sa poche, il l'ouvre, et il verse un peu de poudre dans le bol. C'est une boîte de *Nesman*...

471 ☐

Un anthropophage et sa femme sont en train de bouffer deux petits jumeaux de colons blancs. Et tout d'un coup, le gars s'exclame:
— On fait philippine, chérie?

472 ☐

Un cannibale va chez le pharmacien du village et lui confie qu'il a des brûlures d'estomac.
— Ben, dit l'autre, tapez-vous un pompier, une fois par semaine...

473 ☐

A bord du paquebot, un cannibale vient de s'asseoir à une table dans la salle à manger des secondes et le steward lui tend le menu.
— Non, dit-il. Apportez-moi plutôt la liste des passagers...

474 ☐

Un cannibale entre dans un restaurant fréquenté par des militaires de l'O.N.U. Il fait un clin d'œil au garçon et il dit:
— Je voudrais un casque.
— Bleu? demande le garçon.
— Oui, mais à point!

☐ **475**

Un chef anthropophage rentre chez lui le soir. Il va à la cuisine, il soulève le couvercle de la marmite et il dit à sa femme :

— Ah ! là, là... Ta mère ! Encore ta mère...

☐ **476**

Dans un restaurant d'Afrique noire, deux cannibales sont assis, en train de terminer leur déjeuner. Sur la table, il y a quelques restes : des chaussures noires, une soutane noire, des chaussettes noires. Alors, l'un des deux cannibales dit à l'autre, en se léchant les babines :

— On a beau dire, il y a quand même de bons prêtres...

carnaval

☐ **477**

Un homme se présente chez un costumier et il dit :

— Pour le mardi gras, je voudrais me déguiser, mais je voudrais quelque chose de très économique.

— Je vois ce qu'il vous faut, dit le vendeur. Vous allez vous déguiser en Adam ! La seule dépense, c'est une feuille de vigne...

— Parfait ! Alors, donnez-moi une feuille de vigne !

L'employé revient avec une feuille de vigne, le gars s'enferme dans la cabine d'essayage et au bout d'un moment, il passe la tête par le rideau et il dit :

— Il me faut le modèle au-dessus, c'est trop petit...

On lui amène le modèle au-dessus, mais ça ne va encore pas. Du coup, le vendeur va lui chercher une feuille de vigne dans la plus grande taille. Le gars l'essaie et il dit:

— C'est beaucoup trop petit pour moi!

Alors, c'est la révolution dans le magasin, on appelle un coupeur et on lui fait tailler une feuille de vigne géante. Le gars se la met sur le ventre et il dit:

— C'est très indécent! Il me faut quelque chose de plus grand...

Le vendeur le regarde, il réfléchit une seconde et brusquement il a une idée:

— Écoutez! C'est pas en Adam qu'il faut vous déguiser... C'est en pompe à essence. Ça ne vous coûtera rien: vous n'aurez qu'à vous mettre le tuyau sur l'épaule...

478 □

La veille du mardi gras, un gars entre chez un marchand de travestis et il dit:

— C'est pour me déguiser. Je voudrais quelque chose d'original.

— Euh, dit le vendeur, vous voulez un costume de Robin des Bois?

— Non, dit le gars. On verrait ma jambe de bois sous le collant.

— Alors, un costume de d'Artagnan?

— Non. Avec ma jambe de bois, je pourrais pas faire tenir la botte.

— Alors, vous voulez vous mettre en soldat inconnu?

— Non, parce qu'avec ma jambe de bois, je pourrais pas enrouler les bandes molletières.

— Bon, j'ai compris ce qu'il vous faut, fait le vendeur. Vous allez vous déshabiller et vous tremper dans un bain de sucre à la vanille. Et puis, votre jambe de bois, vous vous la foutrez au cul et vous serez déguisé en sucette...

☐ 479

Invité à un bal costumé, un gars hésite beaucoup avant de choisir son déguisement. Finalement, par mesure d'économie, il décide d'y aller tout nu...

La maîtresse de maison est un peu offusquée en le voyant arriver et elle lui dit d'un air visiblement gêné :

— Vous vous êtes déguisé en quoi ? Si c'est le costume d'Adam, j'ai le regret de vous dire qu'il manque la feuille de vigne !

— Oh ! non, madame, répond le gars avec un sourire béat. Je ne suis pas Adam. Je suis un phare avec son pinceau lumineux ! Quand je tourne, un coup c'est éclairé, un coup c'est éteint...

☐ 480

Ce couple encore jeune et beau est resté tendrement uni, sans que pour autant l'un comme l'autre ne s'interdise certains extra. Si bien qu'un soir, elle lui dit :

— Je dîne avec une cousine.

Et il répond :

— Ça tombe bien, parce que j'ai un souper d'affaires !

Mais tous les deux ont formé le projet de se rendre secrètement à un bal de carnaval. Il se déguise en bandit corse. Elle se déguise en marquise de Pompadour. Et chacun disparaît.

Vers onze heures, la fête masquée bat son plein. L'ambiance est merveilleuse. Parmi les couples travestis qui dansent sans se connaître, on peut remarquer une marquise de Pompadour et un bandit corse.

— Comme elle me plaît, se dit le bandit corse. Je parie que c'est ma femme !

— Comme il est séduisant, se dit la marquise. On jurerait mon mari !

Et ils ne se quittent plus, attendant, le cœur

battant, l'heure où l'on va se dévoiler. Enfin, à minuit sonnant, on fait tomber les masques.

Eh bien, ce n'était pas lui. Et d'ailleurs, ce n'était pas elle non plus...

casino

481 □

Un flambeur sort du casino de Deauville, il prend un revolver dans la poche de sa veste, il pose le canon sur sa tempe. Il va tirer, et juste à ce moment, une gitane lui saute dessus et lui dit :

— Un billet de cent balles et je vous prédis l'avenir...

482 □

Un gros joueur sort du casino de Monte-Carlo. Il a tout perdu. Il lui reste juste sa bagnole. Il monte dedans et il se dit :

— Jamais plus je remettrai les pieds dans ce bled !

Et comme il sort de la ville, il entend une petite voix qui lui dit :

— Retourne au casino !

— Hein ! fait le gars. J'ai des hallucinations !

Mais la petite voix répète :

— Je sais ce que je dis ! Retourne au casino !

Subjugué, le bonhomme reprend la route en sens inverse et il arrive devant le casino. Et la petite voix lui dit :

— Vends ta voiture !

— Ma voiture ! Mais c'est pas possible ! C'est tout ce qu'il me reste !

— Vends ta voiture, dit la petite voix. Moi, je connais l'avenir.

Alors, le gars va vendre sa voiture et il en tire péniblement une brique. Et la petite voix lui dit :
— Entre au casino et va à la roulette !
— A la roulette ? Mais je vais encore perdre !
— Va à la roulette, dit la petite voix. Moi, je connais l'avenir.
Complètement fasciné, le gars retourne au casino et quand il est devant la table de la roulette, la petite voix lui dit :
— Mise tout sur le huit !
— Mais c'est de la folie. Je vais me retrouver sans un !
— Mise tout sur le huit, reprend imperturbablement la petite voix. Tu peux me faire confiance. Je vois loin.
Bref, le gars met tout son argent sur le huit. La roulette tourne et c'est le neuf qui sort. Alors il entend la petite voix furieuse qui dit :
— Merde !

☐ **483**

Devant la table de roulette du casino de Biarritz, un joueur est assis, la tête entre ses mains. Il se dit :
— Je devrais mettre ma dernière plaque de cent francs sur le sept !
Quelques secondes plus tard, le sept sort.
— Eh bien, se dit le gars, je devrais tout reporter sur le quatorze.
Et le quatorze sort.
— Formidable pense le bonhomme. Si je m'écoutais, je mettrais tout sur le vingt.
Et le vingt sort. Alors le joueur fait le compte de tout ce qu'il aurait pu gagner s'il avait suivi son idée. Il y en a pour cinq cents bâtons. Son cœur bat à tout rompre. Il se lève, il va pour sortir, et à la dernière seconde, il se ravise. Il sort de sa poche sa dernière plaque de cent francs et il la jette devant le croupier en disant :
— Pour le personnel...

484 □

Dialogue entre deux joueurs de roulette, devant le casino de Deauville :

— Moi, je te dis que si tu t'accroches à un numéro suffisamment longtemps, il finit toujours par sortir. Hier, par exemple, j'ai misé sans arrêt sur le treize...

— Et il est sorti ?

— Oui. Une minute après moi...

catastrophe

485 □

— Vite, docteur, dépêchez-vous. Mon mari a pris deux cachets d'aspirine, il a avalé sa potion contre les aigreurs d'estomac, il s'est mis un suppositoire contre la grippe, il a pris un comprimé à cause de son asthme, il s'est mis des gouttes dans le nez, et puis je ne sais pas pourquoi, il a allumé une cigarette. Et alors, il y a eu une énorme explosion...

486 □

Un joueur de golf a lancé une balle trop fort. Il n'arrive plus à la retrouver. Au bout d'une demi-heure, un garde-champêtre s'amène et lui dit :

— C'est vous qui avez perdu une balle de golf ?

— Oui, dit le gars.

— Eh bien, elle est arrivée dans l'œil d'un chauffeur de camion qui a loupé un passage à niveau. Ça a fait dérailler un train et cinq wagons sont allés s'écraser sur un terrain de camping. En somme, votre balle, elle a fait quatre-vingt-dix-sept morts. Et maintenant, comment allez-vous vous en tirer ?

— Euh, dit le gars, je crois que je vais tenir mon

club d'une autre façon, le pouce et l'index plus serrés.

☐ 487

Une tempête épouvantable s'est déchaînée sur la ville. Les tuiles volent des toits, les pots de fleurs dégringolent, les voitures en stationnement se carambolent.

Un petit monsieur essaie de traverser la rue pour rentrer chez lui, quand soudain une rafale le soulève en l'air et le précipite en plein à travers la vitrine d'un marchand de parapluies.

Le gars se relève et s'ébroue au milieu d'un monceau de verre brisé et de parapluies qui lui rentrent dans les oreilles. Alors le marchand s'approche avec un bon sourire, croise les mains onctueusement et lui dit :

— Quel bon vent vous amène ?

☐ 488

Un ouvrier dégringole d'un échafaudage. Un attroupement se forme. Alors un flic s'amène et bouscule tout le monde en criant :

— Qu'est-ce qui se passe ?

Et l'ouvrier, par terre, ouvre un œil :

— Je ne sais pas. J'arrive...

☐ 489

La description consciencieuse d'une catastrophe est parfois d'un comique involontaire. En voici pour témoin une lettre authentique écrite par un habitant des Petites Antilles à son patron :

« Quand je suis arrivé au bâtiment, j'ai découvert que la tornade avait fait tomber quelques briques du toit. J'ai donc installé une poutre et une poulie et j'ai hissé deux caisses de briques sur le toit. La réparation terminée, il restait une quantité de briques. J'ai hissé à nouveau la caisse et j'ai fixé la corde en bas. Je suis remonté et j'ai rempli la caisse avec les briques en trop. Puis je suis descendu et j'ai détaché la corde. Malheureusement, la caisse de briques était plus lourde que moi et, avant que je comprenne ce qui m'arrivait, elle a commencé à descendre, me soulevant en l'air d'un seul coup. J'ai décidé de m'agripper et à mi-hauteur, j'ai rencontré la caisse qui descendait et j'ai reçu un sérieux coup à l'épaule. Alors j'ai continué jusqu'en haut, me cognant la tête contre la poutre et m'écrasant les doigts sur la poulie. Lorsque la caisse a cogné le sol, le fond a lâché et les briques se sont répandues par terre. J'étais alors plus lourd que la caisse et je suis reparti vers le bas à grande vitesse. A mi-hauteur, j'ai rencontré la caisse qui remontait et j'en ai reçu de sérieuses blessures à la jambe. Quand j'ai atteint le sol, je suis tombé sur les briques dont les arêtes m'ont infligé plusieurs douloureuses coupures. A ce moment, j'ai dû perdre ma présence d'esprit, car j'ai lâché la corde. Alors la caisse est redescendue, me donnant un coup violent sur la tête et m'envoyant à l'hôpital. Pour cette raison, je demande respectueusement un congé de maladie... »

490 □

Un avion de ligne survole l'Atlantique. Les passagers sont confortablement installés dans leurs fauteuils et tout d'un coup, une voix grésille dans les haut-parleurs :

— Nous vous informons que les quatre réacteurs sont en flammes. L'équipage a sauté en parachute... Ici, le commandant de bord ! Je vous parle depuis un canot de sauvetage qui a été largué à la mer... Surtout que personne ne s'inquiète ! Nous sommes allés chercher du secours... Bonne chance à tous !

□ 491

Un mari rentre à son domicile dans un terrible état de surexcitation. Il se précipite sur sa femme et il se met à l'engueuler :

— Je sais qu'il y a un autre homme ici ! Où est-il ?

Et sans attendre de réponse, il ouvre fébrilement tous les placards et il fouille sous les meubles. Puis, en passant comme un fou près de la fenêtre, il aperçoit dans la rue un jeune mec au volant d'une voiture décapotable qui va démarrer...

— Le voilà ! hurle-t-il. Il a réussi à sortir de la maison ! Mais je vais lui faire son affaire...

Alors il entre dans la cuisine comme un ouragan, il saisit à pleins bras le réfrigérateur et avec une force que la colère décuple, il va le balancer par la fenêtre sur la bagnole...

Quelques instants plus tard, on sonne à la porte du ciel et saint Pierre va ouvrir. Il voit tituber un jeune homme tout sanglant et penaud qui bredouille :

— Je ne comprends pas ce qui m'est arrivé. J'étais tranquillement au volant de ma voiture. Et tout d'un coup, j'ai reçu un frigo sur la gueule !

— Entrez, dit saint Pierre.

Et comme il vient de refermer la porte, il entend un autre coup de sonnette. C'est le mari qui s'amène, un peu honteux :

— Excusez-moi de vous déranger ! J'ai cru que ma femme me trompait et j'ai pris un coup de sang. J'étais tellement en rage que j'ai foutu mon frigo par la fenêtre ! Mais c'était un trop grand effort pour moi. Mon cœur à lâché !

— Entrez, dit saint Pierre. Et dépêchez-vous parce qu'on dirait qu'il y a quelqu'un derrière vous...

Et c'est vrai qu'un troisième homme vient de sonner à son tour. Il est tout nu, tout bleu et il grelotte de tous ses membres. Il regarde saint Pierre avec un air ahuri et il dit :

— C'est quand même bizarre, la vie ! J'étais dans

un réfrigérateur, et tout d'un coup, il y a eu un tremblement de terre...

492 ☐

C'est un gars qui reçoit une lettre. Il l'ouvre, et comme elle est écrite en allemand, il n'y comprend rien. Alors, il va au bistrot du coin, parce qu'il se rappelle que le patron est alsacien, et il lui dit :

— Vous pourriez pas me traduire cette bafouille ?

— Bien sûr, dit l'autre.

Et le voilà qui lit la lettre, mais tout d'un coup, il devient vert, il se jette sur le gars, il le prend par la peau des fesses et il le fout dehors en criant :

— Espèce de salaud ! Espèce de fumier ! Ne mettez jamais plus les pieds chez moi !

L'autre se relève, s'essuie et ne comprend rien à ce qui lui arrive. Il ramasse sa lettre par terre. Il décide d'aller trouver un vieux copain de régiment qui parle allemand à merveille et de lui soumettre le même cas.

Le copain le reçoit à bras ouverts, il lui offre l'apéritif, il saisit la lettre, il commence à la lire et au bout de deux minutes, il entre dans une colère épouvantable, il ouvre la porte et il dit au gars :

— Dehors, petite pourriture ! Et que je n'entende plus parler de toi !

Le gars sort, éberlué, il remet la lettre dans sa poche. Il réfléchit. Il cherche dans ses relations s'il n'y a pas quelqu'un d'autre qui parle allemand.

Tout d'un coup, il pense au vieux Dédé-la-Mitraille à qui il a sauvé la vie pendant la guerre. Bien sûr, c'est un ancien gangster, mais qu'à cela ne tienne, il est rangé des voitures et il acceptera sûrement de lui rendre service. Alors, il va sonner chez lui et l'autre le reçoit comme un frère :

— Quelle bonne surprise ! Moi qui n'ai jamais su comment te renvoyer l'ascenseur ! Bien sûr que je vais te la traduire, ta lettre ! Tu parles ! Je connais l'allemand comme ma poche depuis mon séjour dans la Légion étrangère! Tiens, assieds-toi là et sers-toi un whisky, pendant que je regarde ça!

Mais à peine a-t-il pris la lettre à la main que son visage devient cramoisi. Il sort une mitraillette d'un placard et en trois rafales, il transforme le gars en passoire...

La police arrive à toute pompe. On transporte le malheureux à l'hôpital. Il reste pendant un mois entre la vie et la mort. Son père vient le voir et lui dit:

— C'est quand même rageant! Tu vas passer le reste de tes jours dans une petite voiture roulante... Comment ça t'est arrivé?

Et le pauvre infirme raconte tout, les larmes aux yeux. Il explique comment cette maudite lettre l'a mené de déboires en catastrophes. Et quand il a fini son récit, son père lui dit:

— Avoue que t'es pas futé. Tu aurais quand même pu te souvenir que j'étais professeur d'allemand! Ça aurait arrangé les choses! Donne-moi donc cette lettre, qu'on y voie enfin clair...

Alors le gars, fou de curiosité, fouille dans ses poches, il regarde partout dans ses affaires et, manque de pot, la lettre... il l'a perdue...

☐ **493**

Un accidenté sort du coma... Il demande:

— Est-ce que je suis arrivé au paradis?

— Non, lui dit sa femme qui est à son chevet. Rassure-toi. Je suis toujours là.

☐ **494**

— Ça va? dit un gars à un autre.

— Oui.

— Et ta femme? Toujours... euh...

A ce moment-là, il se rappelle que son copain a

perdu son épouse dans un terrible accident de voiture. Et il se met à bégayer :
— Toujours... euh ?... toujours écrasée ?

☐ 495 495 ☐

C'est un déménageur qui ne peut pas transporter quelque chose sans le casser. Ce type-là, c'est une vraie tempête. Qu'il s'agisse d'un vase, d'une table de nuit ou d'un piano, dès qu'il y a touché, ça tombe en morceaux...

Heureusement, il a un patron très compréhensif, très social, très humain. Malheureusement il y a eu tellement de plaintes, qu'un beau jour le patron le fait appeler et lui dit :
— Je ne sais pas comment nous allons faire pour nous passer de vos services, mais à partir du mois prochain, on va tenter l'expérience...

☐ 496 496 ☐

Il avait mis trois jours pour sortir de la chambre, quatre jours pour descendre l'escalier, deux jours et demi pour traverser le vestibule, et cinq jours pour arriver jusqu'à la grille du jardin.

Il venait juste de sortir dans la rue quand soudain la maison s'écroula tout entière...
— Ouf ! dit l'escargot. Je crois que je suis parti à temps !

☐ 497 497 ☐

Dans une station balnéaire, un môme arrive tout essoufflé à la gendarmerie et il s'écrie :
— Vite ! Venez vite ! Il y a un cadavre tout nu sur la plage !

Aussitôt les gendarmes se précipitent sur leur képi et leur ceinturon et il y en a un qui demande :
— C'est un homme ou une femme ?
— Ah ! ça, j'en sais rien, fait le gamin. Les crabes lui ont bouffé la différence...

☐ **498**

Deux dames se promènent et tout d'un coup l'une d'elles dit à l'autre :
— Mon Dieu ! J'ai perdu mon parapluie !
— Oh ! Quelle bêtise, dit l'autre. À quel moment t'es-tu aperçue que tu ne l'avais plus ?
— Eh bien, quand j'ai voulu le refermer...

☐ **499**

La monitrice de l'école pour enfants retardés rentre chez elle et elle a le visage et les vêtements couverts de taches. Son mari la regarde et lui demande :
— Qu'est-ce qui s'est encore passé ?
— Ben voilà, dit-elle. C'est un môme à qui j'ai demandé combien ça faisait dix et dix. Il s'est mis à rougir, à bégayer. Alors je lui ai posé une question plus simple. Je lui ai demandé combien ça faisait cinq et cinq. Il est devenu cramoisi, il essayait de répondre en claquant des dents, il avait la tête qui gonflait. Alors je lui ai dit de ne pas se fatiguer et je lui ai demandé seulement de me dire combien ça faisait, un et un. Ben, il a fait un effort terrible, le pauvre et tout d'un coup... boum ! Tu sais, c'est salissant, les gosses, quand ça éclate...

catéchisme

☐ **500**

Au catéchisme, un prêtre raconte le martyre du Christ.
— Regardez comme il a souffert sur la croix ! Ils lui ont percé les mains et les pieds avec des clous !
— Bah, fait un gosse au fond de la classe, c'est normal. Il fallait bien qu'il tienne !

501 □

— Mes enfants, que faut-il faire pour que Dieu nous pardonne nos péchés ?
Un gosse lève le doigt :
— D'abord, il faut pécher !

502 □

L'institutrice donne une leçon de choses.
— Et maintenant, citez-moi des fruits.
— La pomme, la poire, la banane, euh... la cerise, et puis, et puis... et puis le fruit de vos entrailles qui est béni...

503 □

Un vicaire fait le catéchisme des jeunes filles :
— Ce n'est pas moi qui vous recommanderai d'aller vous barbouiller de rouge à lèvres ! D'ailleurs, je trouve que ça a un goût affreux...

504 □

Leçon de catéchisme :
— Le premier jour, Dieu fit la terre. Le second, il fit les montagnes et les mers. Le troisième, les fleurs et les fruits. Le quatrième, les animaux. Le cinquième jour, il fabriqua l'homme. Enfin, le sixième jour, mes enfants, Dieu créa la femme...
Le curé observe un petit silence et il ajoute comme pour lui-même :
— Évidemment, on sent la fatigue...

505 □

Le professeur d'instruction religieuse raconte la Passion du Christ à ses élèves :
— Ils l'ont déshabillé, ils l'ont fouetté, ils l'ont battu sur tout le corps. Ils lui ont frappé le visage, et la poitrine, et le ventre...

A ce moment, il s'aperçoit qu'un de ses élèves s'est endormi. Il s'approche de lui sournoisement et il se met à crier :

— Et la figure, et la poitrine, et les hanches, et les bras, et le ventre, et les pieds...

Le gosse se réveille en sursaut et il se met à chanter :

— *Alouette, gentille alouette...*

chapeau

☐ **506**

C'est un gars qui est en vacances au bord de la mer. Il s'imagine qu'il est seul sur une plage déserte. Alors il s'est endormi tout nu sur le sable, avec seulement un grand chapeau de paille qui lui cache le visage pour le protéger du soleil.

Et voilà que trois filles viennent à passer. La première s'exclame :

— Ça lui fait de l'effet, la chaleur ! Qu'est-ce que c'est que ce type ? C'est ni mon mari, ni le maître-nageur, ni le marchand de glaces !

La seconde dit :

— Je peux même vous confier que c'est pas quelqu'un de l'hôtel.

Et la troisième conclut :

— Confidence pour confidence, il est pas du tout du pays !

☐ **507**

Une bonne femme tombe du onzième étage dans la rue. Elle s'écrase par terre, complètement en bouillie.

L'ennuyeux, c'est qu'elle s'est penchée par la fenêtre de sa salle de bains et à ce moment-là, elle était toute nue ! Alors, il y a un passant compatissant qui s'approche d'elle, ou plutôt de ce qu'il en reste, et comme le gars a beaucoup de pudeur, il lui pose son chapeau sur le bas du ventre. Dix minutes après, police-secours arrive : une ambulance, un sergent de ville et deux infirmiers. Le flic regarde le triste spectacle et il dit :

— Touchez à rien ! Va falloir d'abord dégager le bonhomme...

508 ☐

Ce grand missionnaire qui était parti pour les forêts de l'Amazone a été capturé par les redoutables Jivaros, réducteurs de têtes. Tout le monde le croit mort, mais au bout de deux ans, son évêque reçoit un coup de téléphone :

— Monseigneur, c'est moi. J'ai réussi à leur échapper. Mais pour l'amour du Ciel, envoyez-moi de quoi m'habiller. Ils ne m'ont rien laissé. Je voudrais juste une soutane, encolure quarante ; des chaussures et des chaussettes, pointure trente-neuf et puis... euh... un chapeau... taille un...

509 ☐

C'est un monsieur extrêmement économe qui a acheté un chapeau dans une grande boutique des boulevards. Au bout de dix ans, il s'aperçoit que le ruban est un peu usé.

Alors, il prend son chapeau, il le met sur sa tête, il descend son escalier, il se rend à pied jusqu'au même magasin, il entre, il rougit un peu et il dit :

— C'est encore moi ! Le ruban est usé...

510 ☐

Deux fous se baladent dans la cour de l'asile, avec des casseroles sur la tête.

— Qu'est-ce que c'est lourd, ces chapeaux ! dit le premier.

— Oh ! oui alors... déclare l'autre. On devrait faire des casseroles en paille pour l'été !

charcuterie

☐ **511**

Un brave mari est excédé de voir sa femme dormir les jambes écartées et tenir toute la place dans le lit nuptial. Un beau jour, il lui dit :

— Si tu continues à dormir les jambes écartées comme ça, tu vas finir par perdre tes tripes !

— Ah ! Ah ! dit-elle, tu rigoles !

Mais lui, il décide d'aller jusqu'au bout des choses. Il achète un chapelet de saucisses à la charcuterie et un matin, avant de partir au bureau, il dépose tout ça entre les jambes de sa femme qui sommeille encore...

Et deux heures après, il reçoit un coup de téléphone :

— Allô ! C'est toi, chéri ?

— Oui !

— C'est horrible, mon chéri ! Tu avais raison ! Je me suis réveillée et j'avais perdu toutes mes tripes !

— Ah ! bon... Et alors ?

— Si tu savais le mal que j'ai eu à les faire rentrer...

☐ **512**

Un voyageur de commerce est en train de dîner solitairement dans un hôtel sinistre de province. Il finit par payer l'addition et il demande au garçon :

— Y a un cabaret dans ce bled ?

— Non, fait l'autre.

— Mais alors, il doit bien y avoir un cinéma ou un

billard électrique quelque part? Ou peut-être un bordel?

— Non, monsieur! On n'a rien de tout ça...

— Mais alors, qu'est-ce que vous faites quand vous voulez vous amuser?

— Ben, on va chez le charcutier et on regarde la machine à découper le jambon...

513 □

Une cliente entre chez le charcutier:

— Je voudrais trois tranches de jambon.

— Voilà, madame. Ça fait trente francs...

— Trente francs? Mais c'est combien le kilo?

Alors la vendeuse se tourne vers l'arrière-boutique et elle crie:

— C'est combien, déjà, le kilo de jambon?

514 □

C'est un charcutier qui vient de mourir et il arrive à la porte du paradis. Mais comme c'est un homme précautionneux, il a emporté avec lui un saucisson pour le cas où la faim le surprendrait entre les deux mondes. Saint Pierre le regarde, un peu stupéfait, et il dit:

— Qu'est-ce que c'est que cette chose que vous avez à la main?

— Ben, c'est un saucisson, fait le gars.

— Un saucisson? Connais pas. Vous ne pouvez pas entrer au ciel avec un machin de ce genre! Attendez un peu que je me renseigne...

Il prend le saucisson à la main, il se retourne vers l'intérieur du paradis et il crie:

— Quelqu'un connaît ce truc par ici?

Et on entend la petite voix de la Vierge qui dit:

— Y aurait pas les ficelles, ça me rappellerait le Saint-Esprit...

chasse

☐ 515

C'est un type qui s'en va chez son curé et il lui dit :

— Monsieur le curé, je suis marié depuis trois mois et j'ai déjà un enfant !

Le curé lui répond :

— Ah ! Ça, c'est un mystère !

— Mystère ou pas mystère, fait l'autre, je connais ma femme depuis cinq mois et elle a déjà accouché... Qu'est-ce que ça veut dire ?

Le curé lui dit :

— C'est un grand mystère !

L'autre, il s'énerve, il lui lance à la figure :

— Écoutez, monsieur le curé, ne vous moquez pas de moi ! Entre nous, permettez-moi une comparaison. Si vous allez à la chasse et que vous tirez une alouette et qu'elle tombe avant que le coup de fusil soit parti, vous appelez ça un mystère ?

— Ah ! non, fait le curé. Ça, c'est quelqu'un qui a tiré un coup avant vous...

☐ 516

Pour chasser le lion, dans le désert de Gobi, pas besoin de fusil. Vous n'avez qu'à vous munir d'un tamis. Vous passez le désert dans le tamis, et à la fin, il ne reste plus que le lion.

Avec les crocodiles, sur les bords du Nil, c'est à peine plus compliqué. Vous emportez une longue-vue et une pince à épiler. Vous repérez le crocodile en regardant par le gros bout de la longue-vue. Après, vous n'avez plus qu'à le saisir délicatement avec la pince à épiler.

517 □

Le marquis de Cliftonshire revient de la chasse. Il dit à son valet :

— Ernest, tous les invités sont rentrés ?

— Oui, monsieur le marquis.

— Ah ! bon. C'était donc un chevreuil...

518 □

Un gars a emmené sa femme et sa belle-mère participer à une grande chasse aux fauves en Afrique. Le type est à l'affût derrière un bananier quand tout d'un coup il entend sa femme qui hurle :

— Chéri ! Un gorille vient d'enlever maman ! Qu'est-ce qu'on peut faire ?

— Rien, dit-il placidement. S'il n'arrive pas à lui échapper, c'est tant pis pour lui...

519 □

Marius revient d'Afrique et il raconte à Olive :

— J'ai fait la chasse aux tigres casqués !

— Ah ! Et c'est difficile ? demande Olive.

— Non. Tu mets une grande marmite de lentilles au pied d'un arbre. Le tigre vient tout bouffer. Et quand il est repu, tu t'approches de lui et tu lui dis bonjour !

— Et alors ?

— Et alors, il te dit bonjour aussi. Et comme il est poli, il enlève son casque...

— Et après ?

— Et après, tu fais comme avec un tigre ordinaire...

520 □

Pour faire la chasse aux starlettes, au Festival de Cannes, il suffit de se planter derrière un palmier, sur la Croisette, et d'imiter le cri d'un gros carnet de chèques...

chat

☐ **521**

— Papa, je crois que j'ai tué le chat!
— Comment as-tu fait ton compte, petit malheureux?
— Il était sale et j'ai voulu le laver...
— Et tu ne savais pas que les chats détestent l'eau?
— Mais, papa, c'est pas quand je l'ai lavé qu'il est mort, c'est quand je l'ai tordu pour le faire sécher...

☐ **522**

Une vieille pauvresse agonise de misère dans une maison à l'écart du village, toute seule avec son chat. Elle grelotte dans sa cuisine lépreuse et elle décide que maintenant, au point où elle en est, il vaut mieux mourir. Mais soudain, une fée entre dans la maison et déclare:
— Vous avez supporté tous les malheurs avec tant de courage et d'honnêteté que vous méritez d'être sauvée! Faites trois vœux et ils seront exaucés...
La vieille est émerveillée. Elle n'en peut croire ses yeux. Elle bredouille:
— Je veux que ma maison devienne un palais!
Elle n'a pas achevé sa phrase que tout s'est métamorphosé autour d'elle: un lit à baldaquin, des tapisseries somptueuses, des meubles de musée... et la maison a grandi aux dimensions d'un château.
— Mon Dieu, dit la vieille, c'était vrai! Alors, transformez-moi maintenant en belle jeune fille!
Et aussitôt dit, aussitôt fait. Elle regarde sa peau fine, sa robe neuve, son corps si désirable et elle s'écrie:

— Bonne fée! Je veux que mon chat devienne un prince charmant...

Alors la fée touche de sa baguette le vieux chat qui avait la pelade, et voilà qu'il se change en un garçon tellement beau, tellement beau, que la jeune fille toute neuve se précipite dans ses bras en murmurant:

— Je t'aime!

— Ouais, dit le beau prince d'une voix de flûte, mais cette petite opération que tu avais demandé au vétérinaire de me faire, eh bien, tu vas t'en mordre les doigts!

□ 523 523 □

Deux chattes sont en train de discuter:

— Tu sais, le gros chat noir de la boucherie, qui a l'air si viril...

— Oui. Et alors?

— Eh bien, je ne te le recommande pas. Il ne faut pas se fier aux apparences. Hier soir, il m'a emmenée dans le square après la fermeture. Je me suis allongée dans l'herbe et il s'est couché sur mon dos...

— Et après? Et après?

— Et après, il a passé une heure à me raconter son opération!

524 □

Une vieille fille rend visite à une autre vieille fille. Comme on lui ouvre la porte, il y a un chat qui manque la renverser, lui file entre les jambes comme une trombe, descend l'escalier, se précipite dans la cave, remonte par la gouttière, fait trois fois le tour des toits, entre par une fenêtre chez les voisins, ressort par une cheminée, traverse le grenier, et tout ça, sans que personne ait eu le temps de dire ouf...

— Mais enfin, Sophie, dit la petite vieille, allez-vous m'expliquer? Qu'est-ce qu'il lui prend à cet animal?

— Ce n'est rien, Rosalie, fait l'autre. Remettez-vous! Simplement je viens de le faire couper et il est en train de décommander tous ses rendez-vous...

☐ **525**

Pour reconnaître un chat d'une chatte, ce n'est pas difficile. Il suffit de prendre une petite voix et de dire:

— Minet... Minet... Minet...

S'il vient, c'est un chat. Si elle vient, c'est une chatte...

☐ **526**

Sur un toit du Kremlin, deux chats se rencontrent.

— Miaou! fait le premier.

— Mi Ha Ho! fait le second.

— Qu'est-ce que tu dis?

— Tais-toi! J'apprends le chinois...

☐ **527**

Un voyageur de commerce rate son train et rentre chez lui vers minuit alors qu'évidemment sa femme ne l'attendait pas. Il se couche à côté d'elle, non sans remarquer l'inquiétude sur son visage, et il éteint la lumière.

Alors, il perçoit un craquement dans la chambre, il sursaute et il dit:

— Qu'est-ce que c'est?

Et il entend:

— Miaou...

Rassuré, il se rallonge, mais comme ça continue à craquer quelque part, il se dresse sur son séant et il crie:

— Qu'est-ce qui fait ce bruit?

Et une voix minuscule vient de l'armoire :
— C'est encore le chat !

528 □

Trois chattes se sont donné rendez-vous sur un toit.
— Moi, dit la première, je vais avoir des jolis persans métissés...
— Et moi, ce sera des siamois, ajoute la seconde en minaudant.
Alors la troisième se lèche le ventre avec désinvolture et elle susurre :
— Moi, j'en sais rien ! J'avais la tête dans une poubelle...

529 □

C'est une dame qui revient de faire son marché. Elle pose sur la table de la cuisine un poisson d'une livre. Elle passe dans sa salle à manger et quand elle revient, le poisson a disparu.
Mais dans un coin de la cuisine, le petit chat se pourlèche les babines en ronronnant. Elle s'apprête à lui flanquer une raclée, mais elle est prise d'un doute. Elle saisit le chat, elle le met dans une balance, et elle constate avec stupeur que le chat pèse une livre...
— Ça alors ! dit-elle. Mais où est passé le chat ?

530 □

La maman chatte est très inquiète. Il est deux heures du matin et le petit chat n'est toujours pas rentré. Alors le papa chat essaie de la rassurer :
— Ne te fais pas de bile. Il est grand maintenant. Il doit être en train de se taper une souris...

531 □

Un petit chat se présente aux bureaux de *France-Soir* et il déclare :
— Voilà ! Je veux me lancer dans le journalisme !

— Ah! Par exemple... lui répond-on avec quelque scepticisme. Et quel genre de journalisme voulez-vous faire?

— Ben, les chiens écrasés...

☐ 532

Un gars part en voyage et il demande à un ami de lui garder son chat pendant son absence:

— Cette petite bête est adorable et facile à nourrir. Ce sera un vrai plaisir pour toi...

— D'accord, dit le copain.

— Ah! Et puis j'oubliais... Si tu veux bien téléphoner de temps en temps à ma grand-mère pour prendre de ses nouvelles, ça me ferait plaisir... Elle est bien vieille, tu sais!

— D'accord, dit le copain.

Quinze jours après, le gars revient et il va chercher son chat. L'autre lui ouvre la porte et lui dit froidement:

— Ton chat, il est crevé!

— Hein? Mon chat, il est crevé! Écoute. Tu sais l'affection que j'avais pour lui. Tu pourrais au moins prendre quelques précautions pour m'avertir! Je ne sais pas, moi! Tu aurais pu me dire: «Ton chat, il était en train de jouer avec sa petite boulette sur le balcon, et tout d'un coup, patatras, il est tombé du cinquième!» Tu n'as vraiment aucun cœur! Et ma grand-mère, comment va-t-elle?

— Ta grand-mère? Ben, elle était en train de jouer avec sa petite boulette sur le balcon, et tout d'un coup, patatras, elle est tombée du cinquième...

chaussures

533 □

Une dame entre chez un chausseur et elle demande des souliers à talons plats.

— C'est pour porter avec quoi? s'enquiert le vendeur.

— Euh... avec un mari très petit!

534 □

Dans un magasin de chaussures, une vendeuse s'approche d'une cliente et lui demande:

— Quelle pointure?

— Je chausse du 36, mais je suis tellement bien dans du 37 que je prends toujours du 38... Alors vous me donnerez du 38, mais un peu plus grand!

535 □

— Alors, madame, demande la vendeuse, vous êtes bien dans ces chaussures? Elles ne vous font mal nulle part? Vous sentez vos pieds bien à l'aise?

— Oui, dit la cliente. C'est parfait.

— Bon! Dans ce cas, il vous faut la taille en dessous...

536 □

La scène se passe dans un magasin de chaussures. Le vendeur regarde la cliente avec un bon sourire et il déclare:

— Alors, madame, comment on s'arrange? Je vous donne votre pointure tout de suite ou bien on y arrive petit à petit?

537 □

Un homme triste entre dans un magasin de chaussures et il dit:

— Donnez-moi une paire de souliers. Je chausse du 38.

La vendeuse lui apporte la pointure convenue et elle essaie de le chausser. Mais au bout d'un moment, elle lui dit :

— Écoutez, monsieur, je ne voudrais pas vous contrarier, mais le 38 ne vous va pas. Il vous faut au moins du 42...

— Je sais bien, répond le gars, mais je préfère prendre du 38. Je vais vous expliquer. Ma femme m'a abandonné, mon fils s'est ruiné au jeu et je viens d'attraper un cancer. Alors, quand je retirerai ces chaussures, le soir, je saurai au moins ce que c'est que le bonheur...

☐ **538**

Une midinette fait irruption dans un magasin de chaussures et elle s'exclame :

— C'est bien vrai, ce que j'ai lu dans le journal ? Vous avez reçu deux mille paires d'escarpins ?

— Oui, mademoiselle.

— Très bien. Je vais les essayer !

☐ **539**

L'abominable homme des neiges entre dans un magasin de chaussures. La vendeuse lui essaie des mocassins. Le 45 est trop petit. Le 46 aussi. Et aussi le 48. Alors la vendeuse dit :

— Je n'ai plus de pointure au-dessus, mais si vous voulez, on va essayer la boîte...

chemise

☐ **540**

Un type va chez le docteur et il lui dit :

— La nuit, ça va, mais dès que j'arrive au bureau, j'ai des rougeurs plein la figure et je commence à m'étouffer...

Le docteur lui dit :

— Déshabillez-vous !

Il l'ausculte de fond en comble et il lui dit :

— C'est le foie. Faut vous enlever le foie.

Le gars entre en clinique et quinze jours après, il ressort avec le foie en moins. Il retourne à son bureau, il se regarde dans la glace des toilettes, il voit qu'il a des rougeurs sur la figure et il sent qu'il commence à s'étouffer. Alors, cette fois-ci, il va voir un grand spécialiste qui lui fait des tas d'analyses et de prélèvements et qui finit par lui dire :

— Ça vient de l'estomac... On va vous faire une ablation de l'estomac.

Et hop ! Un mois de clinique, on lui retire l'estomac, et pendant sa convalescence, plus de rougeurs ni d'étouffements. Le gars est bien content, il paie la clinique, il rentre chez lui et il se couche.

Le lendemain matin, il va au bureau et à peine est-il dans la rue qu'il commence à étouffer et à devenir tout rouge. Une ambulance le ramasse, on le trimbale à l'hôpital, tous les médecins commencent à s'interroger sur son cas et, en fin de compte, ils décident de lui enlever l'intestin.

Au bout de trois mois, il se remet péniblement sur pied et on lui dit :

— Voilà ! Vous n'aurez plus jamais de rougeurs ni d'étouffements, seulement, vous n'en avez plus que pour cinq ou six mois à vivre...

— Bon, dit le gars, si c'est comme ça, qu'au moins je finisse en beauté !

Il réalise toutes ses économies, il s'achète une belle voiture, il se paie des filles extraordinaires et il décide de devenir très élégant. Il entre dans un grand magasin, il commande cinq costumes sur mesure, douze cravates, vingt paires de chaussures et il dit :

— Je voudrais une chemise par jour pendant cinq mois. Ça fait cent cinquante chemises !

— Bien, dit le vendeur. Attendez que je vous prenne les mesures... 57 de longueur de manche, 75 de tour de taille, 63 de longueur totale et 40 d'encolure...

— Non, dit le gars. Le tour de cou, c'est pas 40, c'est 37...

— Monsieur, vous avez 40 d'encolure, je viens de mesurer !

— Non, 37, je vous dis !

— Bon, écoutez, c'est comme vous voudrez. Mais si vous portez des chemises avec 37 d'encolure, vous allez avoir des rougeurs plein la figure et vous étoufferez tout le temps...

☐ **541**

Un gars entre chez un chemisier et il dit :

— Je voudrais une chemise lilas.

Le vendeur lui sort des chemises mauves, des chemises violettes, des chemises bordeaux. Mais le gars dit :

— Non, ça ne va pas. Ce que je veux, c'est une chemise lilas comme celle que vous avez là, dans la vitrine.

— Mais, monsieur, bredouille le vendeur. Ce que vous me montrez, ce n'est pas une chemise lilas, c'est une chemise blanche !

— Et alors ? Vous n'avez jamais vu du lilas blanc ?

cheval

☐ **542**

Un excellent cavalier a réussi à convaincre un de ses amis de venir faire un petit galop avec lui :

— Évidemment, tu ne sais pas monter à cheval, mais je vais te trouver une bête sensationnelle, une bête extrêmement douce et tu te sentiras dessus comme dans une chaise longue!

Et ils enfourchent tous les deux leur monture. Mais au bout de dix minutes, le petit amateur est sérieusement cahoté. Il saute en l'air, il retombe en avant de la selle, il saute en l'air, il retombe sur l'encolure, il saute en l'air, il retombe sur les oreilles, il saute en l'air, il retombe sur le museau... Alors, il crie à son ami:

— Dépêche-toi de me passer ton cheval! J'ai fini le mien...

543 ☐

C'est un jockey qui promène son fils tous les samedis. Et tous les samedis, ils passent sur le Pont-Neuf et le môme s'arrête, béat d'admiration, devant la statue équestre d'Henri IV. Un jour, le père lui demande:

— Qu'est-ce qu'il a, cet Henri IV, que tu l'aimes tellement?

Et le gamin répond:

— C'est pas Henri IV qui me plaît. C'est le monsieur qui est monté dessus...

544 ☐

La scène se passe dans un haras. Un cheval aborde une très jolie fille et il lui dit:

— Je vais vous violer!

— Hein? fait la fille. Mais c'est pas possible!

— Si, c'est possible. Je vais vous violer.

Et il passe aux actes. Alors un autre cheval arrive et la fille glisse dans l'oreille du premier:

— Attention! C'est mon mari...

545 ☐

Un gars se présente dans un club d'équitation.

— Vous versez une provision de deux mille francs par mois, lui dit le préposé, et vous pouvez venir prendre un cheval quand vous voulez !
— Et je peux le garder combien de temps ?
— Ah ! Ça, c'est pas mon affaire ! Vous en discuterez avec lui...

☐ **546**

— Maman, j'ai vu deux chevals qui étaient à cheval l'un sur l'autre !
— Ah, oui ? Euh... C'est bien possible, mais on ne dit pas deux chevals, on dit deux chevaux...
— Ah, bon ? J'aurais pourtant juré que c'étaient des chevals...

☐ **547**

Un amateur s'amène dans une école d'équitation. Il paie pour une heure et on lui dit :
— Allez à l'écurie. Vous trouverez douze chevaux rangés les uns à côté des autres. Vous en prenez un et vous montez dessus...
Le gars va choisir un cheval, il monte dessus et il n'a pas fait cent mètres que l'animal s'écroule raide mort. Il retourne se plaindre au bureau et on lui dit :
— Il est mort ? Ben, vous n'avez qu'à en prendre un autre !
Du coup, le type va choisir une autre monture, il se met en selle, il fait cinquante mètres et le cheval s'effondre sous lui pour ne plus se relever. Furieux, il retourne au bureau et cette fois-ci, il fait un vrai scandale.
— Criez pas comme ça, lui répond l'employé placidement. Puisqu'on vous a déjà dit que vous pouviez en prendre un autre !
Alors le gars file à l'écurie, il examine attentivement tous les chevaux et il va pour prendre celui du milieu. Mais il entend derrière lui la voix d'un garçon

d'écurie, assis dans la paille, qui lui dit tranquillement :

— Prenez pas celui du milieu ! Si vous l'enlevez, tous les autres vont se casser la gueule... C'est sur lui qu'ils tiennent !

548 □

Une dame surprend son mari en train de parler tout haut pendant qu'il dort.

— Monique, dit-il, Monique !

Elle le secoue, elle le réveille :

— Qui c'est ça, Monique ? Pourquoi rêves-tu de Monique ?

— Euh, dit le brave homme en reprenant ses esprits, Monique, c'est une jument qui m'a fait gagner aux courses hier...

Et il se rendort. Mais le lendemain, quand il rentre du bureau, sa femme lui dit :

— A propos ! Il y a ta jument qui a téléphoné trois fois ce matin...

549 □

— Ça s'est bien passé, ta leçon d'équitation ?

— Euh... pas mal. Mais le cheval voulait aller à gauche, alors que je voulais aller à droite...

— Ah ? Et qui a eu gain de cause ?

— Eh bien, il m'a joué à pile ou face...

chèvre

550 □

Deux chèvres se rencontrent. L'une d'elles a l'air défait, les poils ternes, l'œil vitreux.

— Qu'est-ce qui t'arrive ? lui dit l'autre.

— Ce n'est rien. Je crois qu'en ce moment je bouquine trop tard le soir...

☐ 551

— C'est dommage pour vos chèvres, mais il est malade, votre bouc, dit le vétérinaire à la vieille mère Mathieu. Il a pris froid. Si vous voulez le sauver, il faut le tenir au chaud.

— Ah ! bon, dit la mère Mathieu. Je vais le faire coucher dans mon lit.

— Dans votre lit ? Mais c'est absurde ! Vous ne pensez pas à l'odeur ?

— L'odeur, l'odeur ! Il faudra bien qu'il s'y habitue !

☐ 552

C'est un ventriloque qui s'amuse aux dépens d'un garçon de ferme. Le jeune homme lui fait visiter les lieux et quand ils entrent dans l'étable, la vache dit à l'étranger :

— C'est rien de le dire, mais je vous jure que quand il est soûl, il n'arrive plus du tout à me traire !

Et comme ils pénètrent dans l'écurie, un cheval prend la parole :

— Encore ce petit sadique qui n'arrête pas de nous cravacher...

Au bout d'un quart d'heure de ce manège, le brave paysan est terrorisé. Il sue à grosses gouttes. Et au moment où les deux hommes s'approchent de l'enclos réservé aux chèvres, il prend le Parisien par le bras et il lui dit :

— Écoutez ! La vache et le cheval, ils vous ont pas menti, mais ce que va vous dire la grande chèvre grise, ça, il faut pas le croire, parce que c'est une petite hypocrite...

☐ 553

Un petit aviso fait escale sur une île déserte pour

s'approvisionner en eau potable. Les marins descendent à terre. Ils font le tour de l'île et ils ne découvrent qu'une seule présence vivante : un petit troupeau de chèvres.

Mais soudain un homme en haillons sort d'une grossière cabane et se précipite sur eux en criant :

— Mon Dieu ! Des hommes civilisés ! Ça fait quinze ans que j'ai fait naufrage, mais je suis enfin sauvé !

Et le gars sé met à hurler de joie. Alors un officier s'approche de lui et lui demande :

— Vous ne savez pas s'il y a une source sur l'île ?

— Attendez, dit le naufragé. Je vais demander à mon fils !

Et se retournant, il bèle à tue-tête :

— Al-bè-è-è-è-è-ert...

554 □

Un jeune ingénieur arrive dans un centre de recherches et d'expérimentations atomiques, en plein bled. Au bout d'une semaine, il confie ses inquiétudes à un de ses collègues :

— Dites-moi, pour les femmes, comment fait-on ici ?

— Ah ! mon vieux, lui dit l'autre. C'est la ceinture ou les chèvres !

— Quoi ?

— Je vous dis qu'il faut en passer par les chèvres ! Ou alors vous vous mettrez la ceinture... Parce que les femmes, il n'y en a pas une à deux cents kilomètres à la ronde !

— Les chèvres ? Mais vous n'y pensez pas ?

— Ben, c'est ce que je disais, moi aussi, au début. Et puis je m'y suis fait comme tout le monde...

Bref, au bout d'un mois, le gars est dans un tel état de continence forcée, que les yeux lui sortent de la tête. Alors, un peu honteux, il se rend en rasant les barrières jusqu'au champ où paissent les chèvres.

Il vérifie bien que personne ne le voit. Il attrape une chèvre, il ferme les yeux et il s'apprête à lui faire son affaire. Alors il entend derrière lui un immense éclat de rire.

Il se retourne, le rouge au front, et il voit tous ses collègues qui étaient cachés derrière un boqueteau et qui se tiennent les côtes.

— Il n'y a pas de quoi rire, hurle-t-il. Je ne fais que ce que vous m'avez dit. Vous en faites bien autant, non ?

— Oui, lance une voix. Mais toi, t'as choisi la plus moche !

chien

☐ 555

Un gars entre dans un bar avec un chien jaune en laisse.

— Il est minable, votre chien, lui dit le barman. C'est pas pour vous offenser, mais il est affreux. Il a l'air tout mité.

— Il est peut-être minable, mon chien, répond le gars, mais c'est un combattant terrible. Il n'y a pas un chien qui puisse lui résister.

Et le fait est qu'en moins de temps qu'il n'en faut pour le dire, le chien jaune a étalé sur le carreau un berger allemand qui était sorti de sous une table pour lui chercher des misères.

— Oh ! dit le barman, attendez un peu que j'aille chercher mon saint-bernard. Il va en faire une bouchée de votre chien jaune.

Alors un gros chien sort de l'arrière-boutique et il se jette comme un tigre sur le chien jaune. Et au bout d'une minute, le saint-bernard est réduit en chair à pâté.

A ce moment, il y a un flic qui entre dans le bistrot avec un dogue danois, un de ces molosses qui vous sautent à la gorge d'un filou et lui font son affaire en cinq sec. Il se précipite sur le chien jaune. L'autre le regarde arriver et voilà soudain qu'il ne reste du chien policier qu'un peu de sang et d'os dans la sciure.

Les clients sont tout retournés. Le gars au chien jaune, il esquisse un sourire, il s'approche du barman et il lui dit :

— Vous aviez raison. C'est vrai qu'il ne paie pas de mine, mon chien jaune. Mais si vous l'aviez vu avec sa crinière...

556 □

Un chien bavarde avec un autre chien :

— Tu vois, moi, je suis quelqu'un de très paisible. Je ne tuerais même pas une puce.

Il réfléchit un peu et il ajoute :

— Sauf, bien sûr, en cas de légitime défense...

557 □

Le petit basset revient de l'école.

— Tu sais, dit-il à sa maman, aujourd'hui, on a fait une heure de langue vivante.

— C'est bien, ça ! Et qu'est-ce qu'on vous a appris ?

— A faire *miaou.*

558 □

On ne s'imagine pas ce que les mendiants peuvent amasser comme fortune ! Par exemple, il y avait un aveugle au coin de la place de la mairie, un aveugle avec son chien. Et il avait bien éduqué son chien. C'était le chien qui tenait la sébile entre ses dents. C'était lui qui apitoyait les passants.

Et puis un jour, l'aveugle est mort. Et comme il n'y a rien de plus fort que l'habitude, le chien a continué à mendier pendant des mois et des mois. Et puis un jour, le chien est mort. Et sous son grabat, on a retrouvé dix briques en pièces d'un franc...

☐ **559**

Deux chiens sont assis devant une porte cochère et ils voient passer un tandem. Alors le premier dit à l'autre :

— Si c'était nous, ils nous auraient déjà foutu un seau de flotte à la gueule...

☐ **560**

— Tiens, tu as fait couper la queue du chien ?

— Oui. Ma belle-mère venait réveillonner à la maison et je ne voulais pas qu'elle puisse croire que le chien était content...

☐ **561**

Vous savez ce que c'est qu'un schnauzer ? Eh bien, si vous regardez dans le dictionnaire, vous verrez qu'un schnauzer, c'est un petit chien très poilu de la famille des griffons.

Donc, une dame, qui avait un schnauzer, était allée chez le vétérinaire, parce que son chien perdait ses poils. Et le vétérinaire lui avait recommandé une lotion spéciale contre la chute des poils. Alors, la bonne femme s'amène chez le pharmacien et elle dit :

— Je voudrais de la lotion spéciale contre la chute des poils.

— Voilà, madame, lui répond le pharmacien en lui tendant un petit flacon. Si c'est pour les jambes, vous l'utilisez pur. Si c'est pour les aisselles, vous l'allongez d'un volume d'eau...

— Oh, non ! fait la dame. C'est ni pour mes jambes, ni pour mes aisselles, c'est pour mon schnauzer...

— Ah ! pour votre... je vois ! Alors, faites attention ! Mettez quatre ou cinq volumes d'eau pour éviter l'irritation, et surtout, ne faites pas de bicyclette pendant au moins un mois...

562 ☐

Un bonhomme entre chez un horloger avec son chien et il dit :
— Je vous ai amené Médor.
L'horloger lève le nez, ahuri, et il dit :
— Médor ? Pour quoi faire ?
— Eh bien, dit le gars. Je voudrais savoir ce qu'il a. Il s'arrête toutes les cinq minutes...

563 ☐

Un brave paysan a offert un chien de berger à une Parisienne en vacances. Mais au bout de quelques jours, elle le lui ramène. Et le plouc lui dit :
— Comment ? Il vous plaît pas, mon chien ?
— Mais si, dit-elle. Il est très affectueux. Seulement, à force de vivre avec les moutons, il m'a foutu des mites partout !

564 ☐

Une puce rencontre une autre puce et elle lui dit :
— Alors ? Où est-ce que tu vas en vacances cet été ?
— Ben, dit l'autre, comme tout le monde, sur la côte d'Azor...

565 ☐

Un flic sonne à la porte d'un pavillon de banlieue. Et il dit au gars qui vient lui ouvrir :
— Vous êtes bien Monsieur Clébert, demeurant 17, avenue de la République ?
— Euh... oui ! dit l'autre.
— Et vous avez un chien danois ?
— Ben, oui !
— Eh bien, on est venu se plaindre au commissariat que votre chien courait après les voitures dans la rue. Il a déjà provoqué trois accidents de la circulation...

Alors le bonhomme se prend la tête dans les mains et il répond :

— Oh ! C'est encore pire que ça, monsieur l'agent. J'ose à peine vous le dire... S'il se contentait d'aboyer après les bagnoles qui passent dans la rue, ce serait rien... Mais quand le conducteur ne lui plaît pas, il le laisse même pas sortir de son siège ! Il ramène la voiture dans le jardin et il l'enterre...

☐ **566**

C'est un gars qui s'est installé dans un jardin public et il joue au poker avec un basset.

Un agent de police regarde ce curieux spectacle. Il a envie de demander des explications mais il ne sait pas comment s'y prendre. En fin de compte, il s'exclame :

— Mais il joue mieux que vous, votre chien ?

— Oh, que non ! fait le gars. Quand il a de bonnes cartes, il remue toujours la queue !

☐ **567**

Deux puces sortent du cinéma et il y en a une qui dit à l'autre :

— On rentre à pied ou on prend un chien ?

☐ **568**

Deux dogues voient passer un couple de bassets. Et le premier dogue dit à l'autre :

— Dis donc ! Ils volent drôlement bas ! Il va y avoir de l'orage...

chinois

569 □

Un monsieur et une dame décident d'adopter un petit Chinois. Et puis ils décident d'apprendre le chinois.

— Mais c'est très difficile, le chinois, leur dit le professeur de chinois. Pourquoi voulez-vous apprendre le chinois ?

— C'est que, voyez-vous, dit la dame, nous avons adopté un petit Chinois. Il a déjà un an, et bientôt il va commencer à parler. Alors, nous voudrions bien comprendre ce qu'il va dire...

570 □

Quelques religieuses travaillent à l'hôpital dans le service d'un médecin très célèbre, mais insupportablement grivois.

Comme elles en ont plein les bottes de ses grossièretés, elles décident d'un commun accord de lui brûler la politesse à chaque fois qu'il dépassera les bornes.

Un beau matin, le docteur arrive, les yeux brillants, et il dit :

— Bonjour, mes sœurs ! Figurez-vous qu'on vient de m'appeler sur un bateau chinois, parce qu'il y avait une épidémie de vérole à bord. Il a fallu foutre tous les matelots à poil et les examiner un à un. Vous savez, ils sont très marrants, ces Chinois ! Ils ont des tout petits yeux, des petites mains, ils sont hauts comme trois pommes, mais alors ils ont d'énormes...

A ce moment, les sœurs sortent en courant.

— Hé là ! Pas si vite, crie le docteur. Ce bateau est encore là toute la semaine...

☐ 571

Dans une maison close, une fille se plaint à une copine :
— Je n'en peux plus ! Je suis vannée... Je suis tombée sur un Chinois qui voulait absolument me bouffer les fesses !
— Et alors ? Ce sont des choses qui arrivent, non ?
— Peut-être. Mais pas avec des baguettes...

☐ 572

La Russie a déclaré la guerre à la Chine. En une semaine, les Soviétiques font un million de prisonniers. Au bout de quinze jours, ils en ont fait cinq millions. Et à la fin du mois suivant, il y en a trente millions.
Alors au Kremlin, on reçoit un message de Pékin :
— Eh bien ! On capitule ?

☐ 573

Un Juif apostrophe un Chinois dans la rue :
— Nous, on est à peu près dix millions. Et vous, combien vous êtes ?
— Nous, dit le Chinois, on est un milliard...
— Formidable ! Mais alors, comment ça se fait qu'on vous voie si peu ?

☐ 574

C'est un Chinois qui dit à un autre Chinois :
— Prête-moi dix mille !
— Non !
— Cinq mille ?
— Non !
— Mille ?
— Non !
— Alors donne-moi une cigarette ?

— Non!
— Donne-moi au moins du feu?
— Non!
— Alors, est-ce que tu peux me porter sur ton dos?

575 □

Mao Tsé-toung fait venir ses experts atomiques et il leur dit:
— Nous avons maintenant assez de bombes atomiques pour exterminer le capitalisme impérialiste! Ne serait-il pas possible d'envoyer dix agents secrets aux États-Unis? Chacun porterait dans une valise une bombe atomique, avec mission de la faire sauter au centre d'une grande ville. Qu'en dites-vous?
Les savants chinois se regardent entre eux et ils répondent:
— Pour les bombes, ça va! Pour les volontaires aussi! Mais il y a un ennui...
— Un ennui? Quel ennui?
— Les valises! On va jamais arriver à en trouver dix...

576 □

Dans le Transsibérien, un Chinois et un Russe voyagent de conserve. Le Russe fait marcher sans arrêt un transistor qui lui tient dans le creux de la main. Alors le Chinois, excédé, se met à hurler:
— Assez avec ça! Nous en avons aussi à Pékin! Qu'est-ce que c'est?

577 □

— Toto, je t'en supplie! Mange ta soupe! Pense un peu qu'il y a cinquante millions de petits Chinois qui meurent de faim!
— Ah, oui? Cite-m'en un!

☐ **578**

— Combien veux-tu d'enfants? demande le fiancé.
— Quatre, dit la fiancée.
— Quatre? Pourquoi quatre?
— Parce que je ne veux pas avoir de Chinois!
— De Chinois?
— Oui. Tu sais bien qu'un enfant sur cinq est chinois!

☐ **579**

Un savant statisticien fait une conférence sur la démographie:
— Quant aux Chinois, ils sont un milliard! C'est le peuple le plus nombreux de la terre. On a même calculé que s'ils se mettaient en file indienne et marchaient pour aller se noyer dans la mer du haut d'une falaise, leur cortège durerait éternellement, car ils procréeraient plus vite qu'ils ne mourraient!
Alors, on entend une voix dans la salle qui dit:
— Comment font-ils ça en marchant?

☐ **580**

Un paysan chinois a décidé de se rendre à la ville la plus proche pour y faire des achats. Avant qu'il parte, sa femme lui dit:
— Rapporte-moi un peigne. Tu te rappelleras? Un peigne...
— Euh... dit-il. Comment vais-je me rappeler cela?
— C'est tout simple, dit-elle. Tu regardes le croissant de lune dans le ciel et ça te fait penser à un peigne...
Après dix jours de marche, le brave homme arrive à la ville, il passe deux ou trois jours à régler toutes ses affaires et brusquement, il se souvient que sa femme lui a demandé quelque chose. Mais quoi?

Alors il regarde la lune. Et comme la lune est devenue pleine, il lui achète un miroir.

Dix jours après, il est de retour à la maison et il donne le miroir à son épouse. Comme elle n'a jamais vu d'objet pareil de sa vie, elle pousse un hurlement en y apercevant son image et elle court pleurnicher chez sa mère :

— Maman ! Il a ramené de la ville une femme plus belle que moi !

Alors la mère regarde le miroir bien en face et elle dit placidement à sa fille :

— Mais non, ma petite. Tu n'as pas besoin de t'inquiéter. Il a ramené une petite vieille...

chirurgie

581 ☐

Au moment où le chirurgien va l'endormir, le patient profite de sa dernière lueur de lucidité pour lui demander :

— Vos gants de caoutchouc, je suppose que c'est pour ne pas laisser d'empreintes digitales ?

582 ☐

— C'est formidable, la chirurgie esthétique ! Moi, je connais une fille qui s'est fait tellement remonter la peau des seins qu'elle a un triple menton...

583 ☐

— Ne tremblez pas, dit le chirurgien au malade. Je connais mon affaire. Regardez ma barbe : elle vous donnera confiance et vous la retrouverez au réveil...

Le malade s'endort. Quand il reprend ses esprits, il est fou de joie de retrouver la bonne barbe :

— Oh, merci, professeur. Je n'ai rien senti...
Mais la barbe lui répond :
— Je ne suis pas professeur. Je suis saint Pierre...

☐ 584

Un chirurgien en blouse blanche s'apprête à commencer une opération difficile. Sur la table est étendue une belle femme nue. Elle le regarde dans les yeux et elle lui dit :
— Chéri, on peut pas continuer à se voir comme ça... La Sécurité sociale commence à nous soupçonner !

☐ 585

— Alors, Docteur, qu'est-ce que vous en pensez ?
— Eh bien, cher monsieur, votre cas est grave ! Je ne vois pas d'autre solution que de vous opérer...
— Oh ! Mon Dieu... Et vous croyez que je vais m'en sortir ?
— Écoutez ! En toute franchise, je ne vous le conseille pas...

☐ 586

C'est un type qui a eu un abominable accident de voiture. Il s'en sort à peu près indemne, si on peut dire, parce que tout de même, le pare-brise, en lui tombant dessus, lui a coupé net ce qu'il avait entre les jambes.
Naturellement, on na pas retrouvé la chose dans les débris de ferraille, et vaille que vaille, les gendarmes l'ont amené à l'hôpital où le chirurgien a décidé de lui faire une greffe.
Un mois plus tard, il entre en convalescence, il se balade dans la rue et il tombe sur un copain qui lui demande de ses nouvelles :
— Ben, tu vois, répond-il, ça va à peu près. Ils m'ont greffé un cou de coq !

— Un cou de coq? Fichtre! Ils sont drôlement forts! Et ça marche comme avant?

— Oui. Exactement comme avant, à part que je suis obligé de le plumer tous les mois. Et puis aussi, quand je rencontre une poule, tout le monde se retourne...

— Ah, bon! Et pourquoi?

— Parce qu'il fait cocorico!

587 □

Dans un hôpital, il y a un interne en chirurgie qui est complètement myope. Il est en train de scier la jambe droite d'un malade, quand le chef de clinique entre dans la salle et se met à hurler:

— Mais vous êtes devenu fou! Ce gars-là a une appendicite et vous êtes en train de l'amputer d'une jambe! Et sans l'endormir encore!...

— Oh! Excusez-moi, dit l'interne comme au sortir d'un rêve. Je croyais que j'étais dans la salle des autopsies...

588 □

Un gars s'est fait écraser la jambe dans un horrible accident de voiture. On est obligé de l'amputer. Heureusement, il a la chance de tomber sur un grand chirurgien, qui lui greffe une autre jambe à la place.

Au bout d'un mois, il sort de l'hôpital et il rencontre un copain qui s'exclame:

— Sensationnel! Tu marches exactement comme avant!

— Oui, dit le gars. Mais il y a un petit ennui... Ils m'ont greffé une jambe de femme.

— Et alors?

— Et alors, quand je vais pisser, j'ai une jambe qui reste debout et l'autre qui s'assied... Et à chaque fois, je me casse la gueule!

☐ **589**

Un type présente une petite infirmité: il a la tête qui penche dangereusement sur le côté, comme si elle tombait sur l'épaule.

En fin de compte, il se décide à se faire opérer. Quand c'est fait, il sort de clinique, la tête bien droite sur le cou, et il est tellement heureux qu'il décide d'aller fêter ça au bistrot avec des copains.

Alors il commande un double whisky, il prend le verre à la main, et hop! il se l'envoie par-dessus l'épaule...

☐ **590**

Au moment d'être anesthésié, le malade se tourne vers le chirurgien et lui dit:

— Vous me donnez un aller ou un aller-retour?

cigare

☐ **591**

Un conférencier de l'Armée du Salut stigmatise violemment les vices de notre société:

— Oui, mesdames et messieurs. On commence par voler un œuf et on finit au bagne. On se laisse aller à une toute petite tentation et on devient un débauché. Tenez, par exemple: il vous suffirait de fumer pour la première fois un tout petit cigare et je vois s'avancer vers vous toutes les catastrophes. D'abord la paresse, le laisser-aller et la gourmandise, puis les fausses joies de l'alcool, l'ivresse et la première fille nue, et certainement, pour finir, le vice dans toute son horreur et les affreuses perversions du libertinage avec ces femmes dévergondées qui n'en finissent plus de se succéder...

Alors une petite voix s'élève au fond de la salle:

— Et s'il vous plaît, où peut-on trouver ce petit cigare ?

592 □

Un mari, en arrivant chez lui, trouve sa femme au lit et, dans le cendrier, un cigare encore fumant.
— Nom de dieu ! hurle-t-il, d'où vient ce cigare ?
— Mais je ne sais pas, chéri, bredouille-t-elle. Je suppose que c'est moi qui...
Alors le gars explose :
— Si tu ne me dis pas tout de suite d'où vient ce cigare, je t'étrangle !
Et on entend une petite voix apeurée dans l'armoire :
— Il vient de La Havane, monsieur...

593 □

Un bonhomme, complètement ivre, rentre chez lui, un énorme cigare à la bouche. Il monte dans sa chambre en zigzaguant, il défait les draps du lit, il y pose son cigare qu'il borde soigneusement.
Puis il va s'écraser la tête dans le cendrier.

594 □

Un milliardaire sort de l'hôtel Hilton et au moment où il va monter en voiture, il est abordé par un clochard qui se met à siffler d'admiration :
— Fichtre ! dit-il. On peut dire que vous avez un beau cigare ! Ça coûte cher, des cigares comme ça ?
— Oh, oui ! dit le milliardaire. Je les fais venir de Cuba par avion. Ça revient à quarante francs pièce...
— Quarante francs ! Ben, vous n'y allez pas avec le dos de la cuillère ! Et vous en fumez combien par jour ?
— Bah ! Une quarantaine...
— Une quarantaine ? Oh ! là ! là ! Vous vous rendez compte ! Ça fait seize cent balles par jour ! Ça fait une

demi-brique par mois! Mais monsieur, si vous ne fumiez pas... avec tout cet argent, au bout de dix ou vingt ans, vous pourriez acheter l'hôtel Hilton...

— Vous croyez? Mais est-ce que vous fumez, vous?

— Oh, non alors! Jamais touché un cigare de ma vie!

— Ben alors, qu'est-ce que vous attendez pour acheter l'hôtel Hilton? Vous pouvez faire l'affaire tout de suite... Parce que l'hôtel Hilton, il est à moi!

☐ **595**

Un businessman vient de traverser la moitié des montagnes Rocheuses d'une seule traite à bord de sa luxueuse Cadillac. Pendant le voyage, il a cruellement manqué de cigares. Il arrive enfin dans un petit village d'éleveurs de bétail. Il entre dans le saloon et il clame à la ronde:

— Quelqu'un peut-il me donner un cigare? Je n'en peux plus! Ça fait vingt heures que je n'ai pas fumé...

Mais personne ne répond.

— Eh bien! dit le gars. J'offre un dollar pour un cigare!

Mais tout le monde continue à jouer aux cartes.

— Dix dollars! Vingt dollars! Cinquante dollars pour un cigare!

Et pas un seul cow-boy ne bronche...

Alors le gars se met à hurler:

— Ma Cadillac qui est devant la porte pour un cigare!

A ce moment, un des joueurs lève le nez et demande tranquillement:

— Elle est de quelle année, ta bagnole?

cimetière

596 □

Un vieux paysan va sur la tombe de sa femme et il fond en larmes :
— La Charlotte ! Si tu savais ce que tu me manques ! Ma vie est devenue un enfer... Ah ! Si tu pouvais revenir...
Alors la terre bouge près de la dalle funéraire. C'est une taupe qui revient à la surface. Et le bonhomme, pâle comme un linge, se met à crier :
— La Charlotte ! Fais gaffe ! J'ai dit ça seulement pour rire !

597 □

Le curé convoque le fossoyeur :
— Ça ne va plus, mon vieux. Tu bois trop. Toute la paroisse se plaint. Tu sonnes les cloches à n'importe quelle heure et tu n'enterres plus les gens qu'à moitié...
— Ah ! Là, je vous arrête, monsieur le curé. Dites-moi tout de suite qui est venu réclamer...

598 □

A la porte du cimetière, le curé, en tenue de cérémonie, attend un enterrement depuis plus d'une demi-heure. Il commence à trouver le temps long. Alors il demande à un croque-mort, qui fait aussi le pied de grue :
— Dites donc, mon ami, à quelle heure doit arriver le cortège ?
Le bonhomme regarde sa montre et il dit :
— Ben, monsieur le curé, s'ils ne se sont pas amusés en route, ils ne devraient plus tarder...

☐ **599**

C'est la Toussaint et deux dames solitaires se rencontrent dans un cimetière. Elles ont toutes les deux un voile noir sur le visage et il y en a une qui dit à l'autre, entre deux sanglots :

— Ah, madame ! Et naturellement, vous êtes veuve aussi ?

— Non, fait l'autre. Moi, je suis laide...

☐ **600**

Une dame en deuil va trouver le gardien du cimetière :

— Je n'arrive pas à retrouver la tombe de mon mari. Il s'appelait Jacques Dubois.

— Jacques Dubois ? répond l'employé. Non, il n'y a rien à ce nom-là. Il y a seulement un caveau au nom d'Hélène Dubois...

— Eh bien, c'est ça, dit la veuve. Il avait tout mis à mon nom...

☐ **601**

— Pour aller au cimetière du Père-Lachaise, s'il vous plaît ?

— Oh ! C'est trop compliqué à vous expliquer ! Et pourtant je pourrais y aller les yeux fermés...

☐ **602**

Un médecin est venu se recueillir sur la tombe de sa femme. Tout d'un coup, il entend une petite voix qui sort de sous la dalle :

— Chéri, tu n'as pas quelque chose contre les vers ?

☐ **603**

Il était une fois un homme qui s'appelait *Incroyable*. Quand il se sentit mourir, il fit venir sa femme et lui dit :

— Toute ma vie, j'ai souffert de ce nom ! Tout le monde s'en est moqué. Je t'en supplie, ne grave pas ce nom sur ma tombe !

Aussi pour respecter ses dernières volontés, l'épouse affligée fit inscrire dans la pierre :

« Ci-gît un homme dévoué et modeste qui n'attira jamais l'attention sur lui. »

Dès lors, tous ceux qui, passant devant cette tombe, avaient l'occasion de lire l'épitaphe, s'écrièrent en se poussant du coude :

— Ça alors ! C'est *Incroyable...*

604 ☐

Un croque-mort croise un autre croque-mort dans une allée du cimetière et il lui dit :

— Viens bouffer chez moi ce soir. On mangera les restes...

cinéma

605 ☐

La scène se passe au cinéma. La fille se penche vers sa mère, assise à côté d'elle, et lui dit :

— Maman, il y a le monsieur à droite qui me tripote les cuisses !

— Oh ! Le fumier ! dit la mère. Attends... Tu vas voir : nous allons changer de place toutes les deux.

Alors la mère prend la place de sa fille. Et au bout de cinq minutes, elle se penche vers son voisin de droite avec un bon sourire engageant :

— Allons, monsieur, vous n'allez pas bouder pendant tout le film !

606 ☐

Au cinéma, un chien est assis dans un fauteuil

d'orchestre. Quand l'héroïne du film, après d'épouvantables catastrophes, se réfugie dans les bras d'un beau jeune homme, le chien pleure toutes les larmes de son corps.

Lorsque la lumière se rallume, l'ouvreuse, abasourdie par les sanglots du chien, s'approche de son maître qui est assis dans le fauteuil d'à côté et lui dit :

— C'est fantastique, un chien qui pleure comme ça au cinéma !

— C'est vrai, répond le gars. Et c'est même d'autant plus fantastique qu'il n'avait pas du tout aimé le livre...

□ **607**

Un statisticien rentre chez lui. Il dit à sa femme :

— Je suis crevé de travail. Mais j'ai obtenu le chiffre que je cherchais. Il y a un Français sur 428 qui mesure plus d'un mètre quatre-vingt-dix...

— Ouais, dit la femme. Et c'est toujours lui qui est devant moi au cinéma !

□ **608**

Dans un cinéma, il y a un jeune homme qui fait à une jeune fille un terrible rentre-dedans. Il lui dit :

— Dès que le film est fini, on peut aller dans un petit hôtel que je connais bien...

— Non, dit la fille. Je veux pas !

— Et pourquoi tu veux pas ?

— D'abord, parce que ma mère veut pas !

— Et après ?

— Après, ça me donne mal au cœur...

□ **609**

Un scénariste propose à un producteur un projet de film. Il lui remet un texte de cinq cents pages.

— C'est trop long, dit le producteur. Je n'aurai jamais le temps de lire tout ça.

Le gars revient, une semaine plus tard, avec un manuscrit réduit de moitié, mais ça ne va toujours pas.

— Faites-moi un truc bref, dit le producteur, que je sache tout de suite de quoi il s'agit.

Le scénariste rapporte alors un texte de cinq pages. Le producteur feuillette et dit :

— Je m'y perds. Vous ne pouvez pas élaguer un peu ? En somme, de quoi s'agit-il ?

— Eh bien, dit l'autre, furieux, c'est l'histoire d'un amour malheureux...

— Alors, impossible. C'est copié sur *Cyrano de Bergerac*.

610 ☐

Au cinéma, pendant le grand film, une fille se tourne vers l'inconnu qui est assis à côté d'elle et elle s'exclame :

— Dites donc, c'est bien gentil de vous branler comme ça, mais vous vous êtes trompé de main. C'est pas la vôtre, c'est la mienne...

611 ☐

Un grand producteur convoque un metteur en scène et il lui dit :

— Voilà ! On va tourner la vie d'Aznavour, avec Belmondo dans le rôle principal...

— Belmondo ? fait l'autre. Mais vous ne trouvez pas que ça serait plus simple de prendre Aznavour lui-même ?

— Ah ! non... Il est trop petit !

612 ☐

Ce jeune homme est fort comme un taureau, mais il est tellement malin qu'il réussit à se faire réformer par le conseil de révision pour vue basse.

— Si j'ai bien compris, dit le médecin militaire, au

point où vous en êtes, il vous faudrait presque une canne blanche.

Et le soir, heureux comme un pape d'avoir roulé tout le monde, notre garçon se paie le cinéma. Mais quand la lumière se rallume, qui voit-il dans le fauteuil à côté de lui ? Le médecin qui l'a réformé le matin ! Alors, sans se démonter, il se lève, bouscule l'autre et lui dit en passant :

— Pardon, mademoiselle, je descends à la prochaine station.

□ **613**

Un amateur présente un scénario à un grand producteur. L'autre, après l'avoir lu rapidement, lui dit :

— Mais il n'est pas original, votre scénario ! C'est peut-être très bon, mais c'est exactement l'histoire d'*Autant en emporte le vent* !

— Et alors ? dit le gars. C'était pas formidable, *Autant en emporte le vent* ?

□ **614**

Ça se passe dans un cinéma où on projette un film en relief, réalisé selon un procédé révolutionnaire. Tout d'un coup un type se penche vers le fauteuil qui est devant lui et il dit :

— Madame, votre chapeau me gêne... Cela vous dérangerait-il de l'enlever ?

Et une voix lui répond :

— Mais enfin, monsieur, c'est impossible ! Je suis dans le film...

□ **615**

Un producteur a décidé de financer une superproduction sur le paradis terrestre. Il fait passer des annonces dans les journaux du monde entier pour trouver une actrice capable de jouer le rôle d'Ève.

Mais il y a une condition draconienne : la fille ne doit pas avoir de nombril.
Et au bout de trois mois de recherches, le miracle se produit : on déniche une femme sans nombril. Le producteur, fou de joie, la fait venir dans son bureau, et quand il a vu son ventre, il s'exclame :
— Extraordinaire ! Sublime ! Mais il n'y a pas de truquage au moins ? Vous êtes vraiment née sans nombril !
— Pas du tout, dit la fille. Il est seulement usé...

616 □

Dans un cinéma de quartier, il y a une vieille fille qui commence à être très énervée parce que devant elle, deux amoureux s'embrassent et se pelotent assidûment. Finalement elle déclare à voix haute :
— Dites donc, si vous êtes venus pour le film, arrêtez-vous. Sinon, jeune homme, vous pourriez au moins l'emmener à l'hôtel...
Le gars se retourne avec un petit geste d'impuissance et il fait :
— Moi, je veux bien, si vous arrivez à la décider...

617 □

Une importante société cinématographique a loué pour quelques jours une petite église de village, afin d'y tourner les séquences d'un film. Assis sur le parvis, deux paysans commentent l'événement :
— C'est une honte, dit le premier, de faire du cinéma dans une église ! On peut dire que le respect se perd...
Et l'autre, énervé, lui répond :
— Et l'Église, ça fait pas deux mille ans qu'elle fait du cinéma ?

618 □

Eric von Stroheim a accepté de dédicacer ses livres et ses photos, dans une grande kermesse en plein air.

Vers huit heures du soir, épuisé, le bras ankylosé, il décide de s'arrêter. Alors se présente une dame frétillante qui le supplie de faire encore une dédicace pour elle :

— J'ai tant d'admiration pour vous ! dit-elle.

— Je suis navré, madame, répond Stroheim avec la plus grande courtoisie, mais c'est fini !

— Oh ! monsieur, s'il vous plaît ! Nous allons voir tous vos films en famille, avec mon mari et les enfants... Faites-moi une dédicace !

— N'insistez pas, madame. Après vous, ce sera quelqu'un d'autre. Il faut bien que j'arrête à un moment...

— Monsieur Stroheim, par pitié ! Et j'ai une photo de vous sur ma table de nuit... Faites-moi cette gentillesse !

— Non, madame, je vous répète que c'est terminé.

Alors la bonne femme s'écrie :

— Sale boche !

cirque

□ **619**

Chez le directeur de cirque :

— Je vous propose une attraction extraordinaire. Vous me payez une assurance-vie à votre bénéfice. Et moi, je viens sur scène, en plein devant le public, je fais le saut de la mort, je le rate et je me tue. D'un côté, j'en ai marre de la vie. D'un autre côté, je vous fais bénéficier d'un spectacle jamais vu. Et en plus, vous ramassez le pognon... Qu'est-ce que vous en dites ?

— Ouais, fait le directeur tranquillement. Mais si le public vous bisse ?

620 □

Dans un grand cirque, le clou du spectacle est un petit chien qui chante *Le temps des Cerises* en faisant de la corde raide. C'est tellement beau, tellement bouleversant que tous les soirs, les spectateurs hurlent de joie et applaudissent à tout rompre.

Quand il a fini, le petit chien redescend sur la piste et au moment où il va saluer le public, il y a un gros chien qui sort des coulisses, qui vient le saisir par la peau du dos et qui l'emmène en grognant...

— Mais enfin, qu'est-ce que ça signifie ? demande une femme à son voisin. Vous y comprenez quelque chose ?

— Oui, dit l'autre. Ça fait dix fois que je viens voir ce phénomène et pour finir, c'est tous les soirs la même chose. Il n'arrive jamais à saluer !

— Mais qu'est-ce que c'est que ce gros chien qui le traite ainsi ?

— C'est son père. Il ne lui pardonnera jamais d'être un artiste... Il voulait qu'il devienne vétérinaire...

621 □

Tout d'un coup l'électricien du cirque part à fond de train, il grimpe au mât central, il se jette sur le trapèze, il fait un saut périlleux, il se rattrape à un filin, il se lance dans le vide, il atterrit sur les fesses au milieu de la sciure, il fait trois fois le tour de la piste comme une fusée et enfin, il s'effondre à bout de souffle.

Le directeur du cirque s'approche de lui, complètement éberlué, et il lui dit :

— Comment ? Ça fait huit ans que vous travaillez pour moi et vous ne m'aviez pas averti de votre talent ? C'était un numéro extraordinaire ! Je vais engager un autre électricien et je vous fais un contrat d'acrobate immédiatement... Votre prix sera le mien !

— Pas question, fait l'autre en ahanant. Si vous croyez que je vais me foutre tous les soirs un coup de marteau sur les couilles...

□ **622**

C'est un contorsionniste de cirque qui se fait aborder par une dame de petite vertu :
— Tu viens, chéri, je te ferai le sucre d'orge !
— Le sucre d'orge, dit-il, qu'est-ce que c'est que ça ?
— Viens ! Tu verras !
Le gars, il monte avec elle. Alors, elle le déshabille et elle lui barbouille le sexe de caramel et de miel. Puis elle le saupoudre de sucre et elle lui dit :
— Attends un peu, tu vas voir !
— J'attends rien du tout, dit le gars. Ce sucre d'orge, il est trop beau ! Je vais me le taper tout seul !

□ **623**

Toto est allé au cirque pour voir les tigres. Au milieu de la piste, on a dressé une immense cage, et dans la cage, il y a un dompteur avec une douzaine de tigres. Le dompteur fait claquer son fouet, mais voilà que soudain il glisse dans la sciure et il s'étale par terre.
Aussitôt tous les tigres se jettent sur lui, et en trois secondes, il n'en reste plus rien, même pas un ongle, à peine un peu de sang sur les babines des fauves. Alors les spectateurs se mettent à hurler de terreur et Toto fond en larmes. Son papa le prend par le bras et il dit :
— Allez ! On rentre à la maison ! T'es trop sensible, mon pauvre petit... Le dompteur, il lui est arrivé un accident, mais c'est les risques du métier...
Et Toto, il crache entre deux sanglots :
— C'est pas pour le dompteur que je pleure !
— Alors, c'est pour quoi ?

— C'est pour le petit tigre. Quand il est arrivé, les autres avaient tout bouffé, il lui est pas resté un seul morceau...

624 □

Un gars se présente chez un directeur de cirque et il lui dit :

— Je vous apporte un numéro extraordinaire que personne n'a jamais osé faire. Je monte tout en haut de votre chapiteau et je plonge de quatre-vingts mètres dans une bouteille de coca-cola qui est posée sur la piste... Et je rentre dedans !

— C'est pas possible, dit le directeur. Il doit y avoir un truc ?

— Oui, dit le gars. Il y a un truc. Mais gardez-le pour vous. C'est bien simple : je mets un entonnoir sur la bouteille...

625 □

Un acrobate qui a été célèbre, mais qui vieillit maintenant dans l'oubli, reçoit un jour une proposition d'un directeur de cirque pour remplacer un confrère au pied levé. Fou de joie, il se précipite au cirque, il donne son accord, il se met à répéter son vieux numéro et il s'aperçoit que, tout compte fait, son corps ne s'est pas tellement rouillé.

Le soir venu, il enfile son beau collant à paillettes qu'il n'avait plus mis depuis dix ans, il grimpe dans les cordages et il fait un triple saut périlleux. La foule retient son souffle. Il retombe miraculeusement sur un trapèze auquel il reste accroché, suspendu seulement par la nuque, la tête complètement renversée en arrière... Du coup, la foule hurle d'enthousiasme.

Alors le gars, envahi pour la première fois depuis longtemps par une fierté légitime, incline la tête pour saluer le public et... il tombe dans le vide !

☐ **626**

Un dompteur de lions se trouve fort embarrassé, car sa partenaire habituelle lui a fait faux bond. Le numéro a chaque soir un succès fou et il est impossible de le retirer de l'affiche. Le directeur du cirque s'arrache les cheveux et se demande comment trouver un remplaçant. Finalement, il fait venir le garçon d'écurie et il lui dit:

— Cinq cents balles pour toi, si tu acceptes d'assister le dompteur de lions ce soir...

— Moi, je veux bien, fait l'autre, mais qu'est-ce qu'il faut faire?

— Viens! On va te montrer...

Et il emmène le gars devant la cage. Le dompteur le regarde d'un air dubitatif et il lui explique son rôle:

— Voilà. Le lion est dans la cage. Et moi aussi, je suis dans la cage. Et toi, tu es dans la cage, debout, immobile, souriant... Alors je donne un grand coup de fouet dans le vide et le lion vient te lécher les pieds! Tu es d'accord?

— Oui, je suis d'accord, dit le gars. Mais il faudra d'abord que vous fassiez sortir cette sale bête...

☐ **627**

On plaide un procès en divorce entre deux acrobates.

— Voyons, madame, dit le juge, est-il vrai que le 15 mars dernier, vous avez fait l'amour, suspendue par un pied au chapiteau du cirque, avec un nain, un clown unijambiste et une femme à barbe?

Alors la dame feuillette son agenda:

— Quel jour vous dites?

☐ **628**

Dans le bureau du directeur de cirque:

— Je monte au mât, et arrivé tout en haut, je fais le saut de la mort. Je plonge de cinquante mètres, je me

reçois sur la tête en plein milieu de l'arène et je salue le public. Ça vous va, comme numéro ?
— Combien demandez-vous ?
— Mille balles par séance...
— Il faut voir. Montrez-moi.
L'acrobate grimpe jusqu'aux cintres, il se jette dans le vide, il atterrit sur la tête. Il se relève, un peu étourdi, et il salue. Le directeur lui dit :
— Pour mille balles, c'est d'accord.
— Ah, non ! Pas mille... Cinq mille !
— Comment, cinq mille ? Vous aviez dit mille.
— Ah ! J'avais dit mille, mais j'avais pas essayé !

629 □

Ce type est vraiment un phénomène stupéfiant. Il a des réserves d'énergie inépuisables et il satisfait allégrement une cinquantaine de femmes par jour. Un directeur de cirque, qui a découvert son existence et ses prouesses tout à fait par hasard, décide de lui proposer un engagement :
— Je vous offre cinq cents dollars par soirée pour vous produire sur ma piste. Je vous donne trente partenaires par soir, de très jolies filles. Est-ce que ça vous va ?
Le gars dit oui. On fait faire de grandes affiches : « Le recordman du monde de l'amour ! Trente filles à la file ! » Et le premier soir, la salle est comble, le silence se fait, le champion commence son numéro, mais à la quatorzième fille, il renonce, il tombe épuisé.
On est obligé de rembourser les places et le directeur du cirque, furieux, engueule le bonhomme et le traite d'escroc. Alors l'autre, tout penaud :
— Je ne comprends pas ce qui se passe, monsieur le directeur. Ça avait pourtant si bien marché tout à l'heure aux répétitions...

☐ **630**

L'imprésario soulève son téléphone et il entend à l'autre bout du fil une voix qui lui dit:

— Voilà, j'ai un numéro sensationnel à vous proposer: je peux chanter l'annuaire des Téléphones en m'accompagnant à la contrebasse!

— Ah? fait le directeur. Et c'est ça que vous trouvez sensationnel?

— Oui. Parce qu'il y a une chose que vous ne savez pas: je suis un basset...

☐ **631**

Dans les coulisses du cirque, un visiteur s'approche d'une roulotte et s'adresse à une femme dont la barbe descend jusqu'à la poitrine:

— C'est vous la femme à barbe?

— Non, dit-elle. C'est ma sœur...

☐ **632**

Voilà, dit l'acrobate au directeur du cirque, le numéro que je vous apporte est unique au monde. Je grimpe sur la dernière plate-forme des trapézistes, à cinquante mètres de hauteur et je me jette sur la piste comme une pierre. J'atterris sur le crâne et je reste comme ça, debout sur la tête, les pieds en l'air, pendant une longue minute. Alors, quand tout le monde me croit mort, je me relève en souriant et je salue le public!

— Pas mal, dit le directeur de cirque. En somme, vous n'avez besoin d'aucun accessoire?

— Absolument aucun!

— Alors, qu'est-ce qu'il y a dans cette énorme malle que vous traînez derrière vous?

— Euh... presque rien! Quelques affaires personnelles et deux mille tubes d'aspirine...

clochard

633 □

Un commis-voyageur rate son train. Il retourne chez lui et dans son lit, il découvre sa femme entre les bras d'un clochard repoussant de saleté.

— Chérie, s'écrie-t-il, tu es devenue folle ou quoi ? Que tu me trompes, passe encore, mais tu ne sens pas l'odeur ?

— Écoute, dit-elle, tu vas comprendre. Il a sonné. Je suis allée ouvrir et il m'a dit : Vous n'auriez pas quelque chose dont votre mari ne se serve plus ?

634 □

Un mendiant est tombé dans une telle misère qu'il est obligé de faire cuire son chien et de le manger. Il est en train d'en sucer le dernier os et il soupire :

— Pauvre Médor ! S'il avait été là, il se serait régalé !

635 □

Deux gars de la cloche regardent un arc-en-ciel. Le premier dit à l'autre :

— Tu vois où ils foutent le pognon !

636 □

En sortant de l'église, Marie-Chantal se fait aborder par un mendiant :

— Un peu d'argent, mademoiselle, je n'ai pas mangé depuis trois jours !

— Eh bien, lui dit Marie-Chantal, il faut vous forcer, mon ami !

Mais elle se reprend, car le sermon qu'elle vient d'entendre sur la charité était tellement bouleversant qu'elle en a eu les larmes aux yeux. Alors elle glisse une pièce.

— Merci, dit le mendiant.

Et Marie-Chantal :

— Merci, qui ?

□ **637**

Deux clochards ont été surpris en pleine campagne par une tempête de neige. Tremblants de froid et de faim, ils frappent à la porte d'une petite ferme perdue et une belle jeune fille vient leur ouvrir.

— Oh ! mademoiselle, dit l'un des gars, on n'en peut plus ! On voudrait bien boire quelque chose de chaud. Vous n'auriez pas un peu de lait ?

— Bien sûr ! dit la fille avec un sourire radieux. Servez-vous...

Et joignant le geste à la parole, elle dégrafe son corsage, laissant jaillir deux seins plantureux.

Les deux clodos sont éberlués, mais ils ne se le font pas dire deux fois. Et puis au bout de dix minutes, la fille les arrête gentiment :

— Si je vous laisse faire, vous serez encore là demain. Il faut en garder un peu pour le bébé...

Alors un des deux gars se tourne vers l'autre et il lui glisse :

— Dis donc, on l'a échappé belle ! Tu te rends compte si on lui avait demandé de la bière bien mousseuse...

□ **638**

Dialogue entre deux clochards :

— J'ai trouvé du travail à la Foire du Trône...

— Ah ! oui... C'est dur ?

— Non ! Je suis déguisé en fakir hindou et je jeûne pendant quarante jours, allongé sur une planche à clous...

— Par exemple ! Et ils te paient combien ?

— Rien... Mais je suis logé et nourri !

639 ☐

Un Martien en mission d'espionnage a débarqué clandestinement sur la terre. Il se glisse dans la rue en essayant de ne pas se faire remarquer. Et voilà qu'un clochard l'aborde en tendant la main :
— Vous n'auriez pas un franc ?
— Un franc ? dit le Martien qui ne comprend pas. Mais qu'est-ce que c'est, un franc ?
Et l'autre glousse :
— Vous avez raison ! Un franc, c'est rien. Donnez-moi plutôt un billet de cent...

640 ☐

Le clochard se lamente :
— Ma bonne dame, je n'ai rien mangé depuis cinq jours. Vous n'auriez pas un peu de restes ?
— Des restes ? Vous voulez des restes ? Est-ce que de la soupe d'hier, ça vous irait ?
— Oh ! oui, madame !
— Alors, revenez demain...

641 ☐

Un mendiant arrête une femme du monde sur les Champs-Élysées :
— Madame, s'il vous plaît, donnez-moi cent cinq francs pour que je puisse aller prendre un café...
— Cent cinq francs ? Cinq francs, je veux bien, mais pourquoi cent ?
— Pour me payer une petite passe ! Parce que quand j'ai pris un café, je suis tout excité !

642 ☐

Un gamin en haillons s'approche d'une dame élégante à la sortie de la messe et il commence son refrain :
— Ma mère est aveugle, mon père est paralytique, ma sœur est à l'hôpital, j'ai perdu la clef de ma

maison et mes deux petits frères sont à la rue ! Filez-moi un peu de fric...

— Espèce de petit menteur ! dit la dame.

Alors le gosse lui réplique :

— Et si c'était vrai ?

☐ **643**

— Madame, dit le clochard à la porte de l'église, donnez-moi un peu d'argent que je puisse m'acheter un gâteau.

— Un gâteau ? Mais enfin, quelqu'un comme vous ferait mieux de manger du pain...

— Peut-être, madame, mais aujourd'hui, c'est mon anniversaire.

☐ **644**

Un pauvre type, qui est tombé dans la misère, doit se résoudre à manger de la pâtée pour chiens dans des boîtes de conserves. Un de ses amis, apprenant la chose, va le trouver et lui dit :

— Tu vas te rendre malade avec ces saletés ! Je suis sûr que tu dois déjà avoir des troubles digestifs...

— Digestifs, non ! fait l'autre. Mais je commence à avoir la queue qui frétille à chaque fois que je m'ouvre une boîte...

☐ **645**

Une dame d'œuvres a décidé de donner un repas de quinze couverts à tous les clochards de son quartier. On a servi du poulet à tout le monde. Il ne reste plus qu'une cuisse dans le plat au milieu de la nappe, quand soudain, il y a une panne d'électricité.

On entend alors un hurlement épouvantable et quand la lumière se rallume, on peut voir une main, au centre de la table, une main avide qui a saisi la cuisse du poulet, mais dans cette main, quatorze fourchettes sont plantées...

646 □

Une vieille fille sort de l'église et elle aperçoit un manchot qui lui demande la charité.
— Comment? grince-t-elle. Mais je vous reconnais, vous! La semaine dernière, vous étiez aveugle et aujourd'hui vous êtes manchot?
— Eh oui, mademoiselle, s'excuse l'autre. Que voulez-vous, j'ai retrouvé la vue et ça m'a fait un tel choc que les bras m'en sont tombés...

647 □

A la porte de l'église, les deux mêmes mendiants tendent la main depuis des années et des années. Mais tout le monde sait que l'un d'eux est juif. Et à celui-là, on ne donne jamais rien. Un jour, le curé s'approche de lui et lui dit:
— Mon pauvre ami, vous voyez bien comment sont les gens ici! Ils ne donnent rien aux Juifs. Vous devriez avoir compris cela depuis longtemps... Pourquoi n'allez-vous pas tenter votre chance ailleurs?
Alors le mendiant juif se tourne vers son collègue et il lui lance:
— Tu entends, Isaac! Ce pauvre vieux veut nous apprendre notre métier...

coiffeur

648 □

Un manchot entre chez le coiffeur et il dit:
— C'est pour me faire raser!
Et il tombe entre les pattes d'un barbier à la mine patibulaire qui est plein de mouvements nerveux. Le gars lui arrache un morceau d'oreille, un lambeau de joue, et un bout de menton.

Quand c'est fini, le client est couvert d'estafilades et de sparadrap. Il s'approche de la caisse pour payer et le patron lui dit :
— Il me semble que je vous connais ! Vous êtes un ancien client ?
— Non, fait le gars. Mon bras, je l'ai perdu en Indochine !

☐ **649**

C'est un fou qui est chez le coiffeur. Quand on lui a taillé la barbe, il prend une brosse à habits et il se regarde dedans. Et la brosse s'exclame :
— Vous m'avez drôlement bien coupé ce matin !

☐ **650**

Le jeune Isaac va trouver son patron et il lui dit :
— Je ne peux plus travailler chez vous. Tous vos employés sont antisémites !
— Hein ! fait l'autre. Qu'est-ce que vous me racontez ? Qu'il y en ait un ou deux à la rigueur, je comprendrais. Mais pas tous !
— Je vous dis qu'ils sont tous antisémites. D'ailleurs, j'ai fait un test. Je leur ai posé une question. Ils m'ont tous fait la même réponse. Ils sont tous antisémites !
— Mais quelle question ?
— Je leur ai demandé ce qu'ils penseraient si on exterminait tous les Juifs et tous les coiffeurs...
— Les coiffeurs ? Pourquoi, les coiffeurs ?
— Ben, vous voyez ! Vous aussi !

☐ **651**

— Ben, dites donc, fait le coiffeur à son client, c'est curieux, ce qui vous arrive... J'ai jamais vu ça ! On dirait que vous perdez vos cheveux et pourtant vous en avez toujours autant !
— Ah ! M'en parlez pas... C'est parce que je me fais des cheveux à force de les perdre...

652 □

Un vieux paysan célibataire monte à Paris pour la première fois de sa vie, histoire de célébrer son soixantième anniversaire, et comme il a fait beaucoup d'économies, il va se payer un dîner chez Maxim's, il va se rincer l'œil aux Folies-Bergère, et pour avoir l'air à la mode en rentrant dans son bled, il va même chez un coiffeur des Champs-Élysées...

— Faites-moi une coupe très moderne! déclare-t-il.

Il s'installe dans un grand fauteuil, et au bout d'un moment, il se racle la gorge et il lance un gros crachat à droite. Puis il reprend son journal et il lance un gros crachat à gauche. Le garçon coiffeur est un peu ahuri, mais comme il a vu l'épaisseur du portefeuille, il n'ose rien dire. Il va seulement chercher un crachoir très discrètement et il le pose à côté du gars, sur sa droite.

Et schlack! le vieux crache à gauche! Le garçon prend le crachoir et il le met à gauche. Et schlack! le vieux crache à droite! Ça continue comme ça un bon bout de temps... Imperturbablement, le vieux crache toujours de l'autre côté.

Le garçon s'essouffle à courir derrière le fauteuil avec son crachoir plein de sciure. Et maintenant, il n'en peut plus, on sent qu'il va piquer une crise. Alors le vieux lui dit:

— Écoutez! Si vous continuez ce manège imbécile, je vous avertis que je vais finir par cracher dans votre truc!

653 □

Un gars entre chez le coiffeur, il s'installe dans un fauteuil et au bout de cinq minutes, il s'aperçoit que le garçon qui est en train de le raser est complètement soûl...

Et le brave homme commence à saigner de tous les côtés. Alors, bien qu'il soit assez timide, il dit d'une petite voix:

— Vous voyez ce qui arrive quand on boit trop!
Et l'autre lui répond:
— Je voulais justement vous le dire! Ça rend la peau rêche...

☐ **654**

Un coiffeur est en train de raser un cul-de-jatte. Au bout d'un moment, il lui dit:
— Vous désirez que je vous coupe les pattes?
— Dites donc, fait l'autre, furieux, vous voulez mon pied dans le cul?
— Vous fâchez pas, dit le coiffeur. C'était pour vous faire marcher...

☐ **655**

Un gars entre chez un coiffeur et il demande un conseil:
— J'ai plein de pellicules dans les cheveux. Qu'est-ce que je peux faire?
— J'ai ce qu'il vous faut, dit le coiffeur. C'est compliqué, mais c'est souverain. Il y a sept bouteilles, chacune pour un jour de la semaine. Vous vous frictionnez le lundi avec la lotion rouge, le mardi avec la lotion verte, le mercredi avec la lotion jaune, le jeudi avec la lotion bleue, le vendredi avec la lotion brune, et ainsi de suite, en suivant les instructions du prospectus.
Quinze jours plus tard, le client revient et le coiffeur lui demande des nouvelles:
— Alors? Je parie que vous n'avez plus de pellicules?
— Non, dit le gars. Maintenant, j'ai des confettis...

comédien

656 □

Deux comédiens se rencontrent.

— Qu'est-ce que tu fais en ce moment?

— Eh bien, je tourne un remake des *Misérables* dans le rôle principal, j'ai été engagé pour créer la dernière pièce d'Ionesco en tête d'affiche et je passe trois fois par semaine à la télévision. Et toi?

— Moi? Je t'emmerde!

657 □

Le directeur du théâtre va engager un comédien.

— Et comment vous appelez-vous? lui demande-t-il.

— Je m'appelle Kahn.

— Kahn? Impossible... Vous ne pouvez pas garder ce nom-là. Il faut prendre un pseudonyme.

— Mais c'est *déjà* un pseudonyme...

658 □

— Tu rentres bien tard, ce soir, dit la femme du fossoyeur à son mari.

— Ce n'est pas de ma faute, chérie. On a enterré un grand comédien et il y avait tellement de monde, de discours, d'applaudissements et de rappels, qu'il a fallu le remonter neuf fois!

659 □

Une starlette de sous-préfecture arrive, folle de joie, chez son amant et lui dit:

— Ça y est! J'ai enfin décroché un grand rôle!

— Ah, oui? Quel rôle?

— Eh bien, voilà! Je suis soubrette, je dois annoncer que le repas est servi, je frappe derrière la porte et la patronne crie: Surtout, n'entrez pas!

☐ **660**

C'est une très mauvaise pièce, jouée par de très mauvais comédiens. Dans la salle, soudain, un médecin se lève et il dit:

— Est-ce qu'il y a un acteur sur la scène?

☐ **661**

Une petite troupe de comédiens fait une tournée en province. Un soir, une dame va trouver le metteur en scène à la fin de la représentation et elle lui dit:

— Je suis la duchesse de Boismort. Le beau jeune homme blond qui joue Marc-Antoine, il faut qu'il vienne à mon hôtel tout à l'heure! J'ai terriblement envie de lui...

Le metteur en scène appelle le gars en question et lui dit:

— La duchesse est amoureuse de toi. Tu vas aller à son hôtel tout de suite!

— Jamais de la vie, dit le gars.

— Écoute, il faut absolument que tu y ailles. C'est elle qui subventionne le spectacle. Fais au moins ça pour moi et pour les copains!

Le gars s'exécute de fort mauvaise grâce. Mais le lendemain, alors que la troupe a donné une autre pièce, la duchesse revient et dit:

— Je suis la duchesse de Boismort. Le beau jeune homme blond qui joue Cyrano de Bergerac et qui a joué Marc-Antoine hier, il faut qu'il vienne à mon hôtel tout à l'heure. Je ne peux plus m'en passer...

Le metteur en scène fait revenir le gars et lui dit:

— Faut que tu y retournes. Elle te redemande!

— Pas question. Une fois ça suffit. Je me suis déjà forcé!

— Mais enfin, si tu la contraries, elle va nous faire sauter la subvention !

— Je m'en fous ! D'ailleurs, je ne peux pas supporter les femmes... Je n'aime que les garçons...

— Nom de Dieu, mais si tu es pédé, comment as-tu fait hier soir ?

Alors le gars répond en prenant une pose concentrée :

— Stanislavski !

662 □

Grosso modo, on peut raconter la carrière d'un comédien en cinq phrases :

— Qui est-ce, Machin ?

— Il me faut Machin !

— Je voudrais quelqu'un dans le genre de Machin.

— Trouvez-moi un Machin jeune...

— Qui est-ce, Machin ?

663 □

Un jeune comédien vient d'obtenir son premier engagement. Malheureusement, il n'a qu'une phrase à dire dans toute la pièce, une seule petite phrase : *Votre main, marquise, il faut que je la baise...* Il se creuse les méninges pour trouver comment attirer l'attention du public et de la critique avec cette fichue réplique.

Et le soir de la générale, il entre en scène, il s'approche de l'actrice qui joue la marquise et il lui dit d'une voix bouleversante :

— Votre main, marquise !...

Puis, tourné vers la salle, avec un petit clin d'œil de complicité, il ajoute :

— Il faut que je la baise...

664 □

Dans un petit théâtre de quartier, on joue une très mauvaise pièce, une pièce si mauvaise que certains soirs, même les comédiens partent avant la fin ! Au troisième acte, les passagers d'un paquebot en perdition s'entassent sur une barque de sauvetage qui est bien trop petite pour contenir tout le monde. Alors les condamnés au naufrage laissent leurs dernières recommandations à ceux qui peut-être échapperont à la mort :

— Dis à ma mère que je n'ai jamais aimé qu'elle !

— Porte ce bracelet à ma fiancée et embrasse-la pour moi !

— Remets mon alliance à ma femme et dis-lui d'élever notre fils dans l'honneur et la dignité...

Et tandis que la chaloupe s'éloigne vers les coulisses, le capitaine du navire, debout sur le pont comme une statue du devoir, se met soudain à hurler :

— Pendant que vous y êtes, téléphonez à mon imprésario que je suis libre à partir de demain...

☐ **665**

Un grand acteur rencontre une comédienne célèbre. Il lui parle de lui. Elle lui parle d'elle. Chacun tombe amoureux de lui-même et ils font un grand mariage d'amour...

☐ **666**

Parmi cette petite troupe de théâtre ambulant qui va de ville en ville, se trouve un vieux comédien raté. Un beau jour où la tournée arrive dans une bourgade du Nord, le bonhomme rayonne de joie et il avertit ses copains :

— C'est ici que je suis né. Vous allez voir qu'on va me faire un triomphe.

Et le soir, devant une salle pleine, le vieux cabot entre en scène dans un silence de glace. Il lâche ses trois répliques en y mettant tout son cœur et tout son art. Et le pauvre homme ressort, sans qu'un seul applaudissement, sans qu'un seul signe de sympathie ait salué son passage.

Alors, le dos voûté et le visage ravagé, il dit à ses camarades qui l'attendent dans les coulisses :

— C'est à des détails de ce genre qu'on voit qu'il y a eu une guerre...

concierge

667 □

La concierge pleure toutes les larmes de son corps :

— Ah ! Mon petit Médor qui m'a quittée ! Mon petit Médor qui m'a quittée !

Une voisine miséricordieuse lui dit :

— C'est la vie, que voulez-vous ! Quand un chien est mort, il faut en prendre un autre...

— Il n'est pas mort, renifle la concierge, il est parti en Grèce !

— En Grèce ? Mais pourquoi est-il parti en Grèce ?

— C'est un imbécile qui lui a dit que là-bas, tout finissait en *os*...

668 □

La concierge vient d'accoucher d'un adorable petit garçon. Mais tout le monde est tellement affolé dans la loge, le père, les voisins, la sage-femme, que personne ne s'occupe du bébé.

Alors le môme, il jette un regard autour de lui, il lance un coup d'œil sur son ventre et il crie :

— Cordon, s'il vous plaît...

669 □

Une concierge dialogue avec un locataire :

— Vous savez, ma fille est à l'université. Elle

apprend plusieurs langues. Elle va devenir une vraie troglodyte !

— Vous voulez dire une vraie polyglotte ?

— Oh ! Troglodyte, polyglotte, tout ça, c'est synagogue !

☐ **670**

La concierge vient d'avoir deux jumeaux. Toutes ses collègues du quartier sont venues la voir et la féliciter. Et c'est un concert de louanges :

— Mon Dieu, madame Michu, ce qu'ils sont ressemblants, ces petits !

— Oh, oui alors ! Et même, si vous voulez le fond de ma pensée, madame Michu, c'est celui de droite qui est le plus ressemblant des deux...

☐ **671**

Un réparateur de télévision demande à une concierge :

— A quel moment votre poste est-il tombé en panne ?

Et l'autre lui répond :

— Ben, c'était pendant le feuilleton *Paul et Virginie*. Virginie venait juste de dire : Au revoir, Paul ! Et le dernier mot de mon pauvre poste a été : Adieu, Virginie !

☐ **672**

Une brave concierge crie à la concierge d'en face :

— C'est pas pour me vanter, mais il fait drôlement chaud !

condamné à mort

673 □

Ça se passe à Alcatraz, la grande prison américaine. Il y a eu une panne d'électricité qui a duré quinze jours, et maintenant que la lumière est revenue, on fait une grande fournée d'exécutions capitales pour rattraper le retard.
Une vingtaine de condamnés à mort font la queue devant la chaise électrique et tout d'un coup, on entend parmi eux une voix qui dit :
— Poussez pas, derrière. Il y en aura pour tout le monde...

674 □

Un missionnaire est capturé par une secte de samouraïs. On l'accuse d'être un espion et on le condamne à avoir le cou tranché. Mais le chef lui dit :
— Heureusement, c'est le plus extraordinaire sabreur de tout le pays qui va faire le travail. Vous ne sentirez rien !
Le missionnaire tend le cou et au bout d'un moment, il s'impatiente :
— Et alors ?
— C'est fini, lui dit le bourreau. Vous n'avez qu'à remuer un peu la tête !
Il remue la tête et... elle tombe...

675 □

Deux Américaines prennent le thé.
— Et votre mari ?
— Ne m'en parlez pas ! Il est mort.
— Pas possible ! Mais comment ?
— C'est le courant qui l'a emporté !

— C'est horrible ! Et il s'est noyé ?
— Non, il est passé sur la chaise électrique...

□ 676

Un assassin est condamné à la guillotine. Le président du tribunal trébuche sur les mots en lisant la sentence. Il bafouille. Il s'exaspère.
Finalement, incapable de terminer sa lecture, il tend son papier à l'accusé :
— Tenez, mon ami, vous lirez ça plus tard, *à tête reposée*...

□ 677

Le condamné à mort s'approche de la guillotine. Mais avant d'introduire son cou dans la lunette, il siffle au bourreau :
— Vous n'avez pas honte de faire un métier pareil ?
Et l'autre ronchonne :
— Que voulez-vous ! Il faut bien vivre...

□ 678

C'est un clown qui a été condamné à passer sur la chaise électrique. Alors il s'assied dessus, il regarde tout autour de lui avec un air affairé et il demande :
— Et avant, ça marchait à la vapeur ?

□ 679

On a attaché le type sur la chaise électrique. Des journalistes poireautent dans la pièce voisine, quand tout d'un coup ils entendent des hurlements terrifiants. Puis au bout d'un moment, l'aumônier apparaît dans l'entrebâillement de la porte, les traits décomposés, et il dit :

— C'est abominable ! Il y a une panne d'électricité et ils sont en train de l'achever à la bougie...

680 □

— Maître, dit le condamné à la chaise électrique, c'est horrible, ils ont rejeté mon pourvoi. Qu'est-ce qu'il me reste à faire ? Donnez-moi un conseil.
— Eh bien, fait l'avocat, ne vous asseyez sous aucun prétexte...

681 □

Ça fait trois fois que le couperet de la guillotine tombe sur le cou du bonhomme, et ça fait trois fois qu'il rebondit. Le juge, les avocats, l'aumônier, tout le monde s'arrache les cheveux. Le condamné, lui, il est très guilleret. Il dit :
— Vous ne vouliez pas me croire, hein, quand je vous disais que je n'étais pas coupable !

682 □

Un homme, qui a essayé de se suicider par pendaison et qu'on a réussi à arracher à la mort à la dernière minute, va trouver le curé de sa paroisse :
— Et maintenant, qu'est-ce que je vais faire ?
— Lis la Bible, mon ami, lui dit le curé, et tu retrouveras le goût de vivre.
Le malheureux ouvre la Bible et il lit :
— *Va et repens-toi !*

683 □

C'est une malheureuse épouse dont le mari vient d'être guillotiné. Elle se promène dans un jardin public avec son garçon et une vieille amie l'aborde :
— Mon Dieu, comme il a grandi, ton petit !

Maintenant, il a au moins une tête de plus que son père...

☐ 684

Un jeune voyou américain s'est taillé la réputation de plus grand chauffard des États-Unis. La première fois qu'il a conduit une voiture, à seize ans, il a amoché une petite fille. Puis c'est un vieillard qu'il a renversé. Puis un pasteur presbytérien. On lui retire son permis. On lui colle des amendes exorbitantes. On le condamne à la prison. Rien à faire! Dès qu'il se retrouve libre, il saute dans une voiture, il démarre, il accélère et il provoque un horrible accident.

Cette fois-ci, il est rentré dans un groupe de flics et il en a tué trois. Il passe en jugement et il plaide coupable. Son avocat se désespère:

— Avec le casier judiciaire et les précédents que vous avez, vous êtes fou de plaider coupable! Vous auriez pu vous en tirer avec cinq ans. Mais si on conclut à un homicide volontaire, vous êtes bon pour la chaise électrique...

— Tant pis, dit le gars. Je plaide coupable!

Évidemment, le jury estime que le bonhomme est un danger public et il le condamne à mort. Le jour de l'exécution capitale arrive. On attache le gars sur la chaise et le bourreau fait passer le courant. Mais le courant ne passe pas. On essaie deux fois, trois fois, dix fois: le type est tout faraud sur sa chaise et il n'y a pas d'électrocution!

Dans un cas de ce genre, la loi américaine exige qu'on libère le condamné. Alors le chauffard se retrouve dans la rue, il se précipite dans une voiture, il va démarrer, mais son avocat lui court après et lui dit:

— Naturellement, vous saviez ce qui allait se passer et c'est pour ça que vous avez plaidé coupable?

— Naturellement, fait le gars.

— Mais nom d'une pipe, expliquez-moi au moins comment vous avez empêché le courant de passer...

— C'est pas compliqué, dit le gars en clignant de l'œil, je suis mauvais conducteur...

685 ☐

A Londres, un homme vient d'être condamné à mort pour l'assassinat d'une rentière. Après avoir prononcé le verdict, le juge demande au meurtrier :

— Est-ce que vous regrettez votre acte ?

— J' m'en fous, dit le gars.

— Est-ce que vous avez seulement pensé à votre femme qui va se retrouver veuve ?

— J' m'en fous !

— Et vos enfants qui vont traîner toute leur vie la honte d'un père indigne ?

— J' m'en fous !

— Ah ! Ça, par exemple ! Vous vous foutez donc de tout ? Savez-vous que vous allez être pendu au bout d'une corde ? Vous n'allez pas me dire que vous vous en foutez aussi ?

— Ah ! non, monsieur le juge. La corde, je m'en fous pas : je m'en balance...

686 ☐

La guillotine est prête à fonctionner. L'avocat général s'approche du condamné et lui demande sur un ton lugubre :

— Avez-vous une dernière volonté à formuler ?

— Oui, dit l'autre. Je voudrais garder mon foulard...

— Votre foulard ? Pourquoi ?

— J'ai la gorge fragile...

687 ☐

Un condamné à mort est amené devant la chaise électrique. Curieux de nature, il demande :

— Comment ça marche, cet engin ?

Et son avocat lui répond :
— Ne vous cassez pas la tête ! On va vous mettre au courant !

confessionnal

☐ **688**

Un jeune voyou va se confesser. Il est dans la petite guérite à côté du curé et il dit :
— Je m'accuse d'avoir péché avec une femme mariée.
— Ah, oui ! dit le confesseur, et quel genre de femme ?
— Ah ! Ça, monsieur le curé, je veux pas vous le dire, je veux pas qu'on puisse apprendre qui c'est !
— Écoutez, dit le curé, conciliant, je vais vous aider. Est-ce que c'est la femme du coiffeur ?
— Non.
— Alors, la femme du droguiste ?
— Non plus !
— Alors, c'est peut-être la marchande de journaux ou la boulangère ?
— Non, pas du tout !
— Écoutez, mon fils, je suis navré mais je ne peux pas vous donner l'absolution dans ces conditions !
Alors le gars sort de l'église et il tombe sur un copain qui lui dit :
— Sans blague, tu es allé te confesser ?
— Mais non, dit l'autre en souriant, je suis juste allé chercher trois ou quatre adresses...

☐ **689**

— Mon père, je m'accuse de me regarder dans la glace plusieurs fois par jour et de me trouver belle...

— Continuez, mon enfant, ce n'est pas un péché, ce n'est qu'une erreur.

690 □

Un curé ouvre la grille de son confessionnal et il se trouve nez à nez avec un perroquet qui lui dit :

— Pardonnez-moi, mon père, car j'ai commis le péché de médisance...

Affolé, le curé lui donne l'absolution sans demander son reste. Il se retourne, ouvre l'autre grille et aperçoit un cheval qui lui lâche sans sourciller :

— Je me suis laissé graisser la patte. Je m'accuse d'avoir touché mille livres pour truquer l'arrivée du derby d'Epsom !

Alors le curé sort du confessionnal en claquant la porte et il se heurte à son chien qui lui dit :

— Du calme ! C'est pas parce qu'ils sont pas de la paroisse qu'il faut prendre la mouche !

691 □

Un bonhomme se confesse :

— Je suis vraiment un bon exemple. Je ne bois pas. Je ne sors pas. Je ne fais l'amour à aucune femme et d'ailleurs je n'en regarde jamais une seule. Je me couche tous les soirs à huit heures et tous les dimanches, je vais à la messe.

— Oui, mais tout ça va changer dès que vous serez sorti de cabane, lui dit l'aumônier de la prison...

692 □

Un curé sort en courant du confessionnal et il se précipite chez son sacristain :

— Dis donc, je crois que ta femme nous trompe...

693 □

Une vieille paysanne va se confesser à l'église :

— Mon père, dit-elle, je m'accuse d'avoir trompé mon mari.
— Ah! bon, fait le curé. Et quand ça?
— Euh... Il y a trente-deux ans...
— Trente-deux ans? Mais ça n'a plus beaucoup d'importance, chère madame.
— C'est possible, mais ça me fait plaisir de temps en temps d'en reparler à quelqu'un...

☐ **694**

Le vicaire est tout jeune. Le curé lui explique comment il faut confesser.
— La pénitence, ça dépend du nombre de fois qu'on a péché. Le péché de chair par exemple, eh bien, deux fois, ça va chercher une dizaine de chapelets, quatre fois, ça fait le double et ainsi de suite. Vous avez compris?
— Euh, oui, fait le vicaire.
Il se retire dans le confessionnal et voilà une jolie fille qui s'amène.
— Mon père, dit-elle, je crois que j'ai fait le péché de chair.
— Ah! oui? Combien de fois, ma fille?
— Trois fois.
— Trois fois? Zut alors! J'ai pas le tarif dans la tête. Écoutez, filez faire ça encore une fois et après vous me réciterez deux dizaines de chapelet...

☐ **695**

Dans une école libre de garçons, on confesse les élèves tous les dimanches.
Le premier dit:
— Mon père, je m'accuse d'avoir couché avec Fifine!
— Petit monstre! Tu réciteras un chapelet! Au suivant...
Le second s'amène et il dit:
— J'ai couché avec Fifine!

Et tous les gamins de la classe font la même confession. Le curé est estomaqué. Quand le dernier s'amène, il lui dit :

— Et probablement, tu as aussi couché avec Fifine ?

— Non, monsieur le curé ! Fifine, c'est moi...

696 ☐

La petite Albertine entre dans le confessionnal et elle dit :

— Mon père, je m'accuse d'avoir été dans le petit bois avec l'Antoine.

— Ah ! dit le prêtre. C'est du joli ! Et naturellement vous vous êtes laissé embrasser ?

— Non.

— Alors vous vous êtes laissé peloter ?

— Non.

— Comment ça ? Il ne vous a rien fait avec ses mains ?

— Non, mon père. Il n'a rien fait de ce que vous dites. Il m'a fait un enfant, c'est tout.

697 ☐

Un enfant de chœur se confesse :

— Mon père m'avait défendu d'aller dans les boîtes de nuit, à cause des femmes nues, mais j'y suis allé quand même...

— C'est très laid, dit le curé. Et naturellement, tu as vu ce que tu ne devais pas voir ?

— Oui : mon père au premier rang...

698 ☐

Le vieux curé a écouté la première confession que recueillait le jeune abbé, tout frais émoulu du séminaire. Et il lui dit ce qu'il en pense :

— C'est pas mal, mais quand cette dame vous a raconté les péripéties de sa nuit de noces, vous auriez dû branler la tête et faire *tsst! tsst!* au lieu de siffler d'admiration...

coq

☐ **699**

— Quelle horreur! dit le coq en passant l'inspection de la basse-cour. Un œuf en porcelaine! Qui a fait ça?

Alors une petite poule s'approche timidement:

— C'est moi! Oh! Je vous demande pardon! J'avais tellement envie de jouer à la poupée!

☐ **700**

Il y a un nouveau coq qui est arrivé dans la basse-cour. Il est jeune et fringant à côté du vieux coq qui jusqu'à présent régnait seul sur toutes les poules. Évidemment, entre les deux, c'est naturel qu'il y ait des frictions. Mais le vieux coq s'approche du jeune coq et il lui dit d'un ton conciliant:

— Je suis un peu décati. Aussi je ne tiens pas à vous chercher noise. Il y a deux cents poules ici. Faisons un traité et laissez-m'en juste une petite dizaine.

— Jamais de la vie, dit le jeune coq. Vous êtes bon pour la ferraille. Laissez tomber.

— Écoutez, dit l'autre. Laissez-moi une dernière chance. Nous faisons une course jusqu'à la grange. Vous me laissez seulement un mètre d'avance. Et si vous gagnez, je prends mes affaires et je m'en vais.

— Bon, d'accord, dit le jeune coq qui est sûr de l'emporter haut la main.

Alors le vieux coq s'élance et le jeune coq se met à courir derrière. Mais un coup de feu l'étend raide mort!

— Si c'est pas malheureux, dit le fermier en reposant son fusil. C'est le neuvième coq que j'achète en quinze jours et ils sont tous pédés...

701 □

C'est une vieille fille très bigote, extrêmement laide, qui décide d'abandonner la ville et de s'installer à la campagne. Mais elle veut se venger.

Et dans sa basse-cour, elle met une poule et dix-neuf coqs.

702 □

C'est Pâques et les enfants de la ferme ont acheté chez le pâtissier des œufs de toutes les couleurs. Ils ont joué avec les œufs dans la cour de la ferme.

Le coq sort du poulailler, il aperçoit les œufs, il fronce le sourcil et il va casser la gueule au paon!

703 □

Tout rouge d'impatience, un petit coq piétine dans les couloirs d'une clinique d'accouchement. Une infirmière passe la tête par une porte et lui dit:

— Tenez-vous bien! C'est un œuf!

704 □

Un coq se penche vers une poule avec beaucoup de tendresse et lui dit:

— Écoute, ne te fais pas de bile! Si tu n'arrives pas à pondre, nous adopterons un œuf...

705 □

Une énorme Chevrolet traverse un village à cent vingt à l'heure. Il y a une malheureuse poule qui se trouve prise dessous.

Elle se relève, tout hirsute, dans un nuage de

plumes. Elle voit quelque chose qui disparaît loin devant...

— Saperlipopette, dit-elle. Ça doit être le nouveau coq. Il est fou à lier...

☐ 706

— Il est drôle, votre coq, dit le Parisien au paysan. Pourquoi est-ce que vous lui avez mis un costume de laine?

— Ah! c'est toute une histoire! réplique le péquenot. Il a été complètement déplumé dans l'incendie du poulailler. Alors pour qu'il ne prenne pas froid, ma femme lui a tricoté ce petit costume... Si vous voyiez ce qu'il est marrant quand il court après une poule en se déboutonnant la braguette!

☐ 707

C'est un type qui se prend pour un coq. Et à chaque fois que sa femme ramène des œufs à la maison, il envoie des dragées à tous ses amis...

☐ 708

Dans la cour de la ferme, un jeune coq un peu novice s'approche d'un coq patriarche et il lui demande:

— Dites-moi, vous qui avez tant d'expérience, vous en avez déjà vu, des poules à poil?

corse

709 ☐

Un touriste visite la Corse. Il passe devant une petite ferme et il voit un paysan allongé sur une chaise longue. Le gars mange des cerises et de temps en temps, il crache un noyau.

— Alors, ça va ? dit le touriste.

— Ça va, fait l'autre. Vous voyez : on plante...

710 ☐

Un brave Corse décide de venir travailler sur le continent. Ses amis lui ont dit :

— Tu sais, là-bas, il n'y a qu'à se baisser pour ramasser le pognon.

Alors il débarque sur le quai de Marseille, et tout d'un coup, il voit un portefeuille plein de billets, par terre, devant lui. Il va pour se baisser, et puis il hésite et il murmure :

— Non ! Aujourd'hui j'arrive. Je vais attendre demain pour commencer le boulot...

711 ☐

Dominique croise Pascal dans la rue de la République à Ajaccio.

— Prête-moi cent francs !

— Non, dit Pascal, c'est fini ! Je ne prête plus qu'avec parcimonie et à bon escient...

— Qu'est-ce qui te prend ? dit Dominique. Alors maintenant, tu t'associes à des Italiens pour dépanner des Arméniens ?

☐ 712

Un Corse demande à un autre Corse des nouvelles d'un ami commun :
— Qu'est-ce qu'il devient ?
— Il travaille.
— Il travaille ? Il n'a donc rien à faire ?

☐ 713

Un Corse qui est sourd se balade dans la rue. Il se sent très désœuvré et au bout d'un moment, comme il sait qu'il ne peut pas s'entendre, il se parle à voix haute :
— Si je m'écoutais, j'irais au bureau.

☐ 714

Une telle chose ne peut se passer qu'en Corse. Un gars aborde un copain et il lui dit :
— Prête-moi mille balles jusqu'à la paye !
— Jusqu'à la paye ? réplique l'autre. Et c'est quand, la paye ?
— Ah ! J'en sais foutre rien ! C'est toi qui travailles...

☐ 715

A Ajaccio, une femme dit à son mari qui est en train de bâiller :
— Tiens, puisque tu as la bouche ouverte, profites-en pour appeler le petit...

☐ 716

Un Corse va trouver son médecin :
— Docteur, j'ai des insomnies. Je me réveille tout le temps.
— Ah ? Plusieurs fois dans la nuit ?

— Oh ! non, docteur, pas spécialement la nuit. Simplement je me réveille tous les trois ou quatre jours...

717 □

— Et ça pousse bien, ici ? demande le Parisien au paysan corse.
— Non.
— La vigne, ça ne pousse pas ?
— Non.
— Et les légumes non plus ?
— Non.
— Et même pas les fruits ?
— Non.
— C'est incroyable ! Vous n'avez jamais essayé de planter seulement un noyau d'abricot ?
— Ah ! Si vous plantez, forcément, c'est autre chose !

718 □

L'histoire se passe en Corse.
— Qu'est-ce que tu peux être fainéant ! dit un gars à un copain. Tu passes toute la sainte journée à dormir. Tu pourrais au moins fonder une famille et avoir des enfants qui travailleraient à ta place. Est-ce que c'est tellement difficile ?
— Non, dit l'autre. Tu as raison. Tu ne sais pas où je pourrais trouver une femme enceinte ?

719 □

Un brave Corse, qui a été chômeur toute sa vie, vient de mourir de sa belle mort. Sa femme a exigé qu'on l'incinère.
Elle a recueilli ses cendres à l'intérieur d'un sablier, qu'elle pose sur une commode. De temps en temps, elle le retourne en disant :
— Allez ! Travaille maintenant !

☐ **720**

Un Parisien prospecte un village corse. Il cherche une maison au bord de la mer pour venir y passer ses vacances. Il interroge un propriétaire du coin, qui lui propose une belle bastide.

— Mais dites-moi, demande-t-il, est-ce qu'il pleut de temps en temps, ici ?

— Jamais de la vie, proteste l'autre.

— Jamais une goutte ?

— Puisque je vous le dis !

— Mais pourtant, en ce moment, il y a de gros nuages noirs...

— Oh ! Ce n'est rien. Ce n'est pas pour nous. Ce sont des emballages vides qui rentrent du continent...

☐ **721**

Deux familles corses sont déchirées par la vendetta depuis trois cents ans. Pour venger la mort de leur père qu'ils ont retrouvé avec une balle dans le dos, les deux fils décident de flinguer un de leurs ennemis héréditaires.

Sachant que celui-ci revient de Bastia tous les soirs vers six heures sur sa petite bicyclette, ils s'embusquent derrière un arbre avec leurs fusils chargés et ils attendent patiemment l'arrivée de leur victime.

Mais à sept heures, toujours rien, et pour comble de malchance, la nuit tombe. Alors un des gars regarde sa montre et dit à l'autre :

— Pourvu qu'il lui soit rien arrivé...

cosmonaute

722 □

Un cosmonaute rentre d'un voyage de trente-trois tours autour de la terre. Il a réussi à prendre une photo de notre planète à 250 kilomètres d'altitude. On se hâte de la développer et au bout d'une demi-heure, on lui dit :

— C'est loupé ! Quelqu'un a bougé...

723 □

Le président des États-Unis a reçu des milliers de lettres de protestation et d'injures : on lui reproche de n'avoir jamais envoyé de Noir dans l'espace, on n'admet pas que les astronautes soient toujours des Blancs. Et on ajoute :

— Vous prenez donc les Noirs pour des incapables ?

Si bien que le président se trouve contraint de donner des ordres : il faudra aussi mettre des nègres dans les fusées... Et un beau jour, vaille que vaille, on installe dans une fusée un Noir extrêmement noir, et avant le lancement, on lui dit :

— Vous voyagerez avec un chimpanzé. Vous n'avez pas à vous inquiéter. Tout ce qu'on vous demande, c'est de suivre nos instructions radio.

Et la fusée part. Elle fonce vers la lune.

Au bout d'une heure, une lumière jaune s'allume devant le singe qui se met à abaisser et à relever des leviers.

Au bout de trois heures, une lumière verte s'allume devant le singe qui se met à appuyer sur des manettes et à enfoncer des boutons.

Au bout de sept heures, une lumière bleue s'allume

devant le singe qui sort un carnet de sa poche et qui commence à prendre des notes.

Alors brusquement, le Noir entend dans ses écouteurs une voix qui lui ordonne :

— Allô, écoutez-moi bien. Il y a une bouteille de lait sous votre siège. Il faut donner le biberon au chimpanzé...

□ 724

Un astronaute américain appelle la terre par radio :

— Allô ! Cap Kennedy ? J'en suis à ma dix-septième révolution et une fusée soviétique vient de s'approcher à moins de dix mètres de mon engin. Par le hublot, je vois qu'ils ont mis en batterie une caméra et ils vont commencer à me photographier ! Que dois-je faire ?

Et dans ses écouteurs, une voix lui répond :

— Euh !... Souriez...

□ 725

Un brave électricien s'est attardé dans une fusée sur le cosmodrome de Cap Kennedy. Quand il a fini de réparer tous les circuits, il s'apprête à sortir, mais il s'aperçoit que toutes les portes sont fermées et que la fusée est en partance.

Il court, affolé, de tous les côtés, quand soudain la fusée démarre dans un vrombissement du tonnerre. Alors il se précipite sur le poste de pilotage et il trouve un petit homme vert installé aux commandes. Et il se met à crier d'une voix étranglée :

— Je suis électricien ! Où on va ?

Et l'autre lui réplique :

— Vous, j'en sais rien. Mais moi, je rentre chez moi en vitesse...

□ 726

Un cosmonaute revient de la planète Mars. C'est la

première fois qu'un homme a pu mettre les pieds dans un monde aussi lointain. Un bataillon de journalistes l'attend à sa descente de fusée et les questions fusent :

— Alors ? Il y a de la vie sur Mars ?

— Ben, fait le cosmonaute, le samedi soir, oui, mais le reste du temps, c'est bien mort...

727 □

Un équipage d'astronautes américains vient de se poser sur la lune. Ils sont quatre. Un des hommes est noir, mais le capitaine évidemment est blanc. Et voilà qu'on détecte une avarie dans le vaisseau lunaire. Il ne peut repartir qu'avec trois passagers. Aussitôt le capitaine réunit tout le monde et il déclare :

— Messieurs, l'un de nous doit se sacrifier et rester ici. C'est très regrettable, mais c'est ainsi. Je ne peux pas désigner quelqu'un moi-même. Je ne peux pas non plus laisser cette décision au hasard. Je vais donc procéder à un petit test de connaissances et celui qui ne pourra pas répondre à mes questions aura l'honneur d'être le premier Américain à mourir sur ce sol.

Et se tournant vers un de ses hommes, un gaillard aux cheveux blonds et aux yeux bleus, il demande précipitamment :

— Comment s'appelle l'engin que l'armée américaine a lancé sur une ville du Japon le 6 août 1945 ?

— Euh... répond le gars, une bombe atomique...

— Parfait, dit le capitaine.

Et s'adressant au second astronaute qui est encore plus blanc de peur que de peau, il lui lâche sa seconde question:

— Et comment s'appelle cette ville ?

— Hiroshima ! souffle l'autre dans un grand soupir de soulagement.

Alors le capitaine se plante devant le Noir et il dit :

— A vous maintenant! Noms, prénoms, âges et qualités des victimes...

☐ **728**

Le téléphone sonne chez un cosmonaute soviétique. C'est une toute petite fille qui répond:

— Non! Papa n'est pas là. Il est dans l'espace. Il sera rentré d'ici une heure ou deux. Non! Maman n'est pas là non plus. Elle est sortie pour acheter des pommes de terre. Elle en a au moins pour trois ou quatre heures...

☐ **729**

Un cosmonaute soviétique revient d'un vaste périple à travers la galaxie. Il a pu visiter les neuf planètes de notre système solaire. A son retour sur terre, il est accueilli par tout le gouvernement soviétique au grand complet.

Après les congratulations d'usage, Gorbatchev s'approche de lui et lui demande à voix basse:

— Dis-moi, camarade... Maintenant tu dois avoir la réponse à la question la plus grave. As-tu rencontré Dieu dans les profondeurs de l'infini?

Et le cosmonaute branle la tête d'un air navré:

— Hélas! oui... je dois dire la vérité! J'ai rencontré Dieu...

— J'en étais sûr, soupire Gorbatchev. C'est épouvantable. Il faut me jurer que tu ne répéteras cela à personne.

Et le cosmonaute promet de ne jamais rien révéler.

A quelque temps de là, il est reçu solennellement par les chefs d'État du monde entier, et même le pape lui accorde une audience privée. Quand les deux hommes se retrouvent seuls, face à face, le pape se penche vers le cosmonaute et lui dit en baissant la voix:

— Mon très cher fils, vous avez visité l'univers. Je n'ai qu'une question à vous poser. Y avez-vous rencontré Dieu ?

Le cosmonaute se souvient aussitôt de la promesse qu'il a faite à Moscou. Et il répond tout à trac :

— Hélas ! non, très saint Père... Pas la moindre trace de Dieu...

Alors le pape murmure tristement :

— J'en étais sûr ! C'est épouvantable ! Écoutez, mon petit... Jurez moi que vous ne le répéterez à personne...

730 ☐

Les premiers cosmonautes débarquent sur Mars où la population les accueille à bras ouverts. Après s'être abondamment renseignés sur l'économie et les mœurs de cette planète inconnue, ils se laissent aller à poser aux Martiens une question qui les turlupine :

— Et les enfants... Comment vous les faites ?

— En usine, naturellement, leur répond-on. Venez-voir...

Et on entraîne les Terriens vers une gigantesque chaîne de montage qui s'étale sur plusieurs centaines de mètres. A un bout, on introduit des mains, des pieds, des yeux, des cœurs, des cerveaux. A l'autre extrémité sortent des petits bébés martiens qui vagissent à qui mieux mieux...

— Mais vous autres, demandent les Martiens, comment faites-vous ?

Un peu gêné, le chef de l'expédition demande à un homme et à une femme de son équipage de faire une démonstration, dans un but très strict d'information scientifique. Les Martiens regardent attentivement le processus de l'opération et finalement ils éclatent de rire :

— Ça alors, c'est marrant ! Nous, c'est comme ça qu'on fait les bagnoles...

courrier du cœur

(Les magazines féminins osent rarement publier dans leur courrier du cœur les plus croustillantes des lettres qu'ils reçoivent. En voici quelques-unes, garanties authentiques.)

☐ **731**

« A la suite d'une déception, j'ai décidé de renoncer à la luxure. Je la pratiquais depuis trois ans, mais ce n'est pas à conseiller. On vous dit ceci. On vous dit cela. Personne n'est content, ni vous ni les autres. Que de temps en temps on me demande une chose ou l'autre, je le conçois, mais ces vulgaires plaisirs de la chair, quand ce n'est pas du pipi, c'est du caca! D'autant plus que depuis que je sais la vérité sur l'homme et la femme, je suis complètement dégoûtée de mon corps. Ce qui me choque le plus, c'est de penser que mon ventre est plein d'œufs comme ceux des poissons. Et parce que je permettrai à un garçon de me causer d'un peu trop près, ses petits vermisseaux vont aller faire vivre ces œufs abominables qui se développeront dans mon intérieur, que j'en sois consentante ou non! Quelle horreur! Nerveuse comme je suis, je sens tous ces œufs qui me grouillent dedans. Eh bien, ils peuvent être tranquilles... A moins que je devienne folle, ils ne sont pas prêts d'être fécondés! »

☐ **732**

« Je viens m'épancher sur vous, car je ne sais plus du tout ce que je dois penser de l'attitude de mon fiancé qui ne veut même pas connaître mes parents.

D'abord il a des lubies et ensuite, je ne le trouve pas assez expansif...

Les samedis et les dimanches, il me fait venir chez lui, car il a un petit logement. Il faut que je me déshabille et que je me mette une guépière d'un très mauvais genre et puis des bas résille et des chaussures soi-disant du soir. Alors il met des disques et il faut que je danse toute seule comme une idiote, un genre tamouré, pendant qu'il fume des cigarettes. Tout ce qu'il sait dire, c'est *Tortille! Tortille!* et quand il en a assez, il déclare *Adieu, ma poule!* Et pour le reste, zéro!

J'en arrive à me demander si Ali n'a pas dans l'idée de me faire faire du cinéma ou autre chose dans ce genre. Et j'allais oublier de vous expliquer que ce qui me gêne le plus dans ces fiançailles, c'est que si mon fiancé était seul à me regarder danser, il n'y aurait que demi-mal, mais il y a des jours où ils sont une trentaine!

Pour mes fiançailles, j'avais dans l'idée une jolie bague et des gentilles caresses, plutôt que tout ce fourbi arabe... »

733 ☐

« On est deux jumelles et je dois vous avouer que je suis en train de devenir une criminelle en osant aimer le fiancé de ma sœur. Si seulement elle voulait faire l'échange avec le mien qui ne me plaît plus du tout! Mais nous sommes trop intimes, je n'ose pas lui en causer...

Voici comment j'ai su que je l'aimais pour la vie. Au bal des moissons, Guy, qui est à ma sœur, m'a fait asseoir sur ses genoux entre deux danses. Aussitôt assise sur lui, j'ai senti, malgré ma culotte et ma robe, un feu d'artifice qui m'entrait de partout. De son côté, il était agité comme par un tremblement de terre. J'ai tourné ma tête vers lui et ses yeux m'ont inondée de flammes brûlantes. Quand il m'a fallu me lever, j'étais trempée comme une soupe et lui, il claquait presque des dents. Si ce n'est pas la preuve du grand amour, je me demande ce qu'il vous faut ?

Pour avoir Guy à moi, je suis prête à tous les sacrifices vis-à-vis de ma sœur, d'autant plus que, bien que nous soyons jumelles, elle n'a pas encore son vélomoteur. Qui me donnera le courage de lui écrire une lettre où je lui proposerai l'échange de nos fiancés ? »

☐ **734**

« Mariée depuis un an à peine, je viens vous trouver parce que je ne suis pas absolument heureuse. A chaque fois que Marc veut me posséder charnellement, j'ai des sortes de fous rires en le voyant se mettre en train, chose que je lui laisse faire tout seul. En action, c'est encore pire et je ne peux pas m'empêcher de chanter en dedans de moi :

C'est le piston, piston, piston, qui fait marcher la machine... C'est le piston, piston, piston, qui fait marcher les wagons...

Vous avouerez que je me passerais mieux de cette gymnastique vulgaire que de manger. Alors je lui laisse faire son affaire. Même que si j'ai le malheur d'ouvrir les yeux, je suis fichue, car sans ses lunettes qu'il retire pour se mettre au lit, je trouve qu'il ressemble à une grenouille !

Et maintenant, ça devient pareil avec les autres garçons. S'ils n'essaient rien sur moi, les cuisses si vous voulez ou avec leur langue si vous préférez, je me sens vexée et je les prends en grippe. Mais s'ils ont de mauvaises manières avec moi et qu'ils me renversent au lit, alors je pense au piston et je leur fiche une gifle. Et s'ils continuent, je fonce là où il faut !

Bien que majeure et de parents israélites, j'accepterai tous les conseils pour sortir de cette situation et surtout les bons. Parce que je veux une certitude sur ma véritable personnalité avant de m'engager, politiquement parlant... »

735 □

« Je suis lasse des hommes, qu'ils soient noirs, blancs ou jaunes. Tous sont des salauds qui m'ont esquintée. Rien que de me représenter dans un lit en train de forniquer sans aucun idéal avec Pierre, Paul ou Jacques, j'en ai les chocottes.

Si je savais comment il faut s'y prendre, je proposerais mon corps et mes ovaires au gouvernement pour qu'on fasse des essais sur moi quand on ira dans les autres planètes. Je ferais à la rigueur l'amour avec un type de la planète Mars ou de Vénus, n'importe comment qu'il soit constitué. Je deviendrais alors célèbre et riche, tandis qu'ici je me suis donnée jour et nuit jusqu'à l'os pour des clopinettes.

Cette proposition n'est pas un bobard et je vais vous en donner la preuve en vous donnant le téléphone du lavoir où je travaille les après-midi... »

736 □

« Je vous écris pour vous dire que je succombe dans la transpiration et que je ne sais plus que faire. J'avais épousé un beau garçon brun, un peu poilu, et j'avais bien remarqué qu'il avait des taches de sueur sous les manches de ses costumes dès qu'il était un peu excité, mais quand on aime, on se moque de ces petits détails. Le jour de la noce, ayant quitté sa veste après le repas, il ruisselait de partout... Ma belle-mère me dit que c'était l'émotion. Passons, mais la nuit, il n'y avait plus d'émotion qui tienne, je me croyais sous la cataracte du Niagara, mouillée comme une grenouille, et lui, n'en parlons pas ! J'en cause autour de moi et on me dit que c'est parce qu'il est très puissant. Je reconnais qu'il est plutôt chaud des reins, mais dans ces conditions, ça n'amuse pas la femme qui n'a rien d'une éponge. Ayant fait la connaissance d'un commerçant de banlieue blond et plutôt sec, je m'en vais avec lui, sans aucune intention de l'adultère, mais pour voir si sa nature était moins humide. Alors là, un vrai déluge. Moi par-dessous, mouillée à bloc, et c'était en février! Que faire aussi bien pour l'un que pour l'autre? Ces transpirations finissent par m'écœurer, car bien entendu, l'odeur existe pour l'un comme pour l'autre, pas la même, mais désagréable... Ne m'indiquez pas des produits déodorants pour femmes, je leur en ai fait essayer deux ou trois fois, mais il faudrait quelque chose de beaucoup plus fort ou sans quoi, je finirai par renoncer à ces choses bien qu'assez portée dessus, mais sans eau... »

Et c'est signé *Poupée sèche.*

☐ **737**

« J'ai tout accordé à mon mari et je pourrais même dire : tout et le reste. Mais le jour où il m'a demandé de coudre des clochettes dorées à mes jarretelles avant de faire l'amour, mon sang n'a fait qu'un tour. Je l'ai regardé bien droit dans les yeux et je lui ai déclaré que je préférerais le quitter pour toujours plutôt que de faire une chose aussi déshonorante. Ma résolution est bien ferme : je saurai passer sur tout, mais pas sur ces sonnettes... »

courses

☐ **738**

Un grand propriétaire d'écuries de courses s'amène chez lui plus tôt que d'habitude et il découvre son meilleur jockey en train de manipuler allégrement sa femme. Alors, très digne, il s'écrie :

— Vous êtes renvoyé, Charles ! C'est la dernière fois que vous montez pour moi !

739 □

Qu'est-ce qu'un turfiste ? C'est quelqu'un qui sait toujours, avant la course, quel cheval va gagner et qui sait toujours, après la course, pourquoi il n'a pas gagné...

740 □

Un clochard s'approche d'une bonne femme de l'Armée du Salut et il lui dit :

— Donnez-moi quelque chose ! Il faut que j'aille jouer !

— Jouer ?... Jouer ?... dit-elle. Pas question de jouer. Tenez, voilà cent francs. Allez plutôt faire un bon repas. C'est de ça que vous avez le plus besoin ! Et surtout, oubliez que je vous ai donné de l'argent et souvenez-vous seulement d'une chose : *Au petit oiseau, Dieu donne la pâture !*

Le lendemain, le même gars aborde la même bonne femme et il lui dit :

— Vous êtes drôlement au courant ! Avec vos cent balles, j'ai joué *Petit-Oiseau* dans la cinquième et j'ai gagné cinquante fois la mise !

741 □

Un habitué du champ de courses de Longchamp y emmène sa femme pour la première fois. Il lui dit :

— Tiens, voilà cinquante balles. Tu descends au guichet et tu les joues sur *Princesse.*

La bonne femme arrive devant le guichet et elle dit :

— Cinquante sur *Princesse.*

Alors, il y a un gars avec une casquette qui la prend par le bras et qui lui dit :

— Vous êtes pas folle de jouer *Princesse* ? C'est une jument qui n'a aucune chance ! C'est *Tête de Pipe* qu'il faut jouer. Vous pouvez me croire, je m'y connais !

— Vous croyez ? dit-elle.

Et comme elle est très influençable, elle joue *Tête de Pipe*. La course se déroule et c'est *Princesse* qui gagne. Le mari saute de joie. Il dit :

— On a gagné ! Va vite encaisser !

— C'est que, chéri, bredouille-t-elle, j'ai pas joué celui-là. Il y a un type avec une casquette qui m'a dit d'en jouer un autre !

— Quoi ? Un type avec une casquette ? Alors, il peut arriver n'importe qui et tu fais tout ce qu'il dit ? Tu te rends compte que tu nous as fait perdre mille balles ? Que je t'y reprenne pas ! Tiens, voilà cinquante balles, tu vas aller les jouer sur *Artichaut*. T'as bien entendu ? *Artichaut !*

La bonne femme descend au guichet et le type à la casquette la prend par le coude :

— Je sais ce que vous allez faire ! Vous allez faire une énorme bêtise ! Vous allez jouer *Artichaut* ! Heureusement que je suis là pour vous en empêcher ! *Artichaut*, c'est un toquard, il est blessé aux chevilles et son jockey a une crise d'appendicite. Vous le saviez ça ?

— Euh... non ! C'est mon mari qui...

— Votre mari, il n'y connaît rien. C'est *Sucre d'Orge* qu'il faut jouer cette fois-ci. Ce cheval-là, il est à Rothschild. Je le connais comme ma poche. Il va arriver dans un mouchoir. Moi, je vous dis ça par sympathie, mais si vous voulez foutre votre fric en l'air, vous n'avez qu'à jouer *Artichaut...*

Et naturellement, le gars lui en met plein la vue et la fille joue *Sucre d'Orge*. Et naturellement, c'est *Artichaut* qui gagne. Le mari voit sa femme arriver, la tête basse, et il lui dit :

— Fais pas cette gueule ! Cette fois-ci, on a gagné !

— Justement, on n'a pas gagné, glousse-t-elle. Le type à la casquette m'a fait jouer *Sucre d'Orge...*

Alors le gars explose :

— Pauvre idiote ! C'est la dernière fois que je t'emmène aux courses ! Qui est-ce qui connaît les chevaux ? C'est moi ou toi ? C'est pas toi ? Bon ! Alors tu pourrais au moins faire ce que je te dis !

Il hausse les épaules et il ajoute :

— Tiens, voilà cinq francs ! Va me chercher une orangeade...

Elle file et elle revient, cinq minutes après, avec un coca-cola...

— Je t'ai dit une orangeade ! tonne-t-il.

— Oui, fait-elle, penaude, mais j'ai encore rencontré le gars à la casquette...

742 □

Un jockey a fait une chute mortelle. Sa femme vient à la morgue pour reconnaître le corps. L'employé ouvre un tiroir, mais ce n'est pas lui. Il en ouvre un autre et ce n'est toujours pas lui. Il en ouvre un troisième et alors la femme déclare :

— Non ! Ce n'est toujours pas lui ! C'est normal d'ailleurs : il n'est jamais sorti au tiercé...

743 □

— C'est fou ce que je peux être superstitieux ! Je suis né un 5 mai à cinq heures du matin. Le jour de mes cinquante-cinq ans, j'ai acheté le billet numéro cinq cent cinquante-cinq mille cinq cent cinquante-cinq à la Loterie nationale et j'ai gagné cinq briques ! Alors je suis allé à l'hippodrome et j'ai tout joué sur le cheval numéro cinq dans la cinquième course...

— Formidable ! Et combien tu as gagné ?

— Rien. Il est arrivé cinquième...

744 □

Un gars rencontre un copain à la sortie de l'hippodrome. Il remarque qu'il est un peu essoufflé et il s'inquiète de son état :

— Qu'est-ce que tu as ? Tu fais de l'asthme ?

— Non, c'est pas ça, dit l'autre d'une voix hachée. Figure-toi que je m'amène au pesage, je vois un billet de cent francs par terre, je me penche pour le ramasser... Et alors, là, il s'est passé une chose pas croyable! On m'a jeté une selle dessus, on m'a passé un mors, un jockey m'a enfourché et il m'a tapé sur les fesses avec une cravache...

— Sans blague? Et qu'est-ce que tu as fait?

— Ben, j'ai fait troisième!

crevette

□ **745**

Une crevette, enfin, plus exactement un monsieur crevette, rentre chez lui et il trouve sa dame couchée avec un amant.

— Nom de Dieu, fait-il. Ça alors, c'est le bouquet!

□ **746**

Une crevette tombe sur une autre crevette et elle lui dit:

— Mais c'est épouvantable! Est-ce qu'on vous a dit que vous sentiez le doigt?

crocodile

□ **747**

Un crocodile entre dans un bistrot et il dit:

— Donnez-moi un demi sans faux col.

— Ça alors! dit le barman. C'est la première fois que je vois un crocodile demander un demi.

— Si c'est comme ça, dit le crocodile, je vais aller dans le bistrot d'à côté où on ne me fait jamais de réflexion.

Alors le chien du bar sort de sous le comptoir et il dit au crocodile :
— Ne vous fâchez pas ! Le barman est nouveau et il ne connaît pas tous les clients...

748 □

Un type rentre chez lui très tard, un peu titubant. Il entend derrière lui quelqu'un qui l'injurie. Il se retourne et il aperçoit un crocodile qui lui crie :
— Cocu !
— C'est pas possible, fait le gars, j'ai des hallucinations !
Il continue son chemin et il entend une voix derrière lui :
— Cocu !
Alors, il voit que le crocodile le suit toujours. Il s'approche de lui et il lui dit :
— Je t'avertis que si tu continues à m'énerver, il va t'arriver des bricoles !
Et le crocodile lui dit :
— Cocu !
Excédé, le gars rentre sa main dans la gueule du crocodile, il va jusqu'au bout, il lui attrape la queue, il tire dessus et il retourne l'animal comme un gant. Et il ajoute avant de repartir :
— Ça t'apprendra !
Alors, derrière lui, il entend une voix qui lui dit :
— *Ucoc !*

749 □

Dans la brousse, un éléphant s'approche d'un marigot pour boire, mais un crocodile sort la tête et lui dit :
— Fait attention ! Si tu bois, je te bouffe la trompe...
— Tu m'énerves, dit l'éléphant. J'ai soif, et c'est pas toi qui vas m'empêcher de boire un coup...

Et il trempe toute sa trompe dans l'eau avec volupté. Alors on entend un petit bruit de crocs, un petit cri de stupeur et l'éléphant dit :
— *Ah ! Ch'est malin, chà !*

☐ 750

Le Journal des Voyages *a publié en 1907 cette petite histoire exotique que les lecteurs de l'époque trouvèrent très drôle :*
« Les crocodiles sont innombrables à Ceylan, mais ils se laissent difficilement approcher, et le colon anglais est friand de cette chasse. Dans l'eau, l'animal est retors et ne se montre pas. C'est donc sur le rivage qu'il faut l'attirer. Le chasseur a relevé à terre la trace d'un colossal saurien. Pour le faire venir, on usera de ruse. Un indigène est là, précisément, qui vient offrir au sportsman de lui louer comme appât un de ses enfants. Marché conclu ! Le négrillon est amené. On l'attache, vers le soir, à une sorte de pieu en bambou. Il a peur, il pleure. Le crocodile, affriandé par cette voix qui lui assure une proie facile, se hisse sans méfiance sur la berge. Le chasseur, caché dans un fourré, l'ajuste. Il le tue ou il le rate. Auquel cas le pauvre petit risque fort de servir de souper au vorace animal. Ses parents, accoutumés à ces mœurs barbares, s'en consolent, une bonne prime aidant, en songeant qu'ils ont beaucoup d'enfants... »

☐ 751

Un Noir demande à un autre Noir :
— Quelle différence y a-t-il entre un crocodile et un alligator ?
Et comme l'autre ne répond pas, il ajoute :
— Y en a pas ! C'est caïman la même chose...

cuisine

752 □

A table, maman soulève le couvercle de la soupière :
— Dites-donc, les petits, vous l'aimez bien, votre papa chéri ?
— Oh, voui !
— Alors, vous allez en reprendre.

753 □

Un clochard se présente au palais de l'Élysée. Il dit :
— Je voudrais être cuisinier chez le président de la République.
Et on lui répond :
— C'est pas possible.
Mais le gars, il revient tous les jours et il dit :
— Je voudrais être cuisinier chez le président de la République. Je sais faire la cuisine.
À chaque fois, il se heurte à un refus. Mais rien à faire, il est là le lendemain. Au bout d'un mois, un fonctionnaire, excédé, lui dit :
— Écoutez, si vous voulez être cuisinier chez le président de la République, il faut revenir dans sept ans, vous entendez ? Dans sept ans !
Alors, le gars, il demande tristement :
— Le matin ou l'après-midi ?

754 □

Un ogre rentre chez lui et appelle sa femme :
— J'ai vachement faim ! Apporte-moi un pâté de maisons...

☐ **755**

Deux ménagères se rencontrent.

— Est-ce que tu sais la différence qu'il y a entre une casserole et un bidet?

— Ma foi, non!

— Ben alors, il doit y avoir une sacrée pagaille chez toi!

☐ **756**

L'instituteur au petit anthropophage:

— C'est ton frère ou ta sœur que tu préfères?

— J' sais pas. Quand elle fait la cuisine, maman mélange tout.

☐ **757**

Dans le vestibule du médecin de campagne, une fille sort de la consultation et un grand gars rougeaud, qui est passé avant elle, lui demande:

— Alors, qu'est-ce qu'il t'a dit?

— Il a dit que j'avais de l'albumine.

— De l'albumine, qu'est-ce que c'est que ça?

— Il m'a dit que c'était comme du blanc d'œuf dans les urines...

— Du blanc d'œuf! Ah! ben, ça tombe bien! Moi, il m'a dit que j'avais du sucre dans les urines. Viens, je vais te montrer comment on fait les œufs à la neige...

☐ **758**

C'est bien, les statistiques, les sondages, tout ça, parce qu'il y a toujours des extrêmes, et ça rassure drôlement, vu que si vous rentrez la tête dans le four de votre cuisinière et les pieds dans votre réfrigérateur, votre corps sera dans un état de tiédeur tout à fait confortable...

759 □

Sa femme attend un enfant. Mais lui, le petit charcutier, il fait son service militaire. Et il a terriblement peur que ses camarades de chambrée se foutent de sa gueule quand on lui annoncera la naissance. Alors il profite d'une permission pour dire à sa femme :

— Quand tu auras accouché, tu m'envoies un télégramme, mais n'écris pas que le bébé est né. Ils vont tous vouloir lire par-dessus mon épaule et je vais plus savoir où me mettre. Il faut trouver un truc. Je ne sais pas, moi, tu pourrais par exemple m'avertir en me disant : *La choucroute est prête...*

Et trois semaines plus tard, il reçoit un télégramme. Tous les bidasses se pressent autour de lui pour savoir. Alors il ouvre le télégramme et il lit :

On a livré trois choucroutes dont deux avec francfort...

760 □

Un vieux grigou est allongé sur son lit de mort. Il sait bien qu'il n'en a plus pour longtemps. Il appelle un de ses fils et il lui dit :

— Je sens une odeur de tarte aux framboises qui vient de la cuisine. Ta mère sait bien que j'adore la tarte aux framboises. Elle est en train de me préparer un dernier plaisir ! Tu veux pas aller m'en chercher un peu ?

Alors le garçon file à la cuisine... Et au bout d'un moment, il revient en éclatant de rire :

— Maman, elle a dit que la tarte, c'était pour après l'enterrement !

761 □

— Et ton mari ? Comment ça va ?

— Ben, il est en psychanalyse depuis deux ans !

— Ah ! bon... Et ça l'a changé ?

— Drôlement! Maintenant, quand je lui sers un œuf sur le plat et que le jaune n'est pas juste au milieu du blanc, eh bien, il ne dit plus rien...

☐ 762

Saint Laurent est en train de cuire sur son gril. Au bout d'une demi-heure, la douleur et les brûlures deviennent intolérables. Alors saint Laurent appelle son bourreau:
— Vite! Vite!
— Quoi? demande l'autre.
— Dépêche-toi! Je suis assez cuit! Prends, sale et bouffe!

☐ 763

— Et pourquoi avez-vous envoyé votre fille à la faculté des lettres? demande une boulangère à une charcutière.
— Eh bien, quand elle fera la cuisine, une fois mariée, je veux qu'elle ait quelque chose à quoi penser!

☐ 764

Un clochard sonne à la porte d'un brave bourgeois et il lui dit:
— Je suis déjà venu tout à l'heure et votre belle-mère m'a donné un peu de sa tarte! Vous n'auriez pas autre chose?
— J'ai ce qu'il vous faut, répond le gars.
Et il va chercher une pilule contre les brûlures d'estomac.

☐ 765

Un gars se met à table et il dit:
— Oh! Qu'il a l'air bon, ce poulet! Qu'est-ce que tu as mis dedans, chérie?

Et sa femme lui répond :
— Rien ! Il était déjà plein...

766 ☐

Sur la table de la cuisine, une pomme est en train de regarder avec commisération une poire. Et au bout d'un moment, elle murmure tristement :
— La pauvre ! Quand elle est née, il y a quelque chose qui ne tournait pas rond...

curé

767 ☐

Deux curés se font des confidences :
— Tu sais ce que j'ai entendu en confession ? La fille du maire communiste de Saint-Jérôme s'est fait engrosser par un de nos enfants de chœur !
Et l'autre répond :
— Écoute ! D'abord, c'est pas le maire de Saint-Jérôme, c'est celui de Saint-Louis. C'est pas sa fille non plus, c'est son fils. Et il a engrossé une de nos enfants de Marie. Tu confonds tout ! Et puis surtout, c'est pas toi qui l'as entendu en confession : c'est moi qui te l'ai raconté hier matin...

768 ☐

Abraham décide de se faire baptiser. Il va trouver le curé et il lui dit :
— Comment est-ce que je dois me mettre pour la cérémonie, en habit ou en smoking ?
Et le curé, distrait, lui dit :
— Mettez votre brassière blanche et vos chaussons de laine.

☐ **769**

Un brave curé de campagne a invité à dîner le curé d'une paroisse voisine. Pour l'occasion, il a sorti le beau service de table en argent qui lui vient de sa grand-mère. Mais l'autre une fois parti, vers onze heures du soir, le curé s'aperçoit que la louche en argent a disparu.

— C'est pas possible, se dit-il. Ce n'est quand même pas lui qui a volé la louche ! Je sais bien qu'il a une réputation de farceur, mais tout de même...

Alors, il décide d'écrire une petite lettre à son confrère :

— Cher ami, je ne dis pas que vous avez volé ma louche. Je ne dis pas davantage que vous n'avez pas volé ma louche. Mais si jamais vous m'aviez emprunté ma louche, soyez assez aimable pour me la renvoyer, car j'y tiens beaucoup...

Et par retour du courrier, il reçoit la réponse suivante :

— Cher ami, je ne dis pas que vous couchez avec votre bonne. Je ne dis pas non plus que vous ne couchez pas avec votre bonne. Mais si vous couchiez dans votre lit, vous auriez déjà retrouvé la louche : c'est là que je l'ai cachée...

☐ **770**

Un médecin à un curé de ses amis :

— Croyez-moi. Ils viennent vous voir. Ils viennent me voir. Mais le véritable confesseur, ce n'est pas vous, c'est moi.

— Peut-être, murmure le curé dans sa barbe, mais moi, je pardonne.

☐ **771**

Au presbytère, un vicaire vient en chercher un autre :

— Vous ne voulez pas venir jusqu'à la cathédrale avec moi ?
— Non, dit l'autre, je suis en train de lire un livre passionnant que je ne veux pas lâcher. Je veux absolument savoir comment ça finit.
— Ah ! bon. Qu'est-ce que c'est, ce livre ?
— L'Évangile...

772 □

Deux chanoines bavardent :
— Vous croyez qu'on verra ça, avant de mourir, le mariage des prêtres ?
— Oh ! Nous, sûrement pas ! Mais nos enfants, peut-être...

773 □

Une brave paysanne, un peu bigote, va trouver le curé du village et lui fait part de son inquiétude :
— Mon petit Antoine est parti pour Paris. Il a trouvé une place à trois mille francs par mois. Mais dites-moi, monsieur le curé, croyez-vous qu'il pourra mener une vie chrétienne dans cette ville de perdition ?
— Mon Dieu, madame, réplique le curé, avec un pareil salaire, je ne vois pas ce qu'il peut faire d'autre...

774 □

Un curé et un pasteur sont en train de se disputer sur des questions de religion. Finalement, le curé dit au pasteur :
— Arrêtons de nous quereller. Après tout, nous travaillons tous les deux pour le Seigneur, vous à votre manière et moi à la sienne...

□ 775

Un prêtre complètement idiot monte un escalier en chantonnant :

— C'est l'abbé bête qui monte, qui monte, qui monte...

□ 776

Un jeune abbé, nouvellement nommé, se présente à son curé.

— Ah ! C'est vous, dit le curé. Bon ! Alors, voilà votre programme. Lever à cinq heures. Vous nettoyez l'église et vous allez chercher des fleurs pour l'autel. Vous dites votre messe à sept heures. A huit heures, vous avez le catéchisme des garçons. A neuf heures, le catéchisme des filles. A dix heures, vous allez visiter les malades de la paroisse, vous en avez bien jusqu'à midi. A midi, vous préparez la cuisine et vous mettez la table. Ici, on ne mange pas de viande. Je suis végétarien. En sortant de table, vous avez une demi-heure pour préparer la retraite des demoiselles qui commence à deux heures. A trois heures, vous allez faire votre service au couvent de Sainte-Marie, à sept kilomètres d'ici. Vous prendrez ma bicyclette, je ne m'en sers plus. Entre quatre heures et demie et six heures, vous serez à la chapelle pour les confessions. A six heures, vous commencerez la retraite de saint Joseph pour les hommes seuls, et à sept heures, les dames de la Ligue catholique vous attendent. Puis vous préparerez le repas du soir et comme je suis trop vieux pour faire la vaisselle, vous en aurez bien pour jusqu'à neuf heures. Ensuite, je vous demanderai de me lire mon bréviaire, car j'ai les yeux bien malades. A dix heures, vous avez la lessive et le repassage des linges sacerdotaux. Alors, nous irons prier le Seigneur ensemble une petite demi-heure, et avant de vous coucher, il faudra balayer le presbytère. Le mercredi et le samedi, vous aurez en plus la garde des enfants du patronage. Le dimanche, vous me préparerez mon sermon et vous tiendrez l'orgue. J'espère que vous êtes d'accord ?

— Oui, dit le jeune abbé, mais est-ce que vous avez de la terre glaise dans le jardin ?

— Quelle question bizarre ! fait le curé. Pourquoi ?

— Eh bien, parce qu'entre minuit et cinq heures du matin, j'aurais pu faire des briques...

777 ☐

Un curé de campagne très blasé :

— Moi, je crois que la paroisse est la mère de tous les vices...

778 ☐

C'est pendant la guerre. Une mère vient pleurer toutes les larmes de son corps au presbytère. Son fils vient d'être mobilisé. Le curé la console :

— Faut pas s'affoler, ma petite dame. Tout n'est pas perdu ! Vous ne savez même pas ce qu'on va en faire de votre garçon. D'ailleurs, réfléchissez ! De deux choses l'une : ou il va au front ou il reste à l'arrière. S'il reste à l'arrière, il ne court aucun danger. S'il va au front, de deux choses l'une : ou une bataille éclate ou tout reste calme. Si tout reste calme, c'est parfait. Si une bataille éclate, de deux choses l'une : ou il est blessé ou il n'est pas blessé. S'il n'est pas blessé, ça marche sur des roulettes. S'il est blessé, de deux choses l'une : ou la blessure est grave ou elle est bénigne. Si elle est bénigne, il a une permission de convalescence et il vous tombe dans les bras, c'est comme s'il n'était pas parti. Si la blessure est grave, de deux choses l'une : ou il guérit ou il ne guérit pas. S'il guérit, c'est comme s'il n'avait jamais été blessé : l'armée le décore et on le renvoie à la vie civile. Si la blessure ne guérit pas, de deux choses l'une : ou bien il meurt, ou bien il ne meurt pas. S'il ne meurt pas, vous le retrouvez et c'est le grand bonheur ! S'il meurt, de deux choses l'une : ou il va au paradis ou il va en enfer. S'il va au paradis, vous ne pouvez rien souhaiter de mieux. S'il n'y va pas... Eh bien, s'il n'y va pas, ce n'est pas la peine de pleurer, parce qu'avec la vie de bâton de chaise qu'il menait, cet enfant de putain, je lui ai toujours dit qu'il irait en enfer...

□ **779**

Une jeune femme, vêtue seulement d'un petit short et d'un tout petit corsage, entre dans une église de campagne et se dirige vers le bénitier. Le curé s'approche d'elle et lui glisse :

— Si c'est pour y tremper seulement le doigt, ce n'était pas la peine de vous déshabiller.

□ **780**

Un curé, en traversant la rue, aperçoit un camionneur dont le poids lourd est en panne. Le gars s'énerve et il se met à crier :

— Oh ! Nom de Dieu de nom de Dieu !

Benoîtement, le curé s'approche et dit au bonhomme :

— Voyons, mon ami, au lieu de jurer, il vaudrait peut-être mieux implorer saint Christophe et votre camion partira...

Le camionneur est fou de rage :

— Saint Christophe ? Qu'est-ce que c'est que cette salade ? Oh ! Et puis après tout, au point où j'en suis...

Et il crie à tue-tête :

— Saint Christophe, faites-moi démarrer cette saloperie !

Il se met au volant et... le camion démarre au quart de tour. Alors le curé, qui est resté au bord du trottoir, balbutie, complètement éberlué :

— Oh ! Nom de Dieu !

781 □

Deux camarades d'école ne se sont pas vus depuis vingt ans. Ils se rencontrent par hasard :

— Tiens, tu t'es fait curé ?

— Oui. Et tu sais, c'est formidable ! Un calme, une paix, une certitude, le bonheur, quoi !

— Ah, tiens ! Et moi qui ne sais pas quoi faire... Si j'essayais ?

Les deux compères se retrouvent dix ans plus tard, en soutane tous les deux. Mais le second fulmine :

— Faux frère ! Je t'ai écouté... Et maintenant, entre les confessions abominables que je suis obligé d'entendre et les femmes que je ne peux plus toucher, ma vie est devenue un enfer !

Alors l'autre, radieux :

— T'inquiète pas ! On en prendra d'autres !

782 □

Un séminariste écrit à sa mère :

— Je suis bien content. Tout est compris dans le forfait. On est logé, nourri, noirci...

dactylo

☐ **783**

Deux dactylos discutent :
— Qu'est-ce qu'il est beau, le patron !
— Oh, oui ! Et qu'est-ce qu'il s'habille bien !
— Oh, oui ! Et qu'est-ce qu'il s'habille vite !

☐ **784**

— Moi, le premier homme que j'ai aimé, dit une dactylo, c'est des étudiants en médecine...

☐ **785**

Une fille un peu demeurée vient d'entendre une histoire qu'elle trouve très drôle. Elle se précipite chez une copine et elle lui dit :
— Tu vas rire ! Quelle différence y a-t-il entre un écureuil et un piano ?
— Euh... un écureuil et un piano...
— Ne cherche pas, je vais te le dire ! Tu les mets tous les deux au pied d'un arbre et celui des deux qui monte à l'arbre, c'est... Ah ! Ben zut ! J'ai oublié lequel c'est...

786 □

Dialogue entre deux dactylos :
— Est-ce que tu fumes après l'amour ?
— Je sais pas. J'ai jamais regardé...

787 □

— Mademoiselle, s'écrie le présentateur de télévision, vous avez triomphé de toutes les embûches ! Vous avez gagné notre grand concours de la dactylo la plus intelligente ! Vous savez que le premier prix est une folle nuit avec une vedette de votre choix... Qui choisissez-vous ?
— Euh... dit-elle en rougissant, les Rolling Stones ?

788 □

Deux dactylos jacassent par-dessus leur machine à écrire :
— Qu'est-ce que tu ferais, toi, si tu avais des jumeaux ?
— Si j'avais des jumeaux ? Ben, je leur achèterais la même layette. Et puis je me marierais...

789 □

Un directeur engage une secrétaire sténo-dactylo.
— Je suppose que vous connaissez l'anglais, mademoiselle ?
— Non, minaude-t-elle. Mais ne vous en faites pas. Nous serons vite bons amis...

790 □

Le propriétaire d'une écurie de courses dicte son courrier à une ravissante dactylo qui est assise sur ses genoux. Et tout d'un coup, la dactylo demande :
— Jockey, ça s'écrit avec un Q... ?

— Évidemment, dit-il. Comment veux-tu qu'il monte à cheval sans ça ?

☐ **791**

Une dactylo fait des confidences à une de ses collègues :

— Tu sais, j'ai passé un week-end merveilleux. J'ai fait de l'auto-stop et je me suis fait ramasser par un type formidable ! Et en plus, quelqu'un de très haut placé. Sur son tableau de bord, il y avait marqué : *Huile, Direction...*

☐ **792**

— Écoutez, dit une dactylo à son patron, si vous vouliez que je tape cette lettre tout de suite, il fallait me le dire au lieu de marquer bêtement *urgent* dessus...

de gaulle

☐ **793**

Le Bon Dieu a l'habitude de se lever pour recevoir les chefs d'État, quand ils arrivent au ciel. C'est un geste de courtoisie élémentaire. Mais quand de Gaulle, qui vient de mourir, se présente devant son trône, le Père éternel ne bouge pas d'un pouce. Saint Pierre lui glisse dans l'oreille :

— Eh, Seigneur ! C'est le président de la République française qui est là ! Et vous savez que la France est la fille aînée de l'Église. Faudrait vous mettre debout !

Et le Bon Dieu répond :

— Jamais de la vie. Si je me lève, il va s'asseoir à ma place...

794 □

Le général de Gaulle reçoit la reine Elisabeth d'Angleterre à l'Élysée. Et très courtoisement, il lui dit :

— Et la famille ? Tout le monde va bien ? Et votre grand garçon ? Que comptez-vous en faire ?

795 □

— De Gaulle, dit l'instituteur, c'est comme Jeanne d'Arc ! Il a sauvé la France...

— Ah, oui ? répond Toto du fond de la classe. Alors quand est-ce qu'on le brûle ?

796 □

Du temps de leur splendeur, Nixon, Brejnev, Mao Tsé-toung et de Gaulle sont reçus chez Dieu le Père.

— Messieurs, dit le Seigneur, pour le bien de vos peuples, j'ai décidé d'exaucer le vœu que chacun de vous voudra bien me présenter.

— Éternel, dit Nixon, je voudrais que vous fassiez disparaître tous les sales communistes de la terre.

— Estimé Monsieur, dit Brejnev, je voudrais que vous exterminiez ces damnés impérialistes américains et puis aussi tous ces traîtres de Chinois.

— Camarade Dieu, dit Mao Tsé-toung, il faut que vous ôtiez la vie à tous ces bourgeois américains et russes qui infestent notre globe.

— Et vous ? dit le Seigneur en se tournant vers de Gaulle, vous n'avez rien à me demander ?

— Rien du tout, fait de Gaulle, sinon de satisfaire tous ces messieurs...

797 □

Malraux fait visiter le Louvre au général de Gaulle et à sa femme : Vinci, Watteau, Fragonard... Au bout d'un moment, on entend la voix de la générale :

— Vous savez, Charles, ce serait quand même agréable d'avoir des toiles comme ça à la maison.

Alors de Gaulle foudroie son épouse du regard :

— Yvonne, quand voulez-vous que je trouve le temps de peindre ?

☐ **798**

François Mauriac rend visite au général de Gaulle :

— Au fond, mon général, vous êtes comme moi. Vous êtes un homme du dix-neuvième siècle.

— Oui, répond de Gaulle, mais vous savez, mon cher Mauriac, moi, je m'en éloigne...

☐ **799**

— Vous êtes à la fois général et président, dit un lointain ambassadeur au général de Gaulle. Mais laquelle de ces deux fonctions dépasse l'autre ? D'après vous, quand on parle de vous, que doit-on dire ?

Et de Gaulle laisse tomber :

— Du mal...

☐ **800**

Dans un compartiment de chemin de fer, un gars se retrouve face à face avec un officier de carrière qu'il lui semble avoir déjà vu quelque part. Et comme sa mémoire lui démange, il finit par demander :

— Vous n'êtes pas né à Lille ?

— Oui, fait l'autre.

— Et vous n'avez pas fait Saint-Cyr ?

— Oui, fait l'autre.

— Et vous n'avez pas fait la guerre dans les chars ?

— Oui, fait l'autre.

— Attendez un peu. Je suis sûr qu'on s'est connus en 40 sur le front ! Ça y est ! Je me souviens ! Vous

vous appelez de Gaulle! C'est formidable de se retrouver! Eh bien, que devenez-vous?

801 ☐

C'est un bonhomme qui est spécialisé dans le graissage des clefs anglaises. Il est même peut-être le seul à être spécialisé là-dedans. Mais les temps sont durs et il se présente dans un bureau de placement.

— Qu'est-ce que vous savez faire? lui dit-on.

Et il répond:

— Je suis spécialisé dans le graissage des clefs anglaises.

L'employé le regarde d'un œil étonné:

— Le graissage des clefs anglaises? C'est pas très courant, ça. Et comment vous appelez-vous?

— Je m'appelle Charles de Gaulle, dit le gars.

— Sans blague? Ben, mon vieux, vous avez un nom drôlement connu!

— Oh! Ça ne m'étonne pas, fait le gars en redressant fièrement la tête, ça fait vingt ans que je suis dans le graissage des clefs anglaises...

802 ☐

A la sortie de l'Élysée, le général de Gaulle est abordé par une jeune fille rougissante qui lui demande cinq autographes.

— Et pourquoi cinq? demande le général.

— Oh! C'est parce que pour cinq de Gaulle, on me donne un Johnny Halliday...

803 ☐

De Gaulle à Pompidou:

— Écoutez, Georges, faites un effort pour me contredire de temps en temps, de manière à ce que nous soyons deux...

☐ **804**

Le général de Gaulle et sa femme passent une soirée tranquille à Colombey-les-Deux-Églises. Elle tricote. Il relit ses Mémoires.

La radio émet en sourdine, et comme c'est l'heure de la fin des émissions, on entend *la Marseillaise*. Alors Yvonne arrête son tricot, elle penche la tête en souriant et elle murmure :

— Oh ! Charles ! C'est notre chanson...

☐ **805**

Malraux, Debré, Pompidou et de Gaulle sont en train de jouer au bridge.

— Un pique, dit Malraux.

— Deux cœurs, dit Debré.

— Quatre trèfles, dit Pompidou.

— Un carreau... dit le général.

Et les trois autres déclarent précipitamment :

— Je passe...

— Je passe...

— Je passe...

☐ **806**

Dans un asile de fous, il y a deux pensionnaires qui se prennent pour de Gaulle. Le médecin-chef décide de tenter une expérience en leur faisant passer vingt-quatre heures, seuls dans la même chambre.

Le lendemain, il va voir les deux hommes. Le premier sort fièrement de la pièce avec son uniforme et son képi de général. Mais le second, profondément troublé, s'approche du docteur et lui dit :

— Docteur, je me suis lourdement trompé ! Je sais maintenant que je ne suis pas le général de Gaulle...

— Formidable, dit le médecin-chef.

— Oui. Mes yeux se sont ouverts ! Je suis la France !

807 □

L'avion officiel du général de Gaulle survole l'Afrique. Tandis que son mari compulse des documents, Yvonne a mis le nez au hublot et tout d'un coup, elle s'écrie :

— Mon Dieu, Charles ! Des éléphants ! Des éléphants !

Alors, le général marmonne, sans lever les yeux de ses papiers :

— Laissez, Yvonne... laissez !

808 □

Un grand banquier est reçu par le général de Gaulle.

— Vous avez un métier honorable, lui dit le général. La France a besoin de gens comme vous. Et je peux même vous dire une chose. Si je n'étais pas au pouvoir, j'achèterais à la Bourse...

— Confidence pour confidence, fait le banquier, moi aussi, j'achèterais à la Bourse, si vous n'étiez pas au pouvoir...

809 □

Le confesseur de de Gaulle vient le trouver et lui dit :

— Mon général, vous êtes trop orgueilleux ! En tant que catholique, vous devriez faire une manifestation publique de soumission au Christ. Sinon, vous allez vous préparer un vilain purgatoire !

— Vous croyez ? dit de Gaulle. Voyons voir. Je pourrais faire construire une église, au fronton de laquelle on inscrirait : le premier de France au second de la Trinité...

— Vous n'y pensez pas ! C'est encore trop vaniteux...

— Alors on pourrait mettre : le grand Charles au petit Jésus...

— Mais non, mon général. Cela ferait très mauvais effet. Moi, je ne vois qu'une chose à vous conseiller. Il faudrait que vous alliez à Lourdes, pour y faire acte d'humilité...

— A Lourdes? Oui, au fond, pourquoi pas? Attendez que je regarde mon carnet. Mardi, je ne peux pas, j'ai un roi nègre. Mercredi, je fais un discours à l'École militaire et ensuite je visite une exposition de peinture avec Malraux. Je ne serai libre que vers quatre heures. Attendez que je réfléchisse... Mais si! Au fond ça peut coller pour Lourdes mercredi soir. Je peux y faire une apparition vers six heures et demie...

☐ **810**

Tout à fait par mégarde, un brave paysan endimanché, qui était venu porter une requête à l'Élysée, se retrouve assis sur une chaise en plein Conseil des ministres. Il ne comprend rien à ce qui lui arrive. On lui jette des regards courroucés. Il se fait tout petit. Mais de temps en temps, le général de Gaulle se tourne vers lui et lui demande:

— Qu'est-ce que vous en pensez?

Et le gars répond timidement:

— Ben, ma foi...

Ou bien:

— Ben, mon Dieu...

Ou encore:

— Ben, de toute façon...

Et le général dit radieusement:

— Parfait!

Si bien qu'à la sortie du Conseil, les ministres se précipitent autour du bonhomme pour le congratuler tous à la fois:

— Formidable, mon vieux! Il y a longtemps qu'on ne l'avait pas contredit à ce point!

811 □

Au cours d'une garden-party offerte par la présidence de la République, un député inconditionnel s'approche du général de Gaulle et lui glisse :
— Je voudrais vous présenter ma femme, mon général. Et je tiens à vous dire tout de suite qu'elle est très gaulliste !
— Ah, oui ? réplique le général, les yeux mi-clos. Eh bien, la mienne aussi !

812 □

De Gaulle a convoqué d'urgence Pompidou, en pleine nuit, à l'Élysée. Pompidou arrive, tout essoufflé et décoiffé, et il s'exclame :
— Qu'est-ce qu'il se passe, mon général ? Il y a quelque chose de cassé ?
— Rien de cassé, Pompidou. Vous allez simplement venir faire une petite promenade avec moi !
— Une petite promenade à cette heure-ci ?
— Oui, Pompidou. Ne discutez pas ! Il va se passer quelque chose d'important...
Et les deux hommes sortent de l'Élysée par une porte dérobée. De Gaulle se met à marcher à pied en direction de la Seine et Pompidou le suit, complètement abasourdi. Quand ils arrivent sur la berge, de Gaulle déclare :
— Nous allons monter sur cette barque, Pompidou !
— Hein ? Vous voulez faire du canotage à quatre heures du matin, mon général ?
— Parfaitement, Pompidou. Tenez ! Prenez les rames.
Et la barque, portant les deux hommes, s'éloigne lentement du rivage. Quand elle arrive au milieu de la rivière, de Gaulle se lève et dit à son premier ministre :
— Vous pouvez arrêter de ramer maintenant !
Et il ajoute dans un silence religieux :

— Regardez bien, Pompidou... Je vais marcher sur l'eau !

☐ 813

Le général de Gaulle et son épouse passent leur week-end à Colombey-les-Deux-Églises. Le dimanche matin, par mégarde, Yvonne entre dans la salle de bains au moment où le général est dans sa baignoire. Surprise, elle pousse un cri pudibond :

— Mon Dieu !

Alors de Gaulle se retourne, aperçoit sa femme que la stupeur a immobilisée sur le seuil, et sans lâcher son savon, il laisse tomber d'une voix tranquille :

— Vous savez, Yvonne, quand nous sommes dans l'intimité, vous pouvez m'appeler Charles...

☐ 814

Lors de sa visite en Union soviétique, le général de Gaulle a été invité à une promenade en traîneau à travers la steppe enneigée.

C'est un vieux moujik qui conduit la troïka. Le général est à côté de lui. A l'arrière ont pris place la femme et la fille du moujik, rouges de fierté à l'idée de faire partie de l'équipage d'un homme aussi illustre.

Mais tout d'un coup, la troïka est attaquée par des loups affamés qui convergent sur elle de toutes parts. Le moujik fouette les chevaux, les loups hurlent à la mort, la neige vole de partout. Bientôt, le moujik s'aperçoit que si l'on ne sacrifie pas quelqu'un à ces fauves redoutables, personne ne s'en sortira.

Alors il prend sa fille dans ses bras et il la jette aux loups. Et comme ça ne suffit pas à les calmer, il en fait autant avec son épouse. Et les deux femmes sont dévorées à belles dents, tandis que la troïka réussit à s'échapper et à regagner la ville.

Alors le général se tourne vers le vieux moujik et il lui dit simplement :
— Ton geste est beau... Ton geste est grand... Ton geste est généreux !... Ton geste est presque français...

815 □

Retiré du pouvoir à Colombey, de Gaulle raconte :
— Un jour, un taxi vide s'est arrêté devant l'Élysée et il en est sorti Pompidou...

816 □

Tout de suite après la Libération, de Gaulle passe en revue un détachement des forces de la Résistance. La main au képi, il avance tout le long d'une brochette de colonels et de capitaines couverts de décorations. Mais tout d'un coup, il s'arrête devant un officier à la poitrine absolument vierge.
— Eh bien, lui dit de Gaulle, on ne sait pas coudre ?

817 □

Rockefeller rend visite à de Gaulle. Il lui déclare :
— Vous n'êtes pas très aimé en Amérique, vous devez le savoir. Mais j'ai l'impression que vous n'êtes pas très aimé en France non plus. Au fond, votre position n'est pas très stable. Vous savez, je serais à votre place, je mettrais l'Élysée au nom d'Yvonne...

818 □

De Gaulle offre une réception dans les jardins de l'Élysée à différentes personnalités du spectacle. Quelques grands acteurs étrangers sont là aussi et l'un d'eux vient se présenter au général :
— John Wayne, de la Paramount...
Et de Gaulle répond sans sourciller :

— Charles de Gaulle, de la Télévision française...

☐ **819**

Le général de Gaulle fait appeler son chef du protocole et il lui dit :

— Arrangez-vous pour que dans un prochain voyage officiel, je passe à Romorantin. Il y a là-bas un vieux sous-préfet qui a été mon camarade au collège et que j'ai furieusement envie de revoir !

Un mois plus tard, le président de la République débarque à Romorantin au milieu d'un grand concours de foule, et c'est le vieux sous-préfet qui l'accueille, tout raide d'angoisse dans son uniforme.

— Eh bien, mon vieux ! lui dit de Gaulle, en lui donnant l'accolade, ça me fait bien plaisir de vous revoir !

Mais l'autre, imperturbable et solennel, ne semble pas comprendre ce qui peut motiver chez un homme aussi célèbre une telle familiarité à son égard. Et tout au long de la journée, à chaque fois que le général tente d'aventurer un mot aimable, le vieux sous-préfet reste de glace. Finalement, à la fin du dîner d'apparat, au cours duquel les deux hommes se trouvent placés côte à côte, de Gaulle se penche vers lui et lui glisse dans l'oreille :

— Voyons, mon vieux, essayez de vous souvenir ! Le collège de Lille ! J'avais copié sur vous en composition d'histoire ! Le prof était un vieux bossu ! On était sur le même banc, au fond, à côté du poêle, et on lançait des boules puantes au plafond...

Alors, soudain, le vieux sous-préfet regarde le président de la République, son visage s'éclaire et il se met à crier :

— Oh ! Nom de Dieu ! De Gaulle...

demande de mariage

820 □

« Homme sérieux, 31 ans, bon caractère, dur d'oreille, cherche femme dure d'oreille également en vue mariage. » *(Le Chasseur français)*

821 □

« Un gagne-petit, bien, désire épouser une gagne-petit, bien, pour vie aisée dans bonheur. » *(Ici-Paris)*

822 □

« Célibataire avec capitaux épouserait jeune fille jolie connaissant un peu comptabilité. » *(Le Chasseur français)*

823 □

« Jeune homme, 26 ans, cancer, épouserait médecin. » *(Horoscope)*

824 □

« Veuve sérieuse, 60 ans, désire connaître monsieur sérieux. Tout le reste verbalement. » *(L'Alsace illustrée)*

825 □

« Homme cherche femme. » *(Le Chasseur français)*

☐ **826**

«Jeune homme, 33 ans, bègue, belge, désire mariage avec fille sourde.» *(Ici-Paris)*

☐ **827**

«Quel retraité confortable, âme de poète, libre penseur, accepterait lier sa vie à la mienne, pour finir ses jours agréablement parmi les bêtes?» *(Le Chasseur français)*

☐ **828**

«Célibataire, 37 ans, épouserait jeune fille pouvant seconder veuve 65 ans. Douche, affection.» *(Le Provençal)*

☐ **829**

«Officier, 46 ans, épris droiture, déteste mensonge, correspondrait vue mariage avec jeune fille ou veuve, goûts simples, mais condition exigée très forte poitrine.» *(Le Chasseur français)*

☐ **830**

«Jeune fille sérieuse épouserait jeune fille sérieuse, bonne ménagère, également orpheline.» *(Dernières Nouvelles d'Alsace)*

☐ **831**

«Jolie, ayant souffert, excellente pianiste, épouserait aveugle aisé.» *(Le Chasseur français)*

☐ **832**

«Jeune femme, quelconque, peu cultivée, tout dents, tout griffes, à l'épiderme mat, d'une indépendance hautaine, par la loi des contrastes qui veut que les opposés se recherchent, aimerait rencontrer correspondant aisé et distingué, d'un naturel très passif pour la distraire dans ses loisirs. Écrire Fleur de Zone. *(Le Méridional)*

833 ☐

« Veuve bon milieu désire connaître personne sérieuse de 55 à 60 ans, vue mariage. Accepterait notaire ou prêtre. » *(Le Chasseur français)*

834 ☐

« Jeune fille, 26 ans, subi grandes épreuves, épouserait jeune homme assorti. Accepterait veuf, même bébé. » *(Le Chasseur français)*

835 ☐

« Dame blonde qui, le 25 août dernier, a fait un très grand sourire à monsieur sortant d'une quincaillerie avec seau sur le dos, est priée de se faire connaître à celui-ci pour affaires personnelles ou en vue mariage. Écrire n° 432 au journal. » *(L'Alsace illustrée)*

836 ☐

« Célibataire, 34 ans, 1 m 80, svelte, sobre, moralité irréprochable, éducation impeccable, léger handicap physique invisible, aspect et comportement strictement courants, absolument sain et normal, épouserait jeune fille saine mais disgraciée (embonpoint, tics, claudication, accident facial ou corporel, poliomyélite limitée) dont parents pourraient dans leur entreprise assurer à gendre position sociale convenable. Anormale, s'abstenir. » *(Le Chasseur français)*

dent

☐ **837**

Une vieille dame va chez son dentiste et elle lui dit :

— Docteur, qu'est-ce qu'il faut faire ? Je souffre des dents toute la nuit !

Et il lui répond :

— Ne dormez plus ensemble...

☐ **838**

Chez le dentiste, une maman supplie son petit garçon :

— Sois sage, Timothée, ouvre la bouche et fais *Ha... Aaaaaah...* pour que le docteur puisse enlever ses doigts...

☐ **839**

C'est au cinéma. Il y a un petit vieillard qui dérange tout le monde en cherchant quelque chose sous les fauteuils. Il fait lever toute une rangée de spectateurs. A la fin, quelqu'un lui dit :

— Bon Dieu ! Y en a marre ! Qu'est-ce que vous cherchez ?

— Je cherche mon caramel.

— Votre caramel ? Et c'est pour un caramel que vous empoisonnez tout le monde ?

— Ben oui. Figurez-vous qu'il y a mon dentier avec...

☐ **840**

Une vieille dame est en train d'essayer de mâcher son steak, mais ça n'a pas l'air facile. A la fin,

excédée, elle retire son râtelier, elle le pose d'un geste brusque à côté du steak et elle lance :
— Arrangez-vous tous les deux !

841 □

Le petit chaperon vert s'en allait porter un pot de beurre et une galette à sa mémé, tout au fond de la forêt, quand il aperçut le grand méchant loup qui cherchait pâture. Le petit chaperon vert décida alors de se cacher pour faire peur au loup. Et quand le loup passa près de lui, il sortit d'un buisson en criant :
— Hou ! Hou ! Hou !
Et le loup eut tellement peur qu'il s'évanouit. Mais le petit chaperon vert, qui était gentil, le ranima en s'excusant de sa petite farce. Puis il lui dit :
— Maintenant, il faut que je me sauve parce que ma grand-mère m'attend dans la petite cabane au fond de la forêt ! Je vais lui porter une galette et un pot de beurre.
— Ah ! oui ? dit le loup, très intéressé. Et où elle est, cette cabane ?
— Là-bas, après le grand chêne mort.
— Ah ! bon ! ricana le loup.
Et quand le petit chaperon vert fut arrivé à la porte de la cabane, une voix lui cria :
— Tire sur la chevillette et la bobinette cherra.
Alors le petit chaperon vert entra dans la cabane et il trouva qu'il se passait là quelque chose d'anormal. Il dit à sa grand-mère :
— Oh ! Mère-grand... Comme vous avez de grandes oreilles !
Et la vieille répondit :
— C'est pour mieux t'entendre, mon enfant !
Mais le petit chaperon vert se dit que ça lui rappelait quelque chose. Il s'exclama :
— Oh ! Mère-grand... Comme vous avez de grands bras !
— C'est pour mieux te serrer, dit la vieille.

— Oh! Mère-grand... Comme vous avez un grand nez!
— C'est pour mieux te sentir, mon enfant!
Décidément, le petit chaperon vert connaissait cette histoire, mais il ne se rappelait plus la fin.
— Oh! Mère-grand... Comme vous avez de grands yeux!
— C'est pour mieux te voir, mon enfant!
— Oh! Mère-grand... Comme vous avez de grandes oreilles!
— C'est pour mieux t'entendre, je te l'ai déjà dit!
— Oh! Mère-grand... Comme vous avez de grands bras!
— C'est pour mieux te serrer, tu es sourdingue?
Et la fausse mémé, commençant à s'exaspérer, pensait à part elle:
— Bon sang! Est-ce qu'on va y arriver, oui ou non?
Tandis que le petit chaperon vert recommençait sa litanie:
— Oh! Mère-grand... Comme vous avez de grands yeux!
Alors, n'y tenant plus, la vieille se dressa sur son séant et montrant sa gueule avec ses pattes, elle se mit à hurler:
— Les dents, nom de Dieu! Les dents!...

□ **842**

Un type se plaint auprès d'un copain:
— En ce moment, il y a le cousin Jules à la maison. Je l'avais invité pour le week-end et ça fait un mois qu'il est là! Qu'il fume mes cigares, qu'il porte mes chemises, qu'il me pique ma voiture et qu'il la flanque dans un arbre, tout ça encore, ça ne me dérange pas trop. Et même, qu'il couche avec ma femme, je m'en fous... Mais qu'en sortant de mon lit, il vienne rigoler de moi avec mes propres dents, ça, je ne peux plus le supporter!

843 ☐

Conversation entre deux molaires :
— Voulez-vous que nous sortions ensemble ce soir ?
— Impossible. J'ai un bridge.

844 ☐

C'est un très vieux ménage, retiré dans un petit pavillon de banlieue. Et un matin, le mari dit à la femme :
— Adélaïde, passe-moi mon dentier !
— Pour quoi faire ? demande-t-elle.
— J'ai envie de te mordre !

diable

845 ☐

La grille entre le ciel et l'enfer est démolie. Saint Pierre hèle Satan :
— Dis donc, tu sais qu'aux termes de notre contrat, c'est à toi que la réparation incombe ?
— Je m'en fous, dit Satan. Répare ça toi-même !
— Ça, c'est un comble ! fait saint Pierre. Puisque c'est ainsi, je m'en vais t'envoyer une sommation par voie de justice. Je vais chercher un avocat...
— Ah, oui ! ricane Satan... Où ?

846 ☐

Ayant remarqué qu'un de ses paroissiens, là-bas, au fond de l'église, s'inclinait à chaque fois qu'il l'entendait prononcer le nom du diable dans son prêche, le curé finit par aller le trouver pour lui en faire le reproche :

— Comment? Vous respectez le diable maintenant?
— Oh! mon père, lui dit l'autre, un peu de politesse ne coûte rien. Et puis, sait-on jamais?

☐ 847

C'est une jeune fille fort bien troussée, mais qui tire le diable par la queue.
— Mais, se dit-elle un jour, pourquoi seulement le diable?
Et elle est devenue très riche.

☐ 848

Les petits diables de l'enfer proposent aux petits anges du ciel de venir faire avec eux une partie de football.
— Nous, on veut bien, disent les anges. Mais vous n'ignorez pas que tous les bons joueurs sont chez nous...
— Possible, disent les démons, mais où sont les arbitres?

☐ 849

Un beau jeune homme erre lamentablement le long de la Seine. La femme qu'il aimait vient de rompre avec lui. Il est désespéré. Il décide de se noyer. Au moment où il s'apprête à faire le grand plongeon, une main le retient. Il se retourne et il aperçoit un homme d'une cinquantaine d'années, fort élégant, qui le réprimande:
— Allons, mon ami! Qu'alliez-vous faire? Vous êtes jeune! Vous êtes beau. Venez avec moi, je vais vous redonner le goût de vivre et je ferai de vous un milliardaire! Rassurez-vous! Je ne prends plus les âmes. Je demande seulement les corps!
— Mais vous êtes le diable! dit le gars stupéfait. Je ne veux pas donner mon corps au diable!

— Je ne vous demande pas de le donner, mais de le prêter seulement et je vous couvrirai d'argent. Allons, un bon mouvement! Venez chez moi. Un somptueux repas vous y attend. Ensuite, nous dormirons ensemble... et demain matin, j'exaucerai tous vos désirs!

Ébranlé, le beau jeune homme se laisse appâter et finalement il passe une folle nuit dans la maison du diable. Le lendemain matin, le diable se réveille en chantonnant, il fait sa toilette et il s'habille. Mais le jeune homme, encore à moitié endormi, lui crie depuis le lit:

— Où allez-vous? Maintenant que j'ai cédé à vos caprices, il faut me donner tout l'argent que vous m'avez promis!

Alors le diable se retourne et lui répond en branlant la tête:

— Mais enfin, mon ami, ce n'est pas possible! A votre âge, vous croyez encore au diable?

dictateur

850 □

— Insupportable, cet énergumène, s'écrie Dieu le Père. J'en ai assez de ses colères d'enfant gâté. S'il continue à nous empoisonner, je vais l'envoyer en enfer. Et d'abord, comment s'appelle-t-il?

Et saint Pierre répond:

— Il s'appelle Hitler. Il n'est là que depuis un mois, mais je reconnais qu'il énerve tout le monde. Attendez, je vais m'en occuper!

Quinze jours plus tard, l'ordre semble revenu au ciel et le Bon Dieu félicite saint Pierre.

— Qu'avez-vous fait pour calmer ce petit perturbateur?

— Oh ! C'est très simple, dit saint Pierre. Comme il est peintre, je lui ai donné un pinceau et il écrit *juif* sur toutes les étoiles...

☐ **851**

Dans un petit pays d'Amérique du Sud, un dictateur prononce un important discours, lorsque soudain au milieu de la foule, quelqu'un éternue...

— Qui a éternué ? hurle le dictateur.

Et comme personne ne répond, il ordonne à la garde de fusiller tout le premier rang. Il y a déjà cent cadavres par terre et le dictateur répète :

— Qui a éternué ?

Devant le silence de la foule, il fait fusiller le deuxième rang, puis le troisième... Alors un petit vieux lève le doigt et dit en tremblant :

— C'est moi qui ai éternué !

— Ah ! fait le dictateur, rayonnant de bonheur, eh bien, cher monsieur, à vos souhaits !

☐ **852**

Hitler meurt et arrive aux grilles du ciel. Il y a une sacrée queue et il se met à la file. Soudain, un petit barbu bouscule tout le monde, un petit barbu avec une étoile jaune, et il passe le premier.

— Eh là ! fait Hitler, qu'est-ce que c'est que ce sale Juif qui ne prend pas son tour ?

— Tais-toi, corniaud, lui crie saint Pierre. C'est le fils du patron...

☐ **853**

Hitler visite un asile de fous. On le fait entrer dans une salle réservée aux aliénés qui se prennent pour Hitler. Il y a là une cinquantaine de gars, avec la petite moustache, la mèche sur le front et la casquette à croix gammée. Et tout ce beau monde se met à hurler :

— Quoi ? Encore un ? Quel est cet imposteur ?

Et se précipitant sur Hitler, les fous forment autour de lui un cercle menaçant. Alors l'officier d'ordonnance du Führer s'interpose pour délivrer son chef. Mais c'est trop tard! On ne peut plus reconnaître lequel est le vrai... On est réduit à en prendre un au petit bonheur.

Et le lendemain, c'est lui qui déclare la guerre à la Russie...

854 □

Vers la fin de la deuxième guerre mondiale, une brave Italienne dit à son mari :

— J'en ai assez de crever de faim et de faire la queue pendant des heures devant les magasins, pour qu'on me dise qu'il n'y a plus rien quand mon tour arrive. J'en ai assez, assez, assez! Tiens! Je sais ce que je vais faire. Avant de crever, je vais aller crever la peau de Mussolini!

Elle prend un grand couteau de cuisine et elle sort dans la rue.

Une heure plus tard, son mari la voit revenir, la mine longue. Il se précipite sur elle, angoissé, et il s'écrie :

— Et alors ?

— Et alors, rien à faire... Il y avait une de ces queues !

855 □

Dans les derniers mois de 1944, Hitler sent que le vent a tourné, que la fortune des armes lui est maintenant contraire et que les caisses de l'État sont presque vides.

En désespoir de cause, il donne l'ordre qu'on lui amène un grand banquier juif qu'il avait fait jeter dans un camp de concentration. Et quand le bonhomme est devant lui, il lui propose un marché :

— Je déteste les Juifs et toi comme les autres, mais j'ai besoin d'argent. Je sais que tu caches quelque part en Allemagne une fortune considérable. Si tu acceptes de me prêter un milliard de marks, je te laisse la vie sauve et même j'affrète un avion qui te transporteras en Angleterre...

— Marché conclu, *mein Führer*, dit l'autre.

— Parfait, répond Hitler. Je vais donc te faire une reconnaissance de dette.

— Oh, non ! Ce n'est pas la peine !

— Comment ? Toi, un Juif, tu fais confiance à Hitler ?

— Bien sûr, *mein führer !* Vous rendez toujours tout ! Il n'y a qu'à voir... Vous avez rendu l'Ukraine, la Pologne, la France, la Belgique... Alors, vous me rendrez forcément mon argent...

☐ **856**

La scène se passe à Téhéran. L'ayatollah Khomeyni a rassemblé sous sa fenêtre un de ses régiments d'élite et il se met à haranguer les soldats :

— Vous m'appartenez corps et âme ! Il ne doit pas y en avoir un seul parmi vous qui hésiterait à se faire tuer pour l'Islam... D'ailleurs, je vais mettre votre fidélité à l'épreuve. Que le soldat numéro sept du deuxième rang de la quatrième section me rejoigne sur le balcon...

Et quand l'autre est arrivé devant lui, au garde-à-vous, Khomeyni lui dit :

— Saute dans le vide !

Et le soldat saute et va s'écraser sur le pavé. Alors le vieux prophète en appelle un autre à qui il donne le même ordre. Et un second corps s'abat dans une énorme flaque de sang... L'ayatollah est aux anges. Il en appelle un troisième et il lui dit :

— Toi aussi, tu es prêt à donner ta vie, simplement parce que je te l'ordonne ?

Et le soldat répond en haussant les épaules :

— Parce que vous appelez ça une vie ?

857 ☐

Hitler accorde une audience à un modeste ouvrier de Berlin.

— *Mein führer*, lui dit celui-ci, je suis venu solliciter de vous l'autorisation de changer de nom...

— Et comment t'appelles-tu ? demande Hitler.

— Je m'appelle Adolf Merd !

— Oh ! Je comprends que ce soit difficile à porter ! Et comment voudrais-tu t'appeler ?

— Hans Merd...

858 ☐

Hitler visite une école de Rhénanie et il interroge les petits élèves :

— Voyons, mes enfants, dites-moi ce que vous aimez par-dessus tout au monde.

— C'est mon père, dit le petit Hans.

— Un peu banal, remarque Hitler. Et toi ?

— C'est le Bon Dieu, dit le petit Karl.

— Mauvaises tendances charitables, grimace Hitler. Et toi ?

— C'est l'institutrice, dit le petit Johann.

— Sales instincts sexuels, laisse tomber le Führer. Et toi, mon petit qui te caches au fond de la classe, qu'est-ce que tu aimes le plus au monde ?

— Euh... C'est vous, *mein Führer* !

— Parfait, exulte Hitler. Voilà la meilleure réponse. Tu feras un des plus beaux soldats de mon Reich ! Mais pourquoi portes-tu ton cartable sur ta poitrine ?

— Euh... balbutie le gosse, c'est parce que j'ai l'étoile jaune...

859 ☐

Quand les Russes pénétrèrent en 1945 dans le bunker souterrain d'Hitler, à Berlin, il paraît que le Führer se mit au garde-à-vous devant eux. Puis il jeta à terre sa casquette, il arracha la mèche de cheveux qui lui barrait le front, il se fit sauter la moustache d'un geste de la main, il enleva son faux nez et alors il s'écria :

— Je suis Dimitri Sverlov, agent secret 005 de la Guépéou, chargé de la destruction du nazisme ! Misson accomplie !

☐ **860**

Hitler passe son armée en revue. On lui signale un soldat qui s'est conduit en héros sur le champ de bataille et qui a retourné, à lui seul, la fortune des armes.

— Je veux récompenser ton intrépidité, lui dit Hitler. Demande-moi ce que tu voudras et je te l'accorde d'avance.

— Oh ! merci, *mein Führer*, dit l'autre. Je voudrais une autre paire de chaussettes, parce qu'il fait bien froid.

— Comment ? s'exclame Hitler, je te propose n'importe quoi, un compte en banque, la direction d'une usine, des terres à blé, un château en Bavière, et tu me demandes une paire de chaussettes ?

— C'est que, vous voyez, *mein Führer*, en demandant une paire de chaussettes, j'ai peut-être une chance de l'avoir !

☐ **861**

Le général Amin Dada se rend, incognito, dans un cinéma de Kampala. Il s'assied au milieu de la foule et dans l'obscurité, personne ne le reconnaît. Sur l'écran passent les actualités, et tout d'un coup, il se voit apparaître, lui-même, dans le film, au balcon de sa résidence, en train de haranguer le peuple.

Aussitôt la salle entière se lève et applaudit. Seul le dictateur reste assis, savourant sa puissance. Alors son voisin se penche vers lui et lui glisse à l'oreille :

— Lève-toi, imbécile. La salle est pleine de flics. Tu ne vas pas risquer de te faire fusiller pour ce gros porc !

862 □

L'Allemagne s'effondre sous les bombes. Hitler sent la fin proche. Il ordonne qu'on lui amène un rabbin, même si on doit aller le chercher dans un camp de concentration. Et quand l'homme se trouve devant lui, tremblant de peur, il lui dit en martelant ses mots :
— Je veux devenir juif ! Je veux me convertir au judaïsme
— Mais, *mein Führer*, bredouille le rabbin, êtes-vous sûr d'avoir tous vos sens ?
— Parfaitement, réplique Hitler. Tu vas tout de suite me circoncire !
Puis, la cérémonie terminée, Hitler s'accroche une étoile jaune sur sa vareuse, il sort un revolver de sa poche et il se tire une balle dans la tête en hurlant :
— Ça fera toujours un Juif de moins.

dieu

863 □

Un petit garçon porte un dessin incompréhensible à monsieur le curé :
— Je l'ai fait pour vous.
— Ah, merci ! Et qu'est-ce que ça représente ?
— C'est le Bon Dieu !
— Mais mon petit, personne ne sait comment il est fait, le Bon Dieu...
— Ah, oui ? Eh bien maintenant, on le saura...

☐ **864**

Dieu était un mécanicien très habile. Il travaillait nuit et jour à son affaire, parlant peu et inventant sans cesse, tantôt un soleil, tantôt une comète. On lui disait : Mais écrivez donc vos intentions, il ne faut pas que cela se perde ! Il répondait : Non, rien n'est encore au point, laissez-moi perfectionner mes découvertes et alors vous verrez !

Mais un beau jour, voilà que Dieu meurt subitement. On court chercher son fils unique qui étudiait chez les Jésuites, un garçon doux et studieux qui ne savait pas deux mots de mécanique. On le conduit dans l'atelier de son père et on lui dit : Allons ! A l'ouvrage ! Il s'agit de gouverner le monde.

Il demande : Mais comment faisait mon père ? On lui dit : Il tournait cette roue. Depuis ce jour, le fils de Dieu tourne la roue, mais comme il n'est pas au courant, il la tourne *à l'envers*.

☐ **865**

Job pourrit depuis des années sur son tas de fumier. Et voilà qu'un jour il se lève. Il n'en peut plus de misère. Il lève les bras vers le ciel et il invoque le Seigneur :

— Dieu tout puissant ! Tu as voulu que je souffre et j'ai accepté de souffrir parce que c'était ta volonté. Mais je te jure que je suis à bout de forces. Dis-moi au moins ce que j'ai fait de si horrible pour mériter une telle punition...

Alors, le ciel s'ouvre, le tonnerre éclate, la campagne devient rouge comme du feu et une voix tonitruante sort des nuages :

— Tu veux que je te dise, Job ? C'est parce que tu m'emmerdes !

☐ **866**

Un cardinal rencontre un autre cardinal et il lui glisse dans l'oreille :

— Vous ne connaissez pas la nouvelle? C'est terrible! Dieu est mort! Mais le pape a défendu qu'on le lui dise...

867 ☐

Dieu se rend chez un psychanalyste et il lui dit:
— Docteur, c'est ennuyeux, je ne crois plus en moi...

868 ☐

Dieu vient de créer la femme. Il est assez satisfait de son œuvre. Mais il fait quand même venir quelques personnes pour vérifier si tout marche bien. Et il appelle en particulier un tapissier, un menuisier, un serrurier et un architecte.
— Alors? Qu'est-ce que vous en pensez? leur demande-t-il. C'est au point ou est-ce qu'il faut faire des retouches?
— Ben, dit le tapissier, ça fait un peu inachevé. Il y a du crin qui dépasse un peu partout.
— Et moi, je trouve qu'il y a un peu trop de fentes, dit le menuisier.
— Ouais, dit le serrurier. Et puis c'est pas très malin, cette serrure qui est faite pour toutes les clefs.
Et l'architecte ajoute:
— Le crin, les fentes, la serrure, c'est pas tellement grave. L'ennuyeux, c'est que vous ayez mis la salle des fêtes si près des chiottes...

869 ☐

Il lui a fallu vingt années de travail, mais ce mathématicien arrive enfin au bout de ses peines. Il a réuni toutes les coordonnées scientifiques de l'univers. Il s'est servi de l'enseignement de toutes les religions. Il a poussé à ses dernières extrémités l'usage de la logique. Il a pillé toutes les bibliothèques. Bref, il a mis la somme de toutes les connaissances humaines en équations. Et maintenant il sait qu'il arrive au résultat final, il sait qu'il n'a pas la moindre chance de s'être trompé. Il inscrit sur son papier la formule de Dieu... Alors, il entend une voix plus forte que le tonnerre qui ébranle la pièce et le renverse à terre :

— Bravo ! Tu m'as trouvé ! A toi de te cacher maintenant... Je compte jusqu'à cent milliards...

□ **870**

Ça se passe au paradis. Tout le monde bâille. Saint Pierre déclare :

— Qu'est-ce qu'on s'ennuie ! On devrait aller faire un tour sur terre !

— A mon âge, dit Dieu le Père, vous n'y pensez pas !

— Moi, je trouve qu'une fois ça suffit, dit Dieu le Fils.

— Et moi, ajoute Dieu le Saint-Esprit, je ne descends que si on interdit le tir aux pigeons !

□ **871**

Le médecin de l'asile demande à un fou :

— Et qui êtes-vous aujourd'hui ?

— Le pape !

— Ah, bon ! Qui vous l'a dit ?

— C'est Dieu qui me l'a dit !

A ce moment passe un vénérable vieillard à barbe blanche. Il hausse les épaules et il lance :

— C'est pas vrai. J'ai jamais parlé à cet individu...

□ **872**

Une âme rencontre une autre âme dans les limbes et elle lui dit :

— Dieu est encore allé inventer un truc impossible. Ça s'appelle la vie. C'est terrible ! Il paraît qu'on en meurt !

docteur

873 ☐

Un gars et une bonne femme entrent dans le cabinet du médecin. Celui-ci, se tournant vers la dame, lui dit :

— Si vous êtes malade, déshabillez-vous, je vous prie...

Mais la fille fait des manières. Elle a des réticences. Elle regarde le gars par en dessous. Alors le médecin répète :

— Mais enfin, madame, déshabillez-vous ! Je suis docteur. La pudeur n'est pas de mise ici !

Alors elle se met à gigoter et tout d'un coup, elle fond en larmes. Décontenancé, le médecin demande au gars :

— Qu'est-ce qu'elle a, votre femme ? Elle est toujours aussi nerveuse ?

— Je ne sais pas, dit l'autre. Je viens juste de faire sa connaissance dans votre salle d'attente...

874 ☐

— Docteur, dit la jeune fille, je suis un peu inquiète. Depuis quelque temps, j'ai un gros point noir à l'intérieur de chaque cuisse...

— Tiens, tiens ! Montrez-moi ça !

Le docteur examine sa patiente, il prend un bout de coton qu'il trempe dans l'alcool, il se met à frotter la peau à l'endroit indiqué et il fait disparaître les traces noires.

— Voilà, dit-il. Ce n'est pas grave. C'est fini !

— Mais de quoi ça venait, docteur ?

— Eh bien, je suppose que vous avez un amant qui est gitan ?

— Euh... oui, docteur.

— Eh bien, vous pourrez lui dire que ses boucles d'oreilles ne sont pas en or...

☐ **875**

Un garçon aux allures de sirène entre dans le cabinet de son docteur et il dit :
— Docteur, je suis horriblement constipé.
— Attendez, dit le médecin, je vais voir ce qui ne va pas. Je vais vous faire un toucher rectal.
Et il enfile un doigt de caoutchouc. Et voilà qu'il tire une violette, deux violettes, trois violettes, tout un bouquet de violettes.
— Mais c'est incroyable ! s'exclame-t-il. Qu'est-ce que ça veut dire ?
Et l'autre lui dit en rougissant :
— Oh ! Docteur, ne m'en veuillez pas ! Je ne savais pas comment vous les offrir...

☐ **876**

— Est-ce qu'on vous a déjà fait des rayons X ? demande le docteur.
— Des rayons X, non, dit la fille. Mais ultra-violée, j'ai déjà été...

☐ **877**

Un brave homme arrive chez son médecin. Il est entièrement couvert de pansements des pieds à la tête. Et il déclare en tremblant :
— Docteur, toutes les nuits, je rêve que je tombe du quatrième par la fenêtre...

☐ **878**

Une femme du monde se rend chez son médecin :
— Docteur, c'est très ennuyeux, je crois que j'ai un sein plus long que l'autre...
— Tiens ! Quelle curiosité ! Enlevez votre soutien-gorge...

La bonne femme enlève son soutien-gorge. Elle a un sein qui dresse le nez tout ce qu'il y a de plus normalement, mais l'autre se déplie, se déplie, se déroule et glisse par terre !

— Ça, par exemple ! fait le docteur. Mais dites-moi, vous n'avez pas des habitudes sexuelles particulières ?

— Euh, non, docteur ! A part que chaque soir, mon mari me tient le sein gauche, et c'est comme ça qu'il réussit à s'endormir...

— Évidemment, dit le docteur. Ce sont des choses qui peuvent arriver à tout le monde ! Et je dois dire que moi-même, parfois... Mais ça n'explique pas.

— Ah ! peut-être, docteur. Mais vous et votre femme, vous ne faites pas chambre à part...

879 ☐

C'est quelqu'un de très méticuleux. Il entre dans le cabinet du médecin. Il enlève son chapeau, il le pose sur une table. Il enlève sa veste, il la brosse, il la plie soigneusement, il la range à côté du chapeau. Il enlève sa cravate, il la secoue, il la plie en trois, il la met à côté de sa veste, bien parallèle. Il enlève sa chemise, il reboutonne les boutons, il rabat les manches par-derrière, il la plie en quatre, il la pose à côté de sa veste. Il enlève son pantalon, il l'étend sur la table, il va chercher des dictionnaires médicaux dans un rayon, il les place bien alignés sur le pantalon, pour garder le pli. Il enlève son caleçon, il le plie au carré, il le pose à côté du reste.

Puis tout d'un coup, il se souvient qu'il a oublié un mouchoir dans la poche de son pantalon. Il enlève les dictionnaires, il déplie le pantalon, il prend le mouchoir dans sa poche, il plie le mouchoir avec un soin extrême, il le pose sur la table, il replie le pantalon, il l'étend de nouveau, il repose les dictionnaires dessus, il jette un coup d'œil sur toute sa garde-robe étalée comme dans la vitrine d'un magasin et à ce moment, le médecin, un peu agacé, lui dit :

— Vous êtes venu me voir pour quoi, exactement ?

Le gars est debout, tout nu. Il se penche un peu en avant et des deux mains, il montre ce qu'il a entre les jambes :

— C'est pour ça, dit-il.

— Pour quoi ? grogne le médecin qui commence à s'échauffer.

— Ben, vous ne voyez pas, docteur ? J'en ai une plus basse que l'autre !

— Ah ! oui ? Et alors ?

— Et alors, je trouve que ça fait un peu désordre...

□ **880**

Un petit médecin de campagne est en train d'ausculter un malade sous toutes les coutures. Et décidément non, il n'arrive pas à trouver ce qui ne va pas, il est incapable de formuler un diagnostic. Ce n'est pas un ulcère, ce n'est pas une jaunisse, ce n'est pas de l'impétigo ! Mais alors qu'est-ce que c'est, nom de Dieu ?

Et en désespoir de cause, il se tourne vers le bonhomme et il lui dit :

— C'est bien joli, tous ces symptômes que vous m'avez racontés, mais je suis certain que ce n'est pas la première fois que ça vous arrive, n'est-ce pas ?

— Oh ! non... répond l'autre. Pour sûr que c'est pas la première fois !

— Formidable ! s'écrie le toubib. J'ai trouvé ce que vous avez... C'est *une rechute* !

□ **881**

C'est un muet qui a tout essayé pour guérir de son infirmité. Mais il n'y a rien à faire. Il ne peut pas retrouver la parole. Et puis un jour on lui donne l'adresse d'un docteur qui fait des miracles. Et quand il s'amène chez lui, le toubib lui dit :

— A poil tout de suite!

Du coup, le gars se déshabille timidement. Et quand il est tout nu, il entend le docteur qui lui lance:

— Tournez-vous et écartez les fesses!

Alors le gars fait ce qu'on lui dit. Soudain il sent un énorme membre qui lui défonce le cul et il se met à hurler:

— *Aaaaaaa!*

— C'est très bien, fait le docteur. Vous pouvez vous rhabiller. Revenez demain pour le B...

882 □

Abraham dit à Jacob:

— Je suis malade, mais j'ai peur d'aller chez le docteur, à cause de la dépense.

Et Jacob lui dit:

— Va chez le docteur Samuel. Il pratique un tarif dégressif! Quand on revient le voir, il ne prend plus que la moitié.

Alors Abraham se présente chez le docteur Samuel et il déclare tout de go:

— Bonjour, docteur, c'est encore moi!

883 □

— Docteur, ça ne peut plus durer. Je m'endors tout le temps! Dès que je suis à mon travail, au bout de dix minutes, je m'endors.

— Tiens, tiens! Et où travaillez-vous?

— Aux abattoirs de La Villette...

— Ça, par exemple! Et vous vous endormez en assommant des bœufs?

— Pas des bœufs, docteur. Des moutons! Et puis je ne les assomme pas. C'est moi qui les compte...

884 □

Un beau jeune homme, qui souffre d'une extinction de voix, sonne à la porte de son médecin pour se faire examiner les cordes vocales. Une dame vient lui ouvrir.

— Est-ce que le docteur est là ? demande le gars d'une voix imperceptible.

— Non, chuchote la dame en faisant un clin d'œil. Entrez !

☐ **885**

— Docteur, je suis venu vous voir pour une chose curieuse. A chaque fois que je me déshabille, mon mari a envie de vomir et il fait : *beeeerck...*

— Tiens ! C'est bizarre... Déshabillez-vous, je vous prie !

Et quand la dame s'est déshabillée, le docteur fait :

— *Beeeerck...*

☐ **886**

— Mais enfin, dit le médecin, je n'ai jamais vu un nombril aussi bas que le vôtre. Comment se fait-il ?

— C'est que, voyez-vous, réplique le patient, je sors juste de l'armée et j'étais porte-drapeau...

☐ **887**

— Allô ! docteur ? Venez vite ! Le petit vient d'avaler le boulon du presse-purée !

Et dix minutes après, nouveau coup de téléphone :

— Allô ! docteur ? C'est plus la peine ! On va faire des frites...

☐ **888**

Un gars arrive chez son médecin, la mine assez souffreteuse, et il dit :

— Docteur, j'ai une écharde dans le... enfin dans l'organe reproducteur...

— Pas possible ! fait le docteur. Et comment diable cela vous est-il arrivé ?

— Ben, docteur, ça s'est passé cette nuit. J'ai ramené une fille chez moi. Elle a voulu me faire une gentillesse. Et elle avait la gueule de bois...

889 □

— Vous savez, docteur, dit le malade, je suis venu vous voir parce que je me sens très épuisé...

— Ah ! bon... Je vais vous ausculter.

Et le médecin examine le gars très longuement. A la fin, il repose ses instruments et il déclare :

— Je ne vois vraiment pas ce qui peut vous fatiguer à ce point-là. Vous êtes en parfaite santé. Tous vos organes fonctionnent régulièrement. Il n'y a guère que du côté du sexe que vous semblez un peu... comment dirais-je ?... un peu essoufflé. Vous avez une forte activité sexuelle ?

— Ben, c'est-à-dire, docteur, que je suis bien obligé de m'occuper de ma femme !

— J'entends bien ! Et vous faites ça souvent ?

— Euh... Deux ou trois fois par jour...

— Ah ! Par exemple... Vous êtes un chaud lapin, vous !

— Oui, docteur. Et puis il y a aussi la bonne. Si je ne montais pas dans sa chambre tous les soirs, elle m'en voudrait...

— Tiens, tiens ! Et à part votre femme et la bonne, c'est tout, je suppose ?

— Oui. Enfin, non ! Pas tout à fait. J'ai un peu honte de vous le dire, mais la femme du jardinier m'a fait des avances ces temps derniers. Alors je vais lui faire deux ou trois petites choses à l'heure où son mari s'occupe de l'arrosage... Et puis, que voulez-vous, j'ai une vieille maîtresse que je ne peux pas laisser tomber, ça lui ferait trop de peine. Alors, je vais la voir entre cinq et sept.

— Et c'est tout ? balbutie le médecin tout ahuri.

— Non, dit l'autre en baissant la tête honteusement. Il y a le chauffeur que nous avons engagé l'année dernière. Il est très jeune, n'est-ce pas, et comme je ne peux pas encore lui accorder d'augmentation, je lui donne quelques compensations en nature!

— Écoutez, cher monsieur, s'écrie le docteur stupéfait, si j'ai bien compris, il y a votre femme, la bonne, la femme du jardinier, votre maîtresse et le chauffeur par-dessus le marché! Et tout ça tous les jours et même plusieurs fois par jour! Et vous vous étonnez d'être fatigué? Mais c'est normal, mon vieux!

— Ah! docteur, répond le gars, je suis content que vous me rassuriez... Je croyais que ça venait de la masturbation...

douane

☐ **890**

Un brave curé passe la frontière avec une belle bouteille dans sa valise. Le douanier lui demande:

— Qu'est-ce que c'est?

— Oh! seulement de l'eau de Lourdes...

Le douanier renifle quand même et il s'écrie:

— Mais vous vous moquez de moi! C'est du cognac...

— Dieu soit béni, lance le curé tout agité. Il y a eu un miracle!

☐ **891**

Le douanier fouille les bagages d'un brave paysan et il découvre des tas de petits sachets de cocaïne.

— Ah! Ah! Et ça? C'est peut-être pour nourrir vos poules, hein?

— Parfaitement, répond l'autre. Je ne sais pas comment vous l'avez deviné, mais c'est pour nourrir mes poules...

— Vous vous foutez de moi ? Les poules, ça ne peut pas bouffer de ça ! Elles en crèveraient !

— Eh bien ! Qu'elles crèvent... Elles n'auront rien d'autre !

892 □

Un fraudeur essaie de passer la frontière avec un perroquet savant qu'il ramène des îles. Soupçonneux, le douanier s'approche du bonhomme et lui dit :

— Qu'est-ce qu'il y a dans votre sac ?

— Oh ! rien, dit le gars. Enfin, c'est juste de la ferraille !

— Ah ! c'est de la ferraille ? réplique le douanier. Attendez voir un peu !

Et il flanque un grand coup de pied dans le sac. Alors on entend le perroquet qui fait :

— Binggg Bonggg...

école

☐ **893**

L'institutrice entre dans la classe et elle voit sur le tableau noir un énorme dessin obscène assorti d'une inscription gauloise :

— Voilà comment je suis monté !

Elle se retourne, rouge de colère, et elle lance :

— Que le petit saligaud qui a fait ça vienne en retenue après le cours. Il va avoir de mes nouvelles...

Et le lendemain, la même petite main a écrit à la craie sur le tableau :

— Finalement, la publicité, ça paie !

☐ **894**

Toto rentre de l'école et son papa lui dit :

— Récite-moi la table de multiplication !

Alors Toto répond sur ce rythme si particulier et lancinant des élèves qui récitent en chœur :

— Lalala... la ! Lalala... la ! Lalala... la !

— Comment, lalala... la ? lui dit son père. C'est ça que tu appelles la table de multiplication ?

— En tout cas, dit Toto, c'est la musique, parce que les paroles, je m'en souviens plus...

895 □

La maîtresse de la maternelle demande aux petits garçons de dessiner ce qu'ils veulent faire plus tard. Il y en a un qui dessine un avion, un autre un bateau, un troisième une locomotive. Et il y en a un qui pleure et qui ne dessine rien. Alors la maîtresse lui dit :

— Ne pleure pas, mon petit, et dis-moi quand même ce que tu veux faire quand tu seras grand...

— Je voudrais être gigolo, dit le môme en reniflant, mais je sais pas comment ça se dessine...

896 □

Le jour de la rentrée des classes, dans une école de Tel-Aviv, l'institutrice demande leur nom à tous ses nouveaux élèves :

— Comment t'appelles-tu ?
— Lévy.
— Et toi ?
— Goldstein.
— Et toi ?
— Kahn.
— Et toi ?
— Dupont...
— Alors on entend la voix d'un môme qui grommelle entre ses dents :
— Ah ! là ! là !... Ces Dupont, ils sont partout !

897 □

— Allô ! c'est le surveillant général ?
— Lui-même.
— Monsieur le surveillant général, je vous téléphone pour vous prévenir que Toto est très grippé et qu'il ne viendra pas en classe aujourd'hui...
— Ah, bon ! Mais qui téléphone ?
— C'est papa...

☐ **898**

L'institutrice :

— Tu es en train de devenir insupportable. Sais-tu, mon enfant, où vont les petites filles comme toi qui ne sont pas sages ?

La petite fille :

— Oui, m'zelle. Elles vont partout !

☐ **899**

Nous sommes dans l'ancienne Égypte et l'institutrice fait faire une dictée que les élèves prennent en hiéroglyphes :

— Le peuple égyptien est le plus viril de la terre...

Alors les mômes dessinent sur leur papyrus des Égyptiens très musclés et tout à coup il y a un élève qui demande :

— Viril, ça s'écrit avec une ou deux couilles ?

☐ **900**

Dans la cour de l'école, le petit Archibald s'approche du petit Isaac et il lui dit :

— Tu sais, je ne peux plus jouer avec toi. Mes parents me l'ont interdit, parce que tu es juif !

— Eh bien, dit le petit Isaac, tu n'as qu'à leur dire qu'on joue pas pour de l'argent...

☐ **901**

— Et maintenant, dit l'institutrice, vous allez me citer des noms de choses qui ont des poils.

Aussitôt les réponses fusent de partout dans la classe :

— Un chat.

— Un balai.

— Un manteau de fourrure.

— Très bien, dit l'institutrice. Et toi, Toto, tu ne trouves rien à répondre ? Tu ne connais rien qui ait des poils ?

— Si, m'zelle, dit Toto, les boules de billard.
— Les boules de billard? Mais enfin, Toto, les boules de billard n'ont pas de poils!
— Oh! oui, m'zelle. D'ailleurs vous allez voir.
Et se retournant vers le fond de la classe, il lance:
— Hé! Billard! Montre donc tes boules...

902 □

L'institutrice à ses élèves:
— L'homme a deux yeux, deux oreilles, deux lèvres, deux narines, deux bras, deux jambes, deux... Allons, un peu d'imagination... Deux... Quoi encore?

903 □

— Ça alors! fait Toto à qui l'instituteur vient de parler du gouffre de Charybde et du rocher de Scylla, ça alors! Je croyais que c'étaient un homme et une femme et qu'ils étaient mariés comme Sodome et Gomorrhe...

904 □

L'agence matrimoniale lui avait donné l'adresse d'une ravissante jeune fille à marier, douée seulement d'un léger défaut physique. Il est allé la voir chez elle. Et vraiment il ne comprend pas. Elle est belle à croquer. De longues jambes fines. Une merveilleuse chute de reins. Des seins en poire tout à fait insolents. Un visage de princesse avec des cheveux doux et cendrés. Alors il lui demande:
— Mais qu'est-ce que c'est, ce défaut physique?
Et elle répond:
— Vous inquiétez pas! En ce moment, il est à l'école...

☐ **905**

— Mais enfin, demande une petite fille au fond de la classe, qu'est-ce qu'ils avaient de particulier, Napoléon ou de Gaulle, pour qu'on ait fait tout ce raffut autour d'eux ?

— Ben, dit l'instituteur, je vais t'expliquer. C'étaient des gens qui s'imaginaient que s'ils n'étaient pas nés, tout le monde se serait demandé pourquoi...

☐ **906**

C'est un petit garçon de six ans qui est sage comme une image. Au moment de sortir de l'école, il va trouver l'institutrice et il lui dit très gentiment :

— M'zelle, siouplaît, dites-moi ce que j'ai appris aujourd'hui, parce que papa, il me le demande tous les soirs...

☐ **907**

— Écoute, Isaac ! Tu ramènes toujours des notes épouvantables de l'école... Si j'étais comme tous les autres pères, je devrais te flanquer une raclée et te priver de télévision. Mais comme je crois que tu es finalement un garçon très intelligent, je te propose un petit accord entre nous. A chaque fois que tu rentreras à la maison avec une bonne note, je te donnerai cent francs ! Ça te va ?

— Oh ! oui, papa ! Merci, papa...

Et le lendemain, le petit Isaac va trouver l'instituteur et il lui dit :

— Ça vous intéresserait de gagner cinquante francs par semaine ?

☐ **908**

Dans un coin obscur du préau de l'école, un petit garçon coince une fillette contre le mur et il lui déclare d'une voix sourde :

— On va jouer au docteur ! Regarde... Je mets mon doigt dans ton nombril !

Et la bambine manifeste sa stupéfaction :

— Comment, mon nombril ! Mais c'est pas mon nombril...

— Ça fait rien, dit le môme. C'est pas mon doigt non plus !

909 □

— Eh bien, mes enfants, demande l'instituteur, qui va me dire ce que c'est qu'un égoïste ?

Près du poêle, une main se lève :

— Un égoïste, c'est quelqu'un qui pense jamais à moi !

910 □

Le professeur est en train d'expliquer que, selon la théorie de Darwin, l'homme descend du singe, quand il aperçoit Toto, au fond de la classe, qui au lieu de suivre le cours fait d'abominables grimaces. Alors, il s'écrie :

— Toto ! Descends tout de suite...

911 □

L'inspecteur d'académie est venu en visite dans le petite école de Trifouilly-les-Oies. L'instituteur lui fait une superbe démonstration.

— Monsieur l'inspecteur, dit-il, j'ai trouvé une méthode tout à fait particulière pour leur apprendre à lire. Pendant qu'ils suivent le mot sur leur livre, je leur montre la chose en faisant l'imitateur. Regardez !

Et il dit aux petits élèves :

— Prenez votre livre de lecture à la page sept ! Lisez le premier mot...

Et pendant ce temps, il se met à quatre pattes et il aboie. La classe s'écrie en chœur :

— *Le chi-en...*

— Bon ! dit-il. Lisez le second mot.
Et il se pose un cahier sur la tête.
— *Le cha-peau !* hurlent les mômes.
— Parfait, maintenant, lisez le troisième mot !
Et il imite le balancier d'une horloge, en faisant aller et venir son bras vers le bas. Alors tout le monde psalmodie :
— *La qué-quette du che-val...*

☐ **912**

L'instituteur trouve que maintenant, c'en est trop. Il a décidé de téléphoner aux parents de Toto :
— Allô ? C'est la maman du petit Toto ? Ici, c'est l'instituteur ! Madame, ce n'est plus supportable. Au début, c'était juste le rouge à lèvres, mais maintenant votre fils arrive à l'école, tous les jours, déguisé en femme !
— Ah ! Mon Dieu, dit la mère. Il a encore fouillé dans les affaires de son papa...

écosse

☐ **913**

Un Écossais va passer un mois chez un ami de Londres et pendant tout ce temps, il vit entièrement à ses crochets.
Quand son séjour se termine, l'ami le raccompagne à la gare et ils vont boire un dernier verre à la buvette. Mais lorsque l'Anglais fait mine de payer, l'Écossais arrête son geste, il sort une pièce et il dit :
— Ah ! Non. Jamais de la vie... Depuis un mois, c'est vous qui payez tout sous prétexte que je suis votre invité. Maintenant c'est fini. Le dernier verre, c'est sacré. On va le tirer à pile ou face...

914 □

Le vieux O'Connor est mort. Des quatre coins d'Écosse, sa famille s'est pieusement rassemblée autour de sa dépouille. Et elle discute de l'enterrement.

— Nous sommes obligés de lui faire des obsèques de première classe, dit le fils John. C'était un homme riche et honorable.

— Oui, dit le fils Harold, mais dans ce pays, la première classe ne se pratique plus du tout. Nous aurions l'air de vouloir nous singulariser.

— En tout cas, dit le fils James, si nous prenons la seconde classe, ça va passer pour de l'ostentation.

— Mais lui-même, demande le fils Alfred, avez-vous pensé à ce qu'il aurait choisi ? C'était un homme économe. Il aurait exigé un enterrement de troisième classe.

— Pourquoi de troisième classe ? dit le fils Charlie. Il a vécu en ascète. Il avait horreur de la poudre aux yeux. Moi, je vous dit qu'il aurait demandé l'enterrement des pauvres...

Alors le vieux O'Connor se lève de sa couche et il dit :

— Tenez ! Je préfère encore y aller à pied au cimetière. On se retrouvera là-bas.

915 □

Un Écossais monte dans un train sans avoir de billet. Le contrôleur l'épingle et lui réclame le prix du voyage. L'autre refuse absolument de payer. Alors le contrôleur prend la valise du gars et il la jette par la fenêtre.

— Comment ! hurle l'Écossais. Et en plus vous jetez mon fils dehors ?

916 □

A Glasgow, MacAdam demande à MacIntosh :

— Si tu avais six châteaux, tu m'en donnerais un?
— Bien sûr.
— Et si tu avais six voitures, tu m'en donnerais une?
— Évidemment.
— Ça, c'est un ami! Et si tu avais six chemises, tu m'en donnerais une?
— Ah, non!
— Comment non? Et pourquoi?
— Parce que j'ai six chemises...

☐ **917**

Un Écossais en voyage à l'étranger écrit à sa femme:
— Fais bien attention de ne pas user tes lunettes. J'ai oublié de te dire de les enlever quand tu ne regardes rien...

☐ **918**

Un Écossais veut acheter à sa femme un beau cadeau d'anniversaire. Il entre dans une maroquinerie et il choisit un sac à main.
— Je vous l'enveloppe? demande la vendeuse.
— Non! C'est pas la peine... Mettez seulement la ficelle et le papier d'emballage dedans...

☐ **919**

Un Écossais entre dans un garage. Il sort une capote anglaise de sa poche et il déclare:
— Puisque vous réparez les chambres à air, vous pourriez peut-être aussi me poser une rustine sur ce préservatif?
Le garagiste regarde le truc et il éclate de rire:
— Une rustine? Mais il y en a déjà une dizaine dessus! Vous feriez mieux d'en acheter un neuf...
— Impossible! dit l'Écossais. Il appartient au club et les autres veulent pas qu'on le remplace...

920 □

Un Écossais vient de faire un don important à une œuvre de charité. Mais le lendemain, un homme sonne à sa porte.

— Merci, monsieur, pour le chèque que vous nous avez envoyé et qui nous permettra de faire beaucoup de bonnes œuvres. Cependant je dois vous signaler un petit oubli de votre part. Vous êtes distrait sans doute, car ce chèque, vous avez oublié de le signer...

— Détrompez-vous, dit l'Écossais. Ce n'est pas de la distraction. C'est qu'en matière de générosité, je tiens à rester aussi discret que possible...

921 □

Un Écossais va au restaurant, il commande une huître et il avale malencontreusement une perle qui lui perfore l'intestin. Sa veuve, en suivant le corbillard, confie à une amie :

— Encore heureux qu'il l'ait avalée, cette perle ! Sinon, on n'aurait pas pu payer l'enterrement...

922 □

Un habitué des bistrots et des machines à sous raconte à un ami :

— Hier soir, je me suis disputé avec un Écossais. Je l'ai pris par les épaules et je l'ai secoué comme un prunier !

— Et alors ?

— Et alors, il a fait *kilt*...

923 □

Un Écossais ouvre son porte-monnaie et il en sort... une mite.

924 □

Dans un bistrot d'Edimbourg, un Écossais appelle le garçon :

— Dites donc, je n'ai pas encore trouvé de jambon dans le sandwich que vous m'avez donné!

— Oh! Monsieur, c'est étonnant. Essayez encore une autre bouchée.

Le client mord encore une fois et il dit:

— Non! Toujours pas de jambon...

— Ben alors, répond le garçon, c'est que maintenant vous l'avez dépassé...

□ **925**

Le brave MacPherson, Écossais de vieille souche, est un homme tellement économe qu'il a mis tous ses jouets de côté pour le jour où il retomberait en enfance...

□ **926**

Trois Écossais traversent la rue et l'un d'eux se fait écraser par une voiture. Les deux autres décident d'aller annoncer l'affreuse nouvelle à son épouse. Ils arrivent devant la maison de leur défunt ami et une femme vient leur ouvrir.

— Vous désirez, messieurs ?

— Euh, dit l'un des gars, vous êtes bien madame Veuve MacIntosh ?

— MacIntosh, oui, dit la dame, mais veuve, non!

— Ah! Vous croyez ? Vous pariez combien ?

éducation sexuelle

□ **927**

Le père noble à son fis de dix-sept ans:

— Tu es grand maintenant, mon petit. Il est temps que nous ayons une petite conversation sur les choses sexuelles.

— Oui, papa. Qu'est-ce que tu veux savoir ?

928 ☐

Un petit garçon va trouver sa mère et il lui demande :

— Dis, maman, c'est toi qui entres dans papa ou c'est papa qui te rentre dedans ?

La mère lui flanque une gifle et lui dit :

— Petit dévergondé ! Monte dans ta chambre tout de suite !

Mais le père, qui a suivi la scène, prend sa femme à part :

— Chérie, il fallait lui répondre. Sa curiosité est tout à fait justifiée. En te conduisant ainsi, tu vas lui donner des complexes.

Et décidé à réparer les dégâts, il monte dans la chambre de son fils et il le trouve, un peu empourpré, en train de se livrer au plaisir solitaire. Alors il avale sa salive et il lui dit :

— Écoute, finis tes devoirs et puis après, je répondrai à la question que tu as posée à maman...

929 ☐

— Tu sais, dit la mère, il faut quand même que tu parles au petit. Demain, il part au régiment. Il ne faudrait pas que ses camarades se moquent de lui quand ils discuteront de ça...

— Tu as raison, dit le père. Je n'ai jamais eu le courage de le lui dire, mais je vais essayer.

Et puis le soir, il hésite, et il ne dit rien. Et le lendemain matin non plus. Les mots lui restent dans la gorge. Il accompagne son fils à la gare. Il prend le dernier verre avec lui et il ne se décide toujours pas.

Enfin le train démarre et le père, rouge de confusion, s'aperçoit qu'il n'a pas rempli son devoir de père. Alors il se met à courir à côté du wagon et brusquement il sent qu'il va se débarrasser d'un poids énorme. Il arrive à la hauteur de la fenêtre d'où son fils lui fait des signes d'adieu et il crie :

— Albert ! Albert ! Il faut que tu saches ! Le Père Noël, c'était pas vrai !

☐ 930

— Écoute, dit la dame à son mari. Jérôme a maintenant treize ans. Il faut lui expliquer la vie. Je ne sais pas, moi, parle-lui des oiseaux, des chats, des chiens, mais il faut absolument le mettre au courant.

— D'accord, dit le mari. Je vais m'en occuper.

Alors, il fait venir son fils et il lui dit:

— Tu sais, Jérôme, ce que nous avons fait, tous les deux, la semaine dernière avec les deux cousines de province, eh bien, maman tient absolument à ce que je te dise que les oiseaux, les chiens et les chats, ils font la même chose!

☐ 931

Un gars appelle son môme de treize ans et il lui dit:

— On va bavarder ensemble. Je vais te faire un cours d'éducation sexuelle...

— Oh! C'est pas la peine, fait le gamin. Ces trucs-là, ça m'intéresse pas. Moi je veux faire dessinateur industriel...

☐ 932

Un père vient de faire un long discours à ses deux bambins pour leur expliquer les mystères de la vie. Il leur a raconté que les choux et les roses, ce n'était pas vrai, et pour bien leur faire comprendre le mécanisme de la reproduction sexuelle, il leur a parlé du pistil, du pollen, des fleurs.

Le soir venu, le petit garçon regarde par le trou de la serrure dans la chambre de ses parents, parce que la chose lui semble louche et qu'il veut avoir des preuves. Sa sœur s'approche de lui et lui demande:

— Qu'est-ce qu'ils font?

— Euh... répond-il, je crois qu'ils jardinent...

933 □

— Papa, qu'est-ce que ça veut dire, le mot vice?

— Euh! Vice, ça veut dire... euh... Par exemple, si j'allais coucher avec la concierge, ou avec le chien, ou avec toi, eh bien, c'est ça, le vice...

— Ah, bon! Alors, pourquoi est-ce qu'on m'a nommé vice-président du club des Cadets?

934 □

— Chéri, il faut parler au petit. Il faut lui dire comment on donne la vie. Il a déjà dix-neuf ans. Après, ce sera trop tard!

— Oui, ma chérie! Je vais lui expliquer ça en parlant des chiens et des chats.

— Oh, non! Pas les chiens et les chats. Ce serait une révélation trop violente d'un seul coup. Il est tellement fragile!

— Bon! Ben alors, je vais lui parler des oiseaux!

— Non! Pas les oiseaux! Ça risquerait de le traumatiser pour toujours. Il faut aller plus doucement...

— Ben... euh... alors, je vais essayer avec les fleurs...

— Oui, je crois que c'est mieux. Et même ce serait plus prudent de commencer par les fleurs artificielles...

935 □

— Écoute, mon enfant, dit le père à son petit garçon de sept ans, tu as dû remarquer que maman attendait un bébé. Eh bien, elle va grossir de plus en plus jusqu'au jour de la naissance! Et sais-tu pourquoi tu vas avoir un petit frère ou une petite sœur? Je vais t'expliquer, parce que maintenant, tu es assez grand pour comprendre. Les hommes et les femmes, pour avoir des enfants, font exactement comme les animaux, comme les abeilles par exemple...

Et le père se lance dans un discours sur la fonction sexuelle chez les insectes. Au bout d'une demi-heure, à bout de souffle, il ajoute :

— Alors, est-ce que tu as compris maintenant pourquoi maman est en train de grossir ?

— Oui, fait le môme. Elle s'est fait piquer par une saleté de guêpe...

☐ **936**

Le petit Samuel et la petite Sarah, qui ont une quinzaine d'années à eux deux, vont trouver leur père Isaac et la petite Sarah lui demande :

— Papa, à quoi ça sert ce petit truc que Samuel a entre les jambes et que moi je n'ai pas ?

Embarrassé, Isaac toussote en cherchant ce qu'il va répondre et il finit par dire :

— Ce qu'il a, Samuel, c'est la clef pour ouvrir le paradis de Yahvé ! Et là où toi, tu n'as rien, eh bien, c'est la serrure du paradis !

Et la petite Sarah s'écrie :

— Alors, pourquoi Samuel m'a dit de souffler dans son truc en me faisant croire que c'était la trompette de Jéricho ?

éléphant

☐ **937**

— Tu vois, dit Toto à sa sœur, les touches de piano, elles sont en ivoire... Et quand elles sont très vieilles, on en fait des défenses d'éléphant !

☐ **938**

Devant l'éléphant du zoo de Vincennes, le gosse demande à sa mère :

— Maman, qu'est-ce qu'il a, l'éléphant, qui pendouille là ?
— C'est sa trompe.
— Non, pas là. Plus bas...
— C'est... oh ! c'est rien du tout.
Alors un quidam qui a suivi la scène dit à la mère :
— Eh bien, ma petite dame, vous êtes drôlement blasée !

939 □

Un directeur de cirque offre une énorme prime à l'amateur qui sera capable de faire hurler son éléphant. Mais personne n'y arrive, sauf un petit bonhomme en bretelles qui s'est présenté tout faraud en disant :
— Moi, je sais ce qu'il faut faire !
Alors on l'enferme tout seul avec l'éléphant et au bout de cinq minutes, on entend des barrissements épouvantables.
Le gars empoche son pognon et il disparaît. Mais à quelque temps de là, le cirque repasse dans le même patelin, et cette fois-ci, l'épreuve est devenue plus difficile : on peut gagner dix fois plus, mais l'éléphant, il faut le faire parler en public !
Alors le mec en bretelles entre sous le chapiteau, il toise la foule des spectateurs, il s'approche de l'éléphant et il lui glisse quelque chose à l'oreille. Et l'éléphant gueule à tue-tête :
— Non ! Jamais de la vie !
Tout le monde se met à hurler d'enthousiasme, sauf le directeur du cirque qui est complètement estomaqué. Il se glisse vers le petit gars et il lui souffle :
— Il doit y avoir un truc ! Qu'est-ce que vous lui avez dit ?
— Ben, fait l'autre, je lui ai seulement demandé : « Tu veux que je recommence comme la dernière fois ? »

☐ **940**

C'est facile de traiter quelqu'un de menteur. Mais comment peut-on en être sûr ? Par exemple, si vous me montrez votre boîte aux lettres en me disant qu'elle est vide, et si je décide de l'ouvrir et que je trouve un éléphant dedans, je voudrais savoir qui a menti, vous ou moi ?

☐ **941**

Un affreux libertin dit à un autre :
— Est-ce que tu connais l'histoire de l'éléphant qui a une trompe rose ?
— Non.
Alors le gars ouvre sa braguette, il baisse son slip. Puis il retourne ses poches de pantalon en disant :
— Ça, c'est les oreilles !
(Mais c'est une histoire que les dames ne peuvent pas raconter, parce qu'elles n'ont pas de poches.)

☐ **942**

— Écoutez, dit le psychiatre, c'est ridicule ce que vous me chantez là. Vous vous faites du cinéma. Personne ne peut être amoureux d'un éléphant.
— D'accord, dit le malade. Je ne suis pas amoureux d'un éléphant. Mais alors, docteur, ça ne vous dirait rien de me reprendre au rabais une grosse bague de fiançailles ?

☐ **943**

Le train roule et les voyageurs s'aperçoivent avec surprise que le vieux bonhomme assis dans le coin du compartiment s'occupe à un très curieux manège. De temps en temps, il sort de sa valise une bouteille pleine de poudre, il ouvre la fenêtre et il verse un peu de poudre au-dehors.
Puis il ferme la bouteille, il ferme la fenêtre, il remet la bouteille dans sa valise. Et cinq minutes

après, il recommence. A la dixième fois, il y a un gars qui ne peut plus tenir. Il dit au bonhomme :

— Qu'est-ce que vous fabriquez ?

L'autre, il répond :

— Vous voyez bien. Je jette de la poudre magique par la fenêtre, de la poudre Tip-Tip contre les éléphants...

— Contre les éléphants ? Mais pourquoi ?

— Pour qu'il n'y ait pas d'accident de chemin de fer avec les éléphants...

— Avec les éléphants ? Mais il n'y a pas d'éléphants ici !

Alors, le vieux monsieur sourit très finement et il dit :

— Bien sûr, il n'y a pas d'éléphants... Mais ça ne fait rien, parce que ma poudre magique, c'est pas du vrai Tip-Tip !

944 □

Un célèbre explorateur a été capturé par une tribu de sauvages. Et on le condamne à avoir la tête écrasée par un éléphant. On lui a attaché le cou sur un billot. Un énorme éléphant blanc approche et il lève son énorme patte au-dessus du pauvre malheureux...

Juste à ce moment, le regard de la bête et le regard de l'homme se croisent et ils semblent se reconnaître... Mais oui ! Maintenant l'explorateur se souvient. Il y a dix ans, au pied du Kilimandjaro, il a secouru un éléphant blanc qui était blessé par une mauvaise flèche et qui agonisait lentement. Il s'est approché de lui. Il lui a retiré la flèche de la patte. Il l'a soigné de la gangrène pendant plusieurs jours et finalement, il lui a sauvé la vie ! Quelle fabuleuse coïncidence !

Et comme les éléphants ont une mémoire extraordinaire, ce brave pachyderme l'a reconnu, il va lui sauver la vie à son tour ! Mon Dieu, quelle issue

…pérée ! Alors, l'éléphant abaisse sa patte et lui écrase la tête.

Décidément non, ce n'était pas le même éléphant...

enfer

☐ 945

C'est un gars qui a été très frileux toute sa vie. Il meurt et il se présente devant saint Pierre. Le gardien du ciel regarde sa fiche et il lui dit :

— Vous avez mené une existence d'une moralité exemplaire ! Vous avez gagné votre paradis !

— Euh... dit le gars, si ça ne vous dérange pas, je préférerais autre chose ! Je crois même que le seul endroit où je puisse me sentir à l'aise, c'est l'enfer !

— Vous êtes dingue, dit saint Pierre. Vous n'avez pas mérité d'aller souffrir horriblement en enfer !

— Ça m'est égal. Vous savez, pour moi, il n'y a qu'une seule chose qui compte : c'est de me sentir au chaud ! Alors en enfer, je n'aurai plus de problèmes...

Et saint Pierre se résigne à contrecœur à mener le nouvel arrivant en enfer. Mais au bout de quelques jours, il a des remords.

— J'ai mal agi avec ce type, se dit-il tristement. Il doit être en train de rôtir affreusement, alors que le paradis lui était promis. Il faut que j'aille le chercher et que je le tire de là à tout prix...

Et saint Pierre descend en enfer, il ouvre la porte, il reste un moment sur le seuil à chercher des yeux son bonhomme et soudain il entend la voix du gars qui crie :

— La porte, nom de Dieu !

946 ☐

Un damné téléphone de l'enfer à un copain bienheureux qui a mérité le paradis :

— Ici, ça va pas trop mal. On travaille deux ou trois heures par jour pour allumer les feux. Le reste du temps, on se la coule douce. Comment ça va au paradis ?

— Ne m'en parle pas, répond l'autre. Un boulot fou. On se lève à six heures. On se couche à minuit. Je n'en peux plus !

— Mais enfin, c'est le monde à l'envers ! Comment ça se fait ?

— C'est rapport à la main d'œuvre. Que veux-tu, il n'entre jamais personne....

947 ☐

Un médecin dit à un prêtre :

— J'aimerais autant que vous m'empêchiez d'aller en enfer...

Et le prêtre lui répond :

— D'accord, mais alors, empêchez-moi d'aller au ciel...

948 ☐

Le Diable fait visiter l'enfer à saint Pierre. Et le gardien du paradis est très étonné. Le premier spectacle qu'il voit est celui d'un criminel endurci qui se pavane avec une bouteille de whisky à la main et une belle fille nue entre les bras.

— Comment ? dit saint Pierre. C'est tout le châtiment que vous lui avez trouvé ?

— Oh ! Ne vous y fiez pas trop, dit le Diable. La bouteille a un trou au fond et la fille n'en a pas...

949 ☐

Un grand caïd américain de la publicité meurt

dans un accident de voiture et arrive aux grilles du paradis.

— Attendez, lui dit saint Pierre, je vais vous montrer. Vous n'aurez qu'à choisir !

Et il l'emmène d'abord dans une grande prairie où des centaines d'anges jouent de la flûte et où des milliers d'hommes vont et viennent dans l'ennui le plus profond, en bâillant désespérément.

— Ça, c'est le paradis, explique saint Pierre. Maintenant, je vais vous montrer l'enfer.

Et ils arrivent tous les deux devant une grande fête délirante. Tout le monde danse et l'allégresse éclate sur les visages. Les hommes et les femmes semblent ivres de joie.

— Voilà l'enfer, dit saint Pierre. Qu'est-ce que vous préférez ?

— Quelle question idiote, dit le grand homme d'affaires. Je choisis l'enfer, évidemment !

— Parfait, dit saint Pierre. Vous l'aurez voulu !

Alors deux démons grimaçants sortent d'un nuage et entraînent le nouveau venu dans une énorme cuve d'huile bouillante.

— Hé là ! crie-t-il furibard, mais vous m'avez menti, monsieur saint Pierre ! L'enfer, ce n'est pas ce que j'ai vu tout à l'heure !

— Oh ! dit saint Pierre en s'en allant, ce que je vous ai montré, c'était de la publicité...

☐ **950**

Staline vient de mourir. Saint Pierre l'accueille au seuil de l'autre monde. Il le dévisage d'un œil glacial et lui dit :

— Hum ! Je crois qu'en ce qui vous concerne, il n'y a guère que l'enfer à vous offrir. Jetez un coup d'œil pour voir !

Alors Staline ouvre la porte de l'enfer. Il voit des damnés, étendus sur des planches à clous, qu'on est en train de fouetter avec des fouets à clous. Il se retourne et il dit :

— Il n'y a vraiment pas le choix ?
— Mais si, dit saint Pierre. Vous avez le choix entre l'enfer capitaliste et l'enfer communiste !
— Bon, dit Staline. Alors je prends l'enfer communiste. Il manquera sûrement des clous...

enterrement

951 □

— Monsieur le curé, l'enterrement de première classe, ça coûte combien ?
— Avec tous les vicaires et les grandes orgues, trois mille francs...
— Et la seconde classe, c'est combien ?
— Avec tous les vicaires et sans les grandes orgues, deux mille francs...
— Ah ! bon. Mais alors, la dernière classe, c'est combien ?
— Juste une absoute de cinq minutes avec moi tout seul, cinq cents balles...
— Même si on vous fournit le mort ?

952 □

C'est une pauvre veuve, une femme dans le besoin, qui arrive dans une entreprise de pompes funèbres et elle dit :
— Mon mari vient de mourir ! C'est affreux, parce qu'il est mort en bleu de travail et son plus cher désir au monde, c'était d'être enterré en habit comme il faut. Seulement, nous sommes tellement pauvres à la maison, qu'il n'avait pas seulement un costume de rechange !
L'employé réfléchit une minute et comme c'est un homme compatissant, il lui dit :
— Vous en faites pas, madame, on va essayer de faire quelque chose...

Et le lendemain, jour des funérailles, elle retrouve son mari tout à fait refroidi, mais engoncé dans un superbe smoking. Elle se précipite sur l'ordonnateur des pompes funèbres et elle se répand en remerciements :

— Mon Dieu, monsieur, vous ne savez pas quelle bonne action vous avez faite ! Dites-moi au moins si je vous dois quelque chose pour ce bel habit...

Et le gars réplique :

— Vous nous devez rien, ma petite dame ! Il y avait justement un fêtard en smoking qui est tombé raide mort cette nuit, et comme personne ne le réclamait, on a juste échangé les têtes...

□ **953**

Une mère en larmes suit l'enterrement de son fils qui vient de mourir à vingt ans. Le curé essaie de la consoler :

— Vous devez au moins penser que le pauvre petit est sûrement assis à côté du Bon Dieu.

— Oh ! Je sais bien, répond la mère qui redouble de sanglots, mais à vingt ans, le Bon Dieu, c'est pas drôle du tout...

□ **954**

Une petite vieille sans famille est morte toute seule dans sa petite maison. On ouvre son testament et on lit :

— Je n'ai rien à léguer à personne. Je n'ai qu'une seule volonté à exprimer : je veux être incinérée...

Alors les pompes funèbres municipales se chargent de tout. Le fourgon part vers le cimetière. Il fait un froid de canard et la route est toute verglacée. Et comme le fourgon n'en finit plus de déraper, un croque-mort se tourne vers un autre et il lui dit :

— Passe la vieille ! On va cendrer...

955 □

Un curé est en train de préparer la cérémonie d'enterrement d'un vieux célibataire, un vieux beau qui était très coquet et portait perruque. Le bonhomme est dans son cercueil et le curé s'aperçoit que sa perruque ne lui tient plus sur la tête.

— Il faut faire quelque chose, dit-il aux enfants de chœur. Attendez. Je reviens tout de suite...

Il se ramène avec un pot de colle, mais il s'aperçoit que maintenant tout est arrangé :

— Hé ben... qu'est-ce qui s'est passé ? dit-il.

— C'est rien, répondent les enfants de chœur, on a mis un clou.

956 □

Les croque-morts essaient de soulever le cercueil en présence de la famille éplorée. Ils s'y mettent à deux, ils s'y mettent à quatre, ils s'y mettent à huit... rien à faire. C'est à croire que cette damnée boîte est vissée au sol.

Et voilà que l'un d'eux sort un petit sachet de sa poche et répand une poudre blanche sur le cercueil. Et tout aussitôt, on peut soulever la caisse comme une plume ! Alors tous les autres demandent au bonhomme :

— C'est épatant, ça ! Qu'est-ce que c'est que cette poudre ?

— Oh ! dit le gars, c'est juste de la levure de bière...

957 □

Un vieux paysan sans famille vient de mourir de sa belle mort et comme il n'y a plus personne pour s'occuper de lui, le curé accepte de s'en charger. Il arrive avec sa servante dans la maison du défunt. Il prie et il veille. Et au bout d'un moment, sa servante lui demande :

— Monsieur le curé, voulez-vous que j'habille le mort ?

— Voyons, mon enfant, dit le curé. Ne dites pas *le mort*. Appelez-le au moins *monsieur*.

Une heure plus tard, on sonne à la porte et la servante revient en disant :

— Monsieur le curé, ce sont les *croque-monsieur*.

☐ **958**

— Écoutez, dit le curé à la veuve, avec vingt cierges, la messe d'enterrement vous coûtera mille francs. Avec dix cierges, six cents. Avec cinq cierges, trois cent cinquante.

— Bon, fait la veuve. Ne mettez qu'un seul cierge.

— Je veux bien, dit le curé, mais ce sera moins gai...

☐ **959**

Les croque-morts descendent le cercueil dans un escalier particulièrement étroit. Et voilà que tout d'un coup, il y en a un qui loupe une marche.

Le cercueil commence à dégringoler dans la cage de l'escalier. Il saute de marche en marche, et arrivé en bas, il s'ouvre brutalement.

Alors, à la stupéfaction générale, la morte, qui n'était qu'en catalepsie, se lève et marche, réveillée par le choc !

Deux ans plus tard, la bonne femme meurt pour de bon. Les croque-morts clouent le cercueil. Ils le chargent sur leurs épaules. Alors on entend le mari qui leur glisse à l'oreille :

— Et cette fois-ci, attention à la marche !

☐ **960**

Sa belle-mère vient de mourir et il se présente aux pompes funèbres.

— Alors, dit l'employé, qu'est-ce qu'on lui fait ? On l'enterre ? On l'incinère ? On l'embaume ?
Et le gars répond :
— Faut pas courir de risques... Faites-lui les trois !

961 □

Au retour du cimetière, le mari explose de joie :
— Ah ! C'est pas malheureux ! Ça fait quinze ans qu'elle nous empoisonne l'existence en vivant à nos crochets... On est enfin délivré de ta poufiasse de mère !
Et sa femme s'exclame :
— Comment, ma poufiasse de mère ? Mais j'ai toujours cru que c'était la tienne !

962 □

Tout au bout du cortège qui suit le fourgon mortuaire dans les allées du cimetière, un gars marche lentement en tenant son chien en laisse. Quelqu'un lui demande :
— Vous êtes de la famille ?
— Non.
— Vous étiez de ses amis ?
— Non.
— Alors, qu'est-ce que vous êtes venu faire ici ?
— Oh ! Vous savez, je ne suis pas venu pour moi, je suis venu pour mon chien !
— Pour votre chien ? Qu'est-ce qui peut bien intéresser votre chien, là-dedans ?
— Ben, on ne sait jamais... Un os, peut-être...

963 □

Un vieux bonhomme qui sent venir la mort se présente dans une entreprise de pompes funèbres et il dit :
— Je voudrais voir vos modèles de cercueils.

— Mais certainement, monsieur, répond l'employé.

Et on lui montre des cercueils à tous les prix. Le gars regarde la marchandise très attentivement et au bout d'un moment, il demande :

— Vous m'avez montré un modèle à dix mille francs et un autre à quatre mille francs. Pourtant, je ne vois pas tellement de différence entre les deux.

— Ah ! vous croyez ? fait l'employé. Ben, entrez dans celui à quatre mille et essayez d'écarter les coudes...

espagne

☐ **964**

Dans un grand immeuble de Séville, un incendie s'est déclaré. Au septième étage, un homme cerné par les flammes se débat en hurlant sur une corniche.

En bas, les pompiers ont tendu une grande bâche. Soudain, le gars se lance dans le vide en visant bien au milieu. Emportée par l'habitude, la foule crie :

— *Olé !*

Alors les pompiers font une passe de muleta avec la bâche et le type s'écrase sur le pavé...

☐ **965**

Un beau jour, le gouvernement de Franco avait décidé de mettre la prostitution hors la loi. Aussitôt la mesure rendue publique, un grand cortège s'était formé dans les rues de Barcelone.

En tête venaient les maquereaux qui criaient :

— Guérilla ! Guérilla !

Suivaient les putains qui clamaient en chœur :

— *Adios... muchachos !*

Et clôturant le défilé, une procession de jeunes garçons très mignons chantait à l'unisson :

— *Esperanza ! Esperanza !*

966 ☐

Diogène se balade à travers le monde, sa lanterne à la main. Et partout où il passe, on lui pose la question :

— Que cherches-tu, Diogène ?

Et il répond de la même voix mécanique :

— Je cherche un homme !

Mais un jour, aux alentours des années cinquante, Diogène arrive en Espagne. Le lendemain, un alguazil l'arrête et lui dit :

— Que cherches-tu, Diogène ?

Et il dit :

— Je cherche ma lanterne...

967 ☐

Ça se passe sous la dictature. Une Espagnole vient d'accoucher d'un bébé qui ressemble comme deux gouttes d'eau au général Franco. Le mari s'amène à la clinique et il commence à prendre la chose fort mal. Alors la jeune mère l'interrompt tout de go en criant :

— Ah ! Je t'en prie, hein ! c'est pas à toi de faire des histoires. Ce qui s'est passé, c'est entièrement de ta faute !

— De ma faute ? Ah ! ben ça alors, tu ne manques pas de culot ! Comment ça peut être de ma faute ?

— Évidemment ! Ça devait bien finir par t'arriver, à force de répéter toute la journée : *J'en ai plein les couilles de Franco...*

968 ☐

Le toréador était en train de faire une passe éblouissante, mais il vient de glisser malencontreusement dans le sable de l'arène où il reste piteusement étalé.

Alors le taureau lui fonce dessus, il arrive sur lui, les cornes en avant, il s'arrête à quelques centimètres de son visage et il lui dit :
— Alors ? On ne crâne plus maintenant ! Et si j'étais vache ?

☐ **969**

Du temps du franquisme, un Espagnol se présente dans un bureau de poste et il dit :
— Vous m'avez vendu des timbres qui ne collent pas !
L'employé, surpris, prend un timbre à l'effigie de Franco. Il crache un peu sur la colle et le timbre colle très bien.
— Qu'est-ce que vous me racontez ? dit-il. Ça colle parfaitement !
— Ah ! bien sûr, dit le gars, mais moi, je crache pas du côté de la colle...

☐ **970**

La servante espagnole vient de découvrir, en faisant le lit conjugal, un petit objet de caoutchouc souple et ratatiné. La maîtresse de maison surgit dans la chambre au moment où la bonne tient la chose dans sa main, avec un air de totale stupéfaction...
— Eh bien ! Mercédès ! Ne faites pas cette tête idiote ! On ne fait pas l'amour avec ça dans votre pays ?
— Euh ! Madame... Bien sûr qu'on fait l'amour, mais moi je n'ai jamais arraché la peau de personne...

☐ **971**

En 1969, un module américain se pose pour la première fois sur la lune. Les astronautes, harnachés de combinaisons étanches, ouvrent le sas et mettent le pied sur le sol vierge. Ils sont tellement émus que leur cœur bat à se rompre, quand soudain un petit groupe s'avance vers eux très placidement. Ce sont des Espagnols !

— Comment ? hurle le commandant de la fusée. Les Espagnols sont arrivés avant nous ? Mais c'est une hallucination ! C'est impossible ! Comment avez-vous fait, sans carburant, sans budget, sans base de lancement, sans rien ?

— Ben, répond un des Espagnols, on s'est armés de patience et on a fait la courte échelle : d'abord un militaire, et puis un curé qui lui monte dessus, et puis un militaire qui lui monte dessus, et puis un curé qui lui monte dessus, et puis un militaire qui lui monte dessus, et puis un curé...

---

esquimau

---

972 □

Ça se passe dans le grand Nord, mais vraiment le très grand Nord. Un crime a été commis et un inspecteur de police arrive dans un village esquimau. Il arrête quelqu'un dans la rue et il lui dit :

— Qu'est-ce que vous faisiez pendant la nuit du 15 novembre au 3 avril ?

973 □

Un Esquimau rentre dans son igloo, il embrasse sa femme et tout d'un coup, il se met en fureur :

— Espèce de traînée ! Ton amant sort d'ici ! Surtout ne mens pas, je sais tout ! Ton nez est encore chaud...

974 □

Deux Esquimaux sont en vadrouille sur les Champs-Élysées et le premier dit à l'autre :

— Si on allait au cinéma ?

— Pourquoi au cinéma ? dit l'autre.
— Ben, fait le premier, il paraît qu'on nous suce...

□ **975**

Un explorateur arrive au Pôle Nord et il aperçoit un nègre tout nu sur un iceberg. Il lui demande :
— Esquimau ?
Et l'autre répond :
— Non ! Chocolat glacé !

□ **976**

Deux petits Esquimaux sont assis sur la banquise à côté d'une grosse charogne de baleine. Et ils en ont déjà mangé au moins un bon quart. Alors, le premier dit à l'autre, la bouche pleine :
— Les baleines, c'est comme les cacahuètes ! Quand on a commencé, on peut plus s'arrêter...

□ **977**

Une énorme baleine vient de s'échouer tout près d'un petit port esquimau. Les autorités décident de la dépecer et de la distribuer à la population en tenant compte des besoins de chaque famille.
Quand tout le monde a reçu sa part, une petite vieille s'amène qui dit :
— Moi, je suis toute seule. Donnez-moi seulement un petit steak. Mais s'il vous plaît, vous me garderez la tête pour mon chat...

□ **978**

Un Esquimau est en train de poireauter devant un igloo. Tout d'un coup, il s'impatiente, il sort un thermomètre de sa poche, il le regarde et il s'exclame :
— Si elle n'est pas là à moins dix, je fous le camp !

979 □

C'est une maman esquimau qui voyage en traîneau. Et elle dit à son petit garçon :

— Jojo ! Laisse pas traîner ton bras dans la neige ! Tu vas rouiller ton crochet...

eunuque

980 □

C'est un jeune homme qui ne veut absolument pas faire son service militaire. Il est prêt à n'importe quoi, mais il ne veut pas porter l'uniforme. Il va voir un ami médecin qui lui dit :

— Mon vieux, en ce moment, ils sont terribles, ils prennent tout le monde. Je ne vois qu'un seul moyen, c'est de te faire eunuque !

Le gars, il n'hésite pas ! Hop ! Il se fait châtrer en vitesse et il s'amène au conseil de révision tout faraud. Le toubib militaire le regarde rapidement et lui dit :

— Réformé, mon vieux ! Vous avez les pieds plats !

981 □

— Vous connaissez l'histoire de l'eunuque décapité ?

— Non.

— Eh bien, elle n'a ni queue, ni tête... Et celle de la surprise-partie chez les eunuques, vous connaissez ?

— Non.

— Eh bien, la surprise, c'est qu'il n'y avait pas de parties...

☐ **982**

Un type s'amène dans une clinique et il dit au chirurgien :

— Je voudrais me faire émasculer !

— Qu'est-ce que vous dites ?

— Je voudrais me faire émasculer !

— Mais vous avez une raison pour cela ?

— Discutez pas ! Je paie ! Je veux qu'on m'émascule !

Le chirurgien se dit qu'il ne faut pas être plus royaliste que le roi. Il fait entrer le gars dans une salle d'opération, il l'endort et il lui coupe les organes de la virilité. Le lendemain, l'opéré reçoit la visite d'un copain tout surpris qui lui dit :

— Qu'est-ce que tu fabriques dans cette clinique ? J'ai entendu dire que tu étais là, tout à fait par hasard, en venant me faire vacciner...

— Vacciner ! hurle l'autre. Voilà le mot que je cherchais depuis une semaine...

☐ **983**

Un type s'exclame :

— Ça ne peut plus durer ! Je suis trop puissant ! Il faut que je m'en crève une !

Et prenant un couteau, il fait ce qu'il a dit. Puis il s'écrie :

— Ouf !

☐ **984**

La scène se passe dans un harem d'Arabie. Il y a l'eunuque, un grand cimeterre à la main, qui court après le sultan en gueulant :

— Remboursez-moi ! Remboursez-moi !

☐ **985**

Un eunuque rentre chez lui, tard le soir, et il est

agressé par un malfaiteur qui se jette sur lui en criant :

— La bourse ou la vie !

Alors le bonhomme répond très gentiment :

— Excusez-moi ! Je n'ai plus que des petites coupures...

évangile

986 ☐

La scène se passe chez un modeste charpentier juif. Il s'appelle Joseph. Il est marié à une très jeune fille qui s'appelle Marie.

Elle est assise sur une chaise, les yeux baissés, et elle est en train de lui raconter quelque chose. Alors, tout d'un coup, il s'arrête de raboter et il s'écrie :

— Quoi ? Et tu t'imagines que je vais croire cette salade !

987 ☐

Jésus, suivi de ses apôtres, rencontre un malade au bord du chemin.

— Seigneur, guérissez-le, dit saint Pierre.

Jésus impose les mains au malade et l'homme recouvre la santé. Un mois plus tard, au hasard de leurs longues pérégrinations, Jésus et ses disciples retrouvent le même homme, encore plus décharné qu'à leur dernier passage.

— Seigneur, dit saint Pierre, comment se fait-il ?

Jésus s'approche du malade, l'examine et se retourne pour dire :

— Il n'y a rien à faire. C'est le cancer...

988 ☐

Dans une pauvre étable, un jeune charpentier s'approche de sa femme et il lui dit :

— Mais enfin, Marie, qu'est-ce que tu as à pleurer comme ça ?

Et la jeune femme en larmes :

— Oh, Joseph ! J'aurais tellement voulu avoir une fille !

☐ **989**

Il voulait faire croire qu'il multipliait les pains, qu'il marchait sur l'eau, qu'il guérissait les paralytiques... Alors, le jour où il monta au Calvaire, les gens se mirent à crier :

— Des clous !

☐ **990**

La populace déchaînée est en train de lapider une putain. Mais voici que Jésus descend de son âne et il fait un geste pour calmer la foule :

— Ce que vous faites là est ignoble ! Que celui qui n'a jamais péché lui lance la première pierre...

Alors tout le monde baisse la tête et les pierres cessent de pleuvoir sur la pauvre femme. Elle se relève lentement, le visage baigné de sang et de larmes. Et tout d'un coup, elle reçoit une caillasse en pleine gueule.

— Ça, c'est un comble ! s'écrie Jésus. Qui a osé se croire assez pur pour continuer ce massacre ?

Et scrutant l'assistance, il finit par découvrir le visage courroucé d'une femme qui ramasse déjà d'autres cailloux. Du coup, il se met à hurler :

— Dis donc, maman ! Tu crois pas que tu en fais un peu trop ?

☐ **991**

Le soir de la Cène, Judas appelle le maître d'hôtel et il lui dit :

— Vous ferez les additions séparées...

992 ☐

Jésus arrive en haut du Calvaire, avec la croix sur le dos, et il tombe pour la troisième fois.

Alors il s'éponge le front et il murmure :

— Ah ! là ! là !... L'été prochain, j'irai à la mer...

993 ☐

Pendant le sermon sur la montagne, Thomas se penche vers Judas et il lui glisse dans l'oreille :

— Il est fou ! Il se prend pour Jésus-Christ...

994 ☐

Jésus est de passage dans une maison de Galilée avec ses apôtres. A la fin, ça l'agace de ne plus pouvoir faire un pas sans qu'ils le suivent. Alors il leur dit :

— Allez un peu voir dehors si j'y suis !

Ils y vont. Eh bien, il y est !

995 ☐

Le Christ vient de marcher sur les eaux. La foule entière est émerveillée :

— C'est extraordinaire !

— Comment extraordinaire ? lance un gamin. Il n'y a pas plus idiot : il ne sait même pas nager...

996 ☐

Jésus marche sur le lac de Tibériade et tous les apôtres l'ont suivi sauf Thomas qui tremble de peur de se noyer.

— Voyons, lui crie Jésus, crois en moi et tu marcheras sur l'eau !

Thomas se risque enfin, mais il s'enfonce jusqu'au cou.

— Au secours ! hurle-t-il.

— Fais pas l'imbécile, lui lance saint Jean. Fais comme nous ! Marche sur les pierres...

☐ **997**

Le jeudi saint, après la Cène, Judas embrasse Jésus et il lui dit :
— Bon week-end !

☐ **998**

Une petite fille raconte le miracle des noces de Cana :
— Alors, à la vue de Notre-Seigneur, l'eau se troubla, rougit et fut changée en vin.

☐ **999**

Jésus monte au Calvaire. La chaleur est torride. Il peine, il sue, il gémit, il tombe, se relève et tombe encore. Alors un garde romain lui dit :
— Arrête tes jérémiades. Pour toi, ça va. Mais est-ce que tu as réfléchi que nous autres, il faudra qu'on redescende de là-haut ?

☐ **1000**

Jésus est cloué sur la croix entre les deux larrons. Il se tourne vers le bon larron et il lui dit :
— Ce soir, tu seras avec moi en paradis... Mais en attendant, essaie de venir plus près de moi...
Le bon larron tire sur les clous, il fait un effort terrible et il arrive à s'approcher de Jésus. Alors Jésus se penche de l'autre côté et il dit au mauvais larron :
— Et toi, tu ne veux pas venir plus près de moi ?
— Non ! grogne l'autre. Je suis déjà assez emmerdé comme ça !
— Bon, ben tant pis pour toi, dit Jésus d'un ton pincé. Tu ne seras pas sur la photographie...

☐ **1001**

Le Christ est à l'agonie sur la croix. Et tout

d'un coup, les gardes romains l'entendent qui crie :
— Eh ! les gars... Encore un clou ! Je glisse...

1002 □

— Seigneur, dit l'apôtre Pierre à Jésus, il y a un aveugle qui est venu se plaindre. Vous lui avez rendu la vue, mais dès que vous êtes parti, il est redevenu aveugle !
— Oui, dit Jésus en pouffant de rire. C'était un poisson d'avril...

examen

1003 □

Un étudiant passe un examen de sociologie. Le professeur lui demande :
— Est-ce que la criminalité augmente ou diminue ?
— Euh... dit le jeune homme, elle diminue. A l'époque de Caïn et Abel, il y avait cinquante pour cent d'assassins !

1004 □

Une jeune fille de bonne famille passe un examen pour devenir infirmière. L'examinateur lui demande :
— Quelle partie du corps humain peut se dilater jusqu'à atteindre dix fois son volume et se rétracter ensuite ?
La jeune fille rougit, se trouble, bégaie :
— C'est le... la... c'est... mon Dieu, je préfère ne pas vous le dire.
— Eh bien, réplique l'examinateur, moi, je vais vous le dire : c'est la pupille de l'œil. Et je vais même vous dire autre chose. Vous avez peut-être de l'imagination, mais vous allez au-devant d'une grande désillusion...

□ **1005**

Un inspecteur des chemins de fer fait passer une épreuve de contrôle à un aiguilleur :

— Qu'est-ce que vous faites si vous vous apercevez que deux trains arrivent en sens contraire sur la même voie et qu'ils vont se téléscoper ?

— Euh... J'en aiguille un sur une voie de garage !

— D'accord, mais l'aiguillage ne fonctionne pas...

— Ben alors, j'allume les feux rouges.

— Très bien, mais il y a un mauvais contact et ça ne marche pas non plus...

— Alors, je fais sauter des pétards pour avertir les mécaniciens !

— Parfait ! Mais la pluie a mouillé les pétards...

— Oh ! là ! là !... Alors ça devient fabuleux ! J'appelle tous les copains et on s'installe dans l'herbe... Parce qu'on crève d'envie d'assister à un beau déraillement...

□ **1006**

Un étudiant passe un examen d'anatomie.

— Pouvez-vous me dire, demande le professeur, où se trouve l'appendice chez les hommes ?

— A droite.

— Et chez les femmes ?

— Euh... à gauche !

— Vous en êtes sûr ?

— Enfin, je veux dire... à gauche en entrant !

□ **1007**

Un professeur de sciences naturelles fait passer un examen. Il a amené avec lui une petite caisse pleine d'oiseaux empaillés. Il sort un oiseau de sa caisse, il le cache entièrement dans ses mains en ne montrant que la queue et il demande au candidat :

— Quel est le nom de cet oiseau ?

— Euh... dit l'autre. C'est un merle !

— Non, monsieur, c'est une pie! Je vous laisse encore une chance...

Et recommençant le même manège avec un autre oiseau, il ajoute:

— Et quel est le nom de celui-là?

— Eh bien, dit le candidat embarrassé, je crois que c'est un rouge-gorge...

— Non, monsieur, c'est un rossignol. Vous n'y connaissez rien! Je suis navré, mais je dois vous mettre un zéro. Quel est votre nom?

Alors le gars ouvre sa braguette, il sort sa queue et il dit:

— Devinez!

explorateur

1008 ☐

Un gars entre dans un bistrot et il dit:

— Deux whiskies, s'il vous plaît, mais le second dans un dé à coudre...

Puis il sort de sa poche un minuscule petit bonhomme vivant, haut comme deux pommes, qui boit son whisky dans le tout petit verre. Le barman, tout à fait estomaqué, a de la peine à reprendre ses esprits.

— C'est fantastique, dit-il. Mais comment ça se fait?

— C'est une histoire affreuse, fait le gars. Lui et moi, voyez-vous, nous sommes explorateurs. Il y a un an, nous remontions l'Orénoque, et nous avons débarqué dans un petit village qui s'appelait... euh?... dis donc, Paul, comment s'appelait ce petit village où tu as traité le sorcier de connard?

1009 ☐

— Je viens de recevoir une lettre de mon frère qui

est explorateur en Mandchourie. Il ne doit pas y avoir beaucoup d'eau là-bas...

— Pour sûr! C'est un pays très sec.

— Je sais bien, mais cette fois-ci, c'est encore pire: le timbre est agrafé avec une épingle...

☐ **1010**

Un explorateur devenu vieux raconte à sa femme:

— Je me rappelle, c'était en 29. Je me suis retrouvé seul en face du tigre. C'était lui ou moi. Si je l'avais manqué, il ne m'aurait pas raté!

Alors sa femme le regarde avec fierté. Elle regarde aussi la belle fourrure par terre et elle dit:

— Je suis tellement contente que ç'ait été le tigre. Sinon, le tapis ne serait pas aussi ravissant...

☐ **1011**

Deux ethnologues se retrouvent au musée de l'Homme:

— Eh bien, que deviens-tu? Ça marche pour toi?

— Je pense bien! Je fais des conférences dans les villages de la brousse en Nouvelle-Guinée.

— Tiens, tiens! Et de quoi tu leur parles?

— De la salle Pleyel...

☐ **1012**

Un aéronaute et son ballon, déviés par des vents contraires, se sont complètement égarés. Sortant d'un nuage, le ballon descend lentement vers une belle prairie suisse et son occupant aperçoit un paysan en train de labourer. Il met ses mains en porte-voix et il lui crie le plus fort possible:

— Eh! Monsieur? Est-ce que vous pouvez me dire où je suis?

L'autre se retourne, il regarde longuement cette apparition imprévue et il lâche très lentement:

— Dans un ballon...

1013 □

Un explorateur demande à un autre:

— Quelle est la différence entre un abominable homme des neiges et une abominable femme des neiges?

Et il ajoute aussitôt:

— Ne cherche pas! C'est une abominable paire de couilles...

1014 □

L'explorateur, prisonnier des pygmées, a été condamné à être rôti tout vif. Il cherche en vain par quel subterfuge échapper à la mort, quand soudain il pense au briquet qui est resté dans sa poche. Peut-être qu'en se servant de ce briquet, il passera pour magicien ou pour sorcier.

Alors il le sort de sa poche et crac! il fait jaillir une flamme. Aussitôt le chef de la tribu se met à hurler de saisissement. Une lueur d'espoir passe dans les yeux de l'explorateur et il déclare d'un ton faussement ingénu:

— Vous n'aviez jamais vu ça, hein, petite tête?

— Mais si, dit le chef. Seulement c'est bien la première fois que j'en vois un qui s'allume du premier coup!

1015 □

Au bord de l'Amazone, deux explorateurs sont endormis sous une tente. Deux énormes moustiques surgissent et le premier dit à l'autre:

— On les mange ou on les emporte?

— Je crois qu'il vaut mieux les bouffer tout de suite, dit le second moustique. Si les gros nous voient passer avec, ils vont nous les faucher...

1016 □

Après des semaines et des semaines de marche

dans les collines du Dakota, un explorateur finit par rencontrer un Indien solitaire. Il se précipite sur lui et il lui demande :

— Vous êtes le dernier des Mohicans ?

— Non, dit l'autre, sans lâcher son calumet. Je suis l'avant-dernier. Le dernier est mort hier...

☐ **1017**

Un explorateur fait une conférence :

— Ce qui m'a le plus surpris dans la tribu des Hivus de Nouvelle-Guinée, c'est leur méthode pour se chauffer l'hiver. Ils se réunissent en cercle autour de l'un d'entre eux qui reste debout au milieu. Ils appellent ça le *sauvage central...*

extra-lucide

☐ **1018**

Une voyante téléphone à une autre voyante :

— Allô ? Vous allez très bien, merci. Et moi-même ?

☐ **1019**

C'est un petit garçon qui est prophète sans le savoir. Chaque nuit, il rêve tout haut et il prédit l'avenir. Il y a même des fois où il rêve des chiffres. Il psalmodie dans son sommeil : quinze, deux, sept...

Et ces chiffres sont toujours exactement ceux du tiercé gagnant du dimanche suivant.

Du coup, ses parents ne dorment plus... Ils passent la nuit accrochés à ses lèvres. Et un soir, le petit garçon murmure dans son sommeil :

— Mon Dieu, quel malheur ! Papa va mourir demain à midi !

Le père devient vert, il se ronge les sangs, il passe

une nuit de cauchemars et une matinée d'angoisses affreuses.

A midi moins cinq, il embrasse une dernière fois sa femme, il pose son testament cacheté sur la table, il fond en larmes et à ce moment-là, on sonne à la porte.

Il va ouvrir et il voit devant lui l'employé du gaz qui lui déclare :

— Je viens pour relever le compteur !

— Entrez, lui dit-il.

Le gars entre et soudain il s'effondre, foudroyé par une crise cardiaque...

1020 □

Un groupe de vieilles dames, veuves de guerre, participe régulièrement à des séances de spiritisme. Un soir où elles sont réunies autour de la table tournante, elles décident d'évoquer le Soldat Inconnu. Soudain la table se met à frapper du pied. Alors une dame demande :

— Esprit, tu es là ? C'est bien toi, le Soldat Inconnu de l'arc de Triomphe ?

Et l'esprit répond :

— *Jawohl !*

1021 □

L'actrice Jane Birkin s'adonne à la pratique du spiritisme. Un jour, l'esprit de Galilée vient dans la table et il dit :

— Je ne comprends pas !

— Qu'est-ce que tu ne comprends pas ? demande-t-elle.

— Ben, tu es plate, et pourtant tu tournes !

faits divers

☐ **1022**

« La femme coupée en deux menait une vie double. Avant d'être tuée, cette femme sans tête était allée en cachette chez le coiffeur. » *(Le Berry républicain)*

☐ **1023**

« *Enfoncez la porte, on est morts tous les deux!* hurlait l'unijambiste, affaissé sur le cadavre de sa femme. » *(Le Progrès de Lyon)*

☐ **1024**

« La macabre découverte fut transportée à l'Institut médico-légal afin d'être examinée. Il s'agit du côté droit, dos, poitrine et bras droit d'un corps de femme dont on ignore d'ailleurs le sexe, faisant vraisemblablement partie des deux jambes trouvées lundi. » *(La Croix du Nord)*

☐ **1025**

« Dégagé à coups de pioche de son cercueil de béton, le squelette de la gare de l'Est ne dit rien aux enquêteurs. » *(Le Parisien libéré)*

1026 □

« Un jeune homme s'empoisonne et se jette dans une rivière. L'enquête penche pour un suicide. » *(La Liberté)*

1027 □

« Le conducteur de la voiture accidentée saignait du nez et des narines. Craignant une fracture de la mâchoire, le docteur dut lui recoudre la paupière de l'œil droit. » *(Ouest-France)*

1028 □

« Explosion dans les hauts fourneaux de Thionville. Les trois hauts fourneaux ont été arrêtés. » *(Paris-Normandie)*

1029 □

« Lorsque le lieutenant Sutter arriva sur les lieux, suivi des membres de son corps, il trouva la voiture enveloppée de flammes. » *(Les Dernières Nouvelles d'Alsace)*

1030 □

« La femme gigantesque qui s'échappe depuis cinq mois et demi du puits de gaz d'Hassi-Messaoud n'a plus que quelques heures à danser dans le ciel bleu du Sahara. » *(Nice-Matin)*

1031 □

« La victime avait aussi un trou de balle dans la base du dos. » *(Le Provençal)*

1032 □

« Au moment de tomber foudroyé, il tentait de trouver le chemin des buts par des feintes du nombril, indiquant ainsi aux joueurs de son équipe que la ligne droite est le plus court chemin d'un point à un autre. » *(L'Équipe)*

☐ **1033**

« Tous s'accordaient pour dire qu'il ne restait plus de la victime qu'un tas de cendres. Le docteur, après avoir examiné les restes, conclut à une embolie. » *(La Dépêche)*

☐ **1034**

« Après quoi, il rentra dans sa maîtresse et ressortit armé de son fusil. » *(Le Méridional)*

☐ **1035**

« Deux tubes contenant chacun deux kilos de nitroglycérine ont éclaté. Heureusement, il ne se trouvait à proximité qu'un ouvrier, dont le corps a été littéralement réduit en miettes. » *(Le Journal du Centre)*

☐ **1036**

« Le train arriva sans crier gare et défonça la salle d'attente. » *(La Vie Ouvrière)*

☐ **1037**

« La peur lui écarquillait les yeux, lui dilatait les pupilles, lui faisait suer son front, pâlir et rougir ses joues, dessécher ses lèvres, cliqueter les dents, trembler les quatre membres et frissonner la peau. Alors il préféra s'asseoir et penser à autre chose... » *(Le Télégramme de Brest)*

☐ **1038**

« L'institutrice, écartant les enfants, dégagea la

victime, lambeau par lambeau, du vêtement enflammé. » *(La Croix)*

1039 ☐

« Avant de mourir, il le regardait fixement par-dessus son plat de raviolis à la tomate et il lui souriait en montrant trente-deux molaires artistiquement alignées. » *(Touring-Club)*

1040 ☐

« Un des pénitents, appelé pour habiller le corps, déclara, affreux détail, que la tête ne tenait que par la peau du derrière. » *(Le Provençal)*

1041 ☐

« Un cheminot a découvert un cadavre coupé en trois morceaux par le passage du Paris-Strasbourg. L'inconnu semble sourire. Impossible de mettre un nom sur ce visage. » *(France-Soir)*

1042 ☐

« Malgré sa paupière droite qui pendait et formait comme une poche flasque sur la moitié de sa prunelle gauche, elle avait un regard aiguisé, pénétrant et retors. » *(Le Chasseur français)*

1043 ☐

« Le mystère de la femme coupée en morceaux reste entier. » *(Le Républicain lorrain)*

famille

☐ **1044**

Toto est en train de feuilleter l'album de photographies de la famille et il demande à sa mère :

— Maman, qui c'est, ce beau jeune homme en maillot qui est avec toi sur la plage ?

— Hélas ! dit sa mère mélancoliquement, c'était il y a vingt ans. C'est papa...

— C'est papa ? Mais alors, qui c'est, ce vieux bonhomme chauve qui vit à la maison ?

☐ **1045**

— Dis, papa, moi, je suis né à Paris, hein ?

— Oui.

— Et maman, c'est bien vrai qu'elle est née à Lille ?

— Euh ? Oui.

— Et, toi, tu m'as bien dit que tu étais né à Bordeaux ?

— Mais oui.

Alors le môme réfléchit un moment avant de laisser tomber :

— C'est quand même marrant qu'on se soit rencontrés, tous les trois...

☐ **1046**

Deux amis se rencontrent après une longue séparation :

— Comment ça va ? T'es marié ?

— Oui.

— T'as des enfants ?

— Non. Ma femme sort jamais...

1047 □

Un gars en rencontre un autre et il lui dit, par pure politesse :
— Alors ? Toujours pas d'héritier ?
— Non, fait l'autre piteusement.
— Et ta femme non plus ?

1048 □

C'est un père de deux jumeaux qui ne peut plus supporter d'entendre toute la journée les mêmes stupides réflexions sur la ressemblance de ses enfants. Alors, il répond à quelqu'un qui lui demande pour la millième fois si ce sont des jumeaux :
— Non ! Ce ne sont pas des jumeaux ! Ce sont mes femmes qui sont jumelles...

1049 □

Le patient est étendu sur le divan et le psychanalyste lui dit :
— Voyons, cher monsieur, il est temps d'ouvrir les yeux et de voir la situation en face : vous avez une envie folle de coucher avec votre mère !
Alors le gars fond en larmes.
— Ben, mon vieux, dit le psychanalyste, faut pas vous affoler comme ça ! C'est pas forcément insoluble...
Et l'autre renifle :
— Mais, si, docteur, c'est insoluble ! Vous ne vous rendez pas compte que c'est une femme mariée...

1050 □

Un gars entre chez un fleuriste et il demande :
— Comment ça s'appelle, cette belle fleur que vous avez mise au milieu de votre devanture ?
— Ah, dit la vendeuse, elle appartient à la famille des seringas.

— Tiens, tiens ! Et vous la gardez pendant qu'ils sont en vacances ?

☐ 1051

Il est sept heures du matin. Un adorable bambin vient d'entrer dans la chambre de ses parents et il tire sa mère par le bras :
— Maman ! C'est l'heure...
— Hein ? Quoi ? fait la mère encore tout ensommeillée. C'est l'heure de quoi ?
— De réveiller papa pour qu'il vienne me réveiller...

☐ 1052

La maman est allée faire des courses. Elle a laissé sa fillette et son petit garçon à la garde de son mari. Elle revient au bout d'une heure, elle enlève son manteau et elle demande à sa petite fille :
— Alors ? Tout s'est bien passé ?
— Oh ! oui, dit la gamine. J'ai pas eu mal comme samedi dernier. Samedi dernier, il y a eu la foudre, et papa a eu tellement peur qu'il m'a arraché ma robe, et puis il est rentré dans le lit avec moi...
— Comment, avec toi ? interrompt le petit garçon en pleurnichant. Tu veux dire avec moi ?
— Mais non, tu comprends pas ! Je parle pas de tout à l'heure, je parle de samedi dernier...

☐ 1053

Pour fêter la première communion du fils aîné, toute la famille est réunie autour de la table. Et à la fin du repas, chacun y va de son petit numéro. La tante Julie chante des refrains de sa jeunesse. L'oncle Fernand raconte des histoires de régiment. Le cousin Antoine lance des serpentins. Puis le vieux pépé fait le pari de vider une bouteille de gros rouge d'un seul coup. Et quand il a tout avalé, il se tourne vers sa femme et il hoquette :

— Dis donc, la Charlotte! Hic... Si tu essayais encore de nous faire le grand écart comme il y a quarante ans?

Alors la mémé rougit jusqu'aux oreilles. Elle se lance en l'air, une jambe en avant, l'autre en arrière, et elle retombe sur le parquet comme un petit rat de l'Opéra! Du coup, tout le monde se met à applaudir. L'enthousiasme est indescriptible et personne ne s'aperçoit que la vieille est restée collée par terre. Elle est en train de lever le nez et elle dit piteusement:

— Je crois que j'ai fait ventouse!

1054 ☐

Un courtier en assurances débite le boniment suivant:

— Prenez une assurance sur la vie. La mort peut arriver à n'importe quel instant, au moment où vous vous y attendez le moins, quand vous êtes chez vous, tranquillement, au milieu de votre famille, au milieu de vos enfants, au milieu de votre femme...

1055 ☐

— Allô! est-ce que c'est monsieur Martin?

— Non, répond une voix enfantine. Papa n'est pas là.

— Ah, bon! Et ta maman?

— Maman non plus. Ils sont allés au cinéma et je suis seul avec ma sœur.

— Avec ta sœur? Est-ce que tu peux me passer ta sœur?

— Oui, monsieur, je vais la chercher.

Un grand silence, puis de nouveau:

— Monsieur, je ne peux pas vous la passer. J'ai bien essayé, mais je n'arrive pas à la sortir du berceau...

1056 ☐

Maman donne un bain à son petit garçon et à sa

petite fille. Le petit garçon regarde sa sœur qui est toute nue. Et comme il est nu, lui aussi, il se tourne contre le mur.

— Mais enfin, dit sa mère, viens donc dans la baignoire, de quoi as-tu peur ?

— J'ai pas peur, mais tu sais, les filles, ça casse tout !

☐ **1057**

— Et ta belle-mère, ça va ?

— Oui. Ça va. Je l'emmène partout où je vais. L'empoisonnant, c'est qu'elle retrouve toujours son chemin pour revenir à la maison...

fantôme

☐ **1058**

Dans un château anglais, quatre gentlemen jouent au bridge. De temps en temps, un fantôme entre pour jeter un coup d'œil sur la partie. Et à chaque fois, on entend un grincement de porte. Finalement, un des joueurs, énervé, s'exclame à la cantonade :

— C'est pas fini avec cette porte ? Les trous de serrure ne sont pas faits pour les chiens, non ?

☐ **1059**

La plus courte histoire de fantômes :

— Hier soir, j'ai rencontré Philip avec sa veuve...

☐ **1060**

Dans un train anglais, un voyageur se penche par-dessus l'épaule de son voisin, un monsieur très digne, et il lui dit :

— Mais c'est une histoire de fantômes que vous

lisez ? Quelle imbécillité ! Comment faites-vous pour croire à ces sornettes ?

Et au lieu de répondre, l'autre disparaît.

1061 ☐

Un jeune Parisien s'est mêlé à un groupe de touristes qui visite un château hanté. Dans la foule qui l'entoure, il remarque une fille merveilleuse et il décide aussitôt de sauter sur la première occasion pour s'isoler avec elle.

Quelques instants plus tard, le guide déclare à tout le monde :

— Messieurs dames, je vous invite à faire attention à cette porte ouverte. Le vent pourrait la refermer et si jamais quelqu'un se retrouvait bloqué de l'autre côté, il risquerait d'y rester jusqu'à demain avec les fantômes, car c'est une partie du château dont je n'ai pas la clef !

Le gars ne se le fait pas dire deux fois. Il profite d'un instant d'inattention pour entraîner la fille avec lui dans le mystérieux corridor, et il claque la porte derrière eux.

Alors se retournant vers elle, il lui dit :

— Mademoiselle, je crois que nous sommes enfermés pour la nuit !

— Vous seulement, répond-elle.

Et elle passe à travers la porte...

far-west

1062 ☐

Un cow-boy revient dans son ranch. Le cheval qu'il monte, il vient de l'acheter. Il ramène aussi, en croupe, une jeune femme qu'il a épousée la veille. Comme ils avancent le long d'un ravin, le cheval glisse malencontreusement.

— Un, dit laconiquement le cow-boy.
Et au bout de dix minutes, le cheval fait un nouvel écart.
— Deux, dit le cow-boy.
Un peu plus loin, le cheval renâcle sur un obstacle et manque encore de perdre l'équilibre. Cette fois-ci, le cow-boy ne fait ni une ni deux, il fait descendre sa femme et il dit :
— Trois !
Et il abat le cheval d'un coup de pistolet.
La jeune mariée est horrifiée. Elle ne peut s'empêcher de protester :
— Tout de même ! C'est un peu raide... Tu n'aurais pas dû !
Et le cow-boy dit :
— Un !

☐ **1063**

Dans les tribunes du stade de Dallas, où se court un rodéo, il y a un ménage de touristes français. Elle pèse cent trente kilos et il mesure un mètre quarante. Et sur le terrain, il y a un cheval que pas un seul cow-boy n'est arrivé à monter. Les haut-parleurs rugissent :
— Mille dollars à qui tiendra sur ce cheval. Mille dollars !
Alors le petit gars se lève et il dit :
— Moi !
Sa femme lui donne une bourrade et elle souffle :
— Tu es fou ! Qu'est-ce qui te prend ?
— Si, si ! Moi, hurle-t-il.
Il descend dans l'arène. On le fait péniblement monter sur le bourrin et alors là, un vrai cirque ! La bête se cabre, elle rue des quatre fers ! Ça dure au moins un quart d'heure, mais le plus extraordinaire, c'est que le gars ne tombe pas.
Du coup, l'enthousiasme est indescriptible ! Finalement, le cheval est dompté, le petit mec saute par

terre, rouge de joie, il remonte à côté de sa femme et il lui dit :
— Tu vois, Denise, c'était pas très difficile !
— Mais enfin, dit-elle, c'est incroyable ! Comment as-tu fait ?
— J'ai fait comme quand tu avais la coqueluche...

1064 □

Quelque part dans une réserve indienne, un jeune chasseur vient se plaindre auprès du chef de la tribu :
— Corbeau-qui-renifle ne veut plus de sa squaw !
— Ah ! bon, réplique l'ancêtre. Mais pourquoi ?
— Corbeau-qui-renifle plante du blé et il sort du blé. Corbeau-qui-renifle plante du maïs et il sort du maïs. Mais quand Corbeau-qui-renifle plante un petit Indien et qu'il sort un petit Chinois, alors là, ça va plus...

1065 □

Un touriste américain visite une réserve d'Indiens. On l'amène au sommet d'une colline, devant un guerrier apache, tout harnaché de plumes, qui a allumé un feu et qui est en train d'envoyer des messages de fumée à une tribu voisine. Alors le touriste contemple cette scène d'un autre âge et au bout d'un moment, il demande négligemment :
— Dites-moi, mon vieux, c'est très folklorique votre boulot, mais à quoi ça sert, cet extincteur qui est par terre ?
— Ben, dit l'Indien, c'est la gomme pour corriger mes fautes...

1066 □

Deux cow-boys à la mine patibulaire sont accoudés au bar d'un saloon. Et il y en a un qui dit à l'autre :
— Tu vois ce mec, là-bas, à la table de poker ?

— Qui ça ? demande l'autre. Ils sont quatre !
— Celui qui a un blue-jean clouté.
— Mais ils ont tous des blue-jeans cloutés !
— Celui qui fume un petit cigare.
— Je ne vois pas de qui tu parles... Ils sont tous en train de fumer !
— Oh ! Mais tu es bouché, aujourd'hui ! Attends un peu, tu vas comprendre...
Et le gars sort son colt, il vise la table de poker et il descend trois bonshommes...
— Voilà ! dit-il en rengainant son arme. C'est celui qui reste... Tu le vois maintenant ?
— Ben oui... Et alors ?
— Et alors, je peux pas le blairer !

☐ 1067

Cela se passe pendant la grande conquête de l'Ouest américain.
Un Indien arrive chez le pasteur de Tucson-City. Et il dit :
— Voilà. Je voudrais changer de nom...
— Ah ! C'est très bien de vouloir prendre un nom chrétien. C'est très bien. Et comment t'appellait-on dans ta tribu ?
— Euh ? Eh bien, on m'appelait *Grande Locomotive au Sifflet strident qui fend la Prairie dans le Silence du Petit Matin...*
— Diable ! Et comment veux-tu t'appeler maintenant ?
— *Tut-Tut-Tut...*

☐ 1068

Au Far-West, un hors-la-loi notoire, qui veut épouser de force une entraîneuse de saloon, va trouver le pasteur du coin :
— Deux cents dollars pour vous si vous nous mariez !

— Vous êtes fou, dit le pasteur. Une bénédiction, ça ne s'achète pas...
— Cinq cents dollars !
— Jamais de la vie ! Surtout que cette fille ne veut pas de vous...
— Mille dollars !
Alors le pasteur sort un pistolet de sa poche et il le braque sur l'autre en hurlant :
— Fous le camp, fils de pute ! Tu te rapproches trop de mon prix !

1069 □

Un petit cow-boy, rouge de fureur, entre dans un saloon et il se met à hurler :
— Qui c'est qui a peint mon cheval en vert ? Si c'est un homme, qu'il se montre, cet enfant de salaud !
Alors un bonhomme haut de deux mètres, avec trois revolvers dans la ceinture, s'approche nonchalamment de l'intrus et il répond avec un petit sourire de biais :
— C'est moi qui ai peint ton cheval en vert ! Ça ne te plaît pas ?
— Euh... si, ça me plaît, bredouille l'autre. C'est la couleur que je préfère. Je voulais seulement savoir quand vous allez passer la seconde couche...

1070 □

Pour terminer sa leçon de morale, l'institutrice dit à ses élèves :
— J'espère que vous avez bien compris ce que j'ai dit sur la violence et la générosité. Maintenant vous allez inventer, chacun dans votre coin, une petite histoire et à la fin, vous en tirerez la moralité.
Alors, un môme se met à raconter l'histoire d'un chapardeur qui a été bien puni en tombant malade. Un autre débite l'histoire d'un chevalier qui protégeait les faibles et que le ciel a récompensé. Et puis, il y a Toto qui lève le doigt et qui dit :

— Moi aussi, j'ai une histoire !
— Eh bien, raconte ! lui dit l'institutrice.
— Voilà ! C'est l'histoire du cow-boy noir ! Il galope sur son cheval noir. Il arrive au saloon. Il ouvre la porte à coups de revolver. Il bouscule tout le monde. Il se met à tirer dans les bouteilles de whisky. Il y a un petit vieux qui proteste. Il lui retourne une tarte qui l'envoie dinguer sous les tables. Il y a un chien qui aboie. Il lui tire une balle dans le ventre. Il y a une jeune fille qui tremble de peur. Il lui arrache sa robe. Alors le shérif arrive et il dit au cow-boy noir : « Je vais te mettre en prison ! » Et le cow-boy noir qui est en train de violer la fille, il tire sur le shérif et il le transforme en écumoire... C'est ça, l'histoire du cow-boy noir !
— Mais quelle est la morale de ton histoire ? demande l'institutrice suffoquée.
— La morale, dit Toto avec un beau mouvement du menton, c'est qu'il faut pas se frotter au cow-boy noir !

□ **1071**

Deux cow-boys chevauchent sur une piste des montagnes Rocheuses, quand soudain un de leurs chevaux fait un écart. Désarçonné, le cavalier glisse et tombe au fond d'un précipice. Quand le vacarme de la chute laisse la place au silence, on entend une voix qui monte d'en bas :
— Eh ! Bill ! Je ne m'en suis pas trop mal tiré ! Est-ce que tu peux m'aider ?
L'autre gars, qui est resté placidement sur son cheval, se penche au-dessus du vide et il crie :
— Qu'est-ce que je fais ?
— Lance-moi une corde !
Le brave cow-boy détache un lasso de sa selle et il le déroule jusqu'au fond du gouffre où il peut voir son copain qui se l'attache autour de la taille.
— Et maintenant, qu'est-ce que je fais ? demande-t-il, imperturbable.

— Eh bien, tire, imbécile ! hurle la voix au fond du ravin.

Alors, sans bouger davantage de son cheval, le gars sort son colt, il vise soigneusement son collègue et il lui vide son chargeur dessus...

faussaire

1072 □

Deux amis, qui ne se sont pas vus depuis fort longtemps, se rencontrent dans la rue. Le premier sort d'une Bentley rutilante. L'autre déambule à pied. Ses souliers bâillent et son pantalon est élimé.

— Eh bien, que deviens-tu ? dit le premier.

— Ça va pas fort, fait l'autre. Mais toi, on dirait que tu roules sur l'or ?

— C'est à peu près ça. Figure-toi que j'ai trouvé une combine sensationnelle. Je fabrique de l'argent !

— Hein ? De la fausse monnaie ?

— Oui. Mais pas des billets de cinquante ou de cent, parce que ça, c'est puni des travaux forcés... Moi, je fais des billets de soixante-trois francs...

— Et ça marche ?

— Tu parles si ça marche ! Tiens, t'as qu'à essayer, tu verras...

Et il tend à son vieux copain une liasse de billets.

L'autre, il les prend, incrédule. Il se dit qu'il ne peut pas garder ce fric comme ça. Il entre dans une banque, il tend son petit paquet de billets de soixante-trois francs et avec une pointe d'angoisse, il dit :

— Je voudrais de la monnaie.

Alors l'employé prend les billets sans les regarder, il les compte et il lui répond :

— Votre monnaie, vous la voulez en pièces de sept ou en pièces de neuf ?

☐ **1073**

Picasso vient d'achever une toile étonnante. Et un de ses amis lui dit :

— Formidable ! J'achète tout de suite...

— Je ne te le conseille pas, dit Picasso. C'est un faux !

— Comment, un faux ? Mais je t'ai vu le peindre devant moi...

— Et alors ? J'ai pas le droit, moi aussi, de faire des faux Picasso ?

☐ **1074**

Une fort jolie fille entre dans une parfumerie. Elle demande le flacon le plus cher et elle sort un billet de cinq cents francs. Alors la vendeuse lui dit :

— Mais il est faux, votre billet !

Du coup, le visage de la fille se décompose :

— Ah ! le fumier... Mais alors, ça s'appelle du viol !

☐ **1075**

C'est un Américain qui roule sur l'or. Il a trois châteaux, cinq yachts, neuf voitures. Il voyage dans le monde entier. Il se tape toutes les filles qu'il rencontre. Jamais il n'est arrêté par une question d'argent.

Devant un train de vie aussi suffocant, le fisc décide de le taxer forfaitairement pour une somme de vingt mille dollars. Le gars s'amène à la perception en chantonnant, il étale les vingt mille dollars sur la table, il dit joyeusement au revoir à tout le monde et il disparaît.

Les inspecteurs des contributions se concertent, un peu ahuris, et ils se disent :

— On n'a pas frappé assez fort ! Il faut lui demander le double !

Et ils lui réclament immédiatement un supplément d'impôts de quarante mille dollars. Trois jours après, le gars est là avec une petite valise, il en sort quarante mille dollars en sifflotant et il disparaît.

— C'est incroyable, dit le directeur des impôts. Notre estimation était encore trop faible. Réclamez-lui quatre cent mille dollars en disant que vous vous êtes trompé d'un zéro!

Le surlendemain, le gars arrive tout joyeux, il demande le chef de service et il dit:

— Cette fois-ci, ça pèse un peu trop lourd. Et puis vous me faites perdre un temps fou! Vous trouverez ma voiture devant la porte. Dans la voiture, il y a la machine. Vous n'aurez qu'à les imprimer vous-mêmes...

fillette

1076 □

Un dimanche matin, une petite fille de cinq ans s'approche de son papa qui est couché au lit, elle le câline un peu, elle se glisse tout contre lui et elle finit par lui souffler:

— Papa, dis-moi des choses dans le creux de l'oreille...

Et le père, distraitement, murmure:

— Agaga... guigui... gogo!

Alors la fillette s'exclame:

— Ah! non, mon chéri. Pas maintenant. Je suis trop fatiguée...

1077 □

— Maman, pourquoi personne veut m'embrasser sur la bouche?

— C'est rien, ma chérie: c'est parce qu'avec ton bec-de-lièvre, ils ont peur d'attraper la myxomatose...

□ **1078**

On fête la première communion de la petite Isabelle. Les parents ont décidé d'inviter quand même le tonton Gaston, bien qu'il ait une belle réputation de paillardise. Mais avant de se mettre à table, le père dit au tonton Gaston :

— Tâche de te tenir convenablement une fois dans ta vie. C'est un repas de première communion ! J'espère bien que tu ne vas pas te faire remarquer avec tes histoires cochonnes...

— Ne t'en fais pas, dit le tonton Gaston. Je vais me surveiller...

Et de fait, le repas se déroule fort bien. Mais au dessert, hélas ! sous l'effet du vin sans doute, le tonton Gaston oublie toutes les recommandations et retrouve son naturel grossier. Il regarde la première communiante dans le blanc des yeux et il lui lance d'une voix de stentor :

— Je parie que tu ne connais pas la différence qu'il y a entre un crucifix et une paire de couilles ?

Alors la petite Isabelle se tourne vers sa mère :

— Maman, qu'est-ce que c'est, un crucifix ?

□ **1079**

Devant l'école maternelle, un tout petit garçon et une fillette de trois ans s'apprêtent à traverser la rue.

— Et maintenant, donne-moi la main, dit le môme.

— D'accord, fait la gamine. Mais je t'avertis que tu joues avec le feu...

□ **1080**

A elles deux, elles n'ont pas plus de dix ans. Et c'est à celle qui montrera qu'elle en sait le plus.

— Moi, dit la première fillette, je sais comment on fait les bébés !

— Ah, bon ! dit l'autre. T'es vraiment débile. Moi, je sais comment on les fait pas...

1081 ☐

Dans la cour de récréation de l'école communale, un petit garçon a coincé une gamine contre un arbre et il lui fait une grande déclaration :
— Oh ! Ma petite Brigitte ! Mon cher ange ! Tu es la première fille que j'ai envie de baiser !
Et le cher ange laisse tomber :
— C'est bien ma veine ! Je tombe toujours sur des puceaux !

1082 ☐

On a dit à cette fillette que sa maman venait de lui faire un petit frère. Elle se met à réfléchir et elle déclare :
— C'est très bien, mais moi aussi, je veux avoir un petit bébé !
Alors, on essaie de la rassurer :
— Écoute, si tu es sage, tu en auras un plus tard !
— Ah ! bon... Et si je suis pas sage ?
— Si t'es pas sage, ou bien t'en auras beaucoup, ou bien ils partiront avant d'arriver...

1083 ☐

Une petite fille fréquente avec ses parents un club de nudistes. Un peu intriguée, elle va demander à sa mère :
— Maman ! Ce machin qu'ils ont entre les jambes, les hommes, comment ça se fait que ce soit tantôt gros et tantôt petit ?
Alors la brave femme se racle la gorge et elle répond :
— Ben voilà ! Chez les imbéciles, c'est tout petit... Et chez les débrouillards au contraire, c'est très gros !
— Ah ! bon... Je comprends ! fait la fillette.

Et au bout d'un moment, elle ajoute :
— Je suis bien contente, parce que papa, il est en train de parler à une fille, là-bas dans le bosquet. Et il devient de plus en plus malin...

☐ **1084**

En bordant sa petite fille dans son lit, la maman lui dit :
— Dors bien ! Et si tu as peur, appelle maman... Papa viendra !

☐ **1085**

Maman est en train de tricoter. La nounou est à la cuisine. La petite fille de quatre ans fait des dessins sur un grand cahier. Tout d'un coup, en se penchant, la maman aperçoit que sa petite fille est en train de dessiner un énorme sexe d'homme.
Horrifiée, elle lui arrache la feuille des mains et elle lui flanque une fessée. La petite fille se met à hurler. Attiré par le vacarme, le père s'amène :
— Qu'est-ce qui se passe ?
— Il se passe que ta fille dessine des cochonneries ! dit la mère en tremblant de fureur.
Et elle lui tend la feuille. Le père jette un coup d'œil, il a un haut-le-corps, il donne une gifle magistrale à la petite fille et il lui dit :
— Où est-ce que tu as pu voir une chose pareille, petite vilaine ?
Et la môme réussit à dire entre deux sanglots :
— A la cuisine !... C'est les ciseaux de nounou...

☐ **1086**

Deux petits enfants qui ont fait connaissance pendant les vacances, décident de se baigner ensemble dans la mer. Comme ils sont très jeunes, ils se déshabillent entièrement. Et soudain la petite fille dit au petit garçon :

— Ça alors ! Jamais j'aurais cru qu'il y ait une telle différence entre un Blanc et une Noire !

1087 □

C'est la rentrée des classes. La maîtresse demande à la petite fille :

— Tu as passé de bonnes vacances ?

— Oh ! oui, m'zelle, c'était formidable... midable... midable !

— Et où es-tu allée ?

— Au cirque de Gavarnie... varnie... varnie.

— Mais dis donc, il devait y avoir un drôle d'écho, là-bas ?

— Oui, m'zelle ! Comment vous l'avez deviné... viné... viné ?

1088 □

Une fillette revient de l'école toute pensive.

— Maman, dit-elle, c'est vrai que quand on est mort, on devient de la poussière ?

— Mais oui, mon enfant !

Là-dessus, la gamine soupe, elle embrasse ses parents et elle va se coucher. Mais au bout d'un moment, on entend un hurlement dans sa chambre :

— Maman, viens vite ! Il y a un mort sous mon lit !

1089 □

Une petite fille est à la campagne et sa maman lui a dit d'aller arracher les mauvaises herbes dans le jardin. Elle tire tant qu'elle peut sur toutes les herbes qu'elle trouve et de temps en temps, elle bascule en arrière. Alors sa maman lui dit :

— Comme tu es forte !

Et elle répond :

— Tu parles ! Surtout que le monde entier tire de l'autre côté...

☐ **1090**

Une toute petite fille sort en courant de la salle de bains et elle crie :

— Maman ! Maman ! Est-ce que tu savais que papa est un garçon ?

folles

☐ **1091**

Un jeune homme gracieux et dégingandé traverse la rue devant chez lui. Et sur un échafaudage, il y a des ouvriers qui lui lancent :

— Eh ! va donc, petite pédale !

Alors il se retourne vers eux et il leur répond d'une voix qui à un petit cheveu sur la langue :

— Maçons ! Espèce de maçons !

La scène se renouvelle tous les matins, jusqu'au jour où un ouvrier, nouveau sur le chantier, le voit arriver et lui crie amicalement :

— Bonjour, mon joli !

Et, tout souriant, le jeune homme réplique :

— Bonjour, monsieur l'architecte...

☐ **1092**

— Maman, maman, je veux que tu m'offres une nouvelle jupe...

— Non, Georges...

☐ **1093**

C'est un avocat qui rentre chez lui avec un gros paquet sous le bras. Et par la porte de la salle de bains passe la tête d'un garçon blond qui lui lance :

— C'est toi, chéri ? Oh ! Qu'est-ce que c'est encore que ça ? Petit dépensier ! Je parie que tu t'es encore acheté une autre robe...

1094 ☐

Un petit bonhomme très féminin est en train de papillonner autour de l'obélisque de la place de la Concorde. Il tourne autour, il le regarde dans tous les sens et finalement il dit :

— Non, il vaut mieux que je pense à autre chose. Ce ne serait pas raisonnable...

1095 ☐

Deux beaux Américains de vingt ans font chambre commune depuis un certain temps. C'est une vraie lune de miel, quand soudain le plus jeune est appelé à faire son service militaire.

Leur séparation est un vrai déchirement. Resté seul, l'aîné, inconsolable, commence à traîner de troquet en troquet et à s'imbiber d'alcool.

— Mais, lui dit un jour un barman, qu'est devenu votre si gentil petit camarade ?

Et l'autre, en larmes :

— Comment, vous n'êtes pas au courant ? Il se bat pour tante Sam...

1096 ☐

Un brave bourgeois rentre chez lui par les allées du bois de Boulogne et il s'aperçoit que derrière chaque arbre, il y a une créature masculine qui lui fait des avances :

— Tu viens, beau brun ?

Ou bien :

— Oh ! La belle gueule qu'il a !

Ou encore :

— T'es seul ce soir, chéri ?

Outré, le gars va se plaindre à un sergent de ville :

— Monsieur l'agent, il y a des hommes dans le bois qui voudraient... enfin, je veux dire, des jeunes gens qui... enfin, vous voyez ce que je veux dire...

Alors l'agent le regarde, penche la tête et lui répond avec un petit geste de reproche de l'index :

— Oh ! La vilaine ! La vilaine rapporteuse...

☐ **1097**

Trois petits pédés bavardent gentiment sur la réincarnation :

— Moi, dit le premier, je voudrais me réincarner en moineau. Je ferais cui-cui-cui et je volerais autour des garçons de ferme !

— Moi, dit le second, je voudrais être un cheval de course. Un grand palefrenier me brosserait tous les jours et je hennirais de plaisir !

— Eh bien, moi, dit le troisième, je voudrais devenir une ambulance !

— Une ambulance, susurrent les deux autres, mais pourquoi ?

— Parce qu'on ouvre par-derrière, on met un monsieur tout entier et elle part en faisant hou... hou... hou...

☐ **1098**

C'est un garçon qui est tellement chochotte, mais tellement chochotte, que quand il regarde sa montre, il dit :

— Quelle heure est-elle ?

☐ **1099**

La procession se déroule dans l'église, et derrière les enfants de chœur, le curé avance en tenant son encensoir. Tout à coup un jeune homme un peu efféminé s'approche de lui et il lui lance :

— Mon Dieu, monsieur le curé, faites attention. Il y a votre sac à main qui a pris feu...

1100 □

Deux jeunes garçons, jolis comme des demoiselles, se rencontrent après une longue séparation :

— Tiens ? Tu t'es laissé pousser la barbe ?

— Oui ! La famille trouvait que j'avais l'air trop tante...

— Ah ! bon. Eh bien, maintenant tu as l'air d'une femme à barbe !

1101 □

Voyant un attroupement dans la rue, un jeune homme, très efféminé, joue des coudes pour arriver au premier rang et il découvre un bonhomme ensanglanté, étendu par terre.

— Ah ! Mon Dieu, s'écrie-t-il d'une voix flûtée et maniérée, mais c'est horrible ! Qu'est-ce qui se passe ?

Alors un mec baraqué comme une armoire lui répond d'un air mauvais :

— C'est un sale pédé ! Je lui ai cassé la gueule !

Le petit gars se retourne, il avale sa salive et il dit de la voix la plus caverneuse qu'il peut :

— Ah ! vraiment ?

1102 □

Un énorme fort des halles vient se plaindre à un copain :

— Les gens sont méchants ! Hier soir, ils se sont mis à cinq ou six et ils m'ont traité de pédé...

— T'as qu'à leur filer une raclée !

— Je sais bien, mais ils se sauvent...

— Ben, cours-leur après !

— Oh ! là ! là ! Si tu crois que c'est facile avec ma jupe entravée...

☐ **1103**

Deux adolescents un peu évaporés sont en train de bavarder :

— J'ai appris une chose folle. Est-ce que tu sais que les femmes, ça donne le cancer ?

— Les femmes, ça donne le cancer ? Mais enfin, mon chéri, c'est impossible ! Tu dis n'importe quoi... Tu ne te tiens plus ! Tu sais bien que ce n'est pas vrai !

— Non, c'est pas vrai. Mais ça ne fait rien... Il faut le dire partout, partout, partout...

☐ **1104**

Ernest, qui a vingt-trois ans, vient enfin de réussir à passer son baccalauréat après cinq ans d'efforts infructueux.

Son père est un homme très riche. Désespérant de voir son fils décrocher son diplôme, il a eu l'imprudence de lui promettre la réalisation de n'importe quel vœu en cas de réussite. Alors, maintenant, il le fait venir et il lui déclare :

— Te voilà donc bachelier, mon fils ! Eh bien, je tiendrai parole. Tu peux me demander ce que tu veux, un château, un yacht, une écurie de courses, et je te le donnerai !

— Ben, papa, dit Ernest, je voudrais seulement me marier !

— Te marier ! Quelle bonne nouvelle ! Attends que j'appelle ta mère... Simone ! Viens vite voir ! Il y a Ernest qui veut se marier ! Et avec qui veux-tu te marier ?

— Avec Étienne...

— Hein ! dit le père qui manque d'avaler son râtelier. Avec Étienne ? Mais tu es fou ! Ça ne tient pas debout...

— Si, ça tient debout ! Et puis d'abord, tu m'as promis de m'accorder un vœu, n'importe lequel. Alors, tu vas pas te dégonfler ?

— Mais enfin, dit le père, extrêmement embarrassé, tu ne te rends pas compte de ce que tu me demandes !

A ce moment-là, il y a la mère qui entre et le père se tourne vers elle, en réclamant un secours :

— Écoute, Simone ! Il faut raisonner Ernest. Il est tombé sur la tête ! Imagine-toi qu'il veut épouser Étienne !

— Comment, glapit la mère, tu veux épouser Étienne ? Mais enfin, mon petit, tu sais très bien que ce n'est pas possible ! Étienne est juif...

1105 ☐

Un voyageur de commerce fait étape dans une auberge à l'enseigne des *Deux petites tantes*. Il y fait un excellent dîner et y passe une nuit fort confortable.

Le lendemain matin, un peu intrigué, au moment de payer sa note, il s'approche du patron, un vrai fort des halles à la voix caverneuse, et il lui demande :

— Tout était parfait, mais quelque chose me tracasse. Vous me trouverez peut-être curieux, mais je voudrais bien savoir pourquoi votre établissement s'appelle *Aux deux petites tantes* ?

— Ah ! oui ? répond l'autre sur un ton bourru. Ben, je vous dirai que je n'en sais rien ! C'est ma femme qui a choisi ce nom. Elle va vous expliquer ça elle-même...

Et se tournant vers la cuisine, il hurle :

— Viens voir ici, Albert...

1106 ☐

Ce sont deux garçons de la Belle Époque qui aiment les hommes. Et quand ils se retrouvent, ils prennent plaisir à se raconter leurs fredaines :

— Tu sais, il m'est arrivé quelque chose d'extraordinaire ! Je n'aurais jamais cru que ce soit possible !

J'ai eu une aventure avec un curé en soutane! Et ça s'est passé en plein jour dans la rue!

— Dans la rue! s'exclame l'autre. Mais c'est de la folie! Et les gens qui passaient n'ont rien dit?

— Si. Ils ont dit: «Oh! le joli petit photographe!»

□ **1107**

Dans un taxi, deux pédoques sont en train de jacasser follement, d'une voix suraiguë et avec de grands gestes efféminés.

Excédé, le chauffeur s'arrête au bord du trottoir, se retourne et leur dit:

— Allez! Dehors! J'ai horreur des bonnes femmes!

Aussitôt les deux autres s'écrient, l'œil brillant:

— Alors on peut s'arranger. Il y a un grand lit à la maison!

□ **1108**

C'est l'histoire de la femme d'un antiquaire qui est victime d'un coup du sort. Son docteur vient de l'avertir qu'elle était en train de changer de sexe. Eh bien, à quelque chose malheur est bon, parce que son mari a refusé le divorce!

□ **1109**

Un gars se promène dans la rue avec un bras écarté du corps, le coude plié, la main gracieusement posée sur la hanche, ce qui lui donne un air plutôt équivoque. Il rencontre un copain qui lui dit:

— Ben, quoi. Qu'est-ce que c'est que cette allure? T'es devenu pédé?

Alors l'autre, surpris, regarde sous son bras et s'écrie:

— Zut! J'ai perdu mon paquet...

1110 ☐

La scène se passe au conseil de révision. Il y a, parmi les conscrits qui se présentent en tenue d'Adam, un particulier dont la tenue est assez choquante.

— Eh bien, quoi! s'écrie le médecin, vous n'avez pas honte de vous présenter devant le conseil de révision dans un état pareil? Espèce de salaud! Allez vous tremper dans l'eau froide!

Dix minutes après, le gars revient, penaud, et il est toujours dans le même état.

— Nom de Dieu! hurle le médecin, vous vous foutez de notre gueule ou quoi? Vous pourriez avoir un peu plus de décence devant les autorités de la République, non? Vous ne pouvez pas vous présenter au repos comme tout le monde?

Alors le gars rougit jusqu'aux oreilles et il dit:

— Moi, je veux bien arrêter, mais alors faites sortir d'abord le jeune sous-préfet...

1111 ☐

Deux mignons déambulent dans une rue de Londres et il y en a un qui dit à l'autre:

— Tu sais pourquoi Margaret Thatcher ne porte pas de minijupe?

— Euh! non...

— Ben, c'est parce qu'on lui verrait les couilles...

1112 ☐

— Dis maman, qu'est-ce que c'est, une tante?

— Demande à ton père. Elle te le dira.

1113 ☐

Dans une soirée très snob, deux antiquaires se présentent l'un à l'autre:

— Je m'appelle Sodome! Et vous?

— Commode!

☐ **1114**

Un petit ange vient avertir saint Pierre :
— Il y a un gros arrivage aujourd'hui. Et puis des gens importants : deux prix Nobel, un président de la République, un pape et un acteur d'Hollywood qui s'appelle Rudolf Valentino...
— Mon Dieu ! dit saint Pierre, Rudolf Valentino ? Et moi qui suis toute décoiffée...

☐ **1115**

Deux adolescents plutôt évanescents se rencontrent dans un jardin public et le premier dit à l'autre :
— Oh ! Qu'est-ce que tu as sur le nez ? C'est un furoncle ?
— Oui, fait l'autre. Touche pas ou tu vas te furonculer...

fous

☐ **1116**

Un fou en interpelle un autre, qui s'est mis une corde autour de la taille et qui s'est pendu à un arbre.
— Qu'est-ce que tu fais ?
— Tu vois bien. Je me suis pendu.
— Mais, imbécile, c'est autour du cou qu'il faut mettre la corde...
— J'ai bien essayé, mais je manquais d'air.

☐ **1117**

Le médecin-chef fait une inspection dans l'asile. Au réfectoire, il trouve tous les fous couchés par terre, à l'intérieur d'un cercle de craie, et se livrant à mille contorsions.

Il n'y en a qu'un qui ne partage pas cette agitation. Il est resté à table, sa tarte aux pommes à la main.
— Qu'est-ce que ça veut dire? lui demande le médecin-chef.
— Ça veut dire, fait l'autre, que j'ai tracé cette ligne blanche par terre et que j'ai promis mon dessert au premier qui réussirait à passer dessous...

1118 □

Un fou essaie de se pendre. Il avise une poutre. Il passe une corde autour. Il fait un nœud coulant. Il met son cou dedans et il se jette dans le vide. Mais patatras ! la corde casse et il s'écrase par terre.
— Nom de dieu ! dit-il. C'est pas des trucs à faire ! Il y a vraiment de quoi se tuer...

1119 □

Dialogue entre deux fous :
— Moi, je suis né en Australie.
— Et moi, à l'hôpital !
— Ah, oui ? De quelle maladie ?

1120 □

Dans la cour de l'asile, il y a un fou qui rit tout seul.
Un collègue s'approche de lui :
— Qu'est-ce qui te prend de rire comme ça ?
— Ben, dit l'autre, c'est parce que je me raconte des histoires. Et je viens de m'en raconter une que je ne connaissais pas !

1121 □

Un fou reçoit une lettre. Il ouvre l'enveloppe et il en sort une feuille toute blanche.
— Tiens, dit-il, j'ai beau être brouillé avec ma femme, elle me donne des nouvelles...

☐ **1122**

Une remarque en passant, disait Chesterton, le fou n'est pas l'homme qui a perdu la raison, mais celui qui a tout perdu, excepté la raison.

☐ **1123**

Un fou dit à un autre fou :
— Qu'est-ce que j'ai dans la main ?
— Je sais, dit l'autre, c'est une fourmi...
— Non.
— Alors, c'est une mouche.
— Non.
— Alors, c'est un chameau.
— Oh ! Tu es dégoûtant. Tu triches ! Tu as sûrement regardé avant.

☐ **1124**

On est en plein cœur de l'hiver et il fait moins dix.
Deux fous sortent d'une villa, descendent sur la plage et vont se baigner. A peine entré dans l'eau, le premier se met à crier :
— Nom de Dieu, qu'elle est froide !
Et l'autre répond :
— Je te crois ! Aujourd'hui, on supporte son slip !

☐ **1125**

Un fou sort une boîte d'allumettes de sa poche. Il en craque une. Elle ne prend pas. Il en craque une autre. Toujours rien. Enfin, il en craque une troisième qui s'allume. Alors son visage s'allume aussi et il dit :
— Ah ! Celle-là, elle marche. Je vais pouvoir la garder.
Et il la remet dans la boîte.

☐ **1126**

Marchant sur le ballast, deux fous déambulent

entre les rails de la voie ferrée. Ils semblent épuisés.

— Qu'est-ce que ça peut être fatigant, ces marches ! dit le premier en sautant les traverses.

— Oui, fait l'autre. D'autant plus que la rampe est drôlement basse...

1127 □

C'est un fou inoffensif. Il se promène dans l'asile en traînant une brosse à dents au bout d'une laisse. Un infirmier l'accoste, le sourire aux lèvres :

— Alors, ça va bien, vous et votre chien ?

— Mais enfin, répond l'autre, vous avez dû mal regarder ! Vous voyez bien que ce n'est pas un chien... C'est une brosse à dents !

Du coup, l'infirmier en a le souffle coupé. Il s'éloigne à reculons. Alors le fou se tourne vers sa brosse à dents :

— On l'a bien eu, hein, Médor !

1128 □

Un fou est en train d'essayer de débrouiller un écheveau de laine. Un autre fou le voit faire et il vient lui dire :

— C'est pas la peine de chercher le bout. Je l'ai coupé !

1129 □

Dans le dortoir de l'asile de fous, il y a un gars qui est collé au plafond par les mains et par les pieds.

Le directeur entre et il dit à l'infirmier :

— Mais qu'est-ce qu'il fait, celui-là ?

— Celui-là, dit l'infirmier, il se prend pour une ampoule électrique.

— On ne peut pas le laisser comme ça, dit le directeur. C'est dangereux. Faites-le descendre.

— Ah ! Moi, je veux bien, dit l'infirmier, mais alors on n'y verra plus rien...

☐ **1130**

Le directeur de l'asile vient de surprendre une scène incroyable. Il y a un fou allongé par terre, de tout son long. Et il y a un autre fou, un parapluie à la main, qui n'arrête pas de lui sauter sur le ventre en criant :

— Vingt-sept, vingt-huit, vingt-neuf...

Le directeur se précipite pour les séparer et il exige des explications immédiates.

— Ah ! c'est pas ma faute, réplique le fou au parapluie, il m'a dit que si jamais j'avais un pépin, je pouvais compter sur lui...

☐ **1131**

Conversation à l'asile de fous :

— Quelle heure est-il ?

— Moins cinq !

— Moins cinq de quoi ?

— J' sais pas. J'ai perdu la petite aiguille...

☐ **1132**

A l'asile, un fou arrive dans la salle de bains et il voit un de ses collègues qui verse du D.D.T. dans la cuvette de son bain de pieds. Tout surpris, il lui demande :

— Pourquoi tu mets de l'insecticide dans ton bain de pieds ?

— Ben, dit l'autre, c'est parce que j'ai des fourmis dans les jambes...

☐ **1133**

Deux fous passent devant un camp de nudistes. Le premier dit à son copain :

— Je voudrais voir ce qu'il y a derrière ce mur. Fais-moi la courte échelle.

Puis il grimpe sur les épaules de l'autre. Et au bout d'un moment, l'autre lui demande :

— Qu'est-ce que tu vois?
— C'est des gens à poil!
— Des femmes ou des hommes?
— Je sais pas. Ils sont pas habillés!

1134 □

Un fou sort de l'asile. Il se prenait pour un chien. Mais les médecins ont pu venir à bout de sa maladie.
Il rentre chez lui et il dit à sa concierge:
— Ça y est! Je suis guéri...
— Ah, oui? dit la concierge. Vous n'êtes plus malade?
— Non. D'ailleurs, vous allez voir! Touchez mon nez...

1135 □

Un automobiliste tombe en panne juste devant le mur de l'asile de Sainte-Anne. Il a un pneu crevé. Il essaie de remonter sa roue, mais les écrous ont roulé dans une bouche d'égout. Il ne sait absolument plus quoi faire. Alors une voix semble tomber du ciel. C'est un pensionnaire de l'asile, perché sur le mur, qui lui dit:
— Écoutez-moi bien! Vous allez retirer un écrou de chacune des trois autres roues et vous n'avez plus qu'à revisser la quatrième avec!
Le gars fixe son interlocuteur dans le blanc des yeux et il siffle entre ses dents:
— Dites donc! Vous n'êtes pas fou, vous!
— Oh! si, je suis fou, glapit l'autre. Mais je suis pas con!

1136 □

Un gars vient d'être admis à l'asile. A peine entré, il s'écrie:
— Mais il y a un monde fou là-dedans!

☐ **1137**

Un fou se balade en traînant une ficelle derrière lui. Il aborde un flic et il lui dit :

— Vous n'avez pas vu l'homme invisible ?

— Non.

— Ça ne fait rien ! Mais si vous le voyez, dites-lui qu'il ne s'inquiète pas ! J'ai retrouvé son chien...

☐ **1138**

Un infirmier entre dans un commissariat de police et il dit :

— Vite ! Faites quelque chose ! Un fou dangereux vient de s'échapper de l'asile...

— Comment est-il ? demande un flic.

— Il est chauve et tout décoiffé...

— Hein ? Comment peut-il être à la fois chauve et décoiffé ?

— Mais puisque je vous dis qu'il est fou !

☐ **1139**

Un infirmier traverse le jardin de l'asile d'aliénés et il a la surprise de voir tous les fous suspendus par les bras aux branches des arbres.

— Mais qu'est-ce que vous faites ? s'écrie-t-il.

Et les fous répondent :

— On est des figues...

Et certains d'entre eux sont suspendus depuis si longtemps qu'ils sont au bord de l'apoplexie. Alors le gars leur dit :

— Mais enfin, soyez raisonnables ! Descendez de là !

— On peut pas, gémissent les fous. On n'est pas mûres...

☐ **1140**

S'étant déboutonné, un fou très surexcité se regarde dans la braguette.

— Tiens ! Il est déjà midi ! dit-il.

A côté de lui, un autre fou en fait autant et il s'exclame :

— Merde ! J'ai oublié de remonter la mienne !

1441 □

Un fou passe sa tête par-dessus le mur de l'asile et il crie à un passant :

— Vous êtes nombreux, là-dedans ?

fric

1142 □

Un fils de famille écrit à son père :

Mon cher papa, j'ai honte de vous écrire pour cela, mais je suis sûr que vous me comprendrez. J'ai besoin de dix mille francs tout de suite. Je ne sais pas du tout comment m'y prendre pour vous les demander. Réflexion faite, j'aime mieux ne pas vous les demander, car vous penseriez du mal de moi. Je vous envoie cette lettre quand même, puisque maintenant elle est écrite, et naturellement je vous embrasse bien fort.

Puis il réfléchit une minute et il ajoute :

Post-scriptum : Décidément, je n'aurais pas dû vous réclamer cela. J'ai trop honte. Mais c'est trop tard ! La lettre est déjà partie. J'espère de toutes mes forces que le facteur va la perdre.

Et trois jours après, il reçoit de son père ce petit mot :

Mon cher enfant. Ne te tracasse pas pour si peu. Ta prière a été exaucée : le facteur a perdu ta lettre.

1143 □

Un gars sonne chez un copain. Il lui dit :

— Je te parie cent balles que tu ne peux pas deviner pourquoi je suis venu te voir!

L'autre, il est pas fou, il dit:

— T'es venu me voir pour m'emprunter de l'argent.

— Eh bien, t'as perdu! Donne-moi cent balles.

☐ **1144**

C'est quelqu'un comme l'Agha Khan, enfin bref, un potentat oriental, qui dit à un touriste américain:

— Votre fille me plaît beaucoup! Je vous en donne son poids de diamants!

— Euh... fait l'autre. Laissez-moi une quinzaine de jours pour vous répondre.

— Oui. Je comprends que vous ayez besoin de réfléchir...

— C'est pas pour réfléchir, c'est pour la gaver...

☐ **1145**

On a fini par convaincre le vieux père Antoine de se servir d'un carnet de chèques.

— C'est bien simple, lui a-t-on dit, au lieu de trimballer tout votre fric sur vous, vous le laissez à la banque. Et après, vous pouvez acheter tout ce que vous voulez rien qu'avec une signature!

Le père Antoine est enchanté. Il a déposé cinquante mille francs à la banque et il se met à signer des chèques à tour de bras. Il achète un réfrigérateur, il achète une cuisinière électrique, il achète une télévision, il achète une voiture, il achète aussi neuf vaches...

Et voilà qu'au bout de quinze jours, on lui demande de passer d'urgence à la banque. Il arrive au guichet et il dit:

— Qu'est-ce qu'il y a? Ça ne marche plus?

Et l'employé lui dit:

— Vous avez versé cinquante mille francs. Vous avez signé soixante mille francs de chèques. Vous êtes à découvert de dix mille francs.
— Je suis à découvert de quoi ?
— Ça veut dire que vous nous devez dix mille francs ! Il faut nous verser dix mille francs, c'est tout de même pas difficile à comprendre...
— Ah, bon ! dit le père Antoine. Si ce n'est que ça, c'est pas grave. Attendez ! Je vais vous faire un chèque tout de suite...

1146 □

Un clochard frappe à la porte d'une riche demeure.
— S'il vous plaît, vous n'auriez pas un peu d'argent ?
— Écoutez, mon brave, tout ce que vous voudrez, mais pas de l'argent. C'est le seul souvenir que je tienne de ma famille.

1147 □

Le docteur se penche vers le mari et il lui dit :
— Vous savez, je vous dois la vérité. Je viens d'examiner votre femme et je ne la trouve pas bien du tout !
— Moi non plus, je ne la trouve pas bien, dit le mari, mais qu'est-ce qu'elle a comme fric !

1148 □

Le maître nageur vient de retirer une noyée de la mer.
Il y a tout un attroupement autour d'elle et voilà que le mari s'amène à son tour. C'est un gars bedonnant qui a fait fortune dans l'épicerie. Il est complètement affolé. Il entend quelqu'un qui dit :
— Il faudrait lui faire la respiration artificielle !
Alors il bégaye :

— Euh... pendant que vous y êtes... faites-lui... faites-lui la vraie. Je peux payer...

☐ 1149

— Comment ça va ?
— Pas mal ! J'ai pas à me plaindre ! Je me suis fait une petite fortune...
— Avec quoi ?
— Avec une grande...

☐ 1150

Un industriel catholique rencontre un banquier juif et lui demande :
— Mais comment diable arrivez-vous, vous autres qui êtes juifs, à nous prendre tout cet argent que nous gagnons ?
Et l'autre lui rétorque :
— Et comment faites-vous, vous autres qui n'êtes pas juifs, pour gagner tout cet argent que nous vous prenons ?

☐ 1151

— Oh ! là ! là ! dit un gars à un copain. Qu'est-ce que je peux bouffer comme pognon en ce moment...
— Ah ! oui ? Dis donc, si tu veux, tu peux venir t'installer à la maison. Il y a une chambre d'ami avec un gros vase de nuit...

☐ 1152

Voici sans doute les deux plus belles pensées sur l'argent :
« L'argent aide à supporter la pauvreté. » (Alphonse Allais.)
« Si l'argent ne fait pas le bonheur, rendez-le ! » (Jules Renard.)

1153 □

C'est un bonhomme qui demande un rendez-vous urgent à l'un des fils Rothschild et dès qu'il est dans son bureau, il lui dit :

— Monsieur, ce que vous avez fait est innommable. Ma fille Catherine, qui a dix-sept ans et qui était vierge, est enceinte de vous ! Êtes-vous disposé à prendre vos responsabilités ?

— Je sais, je sais, répond l'autre, agacé. Nous allons régler ça en une minute. Dès la naissance de l'enfant, je m'engage à verser à sa mère une rente de vingt mille francs par mois... Je suppose que vous êtes d'accord ?

— Euh... oui. Mais dites-moi, si elle fait une fausse couche, vous lui donnez une seconde chance ?

1154 □

Conversation entre deux vieux copains :

— On vit une époque écœurante ! Maintenant, tout le monde est pédé !

— Oh ! là ! là !... Tu charries !

— Mais si, mais si ! Et même toi...

— Non, mais ça va pas, la tête ?

— Je te dis que t'es pédé comme les autres. D'ailleurs, si je t'offrais une brique pour coucher avec moi, tu le ferais tout de suite...

— Eh ! là... Fais gaffe à ce que tu dis ou je vais me fâcher !

— Deux briques ! Cinq briques ! Je t'offre dix briques pour qu'on baise ensemble...

— Non, mais dis donc, tu parles sérieusement ?

— Ah ! ben, tu vois bien ! C'est pas les pédés qui manquent, c'est le pognon...

1155 □

Un conférencier fait un grand discours sur la sexualité et l'argent :

— On s'est souvent demandé pourquoi les enfants de riches ont plus tard une sexualité plus indigente que ceux qui ont eu une enfance misérable. Eh bien, la réponse est toute simple. Les enfants de riches, eux, ils avaient des jouets pour s'amuser...

☐ **1156**

— C'est épouvantable ! soupire un petit bonhomme en regardant sa feuille d'impôts. A chaque fois que j'arrive miraculeusement à joindre les deux bouts, il y a le ministre des Finances qui tire par le milieu...

☐ **1157**

Un prolo, qui n'a pas froid aux yeux, va trouver son patron et il lui dit :

— Il faut que je vous avertisse que mon salaire n'est pas en rapport avec mes capacités !

L'autre le regarde, imperturbable, et il répond :

— Le mien non plus. Sinon, comment est-ce que je ferais pour vivre ?

☐ **1158**

Dans une réception, un invité se penche vers un ami :

— Qui est cette affreuse fille, sèche et squelettique, avec les os qui dépassent de partout ?

— C'est la fille Rockefeller ! dit l'autre.

— Eh ! eh ! siffle le premier. Comme elle est svelte !

☐ **1159**

Deux amis bavardent :

— Ah ! dit le premier, je voudrais bien être riche. Si je pouvais connaître le chemin de la richesse...

— Mais le chemin de la richesse, répond l'autre, c'est très simple ! Tu n'as qu'à prendre à droite, tu n'as qu'à prendre à gauche... enfin tu n'as qu'à prendre partout...

gangster

1160 □

Le gangster a acheté un revolver à son fils. Le môme, il ne fait ni une ni deux : il va échanger le revolver contre une belle montre en or. Quand il rentre à la maison, son père s'aperçoit de ce qui est arrivé et il se met à hurler :

— Espèce de petit imbécile ! Alors, maintenant, quand quelqu'un te dira merde, tu lui donneras l'heure ?

1161 □

Deux gars à la mine patibulaire se croisent dans la rue :

— T'aimes les fleurs ? dit le premier.

— Vouais, fait l'autre.

— Alors t'en auras demain.

Et il lui tire une rafale de mitraillette dans le ventre.

1162 □

Après trois heures d'efforts, des gangsters ont réussi à s'introduire dans une banque. Ils fracturent les coffres, mais ils n'y trouvent pas un seul billet, pas une seule valeur...

— Ça, c'est quand même curieux, dit l'un d'eux. On a été mal tuyautés. Qu'est-ce que c'est que ces bocaux qu'ils ont foutus dans leurs coffres ?

— Et qu'est-ce qu'il y a dedans ? dit un autre. On dirait des olives vertes et des petits oignons blancs...

Et pour ne pas s'être dérangés pour rien, les truands vont chercher du pain, ils ouvrent les bocaux et ils se font des sandwiches qu'ils commencent à bouffer. A ce moment, il y a un type qui s'écrie :

— Eh ! les gars... J'ai fouillé dans les papiers et j'ai trouvé le nom de la banque : c'est la Banque des Yeux...

□ 1163

C'est un gros gangster qui a appris que son fils de cinq ans venait de cogner à mort un camarade d'école. Il l'appelle et il lui dit :

— Je te défends de faire ça, tu entends ? Pour cette fois-ci, ça va, mais si tu t'avises de recommencer, je te prive de dessert. Dis-toi bien que quand on commence à tuer, on finit un jour ou l'autre par voler, mentir et coucher avec des filles...

□ 1164

Un gangster est poursuivi par une escouade de policiers sur le toit d'un gratte-ciel de New York. Tout d'un coup, son pied glisse et il tombe dans le vide depuis le quatre-vingt-dix-neuvième étage. Alors il se met à hurler :

— Je suis un gangster ! Arrêtez-moi...

garnement

1165 □

Toto vient cafarder à l'institutrice :
— M'zelle, il y a le petit Antoine, il fait rien qu'à me mettre des coups de pied dans le cul !
— Écoute, Toto, c'est très vilain de rapporter ! Et puis d'abord, je ne réponds qu'aux petits garçons bien élevés...
Alors, Toto, il dit :
— M'zelle, il y a le petit Antoine, il fait rien qu'à me mettre des coups de pied dans le cul, s'il vous plaît...

1166 □

Un brave vieux est en train de prendre le soleil sur un banc public quand un petit malotru s'approche de lui pour lui demander l'heure.
— Il est cinq heures moins le quart, mon petit, répond-il avec un grand sourire.
— Ah, bon ! fait le gosse. Ben, à cinq heures, vous pourrez aller acheter une sucette et vous la foutre au cul !
Et il détale en riant. Outré, le petit vieux se lève, il avise un sergent de ville qui règle la circulation et il va se plaindre à lui :
— Monsieur l'agent, il y a un petit mal élevé qui vient de me demander l'heure !
— Et alors ?
— Et alors, il m'a dit qu'à cinq heures, je pourrais me foutre une sucette au cul !
Le flic regarde sa montre et il répond :
— Vous mettez pas dans ces états... Il vous reste encore cinq minutes...

☐ **1167**

Le petit Alphonse, six ans, vient demander à sa mère :

— Maman, est-ce qu'à mon âge, je peux avoir des enfants ?

— Bien sûr que non, lui répond sa mère en éclatant de rire, ne dis plus de pareilles bêtises !

Alors le petit Alphonse part au fond de la cour rassurer la petite Julie qui a cinq ans et il lui dit :

— Rassure-toi ! On peut y aller...

☐ **1168**

La maîtresse du jardin d'enfants a trouvé, en arrivant ce matin, une petite mare d'urine au milieu de la classe.

— Je ne veux pas savoir qui a fait ça, dit-elle miséricordieusement. Je vais sortir deux minutes dans la cour et je veux qu'à mon retour, le coupable ait essuyé cette vilaine trace...

Au bout de deux minutes, elle revient, elle aperçoit deux mares au lieu d'une et sur le tableau une main mystérieuse a écrit :

Fantomas frappe toujours deux fois !

☐ **1169**

Une provinciale bigote se promène dans les rues de Paris et devant le Sacré-Cœur de Montmartre, elle aperçoit un gamin de huit ans, la cigarette au bec, qui essaie de trousser une petite fille de cinq ans. Horrifiée, elle s'écrie :

— Dieu du ciel ! Il n'y a plus d'enfants !

Et le môme lui répond :

— C'est parce que t'es trop tarte pour que je t'en fasse un !

1170 □

— Papa, je voudrais que tu m'achètes une mitraillette.
— Une mitraillette? T'es pas un peu dingue, non?
— Si, papa. Achète-moi une vraie mitraillette.
— Ah! Ça suffit comme ça! Arrête tes imbécillités ou je vais me fâcher.
Alors le gosse se met à trépigner, en hurlant qu'il veut une mitraillette, qu'il veut absolument une mitraillette, une vraie mitraillette, et le père, à bout de nerfs, lui flanque une tarte.
— Tiens! Attrape toujours ça en attendant la mitraillette. C'est un comble, ça! Qui c'est qui commande ici?
— C'est toi, pleurniche le gamin, mais si j'avais une mitraillette...

1171 □

— Demain, nous ferons une leçon sur l'électricité, dit la maîtresse à ses élèves. Je vous demande à chacun d'apporter de chez vous un petit appareil électrique d'usage domestique pour que nous puissions faire des travaux pratiques...
Et le lendemain, les mômes s'amènent à l'école avec des rasoirs électriques, des grille-pain, des fers à repasser, des séchoirs à cheveux... Il n'y a que le petit Toto qui arrive les mains vides. Et la maîtresse lui dit:
— Eh bien, Toto, tu n'as rien apporté?
— Si, dit-il, mais ce que j'ai apporté, c'est tellement encombrant que je l'ai laissé dans la cour...
— Ah! Qu'est-ce que c'est?
— C'est le poumon d'acier de papa!
— Hein! Et ton papa n'a rien dit quand tu l'as pris?
— Si, m'zelle, il a poussé un gros soupir...

☐ **1172**

Ça se passe en août 1944. Un gamin, avec un brassard de franc-tireur, s'introduit chez une vieille dame du faubourg Saint-Germain et il lui dit avec une exquise urbanité :

— Pardon, madame, si je m'essuie bien les pieds et que je mets les patins, est-ce que je peux tirer avec ma mitraillette par la fenêtre ?

☐ **1173**

Deux braves ménagères se rencontrent en faisant les courses et la première dit à l'autre :

— C'est affreux ! Vous ne savez pas ce qui est arrivé à mon fils ? Il s'est encore disputé à l'école avec des petits camarades juifs et ils l'ont fait rouler dans la boue...

— Mon Dieu, dit l'autre, ne vous en faites pas pour ça ! C'est pas grave. Un jour ou l'autre, c'est lui qui leur flanquera la pile ! Allez, au revoir, madame Hitler...

☐ **1174**

Un petit garçon de neuf ans dit à sa mère en sautant de joie :

— Maman ! Maman ! J'ai fait l'amour !

— Comment ? s'étrangle la mère. Mais est-ce que tu sais seulement de quoi tu parles ?

— Parfaitement. Et je recommencerai dès que j'aurai le cul cicatrisé !

☐ **1175**

Une mère excédée dit à son garnement :

— Tout ce que tu sais faire, c'est le contraire de ce que je te dis ! Bon, eh bien, à partir d'aujourd'hui, tu vas faire tout ce que tu veux ! Maintenant, essaie de désobéir...

1176 □

L'éducation moderne, ça consiste à faire preuve d'une autorité nuancée. Mais ça n'empêche pas de se mettre en colère. Prenons un exemple. Ça fait une demi-heure que Toto tanne son père en lui demandant comme on ressasse une litanie :

— Papa ! Papa ! Est-ce que je peux jouer au docteur avec ma sœur ?

Et le père se met à crier :

— Ça fait trois fois que je t'ai dit *peut-être*. N'insiste pas ! C'est mon dernier mot...

1177 □

Vous y comprenez quelque chose, vous, aux enfants ?

Deux petits garçons de sept ans sont en train de jouer sur la plage à côté de leurs mamans. Et le premier répète sans arrêt au second :

— Elle est belle, ma maman ! Elle est jolie, ma maman ! Oh ! Qu'elle est belle, la mienne, de maman...

Alors, comme il en a marre, l'autre môme va trouver sa mère pour lui demander quelque chose. Et au bout d'un moment, il revient en disant :

— La mienne de maman, elle a dit qu'il fallait pas !

1178 □

Sur le quai de Calais, deux Anglais débarquent d'un bateau qui vient de Douvres. Un petit garçon de sept ans se précipite sur eux et les jette à la mer en les poussant de toutes ses forces.

— Mais pourquoi as-tu fait ça ? demande un agent accouru à la hâte.

— Parce que c'est des Anglais ! répond le gamin.

— Mais qu'est-ce qu'ils t'ont fait ?

— Ils m'ont fait qu'ils ont brûlé Jeanne d'Arc !

— Jeanne d'Arc? Mais ça fait cinq cents ans qu'ils ont brûlé Jeanne d'Arc!

— Peut-être. Mais c'est seulement ce matin que le prof nous l'a dit.

□ **1179**

C'est vraiment l'affreux gamin! Il est toujours le dernier en classe. Il ramène à la maison des carnets de notes abominables. Et surtout il est d'une épouvantable cruauté. Il ne lâche jamais des mains son petit lance-pierres. Il dort même avec. Et avec son petit lance-pierres, il tire sur tout ce qu'il voit. Désespérés, ses parents l'emmènent chez un psychiatre.

— Eh bien, mon petit, dit le psychiatre, tu travailles très mal en classe. Ça t'ennuie d'aller à l'école?

— Non, fait le môme. Ça m'ennuie pas tellement, parce que dans la cour de récréation, il y a un grand arbre. Et alors, avec mon lance-pierres, je tire sur les oiseaux et j'en tue au moins cinq ou six tous les jours. Même qu'hier j'ai tué le chat du concierge...

— Tiens, tiens! dit le psychiatre. Et tes camarades, tu les aimes bien?

— Oh! oui... Après la classe, ils viennent se promener avec moi dans les bois et je leur apprends à tuer les oiseaux au lance-pierres. Mais de toute façon, je préfère sortir avec des filles!

— Ah! Ah! dit le psychiatre dont l'œil s'éclaire. Avec des filles! Et pourquoi tu préfères sortir avec des filles?

— Parce que je les emmène au bord de la rivière. Et quand on est seuls, je les jette par terre et je leur arrache la robe!

— Très intéressant! Et pourquoi fais-tu ça?

— Pour leur enlever la culotte! Et après j'arrache les élastiques de la culotte et je les récupère pour mon lance-pierres!

gaz

1180 □

Un cuisinier chinois oublie de fermer le robinet du gaz en quittant son restaurant. Le lendemain matin, il craque une allumette et... toute la maison explose. Il se retrouve les quatre fers en l'air, projeté par l'explosion au beau milieu de la rue.

— Fichtre! s'exclame-t-il en regardant son restaurant éventré, je crois que je suis sorti de là juste à temps!

1181 □

Eichmann est enfermé dans sa cellule à Jérusalem. Un matin, on frappe à sa porte.

— Qu'est-ce que c'est? dit-il en sursautant.

Et une voix lui répond:

— C'est la note du gaz...

gendarme

1182 □

Deux gendarmes vont cheminant dans la poussière et le soleil d'un été campagnard. Le premier s'arrête, s'éponge le front et dit à son collègue:

— Dites-moi, gendarme, je vais vous poser une devinette qui est très fine... Qu'est-ce que c'est qui marche par terre, que nous avons, que les autres n'ont pas?

L'autre cherche assidûment, mais il ne trouve pas. Alors le premier gendarme lui dit:

— Ben, je vais vous le dire, gendarme ! C'est une paire de chaussettes !

— Ah ! Par exemple ! Une paire de chaussettes ! Et pourquoi ?

— Parce qu'une paire de chaussettes, ça marche par terre et que nous autres, gendarmes, nous en avons une aux pieds, alors que par cette chaleur les autres l'ont enlevée !

— Oh ! Nom de Dieu ! Elle est bonne, celle-là ! Il faudra que je la raconte à ma femme !

— Attendez ! J'en ai une autre. Qu'est-ce que c'est qui marche par terre, que nous n'avons pas et que les autres ont ?

— Oh ! Punaise ! C'est encore plus difficile ! Laissez-moi chercher...

— Non, gendarme. Parce que vous ne trouverez pas ! Je vais vous dire la solution. C'est deux paires de chaussettes...

— Deux paires de... Et pourquoi ?

— Parce que deux paires de chaussettes, ça marche par terre et que tout le monde a deux paires de chaussettes, au lieu que nous autres, pauvres gendarmes, nous n'avons pas assez d'argent pour nous en payer deux !

— Oh ! là ! là ! Alors là, vous m'en bouchez un coin ! Celle-là, elle est encore plus forte que la première...

— Bougez pas, gendarme, parce que j'en ai une troisième. Qu'est-ce que c'est qui est tout petit, qui a une petite queue, qui est tout gris, qui vit dans les trous des maisons, qui mange du fromage et que les chats aiment bien manger ?

— Ah ! J'ai trouvé ! Cette fois-ci, vous ne m'aurez pas ! C'est trois paires de chaussettes !

☐ **1183**

Un gendarme auvergnat a reçu l'ordre d'effectuer une enquête auprès d'un paysan qui affirme avoir vu des Martiens descendre d'une soucoupe volante.

— Eh bien, lui dit-il, subséquemment, vous auriez vu des petits nains rouges, munis de neuf bras, sortir d'une soucoupe dans votre champ de carottes ?
— Parfaitement, fait l'autre. Je peux même vous dire, monsieur le curé, que je les ai vus comme je vous vois...

1184 □

Un motard de la gendarmerie vient de prendre en flagrant délit d'excès de vitesse une jeune femme particulièrement affriolante. Il a sorti son carnet de contraventions et son stylo, et comme il s'apprête à écrire, la fille lui lance en se trémoussant :
— Mais non ! C'est pas la peine de me faire un chèque tout de suite... Vous paierez après...

1185 □

Histoire de se détendre un peu, un capitaine de gendarmerie entre dans un poste de garde, il avise un gendarme et il lui dit :
— Je vais vous poser une devinette ! C'est le fils de ma mère et ce n'est pas mon frère ! Qui est-ce ?
— Ma foi, mon capitaine, dit le gendarme, je donne ma langue au chat !
— Eh bien, c'est moi ! fait le capitaine, tout heureux de sa finesse.
A peine a-t-il tourné le dos que le gendarme se précipite vers un collègue et il lui dit :
— Écoute bien ! C'est le fils de ma mère et ce n'est pas mon frère ! Qui est-ce ?
Et comme l'autre reste bouche bée, il s'empresse d'ajouter :
— C'est le capitaine !

grossesse

☐ **1186**

Une jeune femme, assez ennuyée, rend visite à son médecin :

— Docteur, je viens vous voir au sujet de cette fameuse pilule. J'ai fait exactement tout ce que vous m'avez dit. Je l'ai prise en suivant à la lettre vos instructions. Et je suis quand même enceinte !

— Alors, chère madame, si vous persistez dans votre intention de ne pas avoir d'enfant, je ne vois qu'une solution. Placez cette pilule entre vos deux genoux, serrez très fort, et surtout n'ouvrez plus...

☐ **1187**

— Chère madame, dit le gynécologue, j'ai une bonne nouvelle à vous annoncer...

— Ne m'appelez pas madame. Je suis une demoiselle !

— Ah, bon ! Alors, j'ai une mauvaise nouvelle à vous annoncer...

☐ **1188**

C'est une femme du meilleur monde. Ses parents l'ont élevée dans les bonnes manières. On l'a habituée à toujours dire merci, s'il vous plaît, excusez-moi, à votre service...

Quelque temps après son mariage, la voilà enceinte. Toute la famille attend la naissance avec une joyeuse impatience. Mais au bout de neuf mois, il ne se passe rien. Et rien encore au bout de dix mois. Et pas davantage au bout de onze mois.

Du coup, tout le monde commence à s'inquiéter. Est-ce que ça serait une grossesse nerveuse ? Et au bout d'un an et demi, le médecin de famille décide que tout de même, il faut faire quelque chose. Il va pratiquer une césarienne... La bonne femme s'allonge sur une table d'opération et le docteur lui ouvre le ventre.

Alors on voit apparaître deux bébés à qui la barbe a commencé à pousser. Et on les entend qui dialoguent interminablement :

— Après vous !

— C'est trop aimable... Passez donc le premier !

— Je n'en ferai rien... Je vous en prie !

1189 □

— Eh bien, docteur, quel est votre diagnostic ?

— Cher monsieur, c'est bien simple. Votre femme est enceinte. L'ennuyeux, c'est qu'elle est atteinte au poumon...

— Oh ! docteur... Vous me flattez !

1190 □

C'est une petite mandarine, toute honteuse, qui rentre chez ses parents :

— Mon Dieu, maman, pleurniche-t-elle, si tu savais ce qui m'est arrivé ! J'ai rencontré un citron qui a eu un zeste malheureux et je crois qu'il va m'arriver des pépins...

1191 □

Un jeune gars en blue-jean dit à une fille en minijupe :

— On pourrait se coller ensemble. Si on voit que ça ne va plus et qu'on a fait une boulette, il sera toujours temps de nous séparer...

— D'accord, répond-elle, mais alors, qui est-ce qui gardera la boulette ?

☐ **1192**

Une demoiselle d'œuvres de cinquante ans est allée consulter un médecin.

— Mademoiselle, lui dit-il, j'ai une pénible nouvelle à vous annoncer. Vous êtes enceinte !

— Hein ! glapit-elle. Mais c'est impossible ! Jamais un homme ne m'a touchée !

— Vous en êtes sûre ?

— Absolument certaine !

Elle réfléchit un instant et ajoute :

— A part ce secouriste de la Croix-Rouge qui est venu au Foyer catholique pour nous expliquer le bouche à bouche aux noyés...

☐ **1193**

— Ou bien c'est la grippe, dit le médecin, ou alors vous êtes enceinte, chère mademoiselle !

— Ben, docteur, pour ce qui est de la grippe, je ne vois pas du tout qui aurait pu me filer ça !

☐ **1194**

C'est une danseuse de corde qui est enceinte de huit mois. Elle va voir son médecin et elle lui dit :

— Quand est-ce que je dois arrêter ?

— Arrêter quoi ?

— Arrêter de danser sur la corde...

— Comment ? Vous n'avez pas encore arrêté ? Mais c'est de la folie pure ! Vous allez me faire le plaisir d'interrompre ça dès demain. Je dis bien demain. Parce que pour ce soir, je veux une place au premier rang.

guerre

1195 □

Ça se passe pendant la drôle de guerre. Il y a la tranchée allemande et la tranchée française. Et ce matin-là, les Allemands ont déclenché un tir de harcèlement épouvantable. Pendant deux heures, ils arrosent le terrain en face d'eux avec des obus de mortier.

A la fin, il y a le soldat Marius qui s'impatiente. Il arrête sa belote, il se lève, il met son casque, il passe la tête hors de la tranchée et il crie :

— Eh ! Les fridolins ! Faites un peu attention ! Y a du monde, ici...

1196 □

— Vous qui êtes plusieurs fois centenaire, dit le Bon Dieu à Mathusalem, allez donc un peu voir sur terre pourquoi les hommes continuent de s'exterminer aussi stupidement...

Mathusalem descend donc sur terre, et comme l'affaire se passe en 1944, il pense que la première chose à faire est de commencer par l'Allemagne. Mais il n'y a pas une heure qu'il est parti qu'on le voit revenir à toute allure...

— Comment, dit le Père Éternel, votre mission est déjà terminée ?

— Non, répond piteusement le vieux patriarche, mais je n'ai pas pu rester à Berlin deux minutes... Ils étaient en train de mobiliser ma classe !

1197 □

— Allô ! dit le colonel, qui est à l'appareil ?
— Mon colonel, c'est le soldat Marius.

— Le soldat Marius ? Mon bonhomme, ça va vous coûter cher de me réveiller en pleine nuit.

— C'est que, mon colonel, je voulais vous dire que j'ai fait quatorze prisonniers.

— Quatorze ? Bravo ! Amenez-les en vitesse...

— Je voudrais bien, mon colonel, mais ils ne veulent pas me laisser partir.

☐ **1198**

Le soir du débarquement en Normandie, deux soldats anglais, épuisés par les combats de la journée, frappent à la porte du presbytère d'un petit village. Ils n'en peuvent plus. Ils demandent asile au curé pour la nuit. Le brave homme est bien embarrassé :

— Ecoutez, leur dit-il, il n'y a pas un seul lit de libre dans toute la région. Tout a été réquisitionné. Mais, si vous voulez, je peux vous ouvrir l'église. Seulement, jurez-moi d'être convenables. Pas de cris, ni de jurons, ni de chansons grivoises !

Les deux soldats promettent et vont tout de suite se coucher. Mais le lendemain matin, tout le village est réveillé par les cloches qui sonnent à toute volée. Le curé se lève d'un bond, se précipite vers l'église et il trouve les deux Anglais dans le clocher, pendus à la corde, en train de crier :

— Alors, ça vient, ce breakfast ?

☐ **1199**

Stalingrad n'est plus qu'un monceau de décombres et de cadavres. Les balles et les obus pleuvent de tous les côtés. Dans un trou, un très vieux soldat allemand dit à un autre :

— Depuis Verdun, j'avais plus rigolé comme ça !

☐ **1200**

Un sergent recruteur interroge un homme qui s'est porté volontaire dans les parachutistes. Enfin, un homme, c'est beaucoup dire... Parce qu'avec son sac à main et ses faux cils, il a un drôle d'air. Alors le sergent veut en avoir le cœur net et il lui dit :

— C'est bien joli, tout ça, mais est-ce que vous vous sentez capable de tuer un ennemi à froid, de le tuer d'un seul coup ?

Et le gars répond :

— A froid ? D'un seul coup ? Vous n'y pensez pas ! Mais si vous me donnez deux ou trois nuits, ça pourra aller !

1201 □

Le curé vient de marier clandestinement une paysanne et un maquisard. Comme ils n'ont pas de domicile et qu'ils sont de bons catholiques, le curé accepte de les laisser dormir pour une nuit dans la sacristie. Mais cette nuit-là justement, des avions bombardent la ville, et l'église en prend un bon coup.

Au matin, le curé vient aux nouvelles, à peu près aussi effondré que les maisons du quartier, et il trouve les jeunes mariés en train de ronfler comme si rien ne s'était passé. Il les secoue. Le jeune homme se réveille en sursaut, il voit les murs couverts de lézardes et des gravats partout. Rouge de confusion, il dit au curé :

— Oh ! Excusez-nous ! Nous paierons tous les dégâts...

1202 □

La scène se passe sous l'arc de Triomphe :

— Qui c'est qui est là-dessous, papa ?

— C'est le Soldat Inconnu.

— Personne ne le connaissait ?

— Non.

— Alors, pourquoi qu'on l'a tué ?

☐ **1203**

Un bonhomme s'amène au ministère des Anciens Combattants et il demande une pension. On le regarde d'un œil interrogateur et on lui dit :

— Vous avez fait la guerre ?
— Oui, dit-il.
— Celle de 39 ?
— Non.
— Celle de 14 ?
— Oui.
— Et vous avez été blessé ?
— Non.
— Alors, vous avez été gazé ?
— Non.
— Alors, pourquoi demandez-vous une pension ?
— C'est à cause du bromure...
— Comment ça ?
— Ben, vous savez bien ! Tout ce bromure que vous mettiez dans le vin... Je viens de m'apercevoir que ça commence à me faire de l'effet.

☐ **1204**

La guerre éclair de 67 entre Israël et les Arabes vient à peine de se terminer, que dans une rue d'Alexandrie, un Égyptien croise un de ses amis et s'écrie, tout joyeux, en lui donnant des bourrades :

— Tu as vu la pile qu'ils nous ont foutue ? Formidable, non ? Ils sont quand même forts, ces Israéliens !

— Mais tu es devenu fou ? réplique l'autre, abasourdi. Tu es égyptien, tu es arabe et tu te réjouis de notre défaite ?

— Ben, que veux-tu, c'est plus fort que moi, dit le gars. C'est rapport à ce fumier de Nasser que je ne peux pas blairer à cause de sa sale gueule de juif !

☐ **1205**

Pendant la dernière guerre, une escadrille anglaise

s'envole en mission au-dessus de l'Allemagne pour jeter des tracts. Le soir, les avions sont tous rentrés, sauf un. On se dit qu'il a dû se faire abattre par les Nazis. Les camarades du pilote, le croyant perdu, font une collecte pour sa veuve.

Mais au bout d'une semaine, un avion solitaire revient à la base et le pilote disparu sort de sa carlingue, tout souriant. On se précipite sur lui pour le congratuler. Alors le colonel le convoque et lui dit sans mâcher ses mots :

— Pourquoi rentrez-vous avec huit jours de retard ?

— Vous êtes drôle, mon colonel, fait le gars. Il me fallait quand même le temps de glisser ces tracts sous les portes...

1206 ☐

Un monsieur d'un certain âge s'approche d'un autre et lui tape sur l'épaule :

— Vous avez fait la guerre de 14 ?

— Non !

— Ben, faut la faire, mon vieux...

1207 ☐

Ça se passe en 1943, en plein hiver, sur le front russe. Les services de propagande nazis ont eu l'idée de faire parler à la radio un vétéran couvert de médailles, un héros qui a fait toutes les campagnes d'Europe.

On lui explique qu'on attend de lui des paroles d'encouragement pour tous les soldats allemands qui se battent dans des conditions si dures. Et on l'installe devant le micro. Alors le gars demande :

— Si je parle dans ce machin, on va m'entendre à Munich, à Berlin, à Hambourg ?

— Oui. Et même au-delà des mers !

— Ah, bon ! On m'entendra aussi en Angleterre, en Amérique, en Russie ?

— Bien sûr !

Alors le gars prend le micro à la main, il retient son souffle et il crie de toutes ses forces :

— Au secours ! Au secours !

☐ **1208**

Un commandant de la Gestapo, chargé du camp de Buchenwald, appelle son adjoint :

— Tu as chauffé les pieds de la petite Juive blonde ?

— Oui, mon commandant.

— Tu as conduit les agonisants de la baraque sept au crématoire ?

— Oui, mon commandant.

— Tu as fait les tatouages aux arrivants du dernier convoi ?

— Oui, mon commandant.

— Parfait ! Viens, on va arroser les rosiers...

☐ **1209**

Un journaliste a réussi à s'infiltrer dans un maquis de guérilleros en Amérique du Sud. Il s'est glissé dans un groupe d'hommes qui se présente à l'entrée d'un camp. Chacun passe en montrant sa barbe à la sentinelle et en criant : *Barbudo !*

Le gars, qui est complètement imberbe, s'aperçoit qu'on va sûrement le refouler, et peut-être même le fusiller. Que faire ? Mais tout d'un coup, il a une idée. Quand vient son tour, il s'avance vers la sentinelle, il déboutonne sa braguette, il exhibe ses poils en criant :

— *Barbudo !*

Et il ajoute à voix basse :

— Service secret !

☐ **1210**

Dans sa casemate de commandement, le général

vient de recevoir un télégramme. Il appelle son officier d'ordonnance et il lui dit :

— Tiens, lis ! Moi, je n'en ai pas le courage ! La paix est signée, mon pauvre vieux ! Qu'est-ce qu'on va faire de tous ces petits ?

1211 □

Pendant la guerre, alors que les troupes allemandes déferlent sur l'Europe, deux Juifs se rencontrent sur le quai d'une gare. Pour eux, l'exode recommence. Et le premier demande à l'autre :

— Où vas-tu, toi ?

— A Lisbonne.

— A Lisbonne ? Mais c'est très loin !

— Ah ! oui ? dit l'autre. Loin d'où ?

1212 □

En pleine nuit, l'alerte sonne. Les sirènes hululent sur la ville. Les bombardiers s'approchent. Un ménage de petits vieux se lève à la hâte. Tous deux enfilent quelques vêtements et s'empressent de descendre dans l'abri.

Mais en plein milieu de l'escalier, le vieil homme s'arrête soudain, très inquiet, et il fait mine de remonter.

— Qu'est-ce qui te prend ? s'écrie-t-elle.

— Ben... j'ai oublié mon dentier...

— Et alors ? Tu crois peut-être qu'ils vont nous envoyer des sandwiches ?

1213 □

La dernière guerre atomique a presque tout détruit sur terre : plus de maisons, plus rien à manger... Une vieille duchesse sort des ruines d'un hôtel particulier de Neuilly et elle se dirige à pied vers la Concorde.

Elle entre chez *Maxim's* où un maître d'hôtel la fait descendre dans la cave au milieu des gravats. Elle s'accroupit par terre en tailleur et on lui apporte révérencieusement une assiette pleine.

Elle goûte ce qu'il y a dedans et elle demande au maître d'hôtel :

— Mais c'est de la merde ?

— Certainement, madame la duchesse, dit l'autre. Et de la meilleure !

— Mais comment se fait-il ? On en trouve encore ?

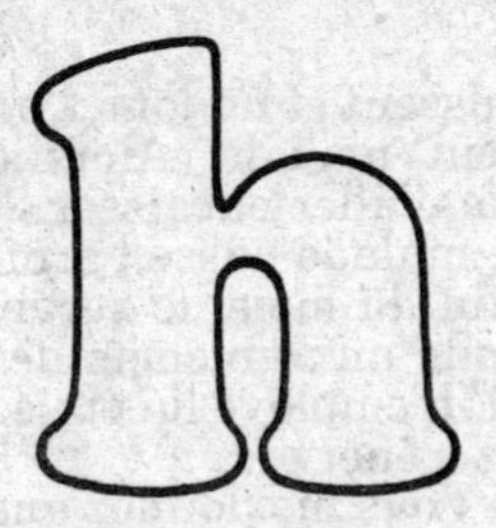

hérisson

1214 □

C'est un hérisson qui prend un bain de mer et il aperçoit un oursin.
— Mon Dieu ! dit-il, une sirène !

1215 □

— Tout le monde peut se tromper, dit le hérisson, confus, en descendant d'une brosse à habits.

1216 □

— Attention ! Attention ! Attention ! Attention ! Attention !... dit un hérisson qui flirte avec un autre hérisson...

héritage

1217 □

Deux braves frères du Poitou ont sauvé la vie de Rothschild, un jour où il allait se noyer dans une rivière. En récompense, le grand banquier leur a fait à chacun une rente à vie de dix mille balles par mois.

Des années passent et un jour, l'un des deux frères tombe gravement malade. Alors c'est l'autre qui prend l'habitude d'aller encaisser l'argent pour eux deux. Et puis le malade passe l'arme à gauche et on l'enterre. A la fin du mois, le survivant se présente comme d'habitude aux guichets de la banque pour réclamer son dû. L'employé lui étale dix mille francs. Du coup, le gars s'énerve :

— Ben quoi ? Vous me donnez que la moitié ?

— Mais, monsieur, dit l'employé, vous savez bien que votre frère est mort...

— Et alors ? Qui c'est qui hérite de mon frère ? C'est moi ou c'est Rothschild ?

□ **1218**

Le journaliste demande au milliardaire :

— Mais enfin, cette fortune, elle vient d'où ?

— Je vais vous raconter. J'avais dix-neuf ans. J'avais dix francs sur moi. J'ai acheté aux Puces une paire de ciseaux rouillée. Je l'ai décapée, frottée, huilée, astiquée, et j'ai fini par la vendre trente francs ! J'avais triplé mon capital...

— Et c'est comme ça que vous avez fait fortune dans l'acier ?

— Attendez, laissez-moi finir. J'ai vendu ces ciseaux trente francs et je me suis dit : Voilà le secret de la réussite ! Et le lendemain, j'ai acheté ma première usine. Mon père était mort dans la nuit et il m'avait laissé cinq milliards...

□ **1219**

Une dame entre en courant chez son notaire et elle dit :

— Maintenant que mon mari est mort, je viens pour tirer les choses au clair !

Et on lui répond :

— Vous avez pas de veine. Il vient juste de partir déjeuner...

1220 □

Conversation entre dames :
— Pauvre Rosalie ! C'est affreux ce qui vous est arrivé. Voir de ses propres yeux son mari se noyer, sans pouvoir rien faire !
— Hélas ! Ne m'en parlez pas ! (Elle sanglote.)
— Mais dites-moi, Rosalie, est-ce qu'au moins il vous laisse quelque chose ?
— Oui. (Elle gémit.) Un milliard...
— Un milliard ? Ça alors ! Pour un homme qui ne savait ni lire ni écrire...
— Ni... (elle renifle) ni nager...

1221 □

C'est un jeune fils de famille qui raconte :
— Au début du mois, j'ai perdu mon grand-oncle qui m'a laissé une compagnie de navigation. Il y a quinze jours, ma grand-mère est morte et j'ai hérité de dix-sept châteaux sur la Loire. La semaine dernière, c'est mon père qui a claqué du bec et je me suis retrouvé avec trois aciéries sur les bras. Et c'est curieux, parce que cette semaine... rien !

1222 □

A la suite d'un accident de voiture, deux amis, coincés par la nuit, se voient dans l'obligation d'accepter l'hospitalité d'une veuve dans une maison isolée. Un an plus tard, les deux compères se rencontrent par hasard et le premier dit à l'autre :
— J'ai reçu une lettre d'un avocat au sujet de cette vieille qui nous avait hébergés l'année dernière, tu te rappelles ?
— Euh... oui, dit l'autre en rougissant.
— Je suppose que tu as dû lui faire des gentillesses sans me le dire ?
— Ben... Oui ! C'est pas déshonorant...
— Et en plus, comme tu avais honte, tu t'es fait passer pour moi ?

— Eh bien, oui ! Je l'avoue... Tu ne vas pas m'en vouloir pour ça ?

— Pas du tout. Elle vient de crever et elle me laisse toute sa fortune...

hippopotame

☐ **1223**

Deux hippopotames brassent la boue dans l'eau du Congo. Il fait une chaleur écrasante : pas un bruit, pas un oiseau, pas un souffle de vent !

Tout d'un coup l'un d'eux lève le museau, prend un air presque religieux et dit à l'autre :

— Vous savez, j'ai beau faire, je ne peux pas arriver à croire que c'est déjà jeudi !

☐ **1224**

Un gars essaie de faire entrer un hippopotame dans sa maison. Évidemment, ce n'est pas facile et il finit par demander à un de ses voisins de lui donner un coup de main. A deux, ils réussissent à caser l'animal dans l'ascenseur, puis ils le transportent du palier dans la baignoire.

— Ouf ! fait le gars en s'épongeant le front. On y est quand même arrivés. Vous m'avez rendu un sacré service !

— Est-ce que je peux vous demander, dit l'autre, pourquoi vous tenez tellement à introduire cet hippopotame dans votre baignoire ?

— Ben voilà, dit le gars, c'est à cause de ma femme. Je peux lui dire n'importe quoi, elle répond toujours : *Mais oui, je sais bien.* C'est tout à fait exaspérant ! Alors, ce soir, quand je serai en train de lire mon journal, elle sortira de la cuisine à fond de train et elle criera : *Chéri, il y a un hippopotame dans la baignoire!* Et moi je répondrai tranquillement: *Mais oui, je sais bien...*

1225 ☐

Un bègue participe à une grande chasse dans la savane africaine. Tout d'un coup son regard se voile et il se met à hurler:

— Hip... Hip... Hip...

Alors ses amis crient en chœur:

— Hourra!

Et ils sont tous piétinés par un hippopotame en furie...

1226 ☐

Une vieille fille s'approche d'un gardien du zoo et elle lui demande:

— L'hippopotame que vous avez là, dans le bassin, c'est un mâle ou une femelle?

Alors le gardien lève le sourcil et il laisse tomber froidement:

— Je ne vois pas ce que vous en avez à foutre... C'est une question qui ne peut intéresser que les hippopotames!

histoire de france

1227 ☐

Ça se passe sous le règne d'Henri IV. Il y a un gars qui rentre chez lui et sa femme lui dit:

— C'est dimanche et je t'ai fait de la poule au pot, parce que le roi, il a dit qu'on devait manger la poule au pot tous les dimanches...

— Ah! bon, fait le gars.

Et le dimanche suivant, il y a encore de la poule au pot. Et le dimanche d'après aussi. Et tous les dimanches que Dieu fait, la bonne femme prépare la poule au pot. Au bout d'un an, le bonhomme ne peut plus souffrir la poule au pot. Et un samedi soir, il dit à sa femme :

— Dis, chérie, tu ne pourrais pas faire autre chose que de la poule au pot demain ?

Mais elle répond que non, parce que le bon roi Henri a dit que tous les Français devaient manger de la poule au pot le jour du Seigneur.

Du coup, le gars voit rouge. Il se précipite à la cuisine, il voit la poule au pot qui est en train de cuire pour le lendemain et il la fout à la poubelle.

Puis, de plus en plus déchaîné, il saisit un grand couteau et il sort de la maison en coup de vent.

Alors sa femme lui court derrière et elle crie :

— Ravaillac ! Reviens ici tout de suite !

☐ **1228**

On sait que l'infortuné Félix Faure, président de la République, rendit le dernier soupir dans les bras d'une belle dame. Un prêtre, appelé à la hâte, accourt à l'Élysée et demande :

— Le président a-t-il encore sa connaissance ?

— Oh, non ! répond l'huissier, elle vient de sortir par l'escalier de service...

☐ **1229**

Un jour, Dieu créa la France. Contemplant son œuvre, il se dit :

— Je me suis surpassé ! Cette douceur, cette mesure, cette variété, cette richesse n'existent nulle part ailleurs. C'est trop injuste pour le reste de la terre !

Et pour rétablir l'équilibre, Dieu créa les Français.

☐ **1230**

Toto rentre chez lui et il dit à son père :

— L'instituteur, il m'a grondé, parce que je ne savais pas qui a cassé le vase de Soissons. Je lui ai dit que c'était pas moi, mais il n'a pas voulu me croire...

Et Toto fond en larmes.

— Le vase de quoi ? dit le père.

— Le vase de Soissons.

— Attends un peu, dit le père. Ça ne va pas se passer comme ça !

Le lendemain, il va voir l'instituteur et il le secoue comme un prunier.

— Comment ? Vous avez accusé mon petit d'avoir cassé un vase, alors qu'il ne sait même pas d'où il vient ni à quoi il sert ! Vous êtes un bourreau d'enfants !

— Mais enfin, monsieur, dit l'instituteur, je ne l'ai jamais accusé d'avoir cassé ce vase, je lui ai simplement demandé qui l'avait cassé...

— Eh bien, c'est encore pire ! En plus, vous voudriez lui apprendre à cafarder ? Mais vous ne perdez rien pour attendre ! Nous sommes en république et je sais à qui me plaindre ! Vous aurez de mes nouvelles...

Le lendemain, le père va voir l'inspecteur d'Académie et il lui raconte tout depuis le début.

— Ne vous inquiétez pas, cher monsieur, lui dit l'inspecteur. Je ne tiens pas à avoir d'histoires avec l'Association des parents d'élèves. Si votre enfant n'a vraiment pas cassé ce vase de Soissons, je vais faire une enquête et son innocence sera prouvée.

Et une semaine plus tard, l'instituteur est convoqué chez le recteur qui lui dit avec componction :

— Écoutez, vous êtes jeune dans le métier, vous n'auriez pas dû vous embarquer dans une affaire pareille...

— Mais enfin, monsieur le recteur, répond l'instituteur, il doit s'agir d'un malentendu. Je lui ai seulement demandé qui avait cassé le vase de Soissons ! Vous voyez bien...

— Je vois, je vois ! Mais que voulez-vous, le père a des relations. Je crois que vous feriez mieux de lui présenter des excuses...

— Des excuses ? Mais c'est de la folie pure ! Des excuses à cause du vase de Soissons...

— Tant pis ! Je vous croyais intelligent. C'est au plus intelligent de céder... Mais puisque vous refusez, je suis obligé d'en référer à mes supérieurs...

Un mois plus tard, l'instituteur reçoit une invitation comminatoire à se rendre chez le ministre de l'Éducation nationale. Celui-ci le fait entrer, enlève ses lunettes et lui tape sur l'épaule :

— Il est invraisemblable que cette histoire soit montée jusqu'à moi. Vous avez dû manquer de souplesse. Mais enfin, je suis disposé à passer l'éponge. Peu importe lequel de vos élèves a cassé ce vase. Nous allons enterrer l'affaire. Je vous dégage un crédit spécial et vous allez tout de suite acheter un autre vase de Soissons !

☐ **1231**

Dans le train, un petit garçon et sa maman sont en face d'un vieillard à barbe blanche qui sommeille.

— Regarde, maman, dit le petit garçon, c'est Charlemagne.

— Petit imbécile, dit la mère, tu sais bien que Charlemagne est mort...

— Mais alors, maman, c'est affreux... Regarde : il vient juste de bouger !

☐ **1232**

Le marquis de Montespan a convoqué tous ses amis, courtisans et domestiques. Ils sont tous rassemblés au pied du grand escalier du château. Alors il sort de sa chambre du premier étage, les yeux

cernés, la perruque en désordre, et il crie à travers l'escalier :
— Vous êtes tous cocus, messieurs ! Je viens de coucher avec ma femme !

1233 □

La célèbre espionne Mata-Hari termine sa stupéfiante carrière de courtisane devant le peloton d'exécution. Au moment où l'officier va commander le tir, elle murmure comme pour elle-même :
— C'est bien la première fois que je vends ma peau pour douze balles...

1234 □

Louis XIII, agonisant, demande qu'on amène à son chevet le petit dauphin, âgé de six ans. Il se soulève péniblement sur ses oreillers et il lui dit :
— Comment t'appelles-tu ?
Et le môme réplique :
— Louis XIV...

1235 □

Saint Éloi est venu coller son oreille contre la porte de la chambre du roi Dagobert. Il commence par entendre d'abord les gémissements de plaisir de la reine, puis un hurlement de douleur et enfin la voix épaisse du souverain consolant sa femme :
— C'est bon, lui dit le roi, je vais la remettre à l'endroit !

hommes d'esprit

1236 □

Une des plus belles phrases d'Alphonse Allais :
— Si j'étais riche, je pisserais tout le temps !

☐ **1237**

Déclaration enflammée de Groucho Marx à une femme :

— J'ai vu des femmes affreuses, mais vous, vous battez tous les records ! N'importe quoi me fera penser à vous : un meuble, un camion, une poubelle... Tout me fait penser à vous, sauf vous !

☐ **1238**

La Légion d'honneur, déclarait le musicien Erik Satie, il ne suffit pas de la refuser, il faut encore ne pas l'avoir méritée !

☐ **1239**

C'est normal que la mer ne déborde pas, disait Alphonse Allais. Ce n'est pas pour rien que la Providence a mis des éponges dedans...

☐ **1240**

Avant de devenir pape, Jean XXIII avait été longtemps nonce à Paris. Ces fonctions lui créaient beaucoup d'obligations diplomatiques et mondaines. Et il disait avec un feint étonnement :

— Les Français sont vraiment vicieux ! Tout le monde ici sait très bien que je suis gros, vieux et laid. Pourtant, à chaque fois qu'une très belle femme, au décolleté généreux, arrive dans une grande réception, eh bien, ce n'est pas elle qu'on regarde ! C'est vers moi que soudain tous les regards se tournent !

☐ **1241**

Lettre d'Oscar Wilde :

Je regrette beaucoup, mais à la suite d'un engagement *ultérieur*, je ne pourrai honorer votre aimable invitation à dîner.

1242 □

George Bernard Shaw reçoit un jour une lettre de la Metro-Goldwyn-Mayer :

« Cher Maître, nous avons décidé d'adapter à l'écran votre œuvre immortelle *César et Cléopâtre*. Nous espérons obtenir avec ce film un succès considérable, mais il va de soi qu'il faudra faire certaines concessions au public. Ne doutant pas de votre accord, puisqu'il ne peut y avoir entre nous de problème d'argent, nous attendons avec impatience votre réaction. »

Et l'écrivain répond :

« Espèces de sales marchands de soupe, comment avez-vous pu imaginer une minute que je sois assez vénal pour accepter votre offre ? Allez vous faire foutre !

Post-scriptum : Combien ? »

1243 □

Tristan Bernard heurte, en montant son escalier, un déménageur qui transporte sur son dos une énorme horloge de trois mètres de long.

— Eh bien, mon ami, lui dit-il en lui posant la main sur l'épaule, vous ne pourriez pas porter un bracelet-montre comme tout le monde ?

1244 □

Lettre d'Alphonse Allais :

Cher Monsieur, je suis sûr que vous me pardonnerez de ne pas avoir répondu à votre lettre urgente de l'année dernière. Imaginez-vous que quand le facteur me l'a apportée, j'étais au fond du jardin...

1245 □

Oscar Wilde rencontre une femme qu'il avait délaissée depuis quinze ans :

— Mon Dieu, madame, dit-il, veuillez me pardonner! Sur le coup je ne vous avais pas reconnue. C'est que j'ai beaucoup changé!

☐ **1246**

Un raseur demande à Churchill:

— Mais pourquoi ne peignez-vous que des paysages?

— Pourquoi? Parce que jamais un arbre n'est venu me dire qu'il n'était pas ressemblant.

☐ **1247**

Le grand comédien burlesque Groucho Marx, assis dans le métro, dit à une vieille dame debout à côté de lui:

— Je vous céderais bien ma place, mais elle est déjà occupée...

☐ **1248**

Mark Twain raconte:

Nous étions deux frères jumeaux dans deux berceaux jumeaux et personne n'était capable de nous reconnaître, même pas notre mère. Et puis un jour, l'un de nous deux est mort.

L'ennuyeux, c'est que je n'ai jamais su lequel. Et je ne sais pas davantage lequel est vivant, si c'est moi ou si c'est lui...

☐ **1249**

Talleyrand entre dans sa calèche et il dit à son cocher:

— Allez-y doucement! Je suis très pressé...

☐ **1250**

Une erreur peut devenir exacte, dit Pierre Dac. Il suffit que celui qui l'a commise se soit trompé...

1251 □

— Je ne crois pas aux mathématiques! confie Raymond Queneau. Dans toutes les tentatives faites jusqu'à présent pour démontrer que deux et deux font quatre, il n'a jamais été tenu compte de la vitesse du vent...

1252 □

Le président Herriot disait à son ami le nonce Roncalli, qui devait devenir plus tard le pape Jean XXIII :
— Eh bien, moi, je suis athée, Dieu merci !

1253 □

Dans un salon, Voltaire s'approche d'une vieille coquette au décolleté provoquant et glisse vers son corsage un regard de biais.
— Eh bien ? s'insurge la dame. Vous vous intéressez encore à ces petits coquins à votre âge ?
— Oh ! dit Voltaire. Petits coquins, c'est bien vite dit... Ce sont plutôt de grands pendards !

1254 □

Groucho Marx prend le pouls de Harpo, il regarde sa montre et il déclare :
— Ou cet homme est mort, ou ma montre est arrêtée !

1255 □

A l'époque où Alphonse Allais rédigeait une chronique hebdomadaire, le directeur de son journal lui fit remarquer un jour que l'article qu'il venait de remettre était trop court de quelques lignes. Alphonse Allais composa alors ce post-scriptum :
« La dame que j'ai rencontrée hier dans l'omnibus Panthéon-Courcelles, et à l'enfant de laquelle j'ai dit : *Mon petit, si tu ne te tiens pas tranquille, je te fiche*

mon pied dans les parties, et qui m'a répondu: *Pardon, monsieur, c'est une petite fille,* est priée de passer aux bureaux du journal pour recevoir mes excuses... »

hôpital

☐ **1256**

Un type s'amène à l'hôpital avec le bras bandé:

— Je crois que je me suis cassé quelque chose.

— Ah, oui! dit le docteur en l'examinant, ça vous est arrivé comment?

— Eh bien, j'ai voulu éviter un enfant, et alors patatras!...

— Vous êtes entré dans un arbre?

— Non! Je suis tombé du lit...

☐ **1257**

C'est un gars qui vient de passer sous un autobus. Crac! Les deux jambes coupées. Il perd connaissance. On l'emmène à l'hôpital. Le lendemain, le médecin-chef passe la visite et il trouve le gars avec une fracture du crâne. Il dit:

— Qu'est-ce que c'est que cette histoire? Comment ça se fait?

— Ben, dit le gars. Moi, on ne m'a rien dit. Et ce matin, comme tous les matins, je me suis levé pour me laver les dents...

☐ **1258**

Un inspecteur de la Santé publique visite un hôpital psychiatrique très moderne où tous les malades disposent d'une chambre particulière. Au bout d'un moment, il se tourne vers le directeur de l'hôpital et il manifeste son étonnement:

— Je ne comprends pas. Vous m'aviez dit que chacun était seul chez lui et pourtant, j'ai vu des chambres à deux lits...
— Bien sûr, dit le directeur. C'est pour ceux qui ont un dédoublement de la personnalité !

1259 □

Une dame très comme il faut se lance dans un grand sermon à l'adresse d'un mendiant qui lui tendait la main :
— Vous n'avez pas honte de réclamer l'argent des autres ? Vous n'avez donc aucune dignité ? Jeune et fort comme vous êtes, vous pourriez travailler !
— Oh ! non, madame, dit l'autre doucement. Il faut vous dire que tous les matins, je vais à l'hôpital pour me faire mettre des gouttes dans les yeux...
— Ah ! bon ? Et qu'est-ce que vous faites l'après-midi ?
— L'après-midi, ça me pique.

1260 □

Un violoniste célèbre fait une tournée en Afrique. Il en profite pour rendre visite au docteur Schweitzer qui est lui aussi un grand interprète de Bach. Il arrive à l'hôpital de Lambaréné vers minuit moins dix. On lui offre une chambre. Il s'apprête à se coucher, mais comme il se sent mal à l'estomac, il appelle un boy. Aussitôt quelqu'un se met à sa disposition, en commençant par se présenter avec une exquise courtoisie :
— Docteur Schweitzer pour vous servir, monsieur ! Que désirez-vous ?
Alors le grand violoniste entend sonner les douze coups de minuit et il répond :
— Yehudi Menuhin ! Alka-Seltzer...

☐ **1261**

Dans un hôpital de la Martinique, une infirmière se précipite dans le bureau du médecin-chef :

— Docteu', il y a un malade là-deho's... Il a des boutons plein la tête !

— Ah ! oui... Je vois ce que c'est ! Impétigo...

— Non ! Pas impétigo... *Un g'and maigue !*

☐ **1262**

Un petit monsieur tout vert se promène en costume vert sur une belle route verte et soudain il est renversé par un autobus vert.

Aussitôt, une ambulance le transporte à l'hôpital et les chirurgiens arrivent en toute hâte. Ils lui ouvrent le ventre et ils s'aperçoivent qu'il a le foie rouge, l'estomac rouge.

Alors ils le regardent de plus près et ils voient qu'il a le nez rouge, les dents rouges, les cheveux rouges... Et il y a un chirurgien qui dit :

— Zut ! Je crois qu'on s'est trompé d'histoire...

☐ **1263**

Le médecin-major de l'hôpital militaire demande à l'infirmière-chef :

— Quoi de neuf depuis hier ?

— Rien, mon colonel, à part que le simulateur est mort...

☐ **1264**

Une mère amène son gamin à l'hôpital des Enfants Malades :

— Docteur, je ne sais pas ce qu'il a. Depuis ce matin, il ne tient plus debout ! Il tombe tout le temps ! Hier, il trottait comme un lapin et aujourd'hui il est à plat ventre...

Le médecin examine le gosse. Il essaie de le faire tenir debout, et lui non plus, il n'y arrive pas. Il l'ausculte de tous les côtés et en désespoir de cause, il dit à la mère :

— Je crois qu'il est paralysé pour la vie !

La mère fond en larmes. Le médecin essaie de la consoler. Il dit :

— Nous allons l'envoyer dans un hospice d'enfants inadaptés. Vous le verrez une fois par semaine. Ne pleurez pas !

A ce moment, une infirmière entre dans la salle de consultation, elle contemple la scène, elle regarde le môme et elle demande :

— Pourquoi vous lui avez mis les deux jambes dans la même jambe de pantalon ?

1265 □

Deux braves ménagères discutent en attendant leur tour à la poissonnerie :

— Mon mari sort de l'hôpital. Il s'est fait opérer de l'appendice...

— Qu'est-ce que c'est que ça ?

— C'est une petite chose en bas du ventre, une petite chose qui ne sert à rien et ça va beaucoup mieux quand on ne l'a plus...

— Tiens ! Il faut que j'en parle à mon mari...

---

hôtel

1266 □

— Monsieur, dit le client en quittant l'hôtel, c'est la dernière fois que je mets les pieds dans votre établissement !

— Mon Dieu ! s'exclame l'hôtelier, qu'est-ce qui n'allait pas dans le service ?

— Ben, il n'y avait pas de papier au petit endroit...

— Mais enfin, monsieur, c'est une défaillance de notre part. Le client peut toujours réclamer. Vous avez bien une langue tout de même?

— J'ai une langue, mais je ne suis pas contorsionniste!

☐ 1267

Il n'y a plus de chambre libre dans l'hôtel et on propose à ce jeune homme de partager le lit du vieux concierge. Le lendemain matin, il est réveillé en sursaut par l'aimable vieillard qui s'est dressé sur son séant et qui gueule:

— Vite! Une femme! Une femme tout de suite!

— Calmez-vous, mon petit père, lui dit le garçon, ce que vous tenez dans la main, c'est à moi...

☐ 1268

Un vagabond frappe à la porte d'une auberge qui s'appelle *Saint Georges et le Dragon*. Une femme acariâtre lui ouvre et lui claque la porte au nez, avant même qu'il ait pu dire un mot.

Alors il insiste, il tambourine, et comme la virago réapparaît en hurlant de rage contre lui, il débite tout d'une traite:

— C'est pas à vous que je veux parler, c'est à saint Georges!

☐ 1269

Un couple se présente dans un hôtel très chic:

— Je voudrais une chambre pour ma femme et pour moi-même.

— Avec vue sur la mer? demande le réceptionniste.

Le gars se tourne vers la jeune femme et lui dit:

— Tu veux avoir la vue sur la mer, chérie?

Et elle lui dit:

— Oui, monsieur.

1270 □

Dans la chambre d'hôtel, le mari est déjà couché, tandis que la femme achève de se déshabiller.
— Chérie, dit-il, avant de venir au lit, voudrais-tu poser mes chaussures dans le couloir, pour que le groom les cire demain matin?
Et la fille sort de la chambre avec les chaussures à la main. Mais à peine est-elle dehors, qu'un courant d'air fait claquer la porte et... la voilà nue dans le couloir! Le pire, c'est que juste à ce moment-là, il y a le groom qui arrive.
Alors, dans un réflexe de pudeur bien naturel, elle prend les chaussures par les semelles et elle se les plaque sur le bas du ventre. Et quand le groom passe devant elle, il s'arrête, stupéfait, en ouvrant des yeux carrés:
— Nom de dieu! siffle-t-il, j'aurais jamais cru qu'on puisse entrer aussi loin...

1271 □

En quittant son hôtel, un voyageur s'aperçoit qu'il a oublié son parapluie dans sa chambre. Il revient sur ses pas et il va raconter son affaire au concierge de l'hôtel.
— C'est bien ennuyeux, lui dit le concierge, parce qu'aussitôt après que vous avez libéré la chambre, on l'a louée à un jeune couple en voyage de noces. Moi, je n'ose pas les déranger pour un parapluie... Mais si vous voulez aller le leur réclamer vous-même...
Alors le gars monte à l'étage, il s'arrête devant la porte de la chambre, il va pour frapper, mais il entend un étrange dialogue à travers la porte:
— A qui c'est, ça?
— C'est à toi!
— Et ça, à qui c'est!
— C'est à moi!
— Et ça?
— Ça c'est à moi, mais je vais te le prêter...
Du coup, le gars s'énerve et il se met à crier:

— Dites donc! Quand vous en serez arrivés au parapluie, il est à moi!

☐ **1272**

Un couple de touristes cherche désespérément une chambre en plein mois d'août, du côté de Saint-Tropez. Au douzième hôtel, un employé répond au mari :

— J'ai bien quelque chose. Mais c'est la chambre nuptiale!

— Ben, vous savez, dit le gars, on est mariés depuis trente ans! Alors, ça ne convient pas très bien!

— Et alors? dit le portier. Si je vous proposais la salle de bal, vous danseriez toute la nuit?

île déserte

1273 ☐

Ils sont deux naufragés sur une île déserte et le premier dit à l'autre :

— Qu'est-ce qu'on s'ennuie ! On va jouer à un jeu. On va jouer aux portraits. Essaie de deviner. Je suis une belle fille. Je fais du cinéma. Je passe mes vacances à Saint-Tropez. J'ai de belles cuisses. J'ai de beaux seins. Je marche en remuant des fesses et je ne porte pas de soutien-gorge. Qui suis-je ?

— Je sais pas, dit l'autre, mais couche-toi ici tout de suite...

☐ 1274 1274 ☐

Un cargo aborde pour la première fois dans une île déserte à l'écart des voies maritimes habituelles. Le capitaine descend faire une reconnaissance à terre. Il tombe sur un vénérable vieillard tout nu dont la barbe descend jusqu'aux genoux.

— Qu'est-ce que vous faites là ?

— Je ne sais pas.

— Pourquoi êtes-vous venu dans cette île ?

— Pour oublier.

— Pour oublier quoi ?

— J'ai oublié.

☐ **1275**

Deux hommes et une femme sont rejetés par la tempête sur une île déserte.

Au bout d'un mois, la femme est tellement dégoûtée de ce qu'elle fait avec eux qu'elle se suicide.

Au bout d'un autre mois, ils sont tellement écœurés de ce qu'ils font avec elle qu'ils l'enterrent.

Et au bout d'un troisième mois, ils ont tellement honte de ce qu'ils font entre eux qu'ils la déterrent.

☐ **1276**

Trois malheureux naufragés se morfondent sur une île déserte : la femme, le mari et un beau quartier-maître. Le quartier-maître, de jour en jour, il devient rouge, vert, violet à force de regarder la fille, sans pouvoir rien faire.

Et comment faire ? L'île est grande comme un mouchoir de poche : on ne peut s'y dissimuler nulle part ! Un beau matin, le mari dit au beau marin :

— Vous devriez monter sur le palmier et surveiller l'horizon. Il ne faut pas perdre une seule chance de voir passer un navire...

Alors le gars grimpe sur l'unique palmier et tout d'un coup il se met à hurler à l'adresse des deux époux :

— Arrêtez de faire ça... C'est dégoûtant ! Et puis ça m'excite...

— Arrêter de faire quoi ? dit le mari.

— Arrêtez de vous peloter et de vous enfiler...

— Mais on ne fait rien. Absolument rien !

— Vous ne faites rien ? C'est pas possible... Alors c'est un arbre magique, un arbre à mirages !

— Un arbre à mirages ? Vous avez des visions, mon vieux !

— Ah ! j'ai des visions ? Eh bien, je vais descendre et vous me remplacerez. Et nous allons un peu voir si vous n'avez pas des visions, vous aussi...

1277 ☐

Miraculeusement rescapés d'un naufrage, deux gentlemen britanniques rongent leur frein sur une île déserte. Pendant quinze jours, la respectabilité les empêche de s'adresser la parole. Mais à la fin, l'un d'eux ne peut plus tenir. Il ouvre la bouche et il dit à l'autre :

— *Colonel ?*

— *Yes.*

Le lendemain matin, il s'enhardit un peu plus et demande :

— *Homosexual ?*

— *Yes.*

Deux jours se passent et enfin il décide de jouer son va-tout. Il s'approche de son compagnon et lui lance :

— *Oxford ?*

— *No ! Cambridge...* dit l'autre.

Et le premier laisse tomber tristement :

— *Sorry...*

1278 ☐

C'est un naufragé qui vit tout seul sur une île déserte depuis dix ans. Et un jour, il voit arriver un bateau au large. Mais les parages sont pleins d'écueils et le bateau heurte un récif. En un clin d'œil, le voilà qui coule !

Alors on voit une forme humaine qui nage vers l'île. Mais oui ! On dirait qu'il y a un survivant... Le vieux solitaire ne se tient plus de joie. Il met ses mains en porte-voix et il hurle :

— Ohé ! Monsieur, Madame ou Mademoiselle... Je vous aime !

1279 ☐

C'est un petit garçon qui est tout seul sur une île déserte. Le bateau qui l'emmenait en Amérique a fait naufrage. Et pendant des années, il subsiste en mangeant des coquillages. Et puis il devient un beau jeune homme qui continue à vivre paisiblement dans la solitude et la nudité. Mais un beau jour de printemps, il aperçoit un radeau qui s'approche de son île. Un autre navire a dû s'engloutir dans les parages. Et il voit débarquer une dame qui pourrait être sa mère...

— Bonjour, madame, dit-il poliment. Attendez ! On va mettre votre robe à sécher...

Alors elle le regarde longuement. Elle est complètement fascinée par ce corps sauvage et basané. Elle se met à trembler de désir et soudain elle ne peut plus se retenir : la voilà qui se jette sur lui et qui le couvre de baisers et de caresses. Mais elle voit bien, à son air stupéfait, qu'il ne comprend rien à ce qui lui arrive...

— Mon pauvre petit ! dit-elle en lui passant la main dans les cheveux. Tu ne sais pas ce que c'est que l'amour ! Personne ne t'a jamais montré. Mais tu as une sacrée chance que je sois arrivée... Allonge-toi là, je vais te faire voir...

Et elle lui donne la plus folle leçon de plaisir dont on puisse rêver.

Hélas ! Une heure plus tard, il est à genoux sur la plage et il pleure toutes les larmes de son corps. Alors elle le prend tendrement dans ses bras et elle ronronne :

— Qu'est-ce qui ne va pas ? Ce n'était pas bien ? Ça ne t'a pas plu ?

— Oh ! si, madame ! gémit-il entre deux sanglots. Mais maintenant on va mourir de faim...

— Mourir de faim ? Mais pourquoi ?

— Parce que vous m'avez démonté mon couteau ! Avec quoi est-ce que je vais creuser dans le sable pour sortir des coquillages ?

☐ 1280

Deux matelots ont fait naufrage sur une île déserte. Ils s'embêtent. Et le premier dit à l'autre :

— Écoute, ça ne peut pas continuer comme ça. On va jouer à un petit jeu! Je te tiens, tu me tiens par la barbichette! Le premier de nous deux qui rira aura une tapette!

Au bout d'un moment, ils éclatent de rire tous les deux en même temps... Depuis, ils vivent très heureux et ils n'ont absolument pas d'enfants...

incendie

1281 ☐

Un vieux fermier américain est passé maître dans l'art de berner les compagnies d'assurances. Il achète une ferme, s'assure pour une très forte somme et au bout de quinze jours, la ferme brûle entièrement. Alors, il rachète une autre ferme et il recommence.

Et ça fait dix ans que ça dure ainsi, sans qu'on puisse jamais le prendre en défaut, malgré les enquêtes les plus minutieuses. Finalement, le gars se trouve à la tête d'exploitations agricoles de plus en plus importantes, grâce à tous les dédommagements que lui ont versés ses assureurs.

Un beau jour, il reçoit la visite d'un voisin à qui il fait les honneurs de son domaine. Puis il lui offre un verre de whisky.

L'autre sort une cigarette de sa poche, va pour l'allumer et s'aperçoit que son briquet est à sec. Alors, il se retourne vers son hôte et il lui dit:

— Vous n'auriez pas un peu de feu?

— Mais certainement! dit le vieux fermier. Si vous voulez recharger votre briquet, vous n'avez qu'à prendre un peu d'essence dans l'extincteur d'incendie.

1282 ☐

Toto est assis par terre, les yeux fixés sur un point

du paysage. Une vieille dame vient à passer et s'exclame en lui caressant les cheveux :

— Comme ce petit garçon est merveilleux ! Il peut rester des heures à regarder un coucher de soleil ! C'est un vrai poète !

— Je regarde pas le coucher de soleil, répond Toto, hargneux, je regarde l'école qui finit de brûler...

Et il jette sa boîte d'allumettes dans le caniveau...

☐ **1283**

Un courtier en assurances se présente chez le père Mathieu, un vieux paysan madré, pour essayer de lui faire signer une police contre l'incendie. Au bout de trois quarts d'heure de discussion, il croit être arrivé à ses fins. L'autre a déjà la plume à la main. Il hésite un peu et il finit par demander :

— Alors, c'est bien vrai, si je signe ce papier et si ma ferme brûle, vous me versez cent briques ?

— Exactement. A condition, évidemment, que vous n'y ayez pas mis le feu...

— Ah ! fait le père Mathieu, je savais bien qu'il y avait un cheveu !

☐ **1284**

Un admirateur demande un jour à Jean Cocteau :

— Et si le feu se déclarait chez vous, qu'est-ce que vous emporteriez en premier ?

Et la réponse fuse aussitôt :

— Le feu !

☐ **1285**

Le château de Marie-Chantal est en train de brûler. Elle a appelé les pompiers. Elle court dans tous les sens. Et tout d'un coup, elle sent une entêtante odeur de caramel.

— Mon Dieu ! s'écrie-t-elle. On a oublié la mémé diabétique dans sa chambre...

1286 □

C'est une histoire qui se passe au Texas, devant une station d'essence. Un automobiliste s'est arrêté pour faire le plein. Et il demande au pompiste :

— Pourquoi tout le monde est si agité ? Il s'est passé quelque chose ?

— Je pense bien ! réplique l'autre. Il y a un Noir qui vient de s'arroser d'essence. Et puis il a grillé une allumette et il a flambé comme une torche !

— C'est affreux ! Mais qu'est-ce que vous avez fait ?

— Ben, on a fait tout de suite une collecte pour la veuve et les gosses !

— Ah ! bon... Et vous avez recueilli combien ?

— Cinquante litres...

1287 □

Un commando d'étudiants gauchistes a réussi à s'introduire dans la Maison Blanche pour mettre le feu à la bibliothèque du Président. Reagan est dans une rage folle. Ses deux livres ont brûlé et il y en a un qu'il n'avait pas fini de colorier.

1288 □

Le magasin de Lévy vient de brûler entièrement. Le lendemain, il reçoit une lettre de sa société d'assurances :

« Cher monsieur, vous avez souscrit un contrat contre les dégâts du feu auprès de notre compagnie, hier matin, à dix heures. Or, l'incendie n'a éclaté dans votre magasin qu'à midi. Pourriez-vous nous expliquer les raisons de ce retard ? »

1289 □

L'église est en flammes. Quarante sapeurs-pompiers arrosent l'incendie. Le curé est assis, effondré, sur un prie-Dieu qui a échappé au désastre

et il regarde l'horizon d'un air désespéré. Alors une bonne sœur pousse vers lui un des enfants de chœur à la mine renfrognée et elle lui souffle :
— Va dire à monsieur le curé que tu regrettes...

infirme

☐ **1290**

C'est un petit garçon très malheureux, mais très serviable. Il est né cul-de-jatte et un accident de voiture lui a arraché les deux bras. Comme c'est dimanche, il dit à sa mère :
— Maman, je vais jouer au rubgy.
— Mais mon petit, mon pauvre petit, dit la mère, comment veux-tu jouer au rugby avec ton pauvre petit corps ?
— Je peux très bien, maman. Je fais le ballon...

☐ **1291**

On a frappé à la porte de la maison close. La sous-maîtresse va ouvrir et elle voit devant elle un cul-de-jatte manchot.
— Monsieur, dit-elle, vous devez vous tromper. Il n'y a rien qui puisse vous satisfaire dans cette maison !
— Ah ! Vous croyez, grince le gars. Et avec quoi est-ce que j'ai frappé ?

☐ **1292**

Le petit Arsène revient de classe avec son carnet de notes et il le montre à son père : Histoire : 20. Géographie : 20. Arithmétique : 20. Lecture : 18.
— Comment, braille le père, 18 en lecture ? Sale petit fainéant !
Et il lui retourne une paire de gifles.

La semaine suivante, le petit Arsène ramène son carnet de notes. Il a 20 partout sauf en lecture. Alors son père lui fout une raclée retentissante et il lui dit :

— Si la semaine prochaine, tu n'as pas 20 en lecture, je te fouette jusqu'au sang.

Et au bout de huit jours, le petit Arsène rentre à la maison piteusement. Il a fait des efforts terribles en lecture mais il n'a que 19. Cette fois-ci, le père va chercher un énorme martinet et il s'apprête à l'écorcher vif. Et le petit Arsène dit d'une voix plaintive :

— Mais, papa, essaie de comprendre... C'est très difficile de lire le braille avec un crochet de fer...

1293 ☐

C'est un gars qui louche horriblement. Il rencontre un ami qui a une jambe plus courte que l'autre.

— Comment vas-tu ? lui dit-il.

Et le boiteux répond :

— Comme tu vois.

1294 ☐

Un client entre dans un bar et le garçon, en le servant, s'aperçoit qu'il a les deux manches de sa veste apparemment vides. Alors il prend un air triste et il lui dit :

— C'est affreux ! C'est l'Indochine ?

— Non.

— C'est l'Algérie, peut-être ?

— Non.

— Alors c'est un accident de la route ?

— Non.

— Alors quoi ?

— C'est le tailleur. Il fait la mesure électronique.

1295 ☐

Ce petit garçon est muet, irrémédiablement muet.

Ses parents ont tout essayé. Ils ont consulté les plus grands médecins du monde, mais en vain. Les pilules, les cachets, les traitements, la chirurgie des cordes vocales, rien n'a réussi ! Le gosse n'ouvre pas la bouche, sauf pour bouffer...

Et c'est ainsi qu'il grandit. Il passe son certificat d'études, il fait sa première communion, il commence à mettre des cravates. Et un beau jour, ses parents l'emmènent à la plage.

Il est en train de faire des pâtés de sable, quand tout d'un coup il voit passer une fille roulée comme une vraie déesse, qui remue des hanches et des seins à vous en faire sortir les yeux de la tête.

Le môme se retourne, il la regarde, il la regarde bien et il dit :

— Nom de Dieu de merde ! La belle gonzesse !

Son père se précipite sur lui, il le serre dans ses bras, il pleure à chaudes larmes, il se met à hurler :

— Mais tu parles ! Tu parles, mon chéri ! C'est un vrai miracle ! Mais pourquoi n'avais-tu rien dit jusqu'à présent ?

Et le petit garçon répond :

— J'avais rien trouvé d'intéressant à dire...

☐ **1296**

C'est un sourd qui s'assied sur un banc dans un square. Un gardien s'approche et lui dit :

— Faites attention ! Ce banc, on vient juste de le repeindre !

— Comment ? dit le sourd.

— Ben, en vert !

☐ **1297**

La scène se passe à Lourdes. C'est un jour faste. Un aveugle vient de plonger dans la piscine miraculeuse et il en ressort en criant :

— Je vois ! Je vois !

Une sourde s'est baignée au même endroit et elle se met à crier :
— J'entends ! J'entends !
Alors un paralytique se précipite dans le bassin avec sa petite voiture, et quand on l'en retire, eh bien, il a des pneus neufs...

1298 ☐

C'est un garçon qui aime bien jouer à saute-mouton avec les garçons. Il croise un bossu et il siffle d'admiration :
— Oh ! La belle poitrine !

1299 ☐

Samuel, qui n'a pas vu Isaac depuis très longtemps, le rencontre dans une voiture de paralytique.
— Pauvre vieux ! Qu'est-ce qui t'est arrivé ?
L'autre lui fait un clin d'œil :
— Rien. Ne t'inquiète pas pour moi. J'ai trouvé une combine sensationnelle. J'ai simulé un accident d'automobile et j'ai fait croire que j'étais paralysé pour le reste de mes jours...
— Mais dans quel intérêt ?
— Comment ! Tu ne comprends pas ? Mais j'ai touché un dédommagement de cent briques de ma compagnie d'assurances !
— Formidable ! Mais l'ennuyeux, c'est que tu vas être obligé de jouer à l'infirme jusqu'à la fin de tes jours...
— Pas du tout ! Le mois prochain, je vais à Lourdes !

1300 ☐

C'est une jeune fille qui est très jolie, mais cul-de-jatte. Un jour, elle fait la connaissance d'un jeune homme qui l'entraîne en voiture au bois de Boulogne.

Ils commencent à se lutiner un peu et au bout d'un moment, elle lui dit :

— Si vous voulez me faire plaisir, nous pourrions faire ça dans un bosquet, mais debout! J'ai un crochet dans le col de mon corsage et vous n'aurez qu'à me suspendre à une branche basse...

Un peu estomaqué, le gars obéit et il lui fait son affaire comme elle l'a demandé. Puis il la décroche et il la ramène dans sa voiture. Alors la fille se met à pleurer toutes les larmes de son corps.

— Qu'est-ce que tu as ? lui demande-t-il. Ça ne t'a pas plu ?

— Oh ! si... bredouille-t-elle.

— Je t'ai fait mal ?

— Oh ! non...

— Mais alors pourquoi pleures-tu comme ça ?

— C'est parce que vous êtes le premier qui me décroche...

☐ **1301**

Une petite chamelle qui songe à se marier se présente dans une agence matrimoniale :

— L'embêtant, dit-elle, c'est que j'ai une grosse infirmité !

— Ah, oui ? Laquelle ?

— Ben, j'ai pas de bosse !

☐ **1302**

La scène se déroule dans une école d'enfants retardés. Ce sont des mômes qui n'arrivent pas à faire des gestes normaux. Ils ont des brusques détentes nerveuses dans tous les sens. Et la maîtresse essaie de leur apprendre à applaudir comme au théâtre :

— Regardez, mes enfants ! C'est très facile. Vous mettez vos deux mains ouvertes devant vous, juste l'une en face de l'autre, et hop ! vous battez des mains !

Et tous les gosses essaient de faire ce qu'on leur dit. Mais ils frappent dans le vide tant qu'ils peuvent. Au bout d'une demi-heure, il y en a quand même un, au fond de la classe, qui réussit tout à fait par hasard à sortir un bruit de claque. La maîtresse est enchantée. Elle s'approche de lui et elle lui dit :

— C'est très bien, mon petit. Tu as fait un gros effort et tu vas être récompensé. Je vais te chercher un cornet de glace !

Cinq minutes après, la maîtresse revient avec un gros cornet de glace à la vanille qu'elle lui met dans la main. Le môme est fou de joie. Il a les yeux qui brillent et il commence à saliver. Il tient bien le cornet dans sa main et tout d'un coup, il se l'envoie en plein dans l'œil...

1303 □

Un pauvre homme est aveugle. Il est tellement malheureux qu'il a tenté plusieurs fois de se suicider. Heureusement, tous ses amis ont pris soin de l'entourer et de le réconforter.

Grâce à eux, il a retrouvé goût à la vie. Il sourit de nouveau. Il est plein de courage. Alors, un de ses copains vient le trouver et lui dit :

— Maintenant que tu n'as plus de complexes, on peut bien te le dire : tu es un nègre...

---

insecte

1304 □

C'est un scorpion qui voudrait bien traverser la rivière, mais il ne sait pas nager. Il avise une grenouille :

— Dis donc, toi ! J'ai besoin de passer de l'autre côté. Tu ne voudrais pas me prendre sur ton dos ?

— Non, mais tu me crois idiote ? dit la grenouille. Et quand on va être au milieu du courant, tu vas me piquer avec ton sale dard...

— Écoute, dit le scorpion, et que cela te mette un peu de plomb dans la tête. Si je te pique au milieu de la rivière, tu vas te noyer, évidemment. Mais je me noierai aussi, puisque je ne sais pas nager. Tu vois bien que je n'ai aucun intérêt à faire ça !

— Tiens, c'est vrai ! reconnaît la grenouille. Eh bien, alors, monte sur mon dos.

Et à califourchon l'un sur l'autre, les deux animaux s'engagent dans le cours d'eau. Mais en plein milieu du courant, le scorpion pique la grenouille.

— Salaud, crie la grenouille, non seulement tu m'as trompée, mais encore on va crever tous les deux !

— Hélas ! répond le scorpion, je n'y peux rien. C'est plus fort que moi ! C'est une question de caractère...

☐ **1305**

— Pauvres bêtes !
— Quelles bêtes ?
— Les mites...
— Ah ! Pourquoi ?
— L'hiver dans les maillots de bain, l'été dans les fourrures ! Et tu appelles ça une vie ?

☐ **1306**

Une petite mite s'enfuit de chez ses parents. Au bout d'une semaine, toute la famille, terriblement angoissée, la voit revenir aussi tranquille que si elle était sortie cinq minutes avant.

— Tu ne te rends pas compte, lui dit sa mère, de l'inquiétude que tu nous as causée ! Il aurait pu t'arriver mille malheurs. Tu ne savais donc pas que tout le monde nous déteste, nous, les mites ? Tout le monde : les oiseaux, les hommes, tout le monde !

— Mais non, maman, dit la petite mite. Les hommes ne nous détestent pas. Au contraire, ils nous aiment bien. A chaque fois que j'arrivais quelque part, ils se mettaient tous à m'applaudir...

1307 □

Deux mille-pattes sont tombés amoureux et ils se promènent bras dessus, bras dessous, bras dessus, bras dessous, bras dessus, bras dessous, bras dessus, bras dessous, bras dessus, bras dessous, bras dessus, bras dessous, bras dessus, bras dessous...

1308 □

Sur la cuisse de Robinson Crusoë, il y a deux moustiques.

Et le premier s'exclame:

— Maintenant, j'en ai marre. Je me tire.

— D'accord, répond l'autre. A Vendredi...

1309 □

Un voyageur de commerce arrive dans un hôtel et on lui propose une chambre. Mais il s'aperçoit qu'il y a une punaise sur l'oreiller. Il pousse un cri et le patron se précipite:

— Oh! Monsieur, ce n'est rien. Ce n'est qu'une punaise!

— J'ai bien vu que c'était une punaise! Et vous trouvez que ce n'est rien?

— Bien sûr, monsieur. Et puis d'ailleurs vous n'avez pas à vous inquiéter: elle est morte.

Le lendemain matin, le client descend de sa chambre pour payer et il dit au patron:

— Vous savez, la punaise d'hier soir, elle était bien morte. Mais qu'est-ce qu'il y a eu comme peuple à son enterrement!

□ **1310**

Deux puces savantes font des exhibitions dans un cirque. Un jour, il y en a une qui dit à l'autre :

— On commence à gagner pas mal d'argent... Bientôt on va pouvoir s'acheter un chien !

□ **1311**

Un gars est en train de faire la queue devant un cinéma. Tout d'un coup, il voit un petit morpion qui se balade sur sa chemise. Furieux, il l'attrape et le fait glisser dans sa braguette en bougonnant :

— A la queue, comme les autres !

□ **1312**

Une petite fourmi rencontre une grosse fourmi et elle lui dit :

— Ben, vous alors, vous êtes fourmidouble !

□ **1313**

C'est une jolie mille-pattes. Elle est pucelle. Et son frère n'arrête pas de lui sauter dessus. Alors elle serre les pattes le plus qu'elle peut et elle crie :

— Non ! Non ! Mille fois non !

□ **1314**

Deux gastronomes se font des confidences :

— Et de l'araignée... Vous avez déjà mangé de l'araignée ?

— Non ! Quel goût ça a ?

— Ben, un goût de mouche...

□ **1315**

Un chimiste, très féru d'écologie, vient d'inventer une bombe à vaporiser, qui permet de se venger des moustiques sans les tuer. Ça leur donne seulement des démangeaisons...

1316 □

Deux mouches sont assises sur une grosse bouse fraîche et il y en a une qui dit:
— J'ai envie de péter!
Alors l'autre lui fait la morale:
— T'es folle! On ne fait jamais ça à table...

israël

1317 □

— Ici, Radio-Tel-Aviv, qui émet sur une longueur d'ondes de 815 mètres, mais si vous insistez, vous pouvez l'avoir pour 800...

1318 □

A Jérusalem, deux petits garçons font pipi contre un mur. Le premier dit à l'autre:
— Comment ça se fait que t'es pas circoncis?
— Ben, papa sait pas encore si on reste...

1319 □

Un vieux boutiquier juif, qui a été persécuté toute sa vie, touche enfin la terre promise après bien des pérégrinations.
Un fonctionnaire du port d'Haïfa lui fait remplir une fiche d'identité. En face du mot *Nom,* le brave homme écrit: *Moïse Lévy.*
Puis il hésite une minute avant de répondre à la question: *Né?* Enfin il se décide. Il écrit: *oui.*

1320 □

La scène se passe à Tel-Aviv dans un restaurant. Tout d'un coup un gars se lève et dit:
— Je viens de perdre mon portefeuille avec cent

livres dedans ! J'offre cinq livres à celui qui me le retrouve.

Alors on entend une voix au fond de la salle :

— J'offre six !

☐ **1321**

Devant la synagogue, un portier veille assidûment à ce que personne n'entre sans faire une offrande. Un gamin arrive en courant et veut se faufiler à toute force, mais il n'a pas d'argent :

— Laissez-moi passer, je vous en supplie. Il faut que j'avertisse mon oncle que ma mère est malade...

— Petit menteur ! Tu es comme tous les autres. Tu veux assister à l'office sans payer !

— Monsieur le portier, je vous jure que c'est vrai. Même que je suis allé chercher aussi le docteur...

Le portier branle la tête :

— Allons, ça va pour cette fois. Entre, mais surtout... ne prie pas, hein !

☐ **1322**

Annonce parue dans un quotidien de Tel-Aviv :

« Perdu dans la rue de la Liberté un portefeuille de cuir noir contenant des photographies de famille, des documents d'identité, ainsi que mille livres. On est prié de garder les photos et les documents, mais de me restituer l'argent auquel je suis attaché pour des raisons sentimentales... »

☐ **1323**

Un touriste français est venu passer quelques jours dans un kibboutz israélien. Très tôt le matin, il est réveillé par un bruit confus de conversations.

Il met le nez à la fenêtre et il aperçoit une longue file de barbus en jaquette qui participent à la construction d'une maison et qui se passent des briques de l'un à l'autre en psalmodiant :

— Bitte, Herr Professor...
— Danke, Herr Professor...
— Bitte, Herr Professor...
— Danke, Herr Professor...

1324 □

Pendant le procès Eichmann, à Jérusalem, la foule s'écrase dans la salle du tribunal et des journalistes sont venus du monde entier. Passant dans les rangs, une ouvreuse clame :
— Demandez le pogrom ! Demandez le pogrom !...

1325 □

La scène se passe dans une école de Tel-Aviv. L'instituteur demande à un élève :
— Qui était Moïse ?
— Un abruti, dit le môme en appuyant sur les mots.
— Hein ? Tu n'as pas honte de parler ainsi de Moïse, notre grand ancêtre ?
— Non, j'ai pas honte. C'était un abruti, parce qu'après avoir passé la mer Rouge, il a tourné à gauche. S'il avait tourné à droite, c'est nous qui aurions tout le pétrole...

1326 □

Abraham travaille dans une usine de Tel-Aviv où l'on fabrique des landaus de bébés. Un jour, son ami Samuel lui dit :
— Si tous les soirs, en rentrant de ton boulot, tu m'apportes une pièce détachée, dans un mois, je pourrai me monter une petite voiture d'enfant pour ma fillette ! Si tu es d'accord, je saurai te payer de ton effort, j'ai le sens du commerce !
Alors Abraham accepte la proposition. Chaque soir, il sort en fraude une pièce détachée de l'usine et

il l'apporte à Samuel. Et au bout d'un mois, Samuel vient le trouver et lui dit :

— Maintenant, j'ai toutes les pièces. Il n'en manque aucune. L'ennuyeux, c'est que j'ai essayé plusieurs fois de remonter cette foutue voiture d'enfant et il n'y a rien à faire. Je ne sais pas comment je m'y prends, mais à chaque fois, ça fait une mitrailleuse...

☐ **1327**

Le gouvernement israélien délibère à huis clos.

— La situation est grave, dit le Premier ministre. Cette guerre avec les Arabes nous met beaucoup de gens à dos. Si nous voulons en sortir, il faut faire quelque chose !

— C'est bien simple, dit le ministre de la Défense, il n'y a qu'à déclarer la guerre à la fois aux Russes et aux Américains ! Après la défaite, les vainqueurs feront avec nous ce qu'ils ont fait avec l'Allemagne et le Japon. Alors nous deviendrons une grande nation, moderne, florissante et respectée ! Il n'y a qu'un ennui...

— Quel ennui ? demandent les autres en chœur.

— Eh bien, si on gagne ?

☐ **1328**

De retour d'un voyage secret en Syrie, une très belle espionne israélienne se présente devant l'état-major militaire de Jérusalem, pour rendre compte de sa mission :

— Eh bien, voilà ! déclare-t-elle. Je ramène le dernier plan d'attaque du général Asad. Je le lui ai piqué dans sa table de nuit ! Et puis ce n'est pas tout. Je ramène aussi son fils que j'ai fait prisonnier...

— Formidable ! s'écrient les généraux. Où est-il, ce prisonnier ? On va l'interroger tout de suite !

— Ah ! ça, dit-elle, c'est pas possible... Faut attendre neuf mois !

1329 □

C'est vrai que Nasser est mort subitement d'un coup au cœur. Mais il y a une chose qu'on n'a pas dite. C'est qu'il venait juste d'ouvrir un télégramme de Golda Meir :
« Ça suffit ! Faisons l'amour et plus la guerre... »

1330 □

A Jérusalem, devant le mur des Lamentations, deux juifs sont occupés à geindre tant qu'ils peuvent. Et entre deux sanglots, on entend le premier qui glisse à l'autre :
— Vous êtes aussi dans la confection ?

1331 □

Isaac Blumenfeld revient d'Israël où il était parti s'installer. Son ami Abraham s'étonne de le rencontrer dans la rue et lui demande :
— Qu'est-ce qui t'arrive ? Je te croyais émigré dans la patrie de nos ancêtres !
— Oui, mais ça n'a pas marché, explique Isaac. Ils n'ont pas voulu de moi !
— Ça, par exemple ! Et pourquoi ?
— Ils sont pires que les nazis. Ils m'ont déniché une grand-mère aryenne !

1332 □

A Tel-Aviv, un type entre dans un magasin qui arbore des horloges dans sa vitrine.
— Je voudrais faire réparer mon horloge, dit-il.
— Mais je ne suis pas horloger, lui répond un vieux Juif centenaire qui vient de sortir furtivement de son arrière-boutique. Je suis circonciseur !
— Circonciseur ? Mais alors pourquoi mettez-vous des horloges dans votre vitrine ?
— Et qu'est-ce que vous voulez que je mette ?

☐ **1333**

Un jeune pédéraste rencontre un de ses camarades et il lui raconte :

— Je reviens d'Israël. J'ai rencontré à Tel-Aviv un garçon merveilleux. Oh ! Qu'il était beau ! Seulement, c'était un Juif pieux... Alors, il a exigé que j'aille me faire circoncire !

— Mon Dieu ! dit l'autre. Fais voir !

Et comme son copain lui montre, il s'écrie :

— Oh ! Comme elle a rajeuni !

☐ **1334**

Les Israéliens prétendent qu'un ingénieur militaire égyptien a soumis récemment à son ministre un modèle révolutionnaire de char d'assaut :

— Vous voyez, dit l'ingénieur, je l'ai fait construire avec quatre vitesses de marche arrière et une vitesse de marche avant.

— Une marche avant, s'étonne le ministre... Mais pourquoi ?

— Pour le cas où Israël nous attaquerait par-derrière...

☐ **1335**

Devant le mur des Lamentations, à Jérusalem, un Juif très pieux est en train de pleurer toutes les larmes de son corps en répétant convulsivement :

— Ah ! Ma famille... Ma pauvre famille ! Aïe... Aïe... Aïe... Quand je pense à ma famille !

Alors un autre Juif s'approche, tout ému, et lui demande :

— Ils l'ont déportée, ta famille ? Elle est partie à Buchenwald ?

— Non, dit l'autre. Elle est partie au Carlton à Cannes...

1336 □

Au large de Chypre, deux paquebots se croisent. Le premier transporte des Juifs qui immigrent en Israël. Le second transporte des Israéliens qui s'expatrient de leur pays.

Et d'un bateau à l'autre, les passagers se font exactement le même signe, le doigt tendu qui tourne sur la tempe, avec l'air de dire :

— Vous êtes pas un peu dingues, non ?

1337 □

On a enfin décidé la construction du tunnel sous la Manche. Les plus grandes entreprises de travaux publics d'Europe ont fait acte de candidature. Le jour de l'adjudication, on compare les devis. Ils oscillent entre trente et quarante milliards.

Pourtant on découvre dans le lot une proposition stupéfiante, provenant d'une petite entreprise israélienne qui a soumissionné elle aussi. La société Yankel and Abramovitch s'engage à construire le tunnel pour la somme totale d'un milliard et demi.

On dépêche aussitôt un émissaire à Tel-Aviv pour avoir de plus amples renseignements. Mais à l'adresse qu'on lui a indiquée, le gars ne trouve qu'une boutique fermée par un rideau de fer. Heureusement des voisins le renseignent : les dirigeants de la société sont actuellement sur un chantier dans le désert du Néguev.

L'ingénieur saute dans une jeep et prend la route du sud. Après cinquante heures d'un voyage exténuant, coupé de nombreux arrêts pour demander sa route, le bonhomme finit par déboucher dans un endroit perdu et caillouteux où il n'aperçoit au loin qu'une petite tente.

Il s'approche encore et il finit par distinguer nettement, malgré le vent de sable, deux silhouettes, debout devant la tente. Enfin il descend de voiture, couvert de poussière et de sueur, et il s'avance vers les deux inconnus :

— Messieurs, je cherche les dirigeants de la société Yankel and Abramovitch. Pourriez-vous me renseigner ?

— Certainement ! Les dirigeants, c'est nous ! Je suis Yankel, et voilà Abramovitch ! Vous voulez nous voir pour quoi ?

— C'est pour le tunnel sous la Manche.

— Ah ! oui. Alors vous passez la commande ? On peut commencer quand ?

— C'est-à-dire que... Enfin, vous comprenez qu'avant de passer la commande, nous devons nous renseigner sur les capacités de votre entreprise. Évidemment, votre prix est intéressant, mais quel matériel avez-vous et de quel personnel disposez-vous ?

— Pour le matériel, on a nos pioches et nos pelles. Pour le personnel, il y a nous deux...

— Hein ? Mais vous plaisantez ! Vous comptez percer un tunnel sous la Manche, en vous y mettant à deux seulement et rien qu'avec des pioches et des pelles ?

— Naturellement. Pourquoi pas ?

— Mais c'est de la folie pure. Comment allez-vous faire ?

— C'est bien simple. Moi, je commence à creuser à Calais. Mon ami Abramovitch commence à creuser du côté anglais, à Douvres. Et on se rencontre au milieu !

— Au milieu ? Mais je... Mais vous... Mais ça ne tient pas debout ! C'est à faire dresser les cheveux sur la tête ! Et si jamais vous ne vous rencontriez pas ?

— Alors là, monsieur, c'est une excellente affaire pour vous... Vous aurez deux tunnels au lieu d'un !

italie

1338 □

A Gênes, il y a une grande maison qu'on a transformée en bordel pour dames. Ce qui veut dire que les clients sont des femmes, et les employés, des hommes qui louent leur virilité. Une vieille duchesse romaine a eu vent de la chose et elle arrive en quatrième vitesse. Au rez-de-chaussée, elle rencontre une hôtesse qui lui dit :

— Vous n'avez qu'à monter, madame. Et vous choisirez vous-même votre étage.

Alors, elle arrive sur le palier du premier et elle voit un écriteau sur la porte : *cazzo piccolo.*

— Ce serait dégradant pour moi, se dit-elle.

Et elle monte au second où elle trouve un autre écriteau sur la porte : *cazzo grosso.* Elle sourit et elle se dit qu'il doit y avoir mieux. Elle arrive au troisième où l'écriteau annonce : *cazzo fantastico.* Elle toussote noblement et elle monte au quatrième où elle lit : *cazzo straordinario.* Alors, là, elle commence à s'exciter, elle grimpe quatre à quatre le dernier étage et elle se retrouve devant un mur sans porte où est affiché en grosses lettres l'avis : *Ma che cazzo vuole ?*

1339 □

Un grand athlète américain, tout blond, qui est champion olympique de natation, prend ses vacances sur la plage du Lido à Venise.

Tous les matins, il se fait son petit entraînement, pour se maintenir en forme. Mais aujourd'hui, il est estomaqué ! Une jolie baigneuse a plongé en même temps que lui, et malgré tous les efforts qu'il a pu faire, elle est arrivée largement devant. Stupéfait, il l'aborde et il lui dit :

— Je ne comprends pas comment vous avez pu me battre sur cent mètres. Sur cette distance, je suis recordman du monde !

Et la fille lui répond :

— Moi, je suis pas recordman, je suis putain sur le Grand Canal...

☐ 1340

Un veuf d'une paroisse de Venise demande à son curé :

— Je n'ai pas beaucoup d'argent pour les obsèques de ma femme. L'enterrement de quatrième classe, ça se passe comment ?

— Eh bien, dit le curé, la bière sur une gondole et la famille suit à la nage...

☐ 1341

Deux Italiennes se rencontrent dans un jardin public. La première est toute pimpante et aguichante. L'autre a un visage fané et elle traîne toute une marmaille de cinq ou six gosses derrière elle.

— Mais enfin, dit-elle, comment fais-tu ? Je ne comprends pas ! Tu es mariée depuis aussi longtemps que moi et pourtant tu n'es jamais enceinte... C'est pas possible, tu dois avoir un truc...

— Oui, dit l'autre, j'ai un truc. Ça s'appelle la méthode *oggi, no* !

☐ 1342

Marius et Olive sont en train de bavarder gentiment sur le Vieux-Port, quand soudain un vieux sous-marin complètement rouillé émerge devant eux. Un officier italien crasseux et mal rasé passe sa tête par le sas et leur demande :

— Psssst ! S'il vous plaît... Est-ce que la guerre est finie ?

Marius et Olive se regardent en pouffant de rire et répondent :

— Bien sûr que non !
— Ah ! merde... fait l'autre en refermant son écoutille. Fumier de Bismarck !

1343 □

Un jeune Italien, quelque peu efféminé, demande une chambre dans un hôtel de Milan.
— S'il vous plaît, dit-il à l'employé, voudriez-vous remplir la fiche à ma place ? Je ne sais pas écrire...
— Bien sûr, dit l'employé. Nom et prénom ?
— Vittorio Pappa.
— Sexe masculin ?
— Euh, oui. *Ma non è fanatico !*

1344 □

Un militant communiste italien entre dans un confessionnal et il dit :
— D'abord, mon père, il faut que je vous dise une chose : je suis communiste !
— Ah, bon ! souffle le curé de l'autre côté de la grille. Communiste avec la foi ou seulement communiste pratiquant ?

1345 □

Un touriste français sort de la Stazione Termini à Rome. Un chauffeur de taxi se précipite sur lui, tout obséquieux, et lui dit, l'œil égrillard :
— Jolies demoiselles ?
— Non, répond l'autre d'un ton sans réplique.
— Alors, petites filles ?
— Non, non et non.
— *Bene, bene* ! petits garçons ?
— Je vous ai dit non !
Et pour se débarrasser du bonhomme, il ajoute :
— Pour moi, ce sera le pape, Sophia Loren ou rien !
Alors l'Italien se frotte le menton et susurre :

— Sophia Loren, *impossibile!* Le pape, *molto difficile... ma* j'ai sous la main un *delizioso* petit cardinal...

☐ **1346**

C'est l'été dans les ruelles de Naples. Partout le linge et les draps pendent aux balcons. Tout le peuple du quartier est assis dehors, sur des chaises, et bavarde en attendant la tombée du jour.

Au troisième étage, une jeune fille belle à ravir achève de se déshabiller devant sa fenêtre ouverte. Juste en face et à la même hauteur qu'elle, de l'autre côté de la ruelle trop étroite, un beau garçon s'est mis tout nu lui aussi.

Il se penche un peu sur sa balustrade et il regarde la fille avec avidité. Puis tout d'un coup, il lui crie :

— Viens vite ! J'ai envie de baiser !

— Et par où je passe ? demande-t-elle, indécise.

— Regarde un peu l'effet que tu me fais ! Je bande tellement que je te jette une passerelle ! Traverse vite !

— *D'accordo*, souffle la fille, *ma dopo, come ritorno ?*

ivrogne

☐ **1347**

Un ivrogne sort d'un bistrot et il aperçoit dans le ruisseau le cadavre de son copain qu'il vient juste de quitter. Médusé, il repasse la porte du bar. Son copain est toujours installé au zinc, l'œil à la fois vitreux et réjoui.

— C'est incroyable, lui dit-il, je viens juste de voir ta charogne là devant, dans la rue.

— T'es dingue, fait l'autre. C'est seulement quelqu'un qui me ressemble.

— Je te dis que non. C'est toi, tout craché, et complètement mort.
— Ah ! Et comment qu'il est, ce mort ?
— Il est comme toi, je te dis, grand comme toi, avec exactement la même gueule.
— Avec mon foulard rouge ?
— Pour sûr, avec ton foulard rouge...
— Et ma chemise à carreaux ?
— Mais oui, puisque je te le dis.
— Et avec mon vieux chapeau d'avant-guerre ?
— Avec ton chapeau aussi.
— Et il a les mêmes souliers que moi ?
— Tout juste les mêmes.
— Des souliers à boucles ou des souliers à lacets ?
— Ben, des souliers à lacets, évidemment.
— Alors, vieux, tu te goures. Tu vois bien que c'est pas moi...

1348 ☐

Un gars sort d'un bistrot complètement rétamé. Il est plein d'alcool jusqu'à la luette. Il voit un taxi, il ouvre la portière, il tombe dedans, il roule sur la banquette et il va cogner contre l'autre portière.
Sous son poids, la portière s'ouvre et le gars se retrouve les quatre fers en l'air dans la rue. Alors il se relève tant bien que mal et il dit au chauffeur :
— T'as fait drôlement vite ! Combien je te dois ?

1349 ☐

Un poivrot s'arrête devant une grande affiche : *Méfiez-vous ! L'alcool tue lentement !* Et il hausse les épaules :
— Je m'en fous ! Je suis pas pressé...

1350 ☐

Un bonhomme ivre mort rentre chez lui, mais

protégé par le dieu des alcooliques, il réussit à se coucher dans le lit de sa femme sans la réveiller.

Malheureusement au bout d'une heure, il est tiré du sommeil par le bruit d'un gros camion qui passe dans la rue. Il se lève dare-dare et il enfile son pantalon dans l'obscurité. Mais cette fois-ci, il trébuche sur un meuble et sa femme se réveille à son tour. Et elle s'exclame :

— Mais qu'est-ce que tu fais, chéri ?

— Écoute, lui répond-il à voix basse. Il faut que je foute le camp. Je t'avais bien dit de ne pas me laisser m'endormir. Tu ne te rends pas compte que je suis marié, moi !

□ **1351**

C'est un éléphant complètement soûl qui rencontre un mec à poil. Il lui regarde la queue et il dit :

— Avec ça, tu dois pas en brouter beaucoup...

□ **1352**

Ces deux copains sont tellement ronds qu'ils ne voient plus du tout où ils mettent les pieds. Il y en a un qui dit à l'autre :

— Viens, on va au cinéma.

Mais comme ils n'ont plus les yeux en face des trous, ils entrent dans une maison aux volets fermés. Ils poussent une porte et ils voient un lit défait. Sur le lit, un gars et une fille sont en train de s'ébattre furieusement. Le pochard dit à son copain :

— Zut, c'est déjà commencé !

Et l'autre lui dit :

— Je crois que c'est un film d'amour...

Alors ils regardent le film machinalement. Et puis au bout d'un moment, les acteurs se lèvent, ils passent dans la salle de bains. Après ça, ils reviennent et ils recommencent. Les deux gars sont toujours là, le regard vitreux, et brusquement il y en a un qui pousse le coude de l'autre :

— Viens, on fout le camp! C'est là qu'on est arrivés...

1353 □

Un pochard, complètement soûl, rentre chez lui et il traîne avec lui un autre ivrogne, qu'il a ramassé enroulé autour d'un bec de gaz. Et naturellement, il lui fait les honneurs de son appartement:

— Regarde comme c'est... hic!... comme c'est beau chez moi! Regarde ce beau papier peint! Regarde les beaux... hic!... les beaux tableaux sur le mur. Viens voir ma chambre à coucher comme elle est bath! Tiens, tu vois, cette femme dans... hic!... dans mon lit, c'est ma femme, et le gars qui est à poil à côté, c'est... hic!... c'est moi!

1354 □

Dans une distillerie de Glasgow, un ouvrier se précipite chez le contremaître:

— Chef! C'est affreux! Mac Gregor est tombé dans la grande cuve à whisky...

— Quelle horreur! dit l'autre. Et il s'est noyé?

— Oui! Mais avant, il est ressorti trois fois pour aller chercher des amuse-gueule...

1355 □

Vers six heures du matin, un fêtard entre en zigzaguant dans un bistrot. Il a des confettis plein les cheveux et son costume est couvert de petits dégueulis.

— Nom de Dieu! dit-il au garçon. J'ai jamais eu une pareille gueule de bois! Ma tête va éclater... Donnez-moi trois cachets d'aspirine. Et surtout quand vous refermerez le tube, faites pas claquer le couvercle...

□ **1356**

Il est cinq heures du matin. Un type, imbibé d'alcool comme une éponge, essaie de monter son escalier en titubant. En haut, sur le palier, sa femme l'attend avec un rouleau à pâtisserie sous le bras.

— Espèce d'hypocrite! hurle-t-elle. J'attends une explication valable... Dis-moi toute la vérité!

Et le gars hoquette:

— Écoute... Il faut choisir! Tu veux... hic! tu veux une explication valable ou tu veux toute la vérité?

□ **1357**

Un pochard arrive en chancelant péniblement en haut de son escalier. Il essaie d'ouvrir la porte de son appartement. Il fourrage en vain dans la serrure. Rien à faire! Alors un voisin compatissant s'approche et lui dit:

— Vous devez être sacrément bourré! C'est pas une clef que vous avez dans la main... C'est un suppositoire!

— Ah! Par exemple! réplique le gars. Je comprends pourquoi j'ai de si belles vibrations quand je m'assois...

□ **1358**

Un gars descend de chez lui pour aller boire un coup, mais en partant, il prend la précaution de placarder un avis sur la porte: *Joseph n'est pas là, mais il va revenir.*

Au lieu de prendre un verre, emporté par son élan, il en prend une bonne dizaine. Il remonte chez lui en titubant, il voit la pancarte et il est complètement interloqué. Alors il redescend au bistrot et il demande au garçon:

— Z'avez pas vu Joseph?

— Joseph? fait le garçon, mais c'est vous, Joseph!

— C'est moi, Joseph? Alors, faut que je me grouille, parce qu'il y a quelqu'un qui m'attend devant ma porte...

1359 ☐

Dans une réception, deux gars à moitié ivres sont en train de se faire des confidences d'une voix un peu râpeuse :

— Tu vois la grande brune là-bas ? dit le premier. Eh bien, c'est ma femme. Et la blonde à côté, c'est ma maîtresse !

— Ça alors, c'est marrant, répond l'autre. Parce que moi, c'est exactement le contraire !

1360 ☐

Un ivrogne rentre chez lui en se tenant aux meubles. Il va chercher une bouteille de vin et un verre à la cuisine. Il pose le verre sur la table, mais comme il flotte quasiment dans l'alcool, il le pose à l'envers. Il verse le vin dessus et naturellement le vin coule à côté. Alors il prend le verre en main, il le regarde attentivement et il dit :

— Ils sont fous ! Voilà qu'ils se mettent à fabriquer des verres dont le haut est bouché !

Puis il retourne le verre machinalement et il est encore plus soufflé :

— Ça alors ! Et en plus, ils n'y mettent pas de fond !

1361 ☐

Un gars arrive dans le cabinet de son médecin. Il a les mains qui n'arrêtent pas de trembler. Le toubib lui demande :

— Vous buvez beaucoup ?

— Pas trop, fait le gars. J'en renverse tellement !

☐ **1362**

Un type, complètement beurré, entre chez lui en louvoyant. Il se déshabille devant l'armoire à glace et en apercevant son image en face de lui, il se met à hurler :

— Qu'est-ce que c'est que ce mec à moitié nu dans la chambre de ma femme ? Sors d'ici ou je te casse la gueule !

Et joignant le geste à la parole, il envoie un grand coup de poing dans la glace qui éclate en morceaux. Alors, un peu dégrisé, il ajoute :

— Excuse-moi, mon vieux ! Fallait pas garder tes lunettes...

☐ **1363**

Un picoleur invétéré est invité dans un grand dîner d'apparat. Parvenu au dessert, il s'aperçoit qu'il est, une fois de plus, terriblement imbibé et il décide de surveiller son comportement de très près.

C'est alors que la maîtresse de maison lui présente ses petites jumelles. Et il s'écrie :

— Oh ! Comme elle est mignonne !

☐ **1364**

Un pochard entre en zigzaguant dans une église et tente en vain de s'accrocher à une colonne de la nef. Il tourne désespérément autour en pétrissant la pierre convulsivement et tout d'un coup, il se met à hurler de terreur :

— Au secours ! Ils m'ont emmuré vivant...

☐ **1365**

Le pasteur d'un petit village suisse croise dans la rue un de ses paroissiens particulièrement éméché. Il lui lance :

— Encore ivre !

Et l'autre lui réplique, tout ragaillardi :
— Moi aussi, monsieur le pasteur...

1366 □

Un Texan, complètement soûl, se trimbale dans une fête foraine. Il s'arrête à un stand de tir, se saisit d'une carabine, tire en plein dans le mille et décroche un lot : une petite tortue vivante.

Dix minutes plus tard, il est de retour devant le même stand, deux fois plus ivre. Il épaule à nouveau une carabine et il frappe encore en plein milieu de la cible.

— Cette fois, vous avez gagné une cafetière, lui dit la fille du stand.

— Oh ! S'il vous plaît, réplique-t-il, soyez gentille, donnez-moi plutôt un sandwich comme tout à l'heure...

jalousie

☐ **1367**

Un voyageur de commerce soupçonne sa femme de lui être infidèle pendant ses absences. Il demande à un détective privé de la surveiller. A son retour, il reçoit un rapport écrit :

— Le soir de votre départ, un jeune homme blond est venu chercher votre femme en voiture. Il l'a emmenée au cinéma, puis ils sont allés souper dans un grand restaurant et ils ont vidé quatre bouteilles de champagne. Au dessert, il lui chuchotait des choses tendres et il l'embrassait dans le cou. Après ça, il l'a ramenée chez elle, il est monté avec elle et j'ai pu voir à travers les vitres qu'elle lui a préparé un cocktail. Alors, il s'est mis à l'embrasser, il l'a déshabillée, il l'a transportée sur son lit. Il a enlevé sa veste, sa chemise, sa cravate, son pantalon et il est venu fermer les volets, ce qui m'empêche de vous faire connaître la suite...

— Mon Dieu ! s'exclame le gars en terminant sa lecture. Quelle cruelle incertitude !

☐ **1368**

Une femme du monde confie à une de ses amies :

— Ça ne peut plus durer ! Mon bonhomme est si

jaloux que j'ai décidé de prendre le taureau par les cornes et de tout lui avouer...

1369 □

Il était une fois un mari tellement jaloux, que lorsque sa femme avait mis au monde des jumeaux, il avait piqué une colère en disant qu'un des deux ne lui ressemblait pas! C'est dire qu'on ne pouvait pas trouver plus soupçonneux.

Or, ce gars-là rentre chez lui un soir. Ses camarades de bureau l'ont traité de cocu toute la journée et cette fois-ci, il en a ras le bol. Il se jette sur sa femme et il gueule:

— Combien t'en as eus, d'amants, depuis qu'on est mariés? Combien t'en as eus, hein, espèce de pute!

Et elle lui répond placidement:

— Tu ferais mieux d'aller prendre une douche pour te calmer. C'est pas croyable de se mettre dans des états pareils!

Alors le gars casse trois vases, il fout un coup de pied au chien et il part en claquant la porte. Au bout d'une heure passée à piétiner dans la rue comme un fou, il se sent plus tranquille, il a bien réfléchi, il se dit qu'il vaut mieux limiter les dégâts et il revient à la maison.

Sa femme est assise sur le lit, l'air absorbé, et il lui dit le plus doucement qu'il peut:

— Bon! Ça va! Oublie ma question... N'y pense plus...

— Je pense pas, fait-elle. Je compte...

1370 □

Le médecin est en train d'ausculter une jeune fille particulièrement désirable. Elle s'est entièrement déshabillée et, selon l'usage, il lui a demandé de dire trente-trois, trente-trois, trente-trois...

Et la fille fait:

— Trente-trois, trente-trois, trente-trois, vingt-deux, trente-trois, trente-trois, vingt-deux...
— Mais enfin, s'exclame-t-il, je vous ai dit trente-trois. Pourquoi est-ce que vous ajoutez vingt-deux ?
— Ben, dit la fille, c'est parce que de temps en temps votre femme passe la tête par la porte...

□ **1371**

Une dame entre dans le cabinet d'un détective privé :
— J'ai l'impression que mon mari me trompe. Est-ce que vous pourriez le faire filer par quelqu'un d'idiot ?
— Par quelqu'un d'idiot ? Mais enfin, pourquoi par quelqu'un d'idiot ?
— Parce que moins j'en saurai, mieux ça vaudra !

□ **1372**

Un cosmonaute revient d'un long voyage interplanétaire. Il émerge de sa capsule. Sa femme se précipite vers lui pour le serrer dans ses bras. Et tout d'un coup elle devient rouge et se met à crier :
— Quoi ? Qu'est-ce que c'est que ce cheveu vert sur ton col ?

□ **1373**

— Alors, hurle la femme acariâtre, tu as pris une maîtresse ! Tu en as assez de moi !
— Non, répond placidement le mari, c'est justement que j'en ai pas assez de toi...

□ **1374**

Un arbitre de football rentre chez lui un dimanche soir. Il se précipite sur sa femme, il lui flanque deux gifles et il se mit à crier :
— Espèce de traînée ! Tu m'as encore trompé !

Alors elle crie encore plus fort :

— Tu es devenu fou ou quoi ? Qui a bien pu te raconter une histoire pareille ?

— Vingt-cinq mille personnes ! dit-il en grinçant des dents.

— Comment ça, vingt-cinq mille personnes ?

— Parfaitement ! Tout le stade hurlait : co-cu ! co-cu ! co-cu !

1375 ☐

Au moment le plus périlleux de leur numéro d'acrobatie, un trapéziste crie à un autre qu'il doit rattraper dans le vide :

— Je sais que tu couches avec ma femme. Allez, saute maintenant !

1376 ☐

— Moi, j'ai horreur des femmes infidèles. Les brunes sont beaucoup moins infidèles que les blondes. Alors, je choisis toujours des brunes.

— Et moi, je suis tellement jaloux, que je préfère prendre des grises !

1377 ☐

Un mari jaloux entre chez lui en coup de vent et il s'aperçoit, à cause de tout un désordre significatif, qu'un autre homme était là, il n'y a pas longtemps. Fou de colère, il se retourne vers le chat et il s'écrie :

— Ah ! Si au moins tu pouvais parler !

Et le chat éclate de rire...

japon

☐ 1378

Un seigneur japonais du treizième siècle possédait des chevaux célèbres dans tout l'empire pour la pureté de leur race. Un jour, un messager de l'empereur vint réclamer un cheval pour son maître. Mais le seigneur, très attaché à ses précieux animaux, opposa une fin de non-recevoir.

La réponse de l'empereur ne se fit pas attendre : il ordonnait au seigneur de se faire hara-kiri. Alors le vieil homme choisit de se donner la mort parmi ses chevaux bien-aimés. Il se retira dans l'écurie avec le sabre de son arrière-grand-père.

Mais au moment suprême, tandis qu'il allait s'enfoncer l'arme dans le ventre, la lame se détacha de la poignée. Un concert de hennissements hilares fit dresser l'oreille de la femme du seigneur qui se tenait en prières dans sa chambre.

— Qu'est-ce donc ? cria-t-elle à une servante qui traversait la cour précipitamment.

— Ce n'est rien, Madame. C'est le haras qui rit...

☐ 1379

C'est un juif qui fait un voyage d'affaires au Japon. Et tout à fait par hasard, en marchant dans la rue, il voit la porte d'une synagogue.

Extrêmement surpris, il entre et il aperçoit des centaines et des centaines de Japonais qui font la prière en hébreu. Alors il s'approche du rabbin et il lui demande :

— Tous ces gens-là, ils sont juifs ?

— Mais oui, dit le rabbin.

— Et vous, vous êtes rabbin ?

— Évidemment, dit le rabbin.

— Vous êtes japonais et vous êtes rabbin ?

— Mais bien entendu.
— Alors vous êtes juif aussi ?
— Mais puisque je vous le dis.
— Alors, ça, c'est marrant. Vous êtes peut-être juif, mais vraiment, vous n'avez pas le type...

1380 ☐

La scène se déroule dans une galerie de peinture japonaise. La foule est venue assister au vernissage d'une grande exposition d'un peintre surréaliste.

Mais il n'y a dans la salle, en tout et pour tout, qu'une seule toile... Elle représente à l'orée d'une forêt, un petit chemin qui s'enfonce vers l'horizon. Et voici qu'un des spectateurs, un peu intrigué, s'approche du maître et lui demande :
— Votre toile est très belle, mais à vrai dire, je voudrais bien savoir ce qu'elle a de surréaliste...
— Eh bien, dit l'artiste, c'est très simple.

Et devant les spectateurs médusés, il s'engage dans le petit chemin, il marche, il marche, il marche et il disparaît.

1381 ☐

Devant l'ampleur des défaites subies en 1945 par l'armée japonaise, le haut commandement décide de tenter un dernier coup désespéré : l'opération kamikaze. Un général d'aviation nippon réunit ses derniers pilotes de chasse et il leur déclare :
— Honorables soldats de l'empire du Soleil-Levant, voici venue l'heure de votre dernière mission. Chacun de vous va décoller, repérer un navire de guerre américain, si possible un porte-avions ou un cuirassé, et vous vous laisserez tomber sur la cible avec votre avion. Tout le monde a bien compris ? Est-ce que quelqu'un a une question à poser ?
— Moi ! dit une petite voix au dernier rang.

Et un tout petit pilote sort du rang et vient se figer au garde-à-vous devant le général.

— Posez votre question ! dit le général.

Et l'autre, faisant tourner son doigt sur sa tempe, s'écrie :

— Dites-moi, mon général, vous n'êtes pas un peu dingue, non ?

□ **1382**

Trois samouraïs s'exercent au maniement du sabre. Le premier vise un moucheron en plein vol et il le coupe en deux. Le second trouve ça trop facile. Il donne deux coups de sabre fulgurants et il coupe un moucheron en quatre. Alors le dernier s'amène tranquillement. C'est un vétéran ridé. Il regarde les deux autres d'un air méprisant et il leur dit :

— Vous me faites rigoler !

Puis soudain son sabre zèbre l'air tellement vite que personne n'a rien vu. Mais le moucheron qu'il visait continue à voler. Du coup les deux autres s'esclaffent :

— Raté !

— Comment, raté ? dit le vieux. Je lui ai coupé les couilles !

□ **1383**

Vous savez ce qu'ils font à Tokyo, quand ils partent en voyage ? Eh bien, ils se mettent aux Japonais absents...

□ **1384**

Un funambule japonais a dressé ses tréteaux sur le Vieux-Port de Marseille. Il a fait annoncer, à grand renfort de haut-parleurs, qu'il traverserait la Canebière sur un fil à la hauteur du dixième étage.

Une foule immense s'est amassée. Une vieille Japonaise récolte à travers le public des pièces et des billets. Enfin, le héros lui-même arrive. Il est petit et tout ridé. Il prend le micro et il déclare :

— J'ai quatre-vingt-sept ans ! Je vais traverser la Canebière sur un fil.

La foule hurle d'enthousiasme. Et le funambule ajoute d'une voix tremblante :

— Je risque la mort...

— Épatant ! crie la foule. Formidable !

Alors le vieux Japonais grimpe tout en haut et il avance un pied sur le fil au-dessus du vide. Un silence sinistre s'est fait dans l'assistance. Des femmes hurlent :

— Non ! Non !

Le vieux funambule prend son porte-voix et il crie :

— J'entends qu'on me demande de renoncer. Mais ce qui est promis est promis...

Et pour la deuxième fois, il avance le pied au-dessus du vide. Du coup, des gens s'évanouissent et une clameur s'élève :

— Non ! Non !

— Il faut pourtant que j'y aille, crie le vieux bonhomme. Vous avez payé. Je vais commencer !

Et en grelottant de tous ses membres, il avance le pied pour la troisième fois. Il titube tellement qu'il n'arrive même pas à le poser. Cette fois-ci, la foule est prise d'épouvante. Elle se met à crier d'une seule voix :

— Non ! Non !

Alors, le vieux Japonais se recule sur sa petite plate-forme, il reprend son porte-voix et il lance :

— A la demande générale, je renonce à ce suicide. Prochaine séance à sept heures...

1385 □

Vous ne savez pas qui a inventé l'engrenage ? Eh bien, c'est un Japonais.

Et vous savez comment ? Simplement en cherchant à inventer la tyrolienne !

Et vous savez comment il l'a inventée, la tyrolienne ? Eh bien, par hasard, en mettant le doigt dans son engrenage !

jésuite

☐ 1386

Un jésuite demande son chemin à un passant.

— Pour aller à la cathédrale ?

— Oh ! fait l'autre, je ne crois pas que vous puissiez y arriver. C'est tout droit...

☐ 1387

Un franciscain frappe à la porte du Paradis.

— Attends un peu, lui dit saint Pierre, je suis occupé à recevoir un cardinal.

Quelques minutes plus tard, un dominicain se fait rabrouer de la même façon. Docilement ils s'assoient tous les deux sur les marches, quand survient un jésuite qui veut entrer lui aussi. Mais ce dernier ne l'entend pas de la même oreille. Il tambourine au battant, puis il agrippe les deux autres sous ses bras et à peine saint Pierre a-t-il entrebâillé le portail, qu'il s'engouffre par le passage en criant :

— J'apporte les bagages de Son Éminence...

☐ 1388

Quatre moines sont réunis dans une pièce où survient soudain une panne d'électricité. Le franciscain s'agenouille et demande la lumière au Seigneur. Le bénédictin récite son bréviaire que, naturellement, il connaît par cœur. Le dominicain se lance dans un monologue sur la nature du jour et les causes de l'obscurité. Quand la lumière revient, on constate la disparition du jésuite. C'est lui qui est allé réparer les plombs...

1389 ☐

Un jésuite et un dominicain discutent sur la Nativité.

— A votre avis, demande le jésuite, Jésus est-il né les yeux ouverts ou les yeux fermés ?

— Eh bien, dit le dominicain, je crois qu'il est né les yeux ouverts. Seulement, quand il a vu le bœuf et l'âne, il a dû penser : « C'est donc ça, la Compagnie de Jésus ! » Et désabusé, il a préféré fermer les yeux...

1390 ☐

Au temps des Rois Mages, tous les couvents ont envoyé un représentant pour rendre hommage à l'Enfant Jésus. Le bénédictin s'écrie :

— Seigneur, voici l'encens de notre connaissance.

Et le dominicain :

— Seigneur, voici l'or de notre parole.

Et le franciscain :

— Seigneur, voici la myrrhe de notre pauvreté.

Pendant ce temps, le jésuite a pris saint Joseph à part et il lui glisse dans l'oreille :

— Confiez-nous le petit. Nous en ferons quelque chose...

1391 ☐

— Mais enfin, mon révérend Père, dit un franciscain à un jésuite, pourquoi répondez-vous toujours aux questions par des questions ?

— Et pourquoi pas ? dit le jésuite.

1392 ☐

Deux missionnaires, un dominicain et un jésuite, débarquent chez les Papous. Ils décident de porter la bonne parole chacun de leur côté.

— Rendez-vous dans un an, dit le jésuite. On verra bien qui aura fait le plus de baptêmes !

Au bout d'une année, les deux compères se retrouvent.

— Eh bien, moi, dit le dominicain, j'ai baptisé sept cent vingt-neuf indigènes!

— Pas mal, rétorque le jésuite. Mais moi j'ai converti le roi...

juif

☐ **1393**

Isaac a acheté un beau collier dans un lot de bijoux. En passant chez lui, Samuel voit le collier par hasard et il lui dit:

— Tu l'as payé combien?

— Cinq mille francs, dit Isaac.

— Je te le rachète à six...

Isaac accepte, mais l'autre une fois parti, il se met à réfléchir:

— Samuel est un gros futé. S'il m'a payé ce collier six mille, c'est qu'il en vaut davantage.

Aussi, le lendemain, il va le trouver et il lui propose de lui reprendre le collier pour mille balles de plus. Comme il y gagne, Samuel accepte. Mais en se couchant le soir, Samuel se dit qu'il a eu tort: si Isaac est venu si vite lui racheter cette pièce, c'est qu'il va trouver à la revendre plus cher. Alors le lendemain il se précipite chez lui et il lui rachète le collier pour huit mille.

Ce petit manège commence à durer et chaque jour, les deux compères se rachètent le fameux collier. Mais un beau matin, Samuel arrive chez Isaac et comme il réclame le collier pour mille francs de plus que la veille, Isaac lui répond, un peu penaud:

— C'est pas possible, je l'ai vendu hier!

— Comment? Tu l'as vendu combien?

— Vingt mille francs...

— Et tu l'as vendu à qui?

— A un *goï*...

— Espèce de petit salaud, sale faux frère, et en plus, stupide crétin ! Tu as vendu un collier qui nous faisait gagner, à tous les deux, mille francs par jour...

1394 □

Le vieux Jacob a fait fortune dans les tissus et il voudrait entrer dans un club très fermé. Il se fait envoyer le formulaire d'inscription et il se dit :

— Évidemment, il ne faut pas qu'ils s'aperçoivent que je suis juif, ou sinon, ils vont me refouler.

Alors, en face de « Nom et prénom », il écrit *Jean-Michel de la Brosse*, en face de « profession », il écrit *gérant de sociétés* et en face de « religion », il écrit... *goï.*

1395 □

Ézéchiel entre aux Galeries Lafayette, il avise une vendeuse et il lui dit :

— Voilà. Je voudrais acheter les Galeries Lafayette.

— Pardon ?

— Voilà, répète Ézéchiel. Je suis venu pour acheter les Galeries Lafayette.

— Écoutez, dit la vendeuse. Probablement vous plaisantez, mais je vais appeler le chef de rayon.

Le chef de rayon s'amène et il dit :

— Vous désirez, monsieur ?

— Voilà, dit Ézéchiel, je voudrais acheter les Galeries Lafayette.

— Monsieur, vous voulez rire ?

— Mais non, je vous assure que je ne rigole pas. J'ai promis de faire un petit cadeau à ma femme. Je lui ai demandé ce qui lui ferait plaisir. Elle m'a dit : Je voudrais avoir un grand magasin. Moi, je veux lui donner ce qu'il y a de mieux. Alors, n'est-ce pas, il faut que j'achète les Galeries Lafayette.

— Écoutez, monsieur, je ne comprends rien à votre histoire. Je vais appeler le directeur.

Mais Ézéchiel l'interrompt :

— Non, vous n'appelez pas le directeur parce que j'en ai marre de répéter mon affaire à tout le monde. Je veux voir tout de suite le grand patron.

— Mais enfin, monsieur...

— Il n'y a pas de mais. Je suis Ézéchiel. Il ne faut pas se fier à mes habits, vu que je me fournis moi-même et que je suis dans les vêtements d'occasion à la rue des Rosiers. Mais j'ai les moyens et je veux voir le grand patron.

Et il fait un tel scandale qu'on est obligé de l'introduire dans le bureau du Président directeur général.

— Voilà, monsieur, dit Ézéchiel. J'ai déjà raconté ça à tous vos employés. Je suis venu pour acheter les Galeries Lafayette, parce que je veux faire plaisir à ma femme.

— Mais, monsieur, dit l'autre, les Galeries Lafayette ne sont pas à vendre !

— Ne dites pas de bêtises. Moi, Ézéchiel, je sais que tout est à vendre. C'est combien ?

— De toute façon, monsieur, ce serait trop cher pour vous.

— Écoutez, monsieur le Président, dit Ézéchiel. Nous n'allons pas discuter une heure. Dites-moi un chiffre.

L'autre, il est excédé. Il se dit qu'il faut se débarrasser de cet importun d'une manière ou d'une autre. Alors, il lâche :

— Bon. Comme vous voudrez. Les Galeries Lafayette, ça vaut dix milliards !

Ézéchiel, il réfléchit une seconde et il dit :

— Vous permettez que je téléphone à ma femme ?

Il prend le téléphone et il compose un numéro :

— Allô, Sarah ? C'est toi ? Écoute... Pour les Galeries Lafayette, ça marche. Alors, tu vas aller regarder sous le lit dans notre chambre. Tu verras, il y a deux valises : une grande et une petite. Tu prends la petite et tu arrives tout de suite...

1396 □

Le vieux Moshé agonise. Dans un dernier effort, il se dresse, il tâtonne des mains et il dit :

— Toute la famille est là ? Ma femme Rachel est là ?

— Oui, dit Rachel.

— Et les jumeaux Ézéchiel et David sont là aussi ?

— Oui, on est là, disent les jumeaux.

— Et Benjamin, le petit dernier, il est là ?

— Oui, papa, dit Benjamin.

— Mais alors, nom de Dieu, si tout le monde est là, qui c'est qui garde le magasin ?

1397 □

Samuel Karfulkenstein et Isaac Kaganovitch s'installent à New York dans le commerce des tissus. Ce sont de vieux associés. Malheureusement, au bout de cinq ou six mois, ils s'aperçoivent que les affaires marchent très mal. Et à la synagogue, le rabbin leur dit :

— Tout ça, c'est parce que vous avez des noms trop juifs. Ça n'inspire pas confiance ! Il faut aller au bureau de l'état civil et demander à changer de nom !

Et le lendemain, l'employé de l'état civil leur dit :

— O.K. ! Mais quel nom voulez-vous prendre ?

Et ils répondent tous les deux en même temps :

— Washington !

— Parfait, dit l'employé. Vous me versez mille dollars chacun et la chose est faite !

Après quoi, ils retournent tous les deux à leur magasin et ils font mettre un grand écriteau sur la porte : *Washington, Washington and C°*. Et deux jours plus tard, le téléphone sonne :

— Allô, je voudrais parler à monsieur Washington.

Alors Samuel prend l'appareil et il répond :

— Vous voulez parler à Washington Karfulkenstein ou à Washington Kaganovitch ?

☐ **1398**

Abraham a installé devant son magasin une grande pancarte :

« Ici, 20 % de remise. »

Alors Jacob, qui tient un magasin presque à côté, accroche une pancarte un peu plus grande où il a écrit :

« Ici, 30 % de remise. »

Et puis arrive Samuel, qui est propriétaire du magasin situé entre les deux autres. Il voit les deux pancartes et il se dit :

— Impossible de descendre plus bas.

Alors il met une grande banderole au-dessus de sa porte :

« Entrée principale. »

☐ **1399**

Un jeune gars voudrait bien épouser une ravissante fille dont il est amoureux. Mais elle est juive. Et il ne l'est pas. Alors, il va trouver le rabbin du quartier et il lui dit :

— Je voudrais devenir juif !

Et le rabbin lui répond :

— Mon cher ami, ce n'est pas si facile ! Il faut d'abord que je sache si vous avez l'intelligence juive. Je vais vous poser un petit problème. Deux Juifs, qui se promènent sur un toit, tombent dans une cheminée. Le premier en sort tout blanc. Et l'autre tout noir. Lequel des deux va se laver ?

— Ben, dit le gars, celui qui est noir !

— Pas du tout ! Celui qui est plein de suie voit celui qui est propre et celui qui est propre voit celui qui est plein de suie. Alors celui qui est propre se dit qu'il doit être aussi sale que l'autre, et c'est lui qui va se laver. Vous n'avez rien compris à l'intelligence juive. Je vais vous poser un autre problème. Deux Juifs, qui se promènent sur un toit, tombent dans une cheminée. Le premier en sort tout blanc. Et l'autre tout noir. Lequel des deux va se laver?

— Ben, dit le gars, vous venez de me le dire. Celui qui est tout blanc!

— Pas du tout! Vous n'avez pas encore compris. Pourquoi voulez-vous que celui qui est propre aille se laver, puisqu'il n'est pas sale? Ça n'est pas logique. C'est obligatoirement celui qui est sale qui va aller se laver! Je crois que vous avez encore besoin de beaucoup réfléchir pour être des nôtres. Je vais quand même vous poser un autre problème. Deux Juifs, qui se promènent sur un toit, tombent dans une cheminée. Le premier en sort tout blanc. Et l'autre tout noir. Lequel des deux va se laver?

— Ben, dit le gars qui ne sait plus où il en est, ils vont se laver tous les deux!

— Pas du tout! Il n'y a aucune raison pour qu'ils aillent se laver tous les deux, si leur travail n'est pas fini. Ils savent très bien qu'ils risquent encore de se salir avant la fin de la journée. Alors, ils n'iront se laver ni l'un ni l'autre... Vraiment, je crois que vous ne comprenez rien à l'intelligence juive!

— Mais enfin, dit le gars excédé, vous m'avez posé trois fois le même problème et vous m'avez donné trois fois de suite une solution différente!

— Eh bien, justement, mon ami! C'est ça l'intelligence juive. Et en plus, j'ai quelque chose d'autre à vous dire sur l'intelligence juive: jamais les Juifs ne se promènent sur les toits... Vous auriez dû vous apercevoir tout de suite que cette histoire ne tenait pas debout!

1400 □

Abraham rentre chez lui et dans la cuisine, il

trouve sa femme Sarah qui pleure toutes les larmes de son corps, parce qu'elle est en train d'éplucher des oignons. Alors il lui dit :
— Attends ! Je vais te raconter quelque chose de triste, pour qu'au moins ça serve à quelque chose...

☐ **1401**

Deux juifs polonais se rencontrent sur le quai d'une gare :
— Où vas-tu ?
— A Cracovie.
— Je ne peux pas te croire ! Si tu me dis que tu vas à Cracovie, tu veux me faire croire que tu vas à Lublin. Et si tu veux me faire croire que tu vas à Lublin, c'est que tu vas à Cracovie. Alors, pourquoi mens-tu ?

☐ **1402**

Saint Pierre convoque un juif et un catholique :
— Vous vous êtes très bien conduits. Tellement bien que le bon Dieu veut faire une expérience avec vous ! Vous allez ressusciter et retourner sur terre. Et vous avez même le droit de faire un vœu qui sera exaucé.
Le catholique répond :
— Je veux avoir énormément d'argent !
— Accordé, dit saint Pierre. Et toi ? demande-t-il en se tournant vers le juif.
— Moi ? Je veux seulement avoir son adresse...

☐ **1403**

Isaac se promène et il aperçoit l'éventaire d'un marchand de cacahuètes. Devant la marchandise, il y a un grand écriteau : *Interdit aux Juifs*.
— Comment ! lance Isaac, furieux, au marchand. C'est une honte ! Comment vous appelez-vous pour oser faire une chose pareille après tout ce que nous avons subi ?

— Je m'appelle Moshé, fait l'autre.
— Hein? Tu t'appelles Moshé et tu es antisémite?
Alors le marchand se penche et lui glisse à l'oreille:
— Est-ce que tu as déjà goûté mes cacahuètes?

1404 ☐

Un client entre dans la boutique d'Abraham, le marchand de drap.
— Je voudrais du drap bleu.
— Voilà, voilà, dit Abraham, tout de suite je vais chercher.
Et il ressort de l'arrière-boutique avec un rouleau de drap vert.
— Un tissu splendide, dit Abraham, touchez-moi ça!
— Mais je vous ai demandé du drap bleu, fait le client.
— Bleu? Ah oui, bleu, parfaitement. Je vais trouver ce qu'il faut!
Et il revient avec une pièce de magnifique drap écossais.
— Regardez un peu, dit Abraham. Ça, c'est encore mieux que de la première qualité.
Cette fois, le client voit rouge:
— Sacré nom! Vous comprenez ce que je dis au moins? J'ai demandé du drap bleu, vous entendez, bleu!
Alors Abraham penche la tête d'un air navré:
— Oh! monsieur, si c'est du drap bleu que vous voulez, je veux dire, du drap *tout à fait* bleu, alors, ça, je n'ai pas!

1405 ☐

— Oui, tu vois, confie Abraham à Isaac, je suis très ennuyé. Quand je me suis marié l'année dernière, j'ai promis à ma femme de lui acheter un collier de perles. Mais maintenant, ça ne va plus du tout...

— Ah! Pourquoi?

— Parce qu'elle a fait exprès d'attraper un goitre...

☐ **1406**

Ézéchiel est en train de lire son journal et sa femme Sarah lui demande distraitement:

— Qu'est-ce qu'il y a comme nouvelles?

— Ben, dit-il, il y a eu une éruption volcanique au Pérou...

— Ah! Par exemple... Et c'est bon pour nous?

☐ **1407**

Sur un bateau d'émigrés juifs voguant vers Israël, trois passagers font connaissance.

— Moi, je viens d'un petit village de Pologne, dit le premier. C'est un village de deux mille habitants, mais tout le monde est juif là-bas, sauf les pompiers...

— Et moi, dit le second, je viens de Lituanie. Dans mon village aussi, tout le monde est juif, sauf les pompiers naturellement...

Et tous les deux, se tournant vers le troisième, l'interrogent:

— Et toi, d'où viens-tu?

— Moi, je viens de New York!

— Mais c'est une grande ville, New York! Combien y a-t-il d'habitants là-bas?

— Presque neuf millions!

— Oh! là, là! Et combien y a-t-il de nos frères?

— Presque deux millions!

— Deux millions sur neuf millions? Mais pourquoi y a-t-il tant de pompiers?

☐ **1408**

Un richissime banquier juif a décidé de marier sa

fille qui est laide comme un pou. Il fait venir trois prétendants et il leur tient ce langage:

— Messieurs, je donnerai ma fille à celui d'entre vous qui manifestera à mes yeux les plus belles qualités de notre race et de notre religion. Pour le savoir, je vais vous poser une question. Si vous marchez dans la rue, le jour du sabbat, et que vous trouvez par terre un portefeuille contenant cent mille dollars, que faites-vous?

Le premier prétendant réfléchit une minute et il dit:

— Le sabbat est sacré! Je n'y touche pas...

Le second prétendant réfléchit cinq minutes et il dit:

— Je mets le pied dessus et j'attends que le sabbat soit passé pour le ramasser...

Le troisième prétendant ne réfléchit pas du tout et il dit:

— Je ramasse le portefeuille tout de suite, j'empoche ce qu'il y a dedans et je vous envoie paître, vous et votre affreuse nana...

1409 □

Jacob ne peut pas dormir. Il doit rembourser une forte somme d'argent à Isaac le lendemain matin et il sait bien qu'il n'en a pas le premier sou et que les choses vont aller mal. Il se tourne, se retourne dans son lit en grognant:

— Comment vais-je faire? Comment vais-je faire?

Excédée, sa femme se lève, ouvre la fenêtre et appelle Isaac qui habite de l'autre côté de la rue. Isaac ouvre à son tour ses volets et il crie:

— Qu'est-ce que c'est?

— Écoute, Isaac, lui lance-t-elle, c'est bien à toi que mon mari doit de l'argent?

— Oui.

— Et il doit te rembourser demain?

— Oui.

— Bon. Eh bien, mets-toi dans la tête qu'il ne te remboursera pas !
Elle referme sa fenêtre, elle retourne se coucher et elle dit à Jacob :
— Maintenant, tu peux dormir tranquille. C'est lui qui ne dormira plus...

□ **1410**

Un grand banquier juif a fait savoir qu'il allait marier sa fille aînée et qu'il lui donnait une dot de deux milliards. Aussitôt le petit Jacob Karfulkenstein, qui est marchand de saucisses rue des Rosiers, se présente au domicile du milliardaire et déclare :
— Cher monsieur, je viens pour vous proposer une affaire stupéfiante qui vous fera gagner un milliard sans lever le petit doigt !
Alors le banquier, qui avait laissé entrer ce petit bonhomme miteux dans son bureau de fort mauvaise grâce, dresse l'oreille, fort intéressé et il dit :
— Je vous écoute, mon ami...
— Eh bien, voilà, dit le petit Jacob. J'épouse votre fille ! Vous lui donnez la moitié seulement... et l'affaire est dans le sac !

□ **1411**

Abraham flane au marché aux puces et il vient de tomber en arrêt devant un magnifique crucifix du douzième siècle.
— Combien ? dit-il au marchand.
— Dix mille !
— Trop cher ! dit Abraham. Je vous offre la moitié...
— Impossible ! Réfléchissez : c'est un objet unique, la croix en bois de santal et le corps en vieil ivoire...
Alors Abraham soupèse le crucifix et il dit :
— Et le bois seul, sans l'acrobate ?

□ **1412**

On ne peut pas dire qu'on adore les Juifs dans les

milieux dirigeants de l'Union soviétique. Pourtant une controverse s'est développée entre Gorbatchev et Chevardnadze au sujet des marchands juifs. Le premier soutient qu'ils ne sont pas plus malins que les marchands russes. Et l'autre dit le contraire.

Pour en avoir le cœur net, les deux hommes se rendent dans un quartier commerçant de Moscou. Ils s'arrêtent d'abord chez un marchand de faïence ukrainien, et Chevardnadze lui demande :

— Est-ce que vous avez des tasses à café pour gauchers ?

— Ah ! Je regrette, balbutie le marchand. C'est la première fois qu'on me demande cela ! J'ai bien des tasses à café, mais ce sont des tasses à café normales.

— C'est-à-dire qu'elles n'ont pas l'anse à gauche ? demande Chevardnadze.

— Euh... non !

La même scène se reproduit chez un second, puis un troisième marchand russe, qui avouent tristement leurs lacunes.

Alors, Gorbatchev et Chevardnadze entrent dans une boutique de faïence à l'enseigne d'Igor Kaganovitch, et ils posent la même question. Un petit Juif sort de derrière son comptoir et il s'exclame aussitôt :

— Mais bien sûr, chers messieurs, que j'ai des tasses à café spéciales pour gauchers, avec l'anse à gauche. Je vais vous chercher ça tout de suite...

Il disparaît dans son arrière-boutique et il revient avec les mêmes modèles de tasses à café qu'avaient présentés les autres marchands. Mais il a pris la précaution de tourner les anses vers la gauche.

Les deux hommes paient, emportent leur paquet et sortent. Alors Chevardnadze dit à Gorbatchev :

— Vous voyez bien que ce Kaganovitch est beaucoup plus habile que nos marchands russes !

— Par exemple ? dit Gorbatchev. Et pourquoi ? Les autres n'avaient pas l'article. Et lui, oui. Voilà tout...

☐ **1413**

Sarah a emmené son petit Samuel se faire couper un costume chez le tailleur Abraham. Quand ils sortent de la boutique tous les deux, il commence à pleuvoir et en l'espace de cinq minutes, le costume a rétréci de moitié : les manches arrivent aux coudes et les jambes du pantalon aux genoux.

— Oh ! le salaud d'Abraham ! hurle Sarah. Cet escroc m'a vendu son plus mauvais tissu !

Et rouge de colère, elle revient sur ses pas, en traînant le petit Samuel par la main. Elle entre dans le magasin, mais Abraham ne lui laisse pas le temps d'ouvrir la bouche. En voyant le gosse devant lui, il s'écrie en joignant les mains :

— Mon Dieu ! Comme il a grandi !

☐ **1414**

David Lévy se présente au bureau de l'état civil et il demande à changer de nom. Après bien des démarches et plusieurs mois d'attente, on l'autorise à s'appeler désormais Pierre Durand. Aussitôt, il se précipite de nouveau au bureau de l'état civil et il déclare :

— Je suis Pierre Durand. Je voudrais changer de nom.

— Mais vous êtes sonné ! lui dit l'employé. Vous venez à peine d'obtenir un transfert d'idendité et vous voulez recommencer ?

— Écoutez, répond-il, vous allez comprendre. Je voudrais m'appeler Jacques Dupont. Comme ça, si quelqu'un me demande mon nom, je dirai : « Jacques Dupont »... A ce moment, forcément, avec la gueule et l'accent que j'ai, on me dira en rigolant : « Ah ! oui ? Jacques Dupont ? Et comment vous vous appeliez avant ? » Alors, moi, je dirai : « Pierre Durand »...

1415 □

Au fond, qu'est-ce que l'antisémitisme ? Seulement une manière exagérée de détester les Juifs...

1416 □

Il est drôlement futé le petit garçon de Yankel. Il n'a que dix ans, mais il se débrouille comme un vrai commerçant. Son père lui dit :

— Tes souliers sont fichus. Tiens, voilà cent francs. Va t'en acheter une autre paire. Mais fais bien attention ! Tu regardes le prix et tu ne donnes que la moitié !

Alors, le petit garçon de Yankel court chez le marchand de chaussures, il essaie une paire et il dit :

— C'est combien ?

— Deux cents francs, dit le marchand.

— Non, c'est trop cher, dit le môme. Je donne la moitié !

L'autre est attendri par la pauvreté du gosse. Il répond :

— Je te les laisse à cent cinquante !

— Non ! Quatre-vingt ! dit le gamin.

— Allez ! Prends-les pour cent vingt. J'y perds, mais je fais une bonne action !

— Non ! Soixante-dix...

Au bout de dix minutes de cette discussion, le marchand est exaspéré. Il s'écrie :

— Tiens ! Prends-les, tes chaussures ! Je te les donne !

Et le petit garçon de Yankel lui répond :

— J'en prends deux paires !

1417 □

— Comment ça va, Isaac ?

— Ben, mon pauvre Moshé, ma femme vient de mourir !

— Quelle horreur ! Alors, ça va mal ?

— Non ! Parce qu'elle m'a laissé un gros héritage !

— Ah ! Formidable ! Alors, ça va bien ?

— Non ! Parce que mon magasin a été cambriolé !

— Alors, ça va mal ?

— Non ! Parce qu'il était assuré au-dessus de la valeur des marchandises...

— Parfait ! Alors, ça va bien ?

— Non ! Parce que j'ai attrapé la vérole !

— Mon Dieu ! Alors, ça va mal ?

— Non ! Parce que je vais me remarier avec une très jolie fille !

— Alors, c'est une bonne nouvelle ! Ça va bien ?

— Non ! Ça va ni mal ni bien. Ça va !

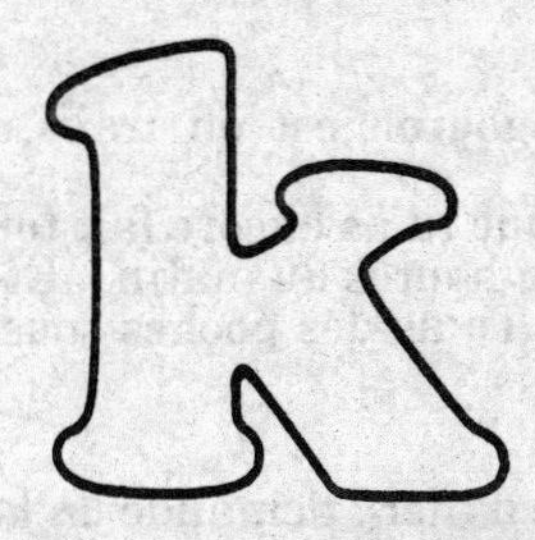

kangourou

1418 ☐

Un professeur vient faire un cours d'histoire naturelle à l'asile de fous. Il interroge un paranoïaque au fond de la classe :

— Qu'est-ce que c'est, un kangourou ?

— Un kangourou, dit l'autre précipitamment, c'est un animal qui a une poche sur le ventre dans laquelle il se réfugie en cas de danger...

1419 ☐

La maman kangourou n'arrête plus de se gratter le ventre depuis quelque temps. Le papa kangourou est inquiet.

— Qu'est-ce qui te démange comme ça ? lui dit-il.

— C'est ta faute, imbécile ! dit la maman kangourou. Tu es toujours en train de donner des biscottes au petit...

1420 ☐

— Pourvu qu'il fasse beau aujourd'hui, dit la mère kangourou. J'ai horreur d'être obligée de laisser les enfants jouer à l'intérieur...

☐ **1421**

Un père kangourou est en train d'engueuler sa fille :

— Qu'est-ce que tu as encore fait toute la nuit ? Tu es rentrée à cinq heures du matin... Et ne me raconte pas de salades. Tu as des poches sous les yeux !

☐ **1422**

— Et ton flirt d'hier ? demande un kangourou à un autre kangourou.

— Ça va ! C'est dans la poche !

lapin

1423 □

— Et pour attirer le lapin, dit un chasseur à son fils, c'est pas difficile : tu te caches dans un buisson et tu imites le cri de la carotte...

1424 □

Un lapin et une pigeonne s'aimaient d'amour tendre. Ils cherchèrent une église pour célébrer leur mariage. Mais partout, le curé refusait de bénir cette union anormale. Ils allaient renoncer, la mort dans l'âme, lorsque dans une petite paroisse, un vicaire leur dit :

— Mais oui, mes enfants. Je publie les bans et je vous marie dimanche prochain...

— Oh ! s'écrient ensemble les amoureux, quel est donc ce pays merveilleux où l'on a les idées aussi larges ?

Et le vicaire leur répond :

— La Garenne-Colombes !

1425 □

— Tu sais, dit la mère Lapin au père Lapin, Jeannot est maintenant un vrai lapin. Tu devrais l'emmener au bordel, ou sinon, il va finir par se taper ses sœurs.

— Tu as raison, dit le père Lapin.

Il prend son fils avec lui et, tous les deux, ils vont au lupanar. Et avant d'entrer dans le grand terrier où toutes les lapines sont alignées, en train d'attendre le client, le père Lapin dit à son fils :

— Je te recommande surtout d'être poli. Tu dis d'abord : *bonjour madame*. Et quand tu as fini ton affaire, tu dis : *merci madame*.

Alors Jeannot Lapin détale en quatrième vitesse dans la direction de la première lapine et on entend sa voix saccadée :

— Bonjour madame, merci madame, bonjour madame, merci madame, bonjour madame, merci madame, bonjour papa, merci papa, oh... pardon papa !

☐ **1426**

Un petit lapin entre dans un restaurant, accompagné d'un énorme lion. Ils s'attablent tous les deux fort civilement, et quand le garçon arrive, le lapin lui dit :

— Pour moi, ce sera une laitue et des carottes crues.

— Bien monsieur, dit le garçon. Et pour l'autre monsieur ?

— Mon ami ne prendra rien, dit le lapin.

— Comment ? Il n'a pas faim ?

— Écoutez, n'insistez pas, fait le lapin énervé. Vous pensez bien que s'il avait faim, je ne serais pas sorti avec lui...

☐ **1427**

Pauvres lapins qui ont la réputation de faire l'amour trop vite ! Il y en a un qui se plaint amèrement à une lapine :

— J'en ai marre d'entendre toujours dire que je fais ça trop vite ! Attends un peu, tu vas voir si je fais ça trop vite ! C'était bon ?...

légumes

1428 ☐

Un oignon est en train de se promener au bord de la rivière et il tombe en arrêt devant un saule pleureur.

— Mon Dieu, s'écrie-t-il. J'espère que je n'y suis pour rien !

1429 ☐

Un célèbre lord anglais est invité dans un grand dîner d'apparat. Lorsqu'on lui passe le plat de légumes, il s'en empare et, avec beaucoup de lenteur et de recueillement, il se le renverse sur la tête.

— Seigneur ! s'écrie la maîtresse de maison horrifiée, que venez-vous de faire avec les haricots verts ?

— Des haricots verts ? dit le lord... Croyez, madame, que je suis profondément confus ! Je pensais que c'étaient des épinards.

1430 ☐

Une dame angoissée entre au commissariat de police et elle dit :

— Ça s'est passé il y a un mois. J'avais préparé du poulet. Mon mari est descendu chercher une boîte de petits pois à l'épicerie. Et il n'est jamais revenu ! Qu'est-ce qu'il faut faire ?

Et il y a un flic qui répond :

— Ben, des frites !

☐ **1431**

Qu'est-ce qu'il fait, un Éthiopien qui trouve un petit pois ? Eh bien, il ouvre un supermarché...

☐ **1432**

Un petit marchand de légumes doit s'absenter pendant quelques instants de son éventaire. Mais il a tellement peur de perdre des clients qu'il laisse un écriteau bien en évidence devant son étalage :

« Je reviens dans un quart d'heure... »

Et à l'idée que des gens n'auront pas la patience d'attendre, il ajoute :

« Je suis déjà parti depuis dix minutes ! »

☐ **1433**

Une brave ménagère se présente à la consultation d'un radiologue et elle lui demande :

— Vous faites bien les rayons X ?

— Mais oui, dit le médecin.

— Alors vous allez me passer cette boîte de conserve à la radio. L'étiquette s'est décollée et je ne sais plus si c'est du cassoulet ou des haricots verts...

☐ **1434**

Le chef de gare a perdu la roulette de son sifflet. Il appelle sa femme :

— Vite ! Va me chercher un petit pois pour mettre dans mon sifflet. Il faut que je fasse partir le train tout de suite !

La bonne femme file à la cuisine et elle revient avec un pois cassé :

— Tiens ! C'est tout ce que j'ai pu trouver !

— Ça ne fait rien, dit-il. Ça va sûrement aller.

Il met le pois cassé dans son sifflet, il souffle dedans et... il n'y a que la moitié du train qui démarre...

1435 □

Trois moines de la Trappe observent le silence perpétuel, sauf le dimanche pendant une minute. Ce jour-là, le premier ne peut s'empêcher d'avouer :

— Ah ! comme j'aime les épinards...

Le dimanche suivant, le second lui répond :

— Moi, je déteste les épinards !

Une autre semaine se passe et le troisième se met à hurler :

— Vous n'avez pas bientôt fini de me casser les pieds avec vos épinards !

1436 □

Deux tomates sont en train de traverser la route. Tout d'un coup, un camion arrive à fond de train et en écrase une. Alors l'autre lui dit :

— Ben quoi ? Qu'est-ce que tu attends ? Tu viens, ketchup ?

1437 □

Un mari complaisant aide sa femme à préparer la cuisine. Elle lui a demandé de trier les lentilles, et c'est ce qu'il fait, mais il a mis des gants de boxe... Juste à ce moment-là, il y a un copain qui arrive et il s'exclame :

— T'es pas un peu marteau ? Tu as vraiment le génie de la complication ! Je me demande un peu comment tu dois faire l'amour...

— Ben, dit l'autre bêtement, comme tout le monde : debout dans un hamac...

lion

☐ **1438**

En pleine brousse, un missionnaire se trouve nez à nez avec un lion à l'air peu aimable.

— Seigneur, s'écrie-t-il, inspirez à cette bête des sentiments chrétiens !

— Seigneur, dit le lion, l'œil allumé, bénissez la nourriture que je vais prendre !

☐ **1439**

C'est un lion qui est en train de fouiller dans les poubelles. Un petit gorille arrive par-derrière, et hop ! il en profite pour l'enculer.

Inutile de dire qu'après ça, il détale en quatrième vitesse. Il se réfugie dans un bar, il ouvre un journal et il se cache derrière. Soudain le lion, tout ébouriffé, passe la tête par la porte et il dit :

— Vous avez pas vu le gorille ?

— Le gorille, dit le gorille en baissant son journal, quel gorille ? Celui qui encule les lions ?

— Ah ! bon, fait le lion, c'est déjà dans le journal ?

☐ **1440**

C'est un lion qu'on a capturé en Afrique. On l'enferme dans un cachot obscur sans lui donner à manger. Et au bout d'une semaine, on le sort au grand jour dans une arène. Il est tout ébloui. Il aperçoit autour de lui une bande de personnages hâves et déguenillés. Il entend la foule qui hurle. Et il se dit :

— C'est fini. Ils m'ont livré aux chrétiens...

1441 □

Un violoniste s'est rendu célèbre en charmant les bêtes fauves. Depuis qu'il s'est établi dans la jungle africaine, les gorilles les plus cruels, les serpents venimeux, les hyènes et les panthères, tous écoutent pendant des heures ce virtuose bouleversant, dont la musique tire des larmes aux cœurs les plus endurcis.

Mais un jour, un vieux lion sort de la brousse. Il voit l'assemblée des bêtes fauves en pâmoison devant l'extraordinaire petit musicien. Il lui saute dessus, parce qu'il a un peu faim, et il le croque en un clin d'œil... Furieux, tous les animaux sauvages se tournent vers lui :

— Mais tu es fou ! Tu n'as donc aucun sentiment ?

Alors le lion met la patte en cornet derrière son oreille et il rugit :

— Hein ? Quoi ? Qu'est-ce que vous dites ?

1442 □

Un beau lion traverse la brousse en roulant des épaules. Il est très prétentieux. A chaque fois qu'il rencontre un animal, il s'arrête et il demande en rugissant :

— Qui est le roi des animaux ?

Et naturellement, qu'il s'agisse du singe, du crocodile, de l'hippopotame ou du grand aigle, tout le monde lui répond en tremblant :

— C'est toi, le roi !

Et il repart en se rengorgeant. Mais un beau matin, il tombe sur l'éléphant, qui est en train de boire à la rivière. Et emporté par son orgueil, il l'interroge comme les autres :

— Holà ! Qui est le roi des animaux ?

Alors, l'éléphant saisit le lion avec sa trompe, il le fait tourner en l'air et il l'envoie valser dans un massif de cactus.

Au bout d'un moment, le lion se redresse piteusement, la queue entre les pattes et il grogne entre ses dents :
— C'est un peu raide, ça ! On ne peut même plus se renseigner !

littérature

□ **1443**

Le lendemain de la mort d'André Gide, Paul Claudel reçut le télégramme suivant :
« Dieu n'existe pas ! Tu peux te dissiper... Préviens Mauriac ! Ton vieil André. »

□ **1444**

Un gars va trouver un éditeur, un manuscrit sous le bras, et il lui dit :
— Je vous apporte le récit d'une expérience fantastique ! Ça s'appelle : « Comment j'ai couché avec une truie ! »
L'éditeur lit le manuscrit et il dit à l'auteur :
— C'est intéressant, mais il faudrait un peu d'actualité là-dedans, il faudrait du mystère, du danger ! Remaniez-moi ça et revenez la semaine prochaine...
Au bout de huit jours, le gars réapparaît et il dit :
— Voilà. J'ai fait ce que vous m'avez dit. Maintenant ça s'appelle : « Comment un terroriste a couché avec une truie ! »
L'éditeur lit le manuscrit remanié et il dit :
— C'est beaucoup mieux, mais tout de même, ça manque d'envolée ! Il y faudrait plus de conviction ! Et puis c'est devenu trop bassement matérialiste ! Travaillez-moi ça et revenez me voir.
Quinze jours plus tard, le bonhomme est là, et cette fois-ci, son manuscrit est accepté avec enthousiasme.

Il s'appelle: «Comment un terroriste a découvert Dieu en couchant avec une truie!»

1445 ☐

Qu'est-ce qu'un poète? C'est un type qui est exténué le soir, parce que le matin il a enlevé une virgule d'un de ses poèmes et que l'après-midi, il l'a remise...

1446 ☐

L'académicien Daniel-Rops avait obtenu un grand succès de vente avec son livre *Jésus en son temps*. On raconte que, dans un cocktail littéraire, François Mauriac s'était approché de madame Daniel-Rops et, caressant distraitement son manteau de vison, lui avait dit:
— Doux Jésus!

1447 ☐

— Que puis-je faire? demandait à Oscar Wilde un obscur écrivailleur, que puis-je faire? On organise contre moi une conspiration du silence!
Et Wilde de répondre:
— Vous n'avez qu'à vous y affilier.

1448 ☐

C'est un aveugle à qui on vient d'offrir une rape à fromage. Et il dit:
— J'ai jamais lu un livre aussi triste!

1449 ☐

André Gide voyage en Afrique du Nord. Il rencontre un joli petit cireur de chaussures et il lui dit:
— Veux-tu monter avec moi dans ma chambre?

Une heure après, il redescend avec son jeune compagnon et il lui confie :

— Tu sais, en France, je suis un écrivain très connu. Rappelle-toi bien ça quand tu raconteras cette histoire. Je m'appelle François Mauriac...

☐ **1450**

Un client entre dans une librairie. Il fouille dans les rayons pendant une demi-heure, en laissant des taches sur tous les livres et finalement, il s'amène à la caisse avec un tout petit roman policier à vingt francs, en disant :

— Il est bien, celui-là ?

— Oui, dit le libraire en pinçant les lèvres. Vous verrez ! On est incapable de savoir avant la dernière page que c'est le facteur qui est l'assassin...

---

logis

☐ **1451**

Un escargot voit passer une limace et il dit :

— Si c'est pas malheureux, quand même, cette crise du logement !

☐ **1452**

Un couple se présente chez un propriétaire :

— Ma femme et moi, on vient pour louer l'appartement.

— Ah, oui ? Et comment vous appelez-vous ?

— Je m'appelle Lévy.

— Alors, je n'ai pas d'appartement !

— Comment ça ?

— Oui, je ne loue pas aux Juifs !

— Mais je ne suis pas juif. Je suis catholique !

— Vouais ! Vous êtes un catholique bidon. Les catholiques, ils vont à la messe comme moi !

— Justement, je vais à la messe tous les dimanches...
— Sans blague? Et qu'est-ce qu'il y a au fond de l'église?
— L'autel, avec Jésus-Christ sur la croix...
— Bon. Et où il est né Jésus-Christ?
— A Bethléem, dans une étable.
— Et pourquoi dans une étable?
— Parce qu'à cette époque-là, il y avait déjà des salauds dans votre genre qui voulaient pas louer aux Juifs!

1453 □

Un étudiant sonne chez une vieille fille grincheuse et maniaque qui propose une chambre en location. A peine est-il entré qu'elle lui dit:
— Je vous préviens tout de suite que je veux ma tranquillité! Pas d'animaux, pas de filles, pas de radio! Je suis arrivée à un âge où je ne supporte plus le bruit à côté de moi!
— Euh, dit le jeune homme, c'est ennuyeux, parce que j'ai la plume de mon stylo qui grince un peu...

1454 □

— Tiens! Comment vas-tu? Qu'est-ce que tu deviens?
— Ben, je vais me marier, mais je suis bien empoisonné. J'ai pas d'appartement.
— Ça fait rien, ça... T'as qu'à aller habiter chez ton beau-père!
— Oh! C'est pas possible... Il habite chez sa belle-mère!

1455 □

C'est très bien, la télévision. C'est le cinéma à domicile. Et puis c'est très moral. Les salauds sont toujours punis. Sauf aux actualités et dans les émissions politiques... Et puis c'est beaucoup mieux que la radio. Au lieu d'entendre les parasites, eh bien, on les voit.

□ 1456

Ils sont très pratiques les petits logements modernes qu'on fait maintenant. Mais évidemment, les pièces sont très étroites et les cloisons vraiment trop minces.

Une ménagère, qui vient de s'installer dans un de ces minuscules appartements, ne peut pas s'empêcher de confier ses ennuis à la concierge de l'immeuble :

— Je ne sais pas comment vous faites, mais moi, il suffit que je grossisse de deux kilos pour que ma cuisine me serre aux hanches...

— Ben, dit l'autre, faites comme moi ! Pour gagner de la place, j'ai gratté la peinture...

Le lendemain, la brave femme rencontre la concierge dans l'escalier et elle lui dit :

— J'ai suivi votre conseil ! L'ennuyeux, c'est que maintenant, quand j'épluche des oignons, les voisins se mettent à pleurer...

□ 1457

— Ma femme de ménage, dit une banlieusarde, c'est une vraie perle ! Elle est d'une honnêteté presque maladive ! C'est bien simple... Depuis qu'elle travaille chez moi, rien n'a disparu, même pas un grain de poussière...

□ 1458

C'est une dame qui est assez nerveuse. Elle est en train de tourner en rond dans son appartement. Et elle parle toute seule :

— Voyons ! Qu'est-ce que je vais faire maintenant ? J'ai fait les lits, j'ai fait la vaisselle, j'ai fait les vitres... Ah ! ben, tiens, je vais passer un bon coup d'aspirateur pour que tout soit bien propre quand la femme de ménage va arriver...

1459 ☐

Un représentant sonne à la porte d'un pavillon de banlieue, mais avant qu'il ait eu le temps d'ouvrir sa mallette, une ménagère furieuse a surgi sur le palier et le repousse à la rue en hurlant :

— Foutez-moi le camp tout de suite ! J'en ai assez des démarcheurs ! C'est pas la peine de me sortir vos échantillons, vous entendez ? Je ne veux pas les voir !

Alors le gars prend sa voix la plus gentille, son air le plus malheureux, et il bredouille :

— Je vous en supplie, Madame ! Pour me faire plaisir... Laissez-moi vous montrer ma collection de savonnettes... Ça fait un mois que je ne l'ai pas vue...

1460 ☐

Une bonne femme adipeuse s'affaire dans un minuscule appartement de banlieue qu'elle n'arrive même plus à tenir propre parce que neuf mômes lui courent dans les jambes et que la moitié au moins pisse partout. Son mari qui est alcoolique lui flanque une trempe tous les soirs avant d'aller ronfler dans un coin. Le matin et l'après-midi, elle est obligée de faire des ménages. Elle n'a même plus le temps de se coiffer. Elle a fini par s'habituer à ses varices et à la grosse verrue qu'elle a sur le nez. Et le dimanche, c'est encore pire que les autres jours : c'est comme si elle était au bagne...

Ce soir-là, elle s'apprête à faire la vaisselle. Elle écarte les gosses. Elle s'approche de son évier où il y a une montagne de casseroles et d'assiettes sales. Elle déchire un morceau de sa vieille robe grise pour s'en servir de chiffon. Et juste au moment où elle va verser un peu d'Ajax au citron dans sa bassine, elle entend derrière elle une voix qui sort d'une vieille télévision branlante et qui dit :

« Et maintenant, les hommes aiment les femmes qui font la vaisselle avec Ajax au citron ! »

Alors son visage s'éclaire d'un grand sourire heureux, mais le choc est trop fort : elle tombe morte...

☐ **1461**

Un loubard raconte à un copain :

— Moi, les filles, je les rends dingues ! Elles me courent toutes après... Tiens ! Pas plus tard qu'hier soir, il y en a une qui a frappé pendant une heure à la porte de ma chambre, en suppliant que je lui ouvre. Eh bien, je te jure que je ne l'ai pas laissée sortir...

☐ **1462**

Un commis voyageur vient de sonner à la porte. Une dame le fait entrer. Avant qu'elle ait eu le temps d'ouvrir la bouche, il a saisi la poubelle et il en répand tout le contenu sur le tapis : les os de lapin, les vieux cotons, les débris de vaisselle, les peaux de bananes, les épluchures, les fleurs fanées, les vieilles boîtes de conserves...

— Madame, dit-il, si j'ai répandu dans votre ravissant logis cette montagne d'ordures, c'est pour vous prouver les vertus de mon nouvel aspirateur. Il va tout avaler en deux minutes. Et ce qu'il n'aura pas avalé, eh bien, c'est moi qui l'avalerai...

Alors la dame va dans sa cuisine et elle revient avec du sel et du poivre, de l'huile et du vinaigre et elle se met à assaisonner le tas de détritus.

— Mais qu'est-ce que vous faites ? lui dit le gars, éberlué.

— Rien. J'essaie seulement de vous faciliter les choses, parce qu'il y a une panne d'électricité.

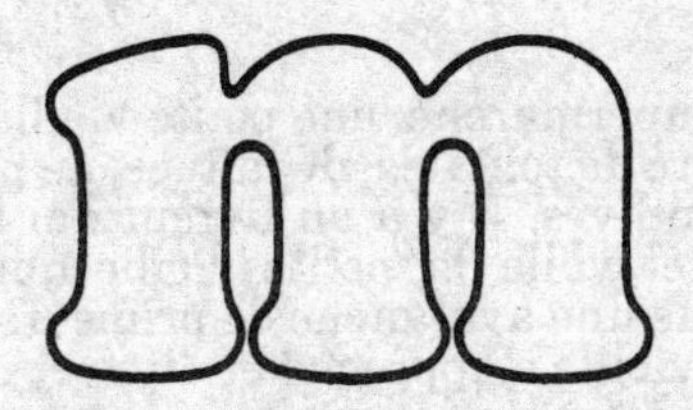

magasin

1463 □

Un dingue se faufile aux Galeries Lafayette et il dit :

— Vite ! Les camisoles de force, c'est au rayon des chemises ou à celui des sports ?

1464 □

Quelques jours avant Noël, dans un grand magasin, une jeune femme affolée réussit à s'extraire de la foule et entre en courant dans le bureau des objets trouvés.

L'employé la dévisage, stupéfait : elle est vêtue seulement d'une veste verte et d'un petit slip blanc. Et elle dit à toute vitesse :

— Mon Dieu, monsieur, rassurez-moi, je vous en prie ! On ne vous a pas rapporté une jupe verte avec quatre gosses accrochés après ?

1465 □

Un client entre chez un épicier et il dit :
— Je veux un litre de vin.
— Blanc ou rouge ? demande l'épicier.
— Je m'en fous. Je suis aveugle.

☐ **1466**

Dans un supermarché, une petite vieille pousse un chariot bourré de tomates, de laitues, de poivrons, de carottes, d'endives. Il y a un livreur qui la bouscule en passant et voilà la petite vieille qui se trouve ensevelie sous une avalanche de primeurs. Alors une autre petite vieille s'approche et dit :

— Je peux faire quelque chose pour vous ?

Et par-dessous le tas de verdure, une voix lui répond :

— Oui, passez-moi l'huile et le vinaigre...

☐ **1467**

Une bonne femme entre dans une épicerie. Elle se sent la tête qui lui tourne et elle s'assied sur une caisse d'œufs. Elle se passe la main sur le front et elle dit :

— Ça ne va pas bien du tout ! Je dois couver quelque chose !

☐ **1468**

Sur la vitrine d'un brocanteur juif, cette inscription : « Si vous ne savez pas ce que vous désirez, entrez, nous l'avons ! »

☐ **1469**

Un personnage très distingué entre dans un drugstore et il demande :

— Est-ce que vous faites aussi des analyses d'urine ?

— Mais bien sûr, monsieur.

— Alors, allez vous laver les mains et donnez-moi un sandwich...

☐ **1470**

Un farceur fait irruption chez un antiquaire et il dit :

— Alors ! Quoi de neuf ?

1471 ☐

Un boucher a mis une grande pancarte sur son étalage : *Viande infecte.*
Une dame vient se plaindre :
— C'est dégoûtant, ce que vous faites là !
— Mais non, madame, dit le boucher. Ne vous en faites pas ! C'est juste pour avertir les mouches...

1472 ☐

Une dame se présente dans une quincaillerie et elle demande une prise de courant.
— Une prise mâle ou une prise femelle ? s'enquiert le vendeur.
— Imbécile, dit la dame, c'est pour une réparation, pas pour faire de l'élevage...

1473 ☐

Un gars entre en courant dans un poste de police et il s'écrie :
— Vous avez des flics bien frais ?
— Euh... oui !
— Alors, mettez-m'en un car.

1474 ☐

Une brave dame entre dans une boutique de confection en traînant derrière elle deux jumeaux de huit ans.
— Bonjour ! dit-elle au vendeur. Il faudrait me les habiller exactement pareil...
Alors le vendeur fait enfiler à chacun des gamins un pantalon et une veste bien à leur taille. Même coupe, même tissu. Et puis il leur dit :
— Venez par ici ! Vous allez vous regarder dans la glace pour voir si ça va...

— Oh ! non, c'est pas la peine, dit la dame. Ils n'ont qu'à se regarder l'un l'autre...

☐ 1475

Une dame passe à la caisse d'un supermarché. Elle contemple avec ravissement l'employée qui tape à toute vitesse sur sa caisse enregistreuse et elle lui dit :
— Quelle technique ! Vous marquez réellement les prix ou bien vous jouez d'oreille ?

☐ 1476

Dans un supermarché, un vendeur répond à une cliente :
— Eh bien, non. J'en ai plus depuis le mois dernier !
Mais le gérant, qui passait par là, se met dans une colère noire. Il engueule l'employé comme du poisson pourri :
— Vous êtes foutu à la porte, mon pauvre ami ! Je vous ai répété cinquante fois que nous avions toujours ce que demandent les clients. Et si nous ne l'avons pas en rayon, on le fait venir pour le lendemain.
Et changeant complètement de visage, il se tourne vers la dame et lui dit avec une exquise gentillesse :
— Veuillez m'excuser... Nous sommes là pour vous fournir tout ce que vous désirez. Vous allez me laisser votre adresse et on vous livrera l'article demain matin !
Du coup, la bonne femme est complètement estomaquée. Elle bredouille son nom et son adresse. Et elle part à reculons...
Alors le gérant se retourne vers le vendeur et il braille :
— Eh bien ? Ne restez pas la bouche ouverte comme un imbécile. Dites-moi au moins ce qu'elle vous a demandé...

Et le gars balbutie en devenant tout rouge :
— Euh... C'est ma voisine de palier... Elle voulait savoir si j'avais encore des morpions...

1477 □

Un type entre chez un fleuriste. Il voit une grande pancarte et il lit : *Dites-le avec des fleurs* ! Alors il appelle une vendeuse et il lui glisse :
— Je voudrais des fleurs artificielles ! C'est pour un mensonge...

1478 □

La scène se passe dans un grand magasin. Il y a un vendeur qui dit à un client :
— Regardez-moi ce modèle de canne à pêche ! Une merveille ! Avec ça, vous attirez le brochet à cent lieues à la ronde ! Naturellement je vous mets trente mètres de fil avec, ainsi qu'une dizaine de mouches et cinq ou six hameçons. Mais j'y pense ! Il vous faut un petit tabouret pour vous asseoir. Vous ne pouvez pas pêcher debout ! Attendez, nous allons changer de rayon ! Tenez, voilà un petit tabouret sculpté entièrement à la main... Il est exactement à votre taille. Et il a les pieds spécialement conçus pour ne pas s'enfoncer dans la vase. Et le panier ? Mon Dieu, j'allais oublier le panier. Il vous faudra bien quelque chose pour mettre le poisson dedans ! Voilà un modèle qui peut contenir jusqu'à dix kilos de poisson. C'est de l'osier tressé, une affaire en or ! Le dernier qui me reste. Bon ! Et vous avez l'intention d'aller pêcher où ? Moi, je vous conseille carrément la mer. Mais alors, il vaudrait mieux avoir un bateau. Oh ! Je ne vous dis pas un yacht, mais juste une petite barque. Attendez ! Venez avec moi au sous-sol. Voilà une barque insubmersible en duralumin, recommandée par le syndicat des pêcheurs à la ligne. Elle vous est livrée avec le gouvernail et deux rames. Mais si vous voulez, on peut y adjoindre un petit moteur ! Oui, je

crois que c'est préférable, si la mer est mauvaise. Nous disons donc le modèle avec un moteur de trois chevaux ! Parfait ! Eh bien, je crois que vous avez tout ce qu'il vous faut ! Et vous comptez y aller comment, à la mer ? L'idéal, c'est de pouvoir partir et rentrer à l'heure qu'on veut. Tenez, accompagnez-moi au rayon des vélomoteurs. Regardez-moi cette petite moto ! D'ailleurs c'est plutôt cette grosse cylindrée qu'il vous faut. Avec ça, vous partez de chez vous à sept heures du matin, et vous arrivez sur la plage avant tout le monde ! Mais non, ce n'est pas cher, je vous fais la moitié avec six mois de crédit... Eh bien, marché conclu ! Tout vous sera livré demain matin. Si vous voulez bien passer à la caisse...

Et le client subjugué, qui n'a pas eu le temps d'ouvrir la bouche, laisse un chèque d'une somme énorme. Alors le patron du grand magasin, qui a suivi toute la scène de loin, s'approche du vendeur et siffle d'admiration :

— Eh bien, mon vieux, on peut dire que vous êtes un vrai caïd ! Il est entré pour acheter une canne à pêche et il repart avec tout un matériel, un tabouret, un panier, un bateau, une moto !

— Oh ! dit le vendeur, il n'est pas entré pour acheter une canne à pêche. Je l'ai rencontré au rayon pharmacie et il demandait des tampons périodiques pour sa femme. Alors, je lui ai dit : « Si votre femme est indisponible, pourquoi vous n'iriez pas à la pêche ? »

☐ 1479

Une vendeuse de chez *Prénatal* vient d'avoir une matinée horrible. Elle n'a pas cessé d'être assaillie par une nuée de femmes enceintes en furie.

Sur le coup de midi, épuisée, elle décide d'aller manger un sandwich et avaler un demi au bistrot du coin, quand soudain la porte du magasin s'ouvre et trois autres clientes se précipitent sur elle.

— C'est effrayant, gémit-elle. Il n'y a donc plus personne qui fasse ça seulement pour le plaisir ?

1480 ☐

Une dame sort d'un magasin de lingerie et va retrouver son mari qui l'attend au volant de sa voiture en lisant son journal.

— Chéri ! lui dit-elle, j'ai trouvé exactement le soutien-gorge qui me convient, mais il coûte trois cents francs.

Alors il lève un œil et il murmure :

— Laisse tomber.

1481 ☐

Un client patibulaire vient d'acheter dans une droguerie un litre d'arsenic.

— Quelle veine, exulte l'arsenic. On va enfin parler de moi dans les journaux...

1482 ☐

Un petit mignon entre dans une boutique pleine de fromages et aussitôt le marchand se retourne en disant :

— Quelle horreur ! Qu'est-ce qui sent le jasmin ?

1483 ☐

Une dame très plate entre dans un magasin spécialisé et elle demande si on peut lui vendre des faux seins.

— Certainement, madame, dit l'employée.

— Et vous me garantissez la qualité ?

— Mais bien sûr. C'est une marque déposée. Ici, nous refusons toutes les imitations...

☐ **1484**

Une fille très snob entre dans une maroquinerie et elle dit:

— Voilà. Je veux un sac à main. Mais je voudrais un sac qui ne ressemble à aucun autre. Vous voyez ce que je veux dire ? Quelque chose de tout à fait original qui rende mes amies jalouses.

— Madame, dit le vendeur, je crois que j'ai ce qu'il vous faut. Seulement c'est très cher!

— Ça ne fait rien.

— Alors voilà une pièce unique. C'est de la peau de verge!

— Mais vous vous moquez de moi! C'est ridiculement petit!

— Peut-être, madame, mais caressez-moi ça convenablement et ça va devenir grand comme une sacoche...

☐ **1485**

Un gars se plaint à un copain de ce qu'il n'arrive plus à faire l'amour. Et l'autre lui dit:

— Je vais te donner un truc. Il faut bouffer du pain, beaucoup de pain. Tu comprends, dans le pain, il y a de la levure! Tu saisis ce que je veux dire?

— Oh, oui! dit le gars. Merci du conseil.

Et il se précipite dans une boulangerie:

— Je voudrais vingt kilos de pain, dit-il.

— Fichtre! fait remarquer la boulangère. Vous n'y allez pas de main morte. C'est pour un banquet?

— Non! C'est pour moi tout seul!

— Pour vous tout seul? Mais demain, ça va être dur...

— Sans blague? dit le gars. Déjà?

maison close

1486 ☐

La scène se passe aux alentours des années cinquante. Un jeune Juif américain entre dans un bordel de New York et il dit :

— Qu'est-ce que vous avez à me proposer ?

— Eh bien, lui dit la patronne, il y a les Françaises à dix dollars, les filles du pays à six dollars, les Portoricaines à trois dollars, les Indiennes à deux dollars et les négresses à un dollar...

— Oui, dit le gars, mais moi, je n'ai que quatre-vingt-dix cents.

— Alors, il n'y a rien à faire !

— Même pas pour une négresse ?

— Même pas !

— Vous ne voulez pas me faire une bonne manière ?

— Oh ! Si c'est pour une bonne manière, vu que vous êtes beau gosse, vous pouvez revenir à la fermeture et monter chez moi...

Vingt ans plus tard, le gars est devenu un très riche industriel. Il repasse dans le même quartier, il se sent un pincement de cœur et il entre dans l'établissement.

— Vous vous souvenez de moi ? dit-il à la patronne. C'était juste après la guerre. Je n'avais que quatre-vingt-dix cents et finalement...

— Dieu du Ciel ! crie-t-elle, vous êtes revenu ! Eh bien, j'ai une surprise pour vous.

Elle part dans l'escalier et elle appelle :

— Johnny ! Viens vite, je vais te présenter quelqu'un !

Un beau garçon de vingt ans s'amène et la patronne lui dit :

— Tiens, Johnny, voilà monsieur Lévy. C'est ton papa !

Et le garçon s'exclame d'un air renfrogné :
— Comment ? Mon père est un Juif et tu ne me l'avais pas dit !
— Écoute, mon garçon, dit le visiteur. Ça pourrait être pire ! Si j'avais eu dix cents de plus, tu serais café au lait...

□ **1487**

Deux enfants de chœur bavardent au coin de la rue, et tout à coup, qui voient-ils entrer dans cette maison aux volets fermés que la morale réprouve ? Le pasteur du quartier !
— Tu vois, glisse le premier môme au second, je t'avais toujours dit que les parpaillots, c'est des enfants de salauds...
Dix minutes après, c'est le rabbin qui apparaît à son tour et passe le seuil de la maison close.
— Ben, mon vieux, fait le second môme, les Juifs, c'est tous des fumiers !
Enfin, voilà monsieur le curé qui arrive tout guilleret et qui entre à son tour. Alors les deux enfants de chœur s'écrient ensemble :
— Mon Dieu, quel malheur ! C'est sûrement mam' zelle Zizi qui a dû avoir une attaque...

□ **1488**

La putain dévisage le client qui vient de monter avec elle dans sa chambre et tout d'un coup elle s'écrie :
— Ça alors ! Je t'avais pas reconnu dans l'escalier ! Mais tu es le ministre des Finances... Attends un peu ! Je vais te faire un 82...
— Un 82... dit l'autre, un peu gêné. Mais qu'est-ce que c'est ?
— C'est un 69, plus la T.V.A...

□ **1489**

Un tout petit gars très timide entre dans une

grande maison à l'enseigne du *Pavillon de Chasse.* C'est une maison close, bien sûr, mais quelque chose de très moderne, très nickelé, très organisé, un peu comme un self-service.

Le gars arrive dans l'entrée et il voit deux couloirs. Et un grand écriteau l'avertit : *A droite pour les fusils à répétition, à gauche pour les fusils à un coup.* Comme il est très modeste de sa personne, il prend à gauche et il retombe sur deux autres couloirs et sur un autre écriteau : *A droite pour les fusils longs, à gauche pour les fusils courts.*

Naturellement il prend à gauche et il arrive à une nouvelle bifurcation avec deux portes : *A droite pour les fusils en acier, à gauche pour les fusils en caoutchouc.*

Alors, il rougit un peu, il rentre la tête dans les épaules, il ouvre la porte de gauche et... il se retrouve dans la rue...

1490 ☐

Un gars s'amène dans une maison close et il monte avec une fille. Arrivé dans sa chambre, il lui dit d'un air gêné :

— Voilà ! Je voudrais que tu me chies dessus !

— Ah ! Je vois ce que c'est, dit-elle. Encore un petit vicieux.

Et comme elle en a vu d'autres, elle fait ce qu'il lui demande. Et le gars monte au septième ciel.

Puis il revient voir la même fille le lendemain. Et la scène recommence. Et il revient ainsi tous les jours de la semaine. Au bout d'un mois, elle s'est bien habituée à lui, et comme le gars est un bon bougre, elle s'est même prise d'affection à son égard. La preuve, c'est qu'elle ne le fait plus payer.

Et leur liaison dure ainsi pendant plus d'un an. Le gars vient tous les jours à la même heure. Mais un beau jour, la fille lui déclare en le voyant entrer dans la chambre :

— Je veux bien essayer, mais je crois qu'aujourd'hui ça ne va pas marcher. Je suis constipée...

Et elle essaie de le satisfaire avec la meilleure volonté du monde, mais en vain. Alors le gars fond en larmes et il se met à hurler :

— Tu ne m'aimes plus !

☐ **1491**

Un bonhomme se présente dans un bordel et il déclare :

— J'en ai ma claque de vos bonnes femmes ! Toujours les mêmes... Vous n'auriez pas, pour une fois, quelque chose d'un peu plus original ?

— Mais si, lui répond la tenancière. Vous voulez une sirène ?

— Une sirène ? balbutie le gars, stupéfait. Et vous trouvez des clients assez dingues pour se taper une sirène ?

— Parfaitement ! Il y a des vieux catholiques qui sont bien contents de la trouver le vendredi...

malade

☐ **1492**

Une dame du monde s'ennuie terriblement. Alors elle va tout le temps chez son docteur et elle lui dit :

— Je crois que j'ai quelque chose au foie.

Ou bien :

— Docteur, j'ai le cœur qui bat trop vite.

Ou encore :

— Depuis hier, j'ai une oreille qui me démange...

Et à chaque fois, le médecin l'ausculte et lui dit :

— Ce n'est rien, madame, absolument rien.

Puis voilà qu'elle reste un mois sans venir. Enfin, elle réapparaît dans le cabinet et le docteur lui dit :

— Mon Dieu, madame, mais il y a longtemps que je ne vous avais vue. Comment cela se fait-il ?
— Eh bien, docteur, dit la dame, je n'ai pas pu venir, parce que j'étais malade...

1493 ☐

Deux microbes se rencontrent :
— Oh ! là, là ! dit le premier, si tu voyais la sale gueule que tu as...
— Je sais, dit l'autre, je suis malade.
— Qu'est-ce que tu as ?
— J'ai attrapé la pénicilline !

1494 ☐

— Docteur, dit le malade, j'ai mal à la tête, j'ai des ganglions dans la gorge, j'ai des flatulences dans les boyaux, je ne peux plus marcher tellement j'ai mal aux jambes, je tourne de l'œil tout le temps et j'ai l'estomac qui me fait horriblement souffrir. Mais ce qu'il y a de plus curieux, c'est que moi-même, je ne me sens pas très bien...

1495 ☐

Le médecin examine une femme qui agonise. Il se tourne vers son mari et il lui dit :
— Ça fait longtemps qu'elle râle comme ça ?
— Oh, oui ! Depuis qu'on est mariés.

1496 ☐

Ce brave homme sort de chez le docteur, assez ennuyé. Le docteur lui a confié :
— Vous avez attrapé une petite maladie, comment dirais-je ?... une petite maladie honteuse, mais c'est tout à fait guérissable. Pendant une semaine, vous allez tremper votre machin chaque soir dans un verre de lait...

Le gars rentre chez lui, il s'enferme dans sa salle de bains et il suit à la lettre les instructions du médecin.

Et juste à ce moment, sa femme entre dans la pièce par hasard... Elle ouvre des grands yeux et elle dit :

— Mais chéri, tu ne m'avais pas dit que ça se remplissait comme un stylo !

☐ **1497**

Marie-Chantal entre dans le cabinet de son médecin :

— Docteur, je ne me sens pas bien du tout en ce moment. Dites-moi... Qu'est-ce qu'il y a comme maladie dans l'air ces temps-ci ?

☐ **1498**

Jacob rencontre Abraham :

— Imagine-toi qu'en ce moment j'ai de l'urée...

— Ah, oui ? A combien ?

☐ **1499**

Un tire-bouchon va trouver un médecin et il lui dit :

— Docteur ! Suis-je normal ? Dès que je suis près d'une bouteille, j'ai la tête qui me tourne...

☐ **1500**

— Docteur, je n'y comprends rien. A chaque fois que je bois une tasse de café, j'ai une douleur à l'œil droit !

— Ce n'est rien. Enlevez seulement la cuillère...

☐ **1501**

C'est fou, le nombre de gens qui passent leur temps dans les salles de gymnastique et les instituts de beauté ! C'est bien simple, rajeunir, ça devient carrément une maladie. Tenez, ma femme par exemple, ça fait trois ans qu'elle essaie, eh bien, elle a rajeuni d'une heure...

1502 □

— Docteur, c'est la première fois que je mange des huîtres et ça m'a donné d'épouvantables douleurs d'estomac...
— Ben, ça doit venir de ce qu'elles n'étaient pas fraîches ! Vous auriez dû sentir l'odeur en les ouvrant...
— Ah ! Parce qu'il fallait les ouvrir ?

1503 □

Un vieillard timide entre dans le salon d'attente d'un médecin. Il s'assied. Il baisse la tête tristement. Et sans oser regarder les autres personnes présentes, il déclare au milieu du silence général :
— J'espère que mes sifflements d'oreille ne gêneront personne...

1504 □

Un toubib a été appelé d'urgence chez un malade. Il arrive dans une H.L.M. de dix-neuf étages et il demande à la concierge :
— Les Martin, c'est où ?
— C'est au dix-huitième, dit la concierge, mais l'ascenseur est en dérangement.
— Ça, c'est la poisse, dit le toubib. Cardiaque comme je suis, je ne vais quand même pas me taper dix-huit étages...
Alors, il s'avance dans la cage de l'escalier et il hurle :
— Madame Martin !
Et au dix-huitième, une voix lui répond :
— C'est vous, docteur ?
— Oui, clame-t-il à tue-tête. Qui est malade ?
— C'est mon mari, glapit la petite voix...

— Qu'est-ce qu'il a ?
— Il est tout chaud...
— Écoutez, je ne peux pas monter. Mettez-lui de la glace dessus. Je repasserai ce soir !
Et le soir il se ramène et il crie dans la cage d'escalier :
— Madame Martin !
— Oui ! C'est vous, docteur ?
— Oui ! Comment va-t-il ?
— Il est tout froid...
— Ah, bon ! Je ne peux pas monter. Mettez-lui une bouillotte dessus. Je repasserai demain matin.
Et le lendemain matin, il est là, en bas de l'escalier, et le dialogue hurlé recommence :
— Madame Martin ! Comment va-t-il cette fois-ci ?
— Il est mort ! Et c'est votre faute, espèce de saligaud !
— Ma faute ! Ma faute ! Vous savez, la médecine a des limites...

□ **1505**

— Docteur, j'ai tout le temps mal à la tête !
— Monsieur l'abbé, vous devez abuser de la bonne chère, non ?
— Mais pas du tout ! Je suis même au régime...
— Alors, vous fumez trop...
— Ah ! non... Pas une seule cigarette de toute mon existence !
— Ce ne serait pas votre bonne qui vous entraîne à commettre quelques excès ?
— Oh ! Docteur ! Comment pouvez-vous penser une chose pareille ?
— Eh bien ! Monsieur l'abbé, je ne vois qu'une seule explication : c'est votre auréole qui est trop serrée !

1506 □

Un gars revient des tropiques où il a mené pendant vingt ans une vraie vie de patachon. A force de folâtrer, matin et soir, avec n'importe qui, il a fini par attraper des maladies, et même des maladies honteuses. Alors il va voir un médecin qui lui dit :

— Vous venez trop tard. Il faut couper !

— Qu'est-ce que vous dites ? fait le gars d'une voix étranglée.

— Je dis qu'il faut vous couper les organes génitaux. Il n'y a pas d'autre solution. Ou alors, vous allez crever d'une infection généralisée !

Le gars sort de là dans un état pitoyable. Il est gris-vert. Il va voir d'autres médecins par mesure de prudence. Il va voir de grands spécialistes. Mais ils sont tous du même avis : il faut couper !

Le pauvre homme se désespère, quand il apprend par hasard l'existence d'un médecin chinois qui a la réputation de guérir les cas impossibles. Il se précipite chez lui, plein d'angoisse, il se déshabille, il se plante devant lui et il lui dit :

— Eh bien, docteur ? Ne me dites pas qu'il faut couper !

Le Chinois met ses lunettes, il jette un bref coup d'œil, il sourit de toutes ses dents et il répond :

— Non ! Faut pas couper !

Le gars, transporté d'enthousiasme, renaît à l'espérance. Tout son visage s'éclaire et devient radieux. Alors le Chinois lui dit :

— Montez sur le tabouret, là ! Bon, très bien ! Maintenant, toussez un peu ! Bon, voilà. Eh bien, vous voyez que ce n'était pas la peine de couper... C'est tombé tout seul !

1507 □

Un malade arrive en consultation. Il enlève son veston, sa chemise, son maillot de corps, son pantalon, ses chaussures. Et le docteur lui dit :

— Enlevez aussi votre caleçon...

Le gars s'exécute, le docteur l'examine attentivement et il lui déclare :
— Oh ! là, là ! Mais vous êtes décalcifié !
Et l'autre, tout surpris :
— Mais enfin, docteur, c'est vous qui venez de me le demander !

☐ **1508**

— Maman, j'ai mal aux yeux. Il faut que tu m'emmènes chez le zieutiste...
— Mon petit, on ne dit pas un zieutiste, on dit un oculiste.
— Mais, maman, c'est pas là que j'ai mal...

☐ **1509**

Un gars se pointe chez le médecin et il dit :
— Docteur, je crois que je suis impuissant !
— Nous allons voir ça tout de suite, dit le docteur. Montrez-moi vos organes génitaux !
Et le gars tire la langue...

☐ **1510**

— Alors, mon petit, demande la maman, qu'est-ce que tu as rapporté de l'école, aujourd'hui ?
— La polio !

☐ **1511**

— Ben, dit le docteur d'un air navré à son malade, vous avez une hémiplégie...
— C'est grave ? demande le gars.
— C'est une paralysie du côté droit !
Alors le bonhomme s'agite sous ses draps. On dirait que sa main remue entre ses jambes.
— Qu'est-ce que vous fabriquez ? dit le docteur.
— Euh... rien ! Puisqu'il reste un bon côté, j'essaie de sauver un petit quelque chose...

mariage

1512 □

Ghislaine habite dans les beaux quartiers. Elle fait tout ce que lui disent ses parents. Et justement, elle vient d'épouser un banquier de soixante-neuf ans. Mais Ghislaine n'a que dix-sept ans.

Le soir des noces, son mari entre dans la chambre nuptiale, il met son pyjama, il éteint la lumière et il se met à ronfler.

Alors, Ghislaine est un peu déçue, parce qu'elle a mis son plus beau déshabillé. Elle se gratte la tête, elle secoue son mari et elle lui dit :

— Eh ! Monsieur ! Votre maman ne vous a rien dit à vous !

1513 □

Assis sur le trottoir devant l'église, un gamin vient de voir passer le cortège d'un mariage. Alors il déclare :

— Elle est pas idiote, la mariée ! Elle est entrée avec un vieux monsieur et elle ressort avec un jeune !

1514 □

Cette douce fillette est fiancée avec un armateur grec. La veille du mariage, sa mère lui dit :

— Méfie-toi quand même, hein ! Moi, les Grecs, j'en ai entendu parler d'un peu partout. Tu sais que déjà dans l'Antiquité, ils avaient des drôles d'habitudes. Alors, si jamais ton mari te demande de te mettre de l'autre côté, il ne faut surtout pas marcher dans la combine !

Et puis les nouveaux époux partent en voyage de noces. Mais tout se passe très bien. Ce n'est qu'au bout de six mois, un beau soir, que l'armateur dit à sa petite femme :

— Chérie, tu ne veux pas te tourner aujourd'hui ?

— Ah, non ! Ça, jamais de la vie ! répond-elle.

— Pourquoi ? Tu ne veux vraiment pas qu'on fasse un bébé ?

☐ **1515**

Dialogue entre deux amis :

— Tu sais, j'ai vingt ans de mariage et pourtant c'est toujours la même femme que j'aime !

— Ah ! Quelle chance tu as ! C'est beau, la fidélité !

— Oui. Mais garde ça pour toi. Si jamais quelqu'un l'apprend à ma femme, ça va être ma fête !

☐ **1516**

Un voyageur épanoui monte dans un train à la gare de Lyon. Il a pris un porteur et celui-ci engage la conversation :

— Alors, on part en vacances ?

— Non, fait le type, je vais en voyage de noces à Capri.

— Ah ! C'est bien, ça ! Mais alors, votre femme vous attend là-bas ?

— Non ! Elle est restée à la maison pour garder les gosses...

☐ **1517**

Marius fait venir son fils Titin qui vient de se marier, il le prend par l'épaule et il lui dit lentement :

— Écoute, petit, tu vas permettre à ton père, qui a beaucoup d'expérience, de te donner quelques conseils pour la nuit de noces... D'abord, il faut lui montrer que c'est toi le patron. Alors, pour commencer, tu l'envoies au lit et tu lui dis de t'attendre. Et au bout d'une demi-heure, quand elle en peut plus d'impatience, tu arrives et tu te déshabilles pour bien lui montrer que tu es beau. Tu m'écoutes bien ? Après ça, tu te mets en colère et tu lui flanques une petite raclée pour bien lui montrer que c'est toi le plus fort. Et puis tu la chatouilles un peu pour lui montrer que tu sais y faire. Et arrivé là, quand elle est follement excitée, alors il faut surtout pas faire de conneries... Pour bien lui montrer ton indépendance, eh bien, tu t'envoies en l'air tout seul !

1518 ☐

Ils sont tout frais mariés. Il serre sa jeune épouse contre lui et il clame:

— Qu'il est beau, notre premier amour ! Quelle merveilleuse aventure !

— Oh, oui ! dit-elle placidement. J'ai quand même été bien contente de faire ta connaissance...

1519 ☐

Un vieux grigou vient d'épouser une toute jeune fille. Le lendemain de la nuit de noces, il ronfle comme un bienheureux. Mais sa femme est complètement sur les genoux. Elle a les yeux tirés et elle n'arrive plus à marcher. Elle se traîne jusqu'au cabinet de toilette, elle se regarde dans la glace et elle murmure :

— Il m'avait bien dit qu'il économisait depuis quarante ans. Mais je croyais qu'il parlait de pognon...

1520 ☐

Deux bons amis se rencontrent après une longue séparation et se demandent de leurs nouvelles :

— Au fait, dit le premier, t'es toujours dans ton galetas, à bouffer des conserves, ou bien est-ce que tu l'as épousée, cette petite pute ?

Et l'autre laisse tomber d'un ton lugubre :

— Oui... Oui...

☐ **1521**

— Confidence pour confidence, nous avons été, ma femme et moi, merveilleusement heureux pendant vingt ans !

— Et ensuite ?

— Et ensuite, nous nous sommes rencontrés...

☐ **1522**

Ils sont mariés depuis le matin. Elle, c'est une fille ravissante. Lui, c'est un petit bonhomme qui pète plus haut que son cul.

Il commence à se déshabiller lentement devant elle, comme s'il était l'Apollon du Belvédère. Et il déclare, tout faraud :

— Tu vois ce truc ? Eh bien, ça s'appelle un pénis !

— Oui, dit-elle. En somme, c'est une sorte de bite en plus petit...

☐ **1523**

Un jeune voyou fait des confidences à un congénère :

— Tu sais, elle ne veut pas m'épouser, mais finalement, je ne regrette rien. Est-ce que tu te marierais, toi, avec quelqu'un de sale, débraillé et fainéant ?

— Non, dit l'autre.

— Eh bien, elle non plus !

☐ **1524**

La vieille fille entre dans une agence matrimoniale et elle dit :

— Je cherche un mari agréable, comme il faut, vertueux, qui puisse aussi bien parler de tout et de rien que chanter ou raconter des histoires. Mais je veux aussi qu'il reste à la maison et qu'il ferme sa gueule, s'il commence à me fatiguer.

— Je vois ce qu'il vous faut, dit l'employé. Vous allez prendre un poste de télévision...

1525 □

Marie-Chantal vient de se marier. Le lendemain de sa nuit de noces, son amie Gladys téléphone pour prendre des nouvelles.
— Tu sais, lui répond Marie-Chantal, c'est comme Picasso : on aime ou on aime pas...

1526 □

Un célibataire entêté explique pourquoi il a toujours renoncé au mariage :
— A chaque fois que j'ai fait la connaissance d'une femme qui cuisinait comme maman, elle ressemblait à papa !

1527 □

Un gars, qui vient juste de se marier, rencontre un de ses amis. Celui-ci vient aux nouvelles :
— Eh bien ? Cette nuit de noces ?
— Ne m'en parle pas ! Une catastrophe...
— C'était loupé ?
— Non ! C'était formidable ! C'était même tellement formidable, qu'emporté par la force de l'habitude, le lendemain matin, en partant, j'ai laissé un billet de cinq cents francs sur l'oreiller !
— Aïe ! Et tu crois qu'elle va t'en vouloir ?
— Ce n'est pas ça. Imagine-toi qu'elle était à moitié endormie et elle m'a rendu cent balles de monnaie !

1528 □

Était-ce une habitude héritée de l'enfance ou une petite manie frileuse ? En tout cas, cette ravissante jeune fille ne pouvait s'endormir chaque soir, qu'à condition de poser ses pieds nus sur un fer à repasser chaud au fond de son lit.

Puis voilà qu'elle épouse un brave garçon d'origine modeste, et le nouveau couple, assez démuni d'argent, doit accepter l'hospitalité de la belle-famille.

Mais le jeune marié ne conçoit pas les voluptés du sommeil de la même manière. Le soir des noces, il se glisse le premier dans le lit nuptial et il pose malencontreusement le pied sur le fer brûlant que sa femme y a introduit, suivant sa curieuse habitude. Il pousse un hurlement, se saisit du fer et le jette par la fenêtre :

— Non de Dieu ! Qui a eu cette idée stupide ? Si c'est une farce, elle est vraiment ridicule !

Aussitôt, la jeune fille fond en larmes et se précipite dans la chambre de sa mère en pleurnichant :

— Maman ! Maman ! Il ne veut pas le fer dans le lit !

— Et alors ? ronchonne la mère. Vous n'avez qu'à le faire sur la moquette...

□ **1529**

Trois bons amis, habitués à faire bien des frasques ensemble, viennent de se marier le même jour et ils ont décidé de passer leur nuit de noces dans la même hôtellerie.

Avant de monter retrouver leur femme, ils ont un petit conciliabule entrecoupé de rires et ils conviennent de se donner des nouvelles le lendemain matin selon un code secret, pour ne pas paraître vulgaires à l'égard des trois épouses. Chacun d'eux dira bonjour aux autres autant de fois que dans la nuit il aura accompli son devoir conjugal.

Et le lendemain matin, le premier, qui est un jeune homme de vingt-cinq ans, entre dans la salle à manger en criant joyeusement :

— Bonjour, bonjour, bonjour, bonjour, bonjour !

Le second, un quadragénaire, lui répond :

— Bonjour, bonjour, bonj...

A ce moment, le troisième qui porte bien la soixantaine, débouche de l'escalier en murmurant, mi-figue, mi-raisin :
— Salut, les amis !

1530 □

Un baron ruiné se rend dans une agence matrimoniale et il déclare à l'employé :
— J'ai un très beau titre de noblesse et je voudrais épouser une femme qui possède quelque fortune.
— Attendez une minute ! dit l'employé qui fouille dans ses fiches. Je crois que j'ai ce qu'il vous faut. Voilà ! C'est une belle veuve, très riche, un très beau parti. Seulement elle a un petit défaut...
— Ah ! Quel défaut ?
— Eh bien, à chaque fois que le printemps revient, elle devient un peu dingue pendant un mois. A part ça, c'est une personne tout à fait comme il faut...
— Parfait, dit le baron en se frottant les mains. C'est exactement ce que je cherche. Puis-je l'épouser tout de suite ?
— Ah ! non... Je suis navré, il faut attendre le début du printemps...

1531 □

— Moi, dit un gars, je n'ai jamais couché avec ma femme avant le mariage ! Et toi ?
— Moi ? Attends que je réfléchisse ! Rappelle-moi son nom de jeune fille...

1532 □

Le jour se lève et en même temps s'achève la nuit de noces d'un jeune couple. La fille se dresse et court préparer le petit déjeuner. Le jeune époux reste allongé au lit. Elle apporte un plateau et le lui pose sur les genoux en souriant.

Il prend la tasse de café au lait, met un sucre dedans, remue avec une petite cuillère et il boit

lentement. Puis il branle la tête en sifflant entre ses dents :
— Merde ! Elle est encore pire à la cuisine !

marine

☐ **1533**

C'est un gars qui s'est engagé dans la marine, et au bout d'un an, il se retrouve sur le pavé. Un ami lui demande :
— Comment ça se fait ? Ils ne t'ont pas gardé ?
— Non. Ils m'ont foutu à la porte. Ils m'avaient pris dans un sous-marin et ils m'ont foutu à la porte !
— Pourquoi ?
— Je voulais dormir la fenêtre ouverte...

☐ **1534**

Ça fait longtemps que le bateau n'a pas touché terre. A bord, il y a un nouveau matelot qui n'en peut plus. Il va trouver le capitaine et il lui dit :
— Capitaine, c'est pas possible ! Il doit sûrement y avoir quelque chose à faire. Depuis que je vis sans femme, je deviens lentement fou...
— Oh ! vous savez, dit le capitaine, moi, je vous conseille de faire comme nous autres pour vous purger.
— Et qu'est-ce que vous faites ?
— Eh bien, euh... nous faisons... nous... enfin, il y a le cuisinier chinois...
— Le cuisinier chinois ? Mais vous me prenez pour qui ? Jamais je ne pourrai remplacer une femme par un cuisinier chinois !
Et le capitaine branle la tête :

— On dit ça! On dit ça! Moi aussi, je disais ça autrefois. Et puis, par la force des choses... Vous verrez dans quinze jours!

Le fait est qu'au bout de quinze jours, le matelot revient et il prend le capitaine à part:

— Dites-moi, capitaine, pour le cuisinier chinois, je suis d'accord. Seulement, j'aimerais bien que ça ne se sache pas! Est-ce que vous me promettez le secret?

— Le secret, dit le capitaine, le secret, c'est bien difficile. De toute manière, il y aura au moins sept personnes au courant...

— Sept personnes! Mais pourquoi sept personnes?

— Ben, mon vieux, comptez! D'abord il y a vous et moi. Ça fait deux. Et puis il y a le cuisinier chinois. Ça fait trois. Et puis il y a les quatre gars qui doivent le tenir...

1535 ☐

Un garçon de café s'est engagé dans la marine. Un jour, il monte sur le pont, il voit un matelot tomber dans la flotte et il se met à crier:

— Et un homme à la mer, un !

1536 ☐

Un vieux matelot fait ses confidences à une tenancière de bordel:

— Ah! Quelle vie de patachon j'ai menée! J'ai gaspillé presque tout mon fric à me soûler et à baiser des putes! Mais avec le reste, j'avoue que je me suis bien marré...

1537 ☐

La scène se passe à l'hôpital militaire. Une infirmière dit à une collègue:

— Tu sais, le beau matelot qui est entré hier, celui du lit 48, eh bien, il est tatoué...

— Ben quoi, dit l'autre. Ça arrive souvent chez les matelots.

— Oui, mais celui-là, il est tatoué à un endroit vraiment très intime.

— Sans blague? Et qu'est-ce qui est tatoué?

— Oh! Simplement un mot: *S.O.S.*...

— Diable! Il va falloir que je regarde ça!

Et le lendemain, elle dit à sa copine:

— C'est vrai qu'il est tatoué, le matelot du lit 48. Mais c'est pas *S.O.S.* qu'il y a d'écrit, c'est *Souvenir des îles Galapagos*...

☐ **1538**

Sur le vaisseau amiral, en pleine mer, un élève officier fait le point au sextant et il annonce le résultat de l'opération. Alors l'amiral se met au garde-à-vous, il enlève sa casquette et il commence à réciter une prière.

— Mais, amiral, dit le jeune homme, est-ce une tradition dans la marine de prier quand on vient de faire le point?

— Vous oubliez, fait l'amiral, que d'après vos calculs, nous sommes dans la cathédrale de Chartres...

☐ **1539**

Un jeune volontaire qui veut servir dans la marine passe devant le conseil de révision. Le médecin lui demande:

— Vous savez nager?

Et le gars répond:

— Pourquoi? Vous n'avez pas de bateaux?

☐ **1540**

— Je veux bien signer un engagement sur votre bateau, dit le matelot au capitaine, mais est-ce qu'il y a des femmes à bord?

— Non, dit le capitaine. Mais vous verrez! Il y a mieux que cela. Je vous expliquerai dès que nous serons en mer...

Et trois jours après, comme le matelot revient aux renseignements, le capitaine lui dit:

— Voilà. Quand ça te démange, tu viens me trouver. Je te donne la clef de la cale. Dans la cale, tu trouves un tonneau avec un gros bouchon de liège. Tu enlèves le bouchon, et le reste, c'est ton affaire.

Il faut croire que le subterfuge convient au gars, puisque tous les soirs, il frappe chez le capitaine, il se fait remettre la clef, il descend dans la cale et il en ressort rayonnant.

Mais le vingtième jour, il tombe sur un os. Il est venu chercher la clef de la cale et le capitaine lui répond:

— Ah, non! Aujourd'hui, ne compte pas sur la clef, parce qu'aujourd'hui, tu vois, c'est marqué sur le calendrier: c'est toi qui es dans le tonneau...

1541 □

Depuis quinze ans que tous ses matelots le connaissent, le commandant a une bizarre habitude qui surprend tout le monde: à chaque fois qu'il doit diriger un accostage, un appareillage ou une manœuvre difficile, il se précipite d'abord dans sa cabine et il regarde mystérieusement dans une petite boîte d'acajou.

Un jour enfin, le commandant prend sa retraite et alors, son second ne peut plus résister à la curiosité. A peine est-il le maître à bord qu'il se hâte d'aller ouvrir cette boîte énigmatique. Et il n'en tire qu'un petit bout de papier sur lequel il lit:

« Bâbord, c'est à gauche! Tribord, c'est à droite! »

1542 □

Le cargo approche de son escale. Le capitaine

jette un coup d'œil dans le poste d'équipage et il crie aux matelots :

— Vous avez fini votre courrier ?

— Non, pas tout à fait ! répondent les gars.

— Ben alors, dépêchez-vous, parce que je vais jeter l'ancre.

□ **1543**

Un jeune lieutenant de vaisseau dirige les manœuvres d'un torpilleur, pendant les grands exercices d'été de la flotte. Mais il s'y prend si mal qu'il vient éventrer le vaisseau amiral avec l'étrave de son bateau.

Alors l'amiral, debout sur le pont de son navire qui sombre lentement, saisit son porte-voix et hurle à tue-tête :

— Espèce de crétin ! Vous aurez de mes nouvelles ! Qu'est-ce que vous allez faire maintenant ?

Et l'autre, penaud :

— Euh... Je vais acheter une petite ferme...

marseille

□ **1544**

Dialogue entre deux marchandes de moules sur le port de Marseille :

— Vé ! Ma belle ! Tu connais la nouvelle ?

— Qué nouvelle ?

— Eh ben ! Je marie ma fille, tu te rends compte ? Je marie ma fille !

— Oh ! là... putain !

— Non ! Pas celle-là. L'autre !

□ **1545**

— Moi, dit la femme d'Olive, mon mari, il court

tellement que je ne peux pas voir un gosse dans la rue sans penser qu'il est de lui !

— Et moi, dit la femme de Titin, il couche tellement à droite et à gauche que j'en suis à me demander s'il est le père de mes enfants !

— Ben moi, dit la femme de Marius, c'est encore plus fort. Il m'a tellement trompée que je ne suis pas sûre d'être la mère de mes trois petits !

1546 ☐

Le curé fait appeler Marius et lui déclare tout de go :

— Votre petit ne peut pas faire sa première communion.

— Mais c'est épouvantable, dit Marius. J'ai tout préparé, le cierge, le costume, le gueuleton. Pourquoi refusez-vous de lui donner la communion ?

— Pensez un peu, dit le curé, que je lui ai demandé comment était mort Notre-Seigneur Jésus-Christ et qu'il n'a pas été capable de me répondre !

— Comment ? dit Marius. Il est mort et vous ne m'avez même pas averti ?

1547 ☐

Marius dit à Olive :

— Tu sais, méfie-toi de Titin ! Il est tellement hypocrite qu'il y a des fois où il ne l'est pas !

1548 ☐

Sur le Vieux-Port de Marseille, deux poissonnières bavardent devant leur éventaire :

— Alors, ton grand fils ! Il paraît qu'il arrête plus de courir les filles ?

— Oh, oui ! Et même c'est elles qui lui courent après !

— Et le plus jeune ? Il fait des siennes aussi ?

— Je pense bien ! Mais lui, c'est pas pareil... *Il se prèfère* !

☐ 1549

— Alors ? Tu as enfin trouvé du travail ? demande Olive à Marius.

— Vouais. Mais c'est un travail terrible, tu entends, terrible. Il faut arriver sur le chantier à la pointe du jour, et si tu as seulement cinq minutes de retard, tu te fais lourder. A midi, tu as juste un quart d'heure pour bouffer : quand la sirène siffle, il faut recommencer tout de suite. Sans compter que tu finis le boulot à sept heures, pas moyen de tricher, c'est comme au bagne. Et toute la journée, il faut se coltiner des caisses d'au moins cinquante kilos. Tu te les prends sur le dos et laisse-moi te dire qu'on doit courir en vitesse, ou sinon le contremaître t'engueule comme du poisson pourri. Jamais une seconde pour souffler, jamais un moment de repos, je te jure que c'est pire que chez les négriers. Et quand tu rentres chez toi, le soir, peuchère, tu tombes comme une masse. C'est à peine si tu as le temps de mettre le réveil à cinq heures du matin...

— Oh ! Marius, mais c'est horrible ça, c'est pas humain ! Et depuis quand tu fais ça ?

— Depuis demain...

☐ 1550

— Viens déjeuner avec nous au cabanon, dimanche prochain, dit Marius à Olive. C'est pas compliqué. A la descente de l'autobus, tu prends la première à droite, tu marches tout droit. Tu traverses une petite place. Il y a une route à droite avec une boulangerie au coin et un bosquet d'oliviers. Tu ne la prends pas. Tu tournes de l'autre côté. Tu fais cent mètres. Tu tombes sur une petite maison toute jaune avec un figuier devant et tu n'as qu'à pousser la porte avec le pied...

— Avec le pied ? dit Olive. Pourquoi avec le pied ?

— Peuchère ! Tu ne vas tout de même pas arriver à table avec les mains vides !

1551 □

Deux poissonnières marseillaises s'engueulent à tue-tête :
— Salope !
— Traînée !
— Fille de putasse !
Alors il y en a une qui répond, la bouche en cœur :
— Attention ! Ne dis pas de mal de ma maman, peuchère, que ma maman, c'est peut-être toi !

□ 1552 1552 □

Olive rencontre Marius sur la Canebière. Il est en train de rouler devant lui un énorme tonneau.
— Qu'est-ce que tu fais avec ce tonneau, peuchère ?
— Je vais au docteur !
— Tu vas au docteur avec un tonneau ?
— Oui. J'y suis déjà allé cet hiver et il m'avait dit de revenir cet été et de lui rapporter mes urines...

1553 □

Marius est en train de prendre des leçons d'équitation. Passant par là, Olive lui lance :
— Qu'est-ce que tu fais, Marius, sur cet animal hermaphrodite ?
— Hermaphrodite ? dit Marius.
Et se penchant pour montrer du doigt, sous le ventre, l'énorme sexe du cheval, il ajoute :
— Ce serait plutôt un étalon !
— Je veux bien, répond Olive, mais il y a aussi le con qu'il a sur le dos...

1554 □

Après la partie de pétanque, Marius raccompagne Olive chez lui. Il est tard, ils passent dans des rues sombres et tout d'un coup, ils tombent sur deux malfrats qui sont en train de cambrioler une bijouterie. Olive veut se précipiter pour faire quelque chose, mais Marius le retient par le bras :

— Eh ! Fais pas l'imbécile ! Pense un peu qu'ils sont deux, alors que nous sommes tout seuls...

☐ **1555**

Une mémé marseillaise passe ses journées à broder la lettre A sur tout le linge de la famille.

— Mais enfin, lui demande un jour une autre vieille, pourquoi fais-tu toujours la lettre A ?

— Peuchère ! répond-elle. C'est la seule que je sache faire ! J'ai jamais appris le reste de l'alphabet. Et puis de toute façon, ça tombe bien. Ma fille s'appelle *Arsule*. Mon gendre s'appelle *Arnest*. Mon petit-fils s'appelle *Anri*. Il n'y a que le petit dernier, ce couillon, qui s'appelle *Oguste*.

☐ **1556**

Un petit Marseillais va trouver sa mère et il lui dit :

— Maman ! C'est extraordinaire ! Je viens de voir une souris énorme ! Une souris grosse comme un hippopotame !

Et sa mère hausse les épaules :

— Écoute, Titin, ça fait trente-six millions de fois que je te dis de ne pas exagérer !

☐ **1557**

Marius et Olive sont partis à la pêche ensemble. Mais Olive est tellement empoté, qu'il a laissé retomber à la mer un énorme poisson que Marius venait de ferrer. Alors Marius pousse un énorme soupir, il repose sa canne à pêche et il dit à Olive :

— Tu connais la métempsycose ?

— Non, dit Olive bêtement.

— Ben, la métempsycose, c'est quand tu es mort et que ton âme revit dans d'autres choses. Par exemple, on t'enterre au cimetière et...

— Holà ! dit Olive. Je ne veux pas qu'on m'enterre, moi !

— Mais c'est un exemple, imbécile ! Tu es enterré dans ta tombe et ton âme passe dans une petite fleur qui pousse au-dessus. Et puis une vache mange la fleur et ton âme est transportée dans la vache ! Tu me suis ?

— Bien sûr, je te suis !

— Et puis la vache rumine et pendant ce temps, ton âme est toujours dans la vache. Et puis la vache digère et elle fait une grosse bouse. A ce moment-là, ton âme est passée dans la bouse. Alors moi, je me pointe, je vois cette merde et qu'est-ce que je dis ?

— Mais je ne sais pas, moi ! dit Olive ahuri.

— Ben, je dis : « Vé ! Ce bon vieil Olive ! Toujours le même ! »

1558 ☐

Une cliente s'approche d'un étal de poissons sur le Vieux-Port. Elle saisit un rouget, le renifle et le repose d'un air dégoûté.

— Et alors ? s'écrie la poissonnière, furieuse. Qu'est-ce qu'il a, mon rouget ?

— Il a qu'il sent mauvais. Il n'est pas frais !

— Pas frais, mon rouget ! hurle la poissonnière qui s'étrangle de fureur. Il est pêché de ce matin !

— Alors, dit timidement la cliente, il doit avoir une dent gâtée...

1559 ☐

Marius est allé chercher son copain Dominique qui revient d'Ajaccio. Il arrive sur le quai où s'est amarré le paquebot de Corse et il s'aperçoit qu'il doit être en retard, car les passagers sont déjà descendus. Alors, il cherche Dominique de tous les côtés. Et tout d'un coup, il entend une voix derrière lui qui crie :

— Oh ! Marius ! Ne t'énerve pas ! Je suis là ! J'arrive !

Il se retourne et il découvre Dominique dont la tête souriante passe par un hublot. Alors il s'exclame joyeusement :

— Vé, Dominique ! Qu'est-ce que tu fais là, avec le bateau autour du cou ?

☐ **1560**

Dans les autobus urbains, au-dessus de la place du conducteur, il y a toujours une petite pancarte. Mais le texte diffère selon les endroits.

En Allemagne, on peut lire : « Il est strictement interdit de parler au chauffeur. »

En Italie : « Il vaut mieux ne pas parler au chauffeur. »

En Israël : « Il n'y a aucun intérêt à parler au chauffeur. »

Et à Marseille : « Il est défendu de répondre au chauffeur. »

☐ **1561**

La peste a éclaté à Marseille. Marius rentre avec son bateau d'un voyage au long cours et il tombe en pleine épidémie. Il remonte les rues et il voit des cadavres partout.

Il arrive chez lui, fou d'inquiétude, et il découvre sa fille morte, son fils enterré et sa femme agonisante. Il se précipite sur elle et comme il la serre dans ses bras, elle lui dit dans un souffle :

— Quel bonheur de t'avoir retrouvé, Marius ! Tu ne veux pas qu'on fasse l'amour une dernière fois ?

Alors, se moquant complètement de la contagion, Marius offre à sa femme la plus folle nuit de sa vie. Et voilà que le lendemain, elle va mieux. Et au bout d'une semaine, un miracle s'est produit : elle est guérie ! Elle enlace Marius tendrement et elle lui dit :

— C'est toi qui m'as sauvé la vie !

Alors, Marius branle la tête :
— Peuchère ! Si j'étais rentré un mois plus tôt, j'aurais sauvé toute la famille...

1562 □

Marius a invité Olive à venir passer quelques jours dans son cabanon au bord de la mer. Le samedi, Olive va se baigner avec toute la famille et l'euphorie est générale.

Le dimanche matin, Olive remarque que Marius lui fait un peu la tête, mais les parties de pétanque sont quand même très agréables.

Le lundi matin, au petit déjeuner, quand Olive descend de sa chambre, Marius ne lui dit pas bonjour et on commence à sentir un malaise. Pourtant le pastis continue à couler à flots et la bouillabaisse est excellente.

Mais le mardi matin, ça ne va plus du tout. Marius est complètement crispé et il s'arrange pour éviter Olive. Alors Olive lui court derrière, il le prend par le bras et il lui dit :

— Écoute, Marius, tu m'as invité, d'accord, mais si ça ne te plaît plus, si vraiment je dérange, il vaut mieux le dire au lieu de me faire une tronche pareille !

— C'est pas que tu déranges, réplique Marius. Tu es seulement un peu inconscient. Samedi, tu t'es tapé ma femme. Bon, je sais bien que je ne lui cavale plus après depuis longtemps. Alors je t'ai laissé faire. Dimanche, tu t'es tapé ma fille. Elle a dix-sept ans, et elle était vierge. Je me suis dit que tu aurais pu la trousser ailleurs que dans la maison de son père, mais enfin j'ai fermé ma gueule, parce que tu es un ami. Lundi matin, tu t'es fait la bonne. Comme elle n'est pas de la famille, j'estime que c'est par elle que tu aurais dû commencer. Passons encore là-dessus. Et cette nuit, c'est quand même un comble, tu t'es envoyé le petit qui a onze ans. Évidemment, il doit se toucher, ce gosse, et tu me diras que c'est malsain de le laisser faire ça tout seul. Alors, résumons-nous : ma femme, ma fille, ma bonne, mon fils... Et moi, un ami de vingt ans... rien ?

martiens

□ **1563**

Ils sont enfin arrivés sur Mars, les Américains ! Dans l'équipage de la fusée, il y a un beau pilote et une jolie infirmière. Ils partent en reconnaissance, tous les deux, et voilà qu'ils rencontrent un Martien et une Martienne.

— Salut, étrangers, dit le Martien. Venez donc prendre un verre à la maison.

Et quand ils ont pris un verre, le Martien déclare aimablement :

— On va tout vous révéler de notre manière de vivre. Vous allez être rudement étonnés.

Au bout de trois heures de visites et d'explications, le pilote et l'infirmière sont complètement subjugués.

— Vous nous avez presque tout dit, fait le pilote, sauf une chose. On aimerait bien savoir comment vous faites pour perpétuer la race...

— Très facile, dit le Martien. Regardez bien !

Tout le monde passe dans la cuisine. La Martienne prend un verre. Elle y verse un liquide noir, puis le Martien rajoute un liquide blanc, et quand c'est bien mélangé, elle dit :

— Voilà. C'est pas compliqué, hein ? Il n'y a plus qu'à attendre neuf mois ! Et vous, sur la Terre, comment vous y prenez-vous ? Faites voir un peu !

Le pilote et l'infirmière sont un peu gênés, mais les autres insistent tellement qu'ils sont bien obligés de se déshabiller pour leur montrer ce qu'il en est. Et quand ils en sont au point fort de leur démonstration, voilà que les deux extraterrestres se mettent à hurler de rire...

— C'est incroyable, c'est incroyable! finit par lâcher le Martien entre deux hoquets. Nous autres, c'est comme ça qu'on fait le café au lait!

1564 □

Deux Martiens débarquent d'une fusée, en pleine campagne et à la nuit tombée. Ils voient une maison. Ils s'approchent. C'est une station-service, au bord de la route. Et le premier Martien dit à l'autre:

— C'est bien ce que je prévoyais. Ils sont tout à fait comme nous, avec un compteur sur le ventre, mais leur tuyau sexuel est plus long que le nôtre.

— Oui, dit le second Martien. Mais ce qu'il y a de curieux, c'est que pour dormir, ils se le mettent dans l'oreille...

1565 □

La première fusée terrestre arrive sur Mars. Les cosmonautes y sont accueillis à bras ouverts par une peuplade folle de curiosité. Au bout d'un certain temps, les Martiens demandent:

— Et pour la reproduction, comment faites-vous?

Le capitaine de la fusée se lance dans une explication, mais devant l'ahurissement des Martiens, il se résout à désigner un homme et une femme de son équipage, à qui il dit:

— Voulez-vous faire une démonstration sexuelle à ces braves gens? Je crois qu'ils comprendront plus facilement.

Alors les Martiens regardent de tous leurs yeux, et quand le manège est fini, il y en a un qui dit, la mine ébahie:

— Et après?

— Eh bien, après, dit le capitaine, après, euh... il faut attendre neuf mois...

— Neuf mois ? dit le Martien. Mais alors pourquoi est-ce qu'ils avaient l'air si pressés ?

☐ **1566**

C'est un Martien qui fait la découverte de la Terre. Il entre dans un bistrot et il tombe en arrêt devant un billard électrique. Alors il s'exclame :

— Si c'est pas malheureux de voir une aussi jolie fille dans un si mauvais lieu !

☐ **1567**

Un personnage étrange s'approche d'une très jolie fille dans la rue. Il l'accoste avec une extrême courtoisie, il lui prend la main qu'il referme autour de la sienne, et sans cesser de s'agiter, il lui fait la déclaration suivante :

— Mademoiselle, permettez-moi de faire votre connaissance. Je suis un Martien. Dans mon pays, les montagnes sont jaunes, les rivières sont rouges, la mer est toute blanche. Il faut que je vous dise aussi que nous jouissons très vite et que nous n'avons pas les organes sexuels au même endroit que les hommes de chez vous. Et merci mille fois pour le plaisir que vous venez de me donner...

☐ **1568**

Après une petite expédition sur la Terre, un cosmonaute martien retourne chez lui. Il se présente devant ses chefs avec un poste de télévision sous le bras et il déclare :

— J'ai pas pu capturer des Terriens... Mais j'ai fait mieux ! J'ai ramené un de leurs dieux...

☐ **1569**

Un cosmonaute revient de son premier voyage sur la planète Mars.

— Alors, les Martiennes? lui demandent ses copains. Comment sont-elles?
— Ben, dit-il, exactement comme les femmes de la Terre, à part qu'elles ont les seins dans le dos...
— Les seins dans le dos? Bon Dieu, mais au plumard, ça doit pas être très commode?
— Non. Mais pour danser, alors là, c'est extraordinaire!

1570 □

C'est un Martien qui a débarqué sur la Terre et qui commence à trouver que la vie est bien difficile. Alors ne sachant plus quoi faire, il va mendier à la porte d'une église. Et il dit aux passants:
— N'oubliez pas ma petite soucoupe...

masochisme

1571 □

Un masochiste est monté dans un hôtel de passe et il dit à la putain:
— Je voudrais que tu m'obliges à me déshabiller, que tu m'enchaînes au lit, que tu me craches dessus, que tu me pisses dessus et que tu me cravaches comme un chien...
— D'accord, dit la fille. Ça va te coûter cinq cents balles.
Et le gars demande:
— Sévices compris?

1572 □

C'est un vieux masochiste qui trouve dans la rue un tube de pommade pour soulager les cors aux pieds. Alors il entre chez un chausseur et il s'achète des souliers trop petits...

☐ **1573**

Conversation entre trois masochistes :
— Moi, je préfère les coups de griffes !
— Et moi, j'aime qu'on m'attache très serré !
— Et moi, c'est la cravache qui me plaît. Mais vous savez, *des coups et des douleurs*, ça se discute pas...

☐ **1574**

Au cours d'un exercice d'entraînement, une section de parachutistes rampe dans la boue, en essuyant les injures des sous-officiers d'instruction. Les soldats portent sur le dos un sac plein de pierres qui pèse au moins quinze kilos. Et sur leur visage coulent des traînées de gadoue et de sang. Alors l'un d'eux réussit à se glisser jusqu'aux pieds d'un lieutenant qui frappe machinalement sur ses bottes avec sa cravache. Il lève la tête vers lui comme pour l'implorer et il murmure :
— Fais-moi mâle !

☐ **1575**

C'est un mec qui a un gros marteau à la main et il passe son temps à s'en donner des grands coups sur la tête. Ses amis ouvrent des yeux carrés :
— Qu'est-ce qui t'arrive ? T'es devenu dingue, mon pauvre vieux !
— Au contraire ! fait le gars. Si vous saviez le bien que ça me fait quand je m'arrête !

mémoire

☐ **1576**

— Moi, j'ai une mémoire fantastique, dit un centenaire à un autre vieillard. Je me souviens même des seins de ma mère à l'heure de la tétée...

— Moi, c'est encore mieux, dit le second, je me souviens d'un après-midi d'avril au bois de Saint-Cucufa. J'étais parti avec papa et je suis revenu avec maman...

1577 ☐

— Docteur, je souffre de troubles de la mémoire...
— Par exemple! Vous souffrez de troubles de la mémoire?
— Qui ça? Moi, je souffre de troubles de la mémoire?

1578 ☐

— Bonjour, monsieur Martin! s'écrie joyeusement la boulangère.
Et alors le client commence à s'énerver:
— Écoutez, madame, vous n'avez vraiment aucune mémoire! Je vous ai déjà dit cinquante fois que je m'appelais Ravachon, vous entendez? *Ravachon*! Alors ça suffit comme ça... Arrêtez de m'appeler Martin ou je vais faire un malheur!
— Oh! Excusez-moi, bredouille la boulangère.
Et le lendemain, quand le même client entre dans son magasin, elle s'écrie avec un grand sourire:
— Bonjour, monsieur Martin! Figurez-vous qu'hier, il est venu un nommé Pétochon ou Ravaillac, je ne sais plus... Eh bien, on aurait dit votre frère jumeau!

1579 ☐

L'inspecteur de police interroge un suspect:
— Est-ce que vous pourriez me dire où vous étiez dans la nuit du 3 au 4 avril?
— Mais oui! J'étais ici, dans ce bureau, en train de vous expliquer où j'avais passé la nuit du 23 au 24 mars...

☐ **1580**

Un centenaire tremblotant essaie de raconter sa vie amoureuse :

— Ah ! L'amour... Quelle histoire ! Des femmes, j'en ai eu des milliers entre les mains. Et je vous jure que je les ai aimées de toutes les manières possibles. Il y en a que j'ai embrassées. Il y en a que j'ai caressées. Il y en a que... Attendez ! Il y avait bien une troisième manière, mais je ne me souviens plus...

☐ **1581**

Trois vieillards se font des confidences dans la cour de l'asile :

— Moi, dit le premier, c'est les jambes qui me lâchent. Hier, j'ai essayé de faire le tour du jardin... Je n'y arrive plus !

— Moi, dit le second, c'est l'estomac. Même les biscuits secs, ça me détraque !

— Et moi, dit le troisième, c'est encore pire ! Hier soir, j'étais couché à côté de la Germaine. On avait éteint la lumière et tout d'un coup, elle me dit : « Refais-moi la même chose ! » Je lui dis : « Quoi ? » Elle me dit : « Tu sais bien, refais-moi ce que tu m'as fait ce matin, à midi et au goûter ! » Ben, impossible de me rappeler ce que je lui avais fait ! Moi, c'est la mémoire....

---

métro

☐ **1582**

C'est le métro à l'heure de presse. Les voyageurs sont collés les uns aux autres. Un vieux monsieur glisse à une jolie fille :

— Il faut que je vous avoue que vous êtes belle à croquer !

— Ah, oui ? Et moi, il faut que je vous avertisse que les gens de votre âge ne devraient plus manger avec leurs doigts...

1583 □

Une ravissante jeune fille entre dans le métro et bouscule un ouvrier en bleu, qui est assis, en train de lire son journal :

— Dites donc, vous ! glapit-elle. Vous pourriez au moins être poli et me céder votre place. Vous voyez bien que je suis enceinte !

L'autre est ébahi. Il dit :

— Hein ? Vous êtes enceinte ? Mais de combien ?

— D'un quart d'heure et je vous jure que ça me coupe les pattes !

1584 □

Dans un wagon de métro, il y a un gars comme une armoire à glace qui est installé devant la porte. Il a le visage couturé de cicatrices, des mains comme des battoirs, les biceps comme des jambons et des poches-revolver un peu partout.

Un tout petit bonhomme lui tape sur le bras et lui dit :

— Vous descendez ?

— Non, fait l'autre. Jamais le dimanche, c'est mon jour de repos.

1585 □

Dans le métro, une vieille dame se penche vers un soldat assis en face d'elle, qui mâche consciencieusement son chewing-gum :

— C'est pas la peine d'insister, lui dit-elle, je suis complètement sourde.

1586 □

Deux garçons qui ne se connaissent pas sont

tombés en arrêt l'un devant l'autre dans un couloir de métro :

— Nom de Dieu ! s'écrie le premier. Qu'est-ce que tu es beau !

— Ben, et toi alors ! souffle l'autre. J'en ai le souffle coupé !

Et après un petit silence gêné, il ajoute :

— T'es pédé ?

— Non. Et toi ?

— Moi non plus !

Et tous les deux laissent tomber tristement :

— Quel dommage !

☐ **1587**

Dans le métro, un vieux monsieur est assis en face d'une ravissante donzelle en minijupe. Au bout d'un moment, il devient violet, il se penche vers elle et il lui souffle :

— Mademoiselle, il faut que je vous dise... Votre jupe est vraiment trop courte !

— Pas mademoiselle ! jette la fille d'un air courroucé. Appelez-moi madame.

— Ah ! Excusez-moi, dit-il. J'avais pas très bien vu...

☐ **1588**

Un gars croise un copain, assez amoché, couvert de pansements de la tête aux pieds.

— Qu'est-ce qui t'est arrivé, mon vieux ? Un accident de voiture ?

— Non. J'ai pris le métro.

— Et c'est dans le métro qu'on t'a fait ça ?

— Non. Pas dans le métro. En descendant du métro. Parce que je me suis trompé de station. Je suis descendu à Dubonnet...

☐ **1589**

Dans le métro, une jeune fille se retourne tout d'un

coup vers un vieux satyre et lui flanque une gifle retentissante :

— Ben quoi ? dit le gars. Qu'est-ce que j'ai fait ?

— Comment, qu'est-ce que vous avez fait ? Ça fait dix minutes que vous êtes en train de me peloter !

— Et alors ? Ça ne vous plaît plus ?

1590 □

— Attention, madame ! Vous avez oublié un paquet sur la banquette.

— Ça ne fait rien ! C'est le casse-croûte de mon mari. Il travaille aux objets trouvés...

1591 □

Dans le métro de sept heures du soir, une jolie fille sent une main masculine qui s'aventure en bas de ses reins. Elle se retourne et lâche :

— Dites donc ! Vous ne pourriez pas mettre votre main ailleurs ?

— Euh... fait une petite voix, je voudrais bien, mais je n'ose pas !

1592 □

A l'heure où le métro est envahi par la foule, une vieille fille se tient debout, toute revêche, juste à côté d'un jeune étudiant noir qui occupe tranquillement une place assise. Au bout d'un moment, elle devient apoplectique et elle déclare, en haussant la voix, pour que tout le monde entende :

— Ici, en France, les gens comme vous laissent la place aux dames comme moi...

— Ah, oui ? fait le Noir. Eh bien, là-bas, en Afrique, les dames comme vous, on les bouffe !

mexique

☐ **1593**

C'est un petit Français qui passe ses vacances au Mexique. Il voyage dans un compartiment de chemin de fer, et en face de lui, il y a un gros Mexicain qui est assis et qui semble lui manifester beaucoup d'intérêt. Tellement d'intérêt, qu'au bout de dix minutes, ce Mexicain lui envoie un crachat qui lui passe juste à côté de l'oreille droite.

Le petit gars, il ne dit rien, mais l'instant d'après, le Mexicain se ramasse toute sa salive et il lui balance un crachat juste à côté de l'oreille gauche. Et tout de suite après, pour s'expliquer, il ajoute :

— Vous énervez pas ! Je suis champion du monde du crachat. Qu'est-ce que vous en dites ?

Alors le petit gars le regarde fixement et il lui envoie un énorme glaviot en plein dans le nez. Il renifle et il dit :

— Moi, je suis qu'amateur...

☐ **1594**

Un chanteur mexicain, surpris par l'orage, entre dans une église, au moment de la messe. Comme c'est la première fois de sa vie qu'il pénètre dans un lieu saint et qu'il est, de surcroît, complètement mécréant, il a gardé son chapeau sur la tête. Alors un fidèle lui souffle :

— El sombrero !

Il continue d'avancer dans l'allée centrale et il entend de tous les côtés des exclamations qui fusent :

— El sombrero !

Enfin le curé l'aperçoit et lui crie, furieux :

— El sombrero !

Alors notre homme se retourne et déclare d'une voix forte :

— Mesdames, messieurs, à la demande générale, je vais avoir le plaisir de chanter pour vous mon dernier succès : *El sombrero*...

1595 □

Un cow-boy, qui s'est perdu dans le désert du Nouveau-Mexique et qui a erré pendant des jours et des jours sans une goutte d'eau à boire, finit par atteindre une vallée verdoyante, alors qu'il touche à la limite des forces humaines. Sur son cheval épuisé, il passe le porche d'une merveilleuse hacienda et tombe au bord d'une fontaine, dans un état voisin de l'inanition.

On se précipite pour l'aider et le réconforter. Une heure plus tard, il se retrouve dans un lit moelleux, la tête dans un oreiller de dentelle. Le maître de maison est devant lui, souriant, et le cow-boy se confond en remerciements :

— Vous m'avez sauvé la vie, dit-il. J'ai traversé des épreuves si terribles, que je me souviendrai toujours de l'homme qui m'a accueilli dans cette maison...

— C'est normal, lui dit aimablement le propriétaire de l'hacienda. Mes ancêtres et moi, nous avons toujours pratiqué l'hospitalité du Sud. Et maintenant, venez vous restaurer !

Et il emmène le cow-boy devant une table couverte des mets les plus riches. Il lui présente sa femme qui s'incline timidement. Il lui présente sa fille qui est ravissante. Et il ajoute :

— Mangez et buvez tant que vous voudrez ! Si vous avez besoin de quelque chose, tous mes domestiques accéderont à vos moindres désirs... C'est cela, l'hospitalité du Sud !

Et quand le cow-boy se lève de table, il lui dit encore :

— Je vous ai fait préparer un bain de lait. Voilà qui va vous ragaillardir! Vous trouverez aussi des vêtements neufs dans la chambre que je vous ai fait réserver. Ne me remerciez pas! C'est l'hospitalité du Sud!

Et quand le cow-boy sort de son bain, propre comme un sou neuf, le maître de maison vient lui glisser à l'oreille:

— Votre cheval n'est pas en état de reprendre la route. J'ai ordonné qu'on vous selle mon meilleur mustang si vous voulez repartir tout de suite. Mais si vous préférez rester jusqu'à demain, vous pourrez coucher sous mon toit. Ma fille sera très heureuse de vous accueillir dans sa chambre...

— Écoutez, monsieur, dit le cow-boy, je suis confus...

— Mais pas du tout! Je ne fais que remplir un devoir. J'applique l'hospitalité du Sud...

Et le soir, le cow-boy, éberlué de tant de gentillesse, se retrouve dans les bras de la fille de la maison qui est désirable à souhait. Et tout de suite après le café, le père leur dit:

— Il fait un magnifique clair de lune et une température d'une douceur extrême... Betty, vous devriez emmener ce garçon dans la prairie!

Alors, ils partent tous les deux, tendrement enlacés. Le cow-boy ne parvient pas à comprendre ce qui lui arrive. Il croit rêver... La fille lui sourit et se love contre lui. Au bout d'un moment, il ne peut plus tenir. Il l'embrasse, il se jette sur elle, il la renverse dans l'herbe, il se déshabille furieusement, il lui arrache sa robe...

Et juste à ce moment-là, il entend derrière lui la voix du maître de maison qui murmure sur un ton de reproche:

— Enfin, Betty, un peu de tenue. Vous pourriez faire attention à ce que vous faites! Vous ne voyez pas que les testicules de notre hôte traînent par terre?

1596 □

L'histoire se passe au Mexique. Un rédacteur en chef fait appeler un de ses meilleurs reporters et il lui dit :

— Débrouillez-vous comme vous voudrez, mais il faut me rapporter une interview de Kit-le-Balafré.

— Mais où voulez-vous que je le trouve ? demande le gars.

— Ça, c'est votre affaire. Toutes les polices de l'État sont à sa recherche. Vous n'avez qu'à être plus malin que les flics.

Alors, le gars met son chapeau, il prend sa voiture et il commence à sillonner le Mexique en demandant dans tous les villages où il passe :

— Vous n'avez pas vu Kit-le-Balafré ?

Et on lui répond toujours non. Mais au bout d'un mois, il commence à avoir de petits indices. Il a l'impression de flairer la bonne piste. Un beau matin, il entre dans un pueblo misérable et il avise un vieillard qui dort sous son sombrero à l'ombre d'une véranda. Il le secoue et il lui demande :

— Vous ne connaissez pas Kit-le-Balafré ?

Alors le vieux s'ébroue un peu et il lui dit :

— Kit-le-Balafré ? Attendez que je vous raconte. Hier, j'étais là où vous me voyez, en train de roupiller, quand tout à coup, je me réveille en sursaut et je vois devant moi un gros gars hilare, couvert de cartouches, qui me tient en joue avec ses deux colts et qui me dit : « Hé ! le vieux ! J'ai envie de rigoler ! Tu vas chier par terre ! » Moi, je lui dis : « Vous êtes fou ou quoi ? » Il me répond : « Fais ce que je te dis tout de suite, ou je te brûle la cervelle ! » Moi, vous savez, je ne discute pas avec des revolvers. J'ai baissé mon pantalon, je me suis accroupi, et s'il n'y avait que ça pour lui faire plaisir ! Seulement, quand j'ai eu fini, voilà qu'il me dit : « Et maintenant, bouffe ta merde ! » Je lui dis : « Mais c'est pas possible ! » Il me dit : « Bouffe ça tout de suite, ou je te descends comme un chien ! » Moi, vous savez, je tiens à la vie, même s'il ne m'en reste pas beaucoup. Et puis, j'ai avalé tellement de saloperies dans mon existence, qu'un peu plus, un peu moins... Donc, je me suis mis à manger. Du coup, il a été pris d'une crise de rire tellement folle, qu'il en a laissé tomber ses revolvers. Alors moi, j'ai sauté sur les pétards, j'ai mis le doigt sur la détente, je l'ai visé soigneusement et je lui ai dit: « A toi, maintenant! A toi, maintenant! » Il a hurlé: « Quoi? » Et je lui ai dit en souriant: « Moi aussi, j'ai envie de me marrer! Vide-toi les boyaux! » Forcément, il a déboutonné son froc d'un air furieux et il a bien été obligé de s'exécuter. Après quoi, je lui ai dit finement: « Et maintenant, bouffe, ou je te transforme en écumoire! » Alors, il a commencé à manger en maugréant. Et vous me demandez si je connais Kit-le-Balafré? Mais, mon vieux, pas plus tard qu'hier, on a déjeuné ensemble!

☐ **1597**

Une riche Mexicaine, veuve, fortunée et encore belle, descend dans un palace de Veracruz. En passant le seuil de l'hôtel, elle aperçoit un jeune cireur de chaussures d'une quinzaine d'années, misérablement vêtu mais fort beau.

— Eh bien, mon garçon, lui dit-elle, on ne connaît pas encore les femmes?

— Euh... non, bredouille l'adolescent.

— Et naturellement, on est très pauvre?

— Ben... oui.

— Attends un peu! Moi, je vais te faire gagner beaucoup de pesos!

Et l'entraînant à sa suite, elle l'emmène dans sa chambre, lui fait prendre un bain et le lave de pied en cap. Et tout en le frictionnant vigoureusement, elle lui dit:

— Alors, ce petit machin n'a jamais servi?

— Ben... non, dit le gamin piteusement.

— Eh bien, il va te rapporter une fortune! Tu le

mettras où je te dirai et à chaque fois qu'il en sortira quelque chose, je te donnerai mille pesos!

— Oh! C'est formidable, dit le petit cireur. On peut commencer tout de suite?

— Mais bien sûr!

Et le garçon commence à compter:

— Mille pesos! Fantastique! Deux mille! C'est drôlement facile! Trois mille! Ouh là là! Je continue... Quatre mille! Encore une fois! Cinq mille! Mais je n'en peux plus... Six mille! Nom de Dieu... Mais qu'est-ce que je vais faire de tout ce pognon, puisque je suis en train de crever?...

milliardaire

1598 □

Le fils de Rockefeller est au fond de sa voiture, une Cadillac dernier modèle, grande comme un bateau de plaisance. Il y a juste sa main qui dépasse à l'extérieur, et au bout de sa main, il y a un gros cigare. Et il dit à son chauffeur:

— Harry, voulez-vous passer sur un trou, je vous prie, pour faire tomber ma cendre...

1599 □

Un capitaliste avait l'habitude de dire à tout son entourage:

— Sans moi, vous ne seriez rien! C'est moi qui vous fais vivre! C'est moi qui fais marcher le commerce! Si je n'étais pas là, vous crèveriez de faim!

Or, un beau jour, cet homme tomba dans la rivière et se mit à crier:

— Au secours! Au secours! Je ne sais pas nager!

Et la foule, qui s'était rassemblée sur le bord,

restait à le regarder paisiblement. Et chacun pensait :

— Pourvu qu'il y reste !

Mais finalement, à force de se débattre, le capitaliste finit par gagner tout seul un endroit où il avait pied. Alors, ruisselant d'eau, il s'écria :

— Si je n'avais pas été là, je me serais noyé...

☐ **1600**

Le président-directeur général de Ford reçoit un de ses employés :

— Jeune homme, lui dit-il, vous avez fait une ascension foudroyante. Vous êtes entré chez nous comme veilleur de nuit. Au bout d'un mois, vous étiez chef des magasins. Puis vous avez accédé au poste de chef de publicité avant de devenir directeur commercial. Les rapports que j'ai eus sur vous sont tout à fait élogieux et je puis considérer que vous avez fait définitivement vos preuves. Je vous annonce que je vous fais entrer au Conseil d'administration et je considère que vous pourrez bientôt prendre ma succession... Qu'avez-vous à dire ?

— Oh ! merci, papa !

☐ **1601**

— En somme, demande un journaliste à un milliardaire, qu'est-ce que l'argent vous a apporté de plus satisfaisant ?

— Eh bien, ma femme a arrêté de faire la cuisine...

☐ **1602**

Un grand capitaliste américain va trouver le pape et il lui propose un million de dollars, à condition que désormais on récite dans le *Notre Père* : « Donnez-nous aujourd'hui notre coca-cola... »

Il a beau insister, il se fait presque jeter à la porte. Il part en bougonnant et murmure entre ses dents :

— Notre pain quotidien... Notre pain quotidien... Je me demande combien les boulangers lui ont offert...

1603 □

Un petit garçon, fils de milliardaire, rentre de l'école et dit à son père :
— Aujourd'hui, j'ai négocié trois mots d'enfants...

1604 □

C'est le grand banquet annuel des capitalistes du pétrole au Waldorf Astoria. Soudain l'émir d'Arabie Saoudite s'étrangle. Il vient d'avaler une arête de poisson. Il étouffe, il devient rouge, il s'affole. Et il se met à hurler :
— Vite ! Qu'on aille m'acheter un hôpital !

1605 □

Rothschild vient de s'offrir une sublime Citroën carrossée en or, fabriquée exprès pour lui. Il tend au vendeur une énorme valise bourrée de pognon et il lui dit :
— Tenez, payez-vous ! Vous me rendrez la monnaie en deux-chevaux !

1606 □

— J'ai envie de m'acheter la dernière Rolls-Royce, dit Niarchos à Onassis.
— Tiens ! Moi aussi, répond Onassis. Allons-y ensemble !
Et les deux milliardaires profitent du Salon de l'Auto pour aller passer leur commande.
— Et naturellement, dit le vendeur, je vous les fais équiper avec des fauteuils recouverts de vison et des pare-chocs en or massif ? Bon ! Eh bien, vous me devez chacun cent mille dollars...

Et comme Onassis sort son carnet de chèques, Niarchos le pousse du coude :
— Ah ! non... Tu as payé les cafés tout à l'heure. Cette fois-ci, c'est pour moi...

☐ **1607**

Un richissime Écossais prend l'autobus pour la première fois de sa vie et après avoir composté son ticket, il se paie le luxe de bavarder avec le conducteur :
— Eh bien, mon ami, vous êtes content de votre travail ?
— Non ! C'est très mal payé. J'ai tout le temps des fourmis dans les jambes. Et puis ma femme est en train de crever d'un cancer. Sans compter la foudre qui m'a démoli la maison...
— Mon Dieu ! dit l'Écossais bouleversé, il faut que je fasse quelque chose pour vous ! Tenez ! Prenez encore un autre ticket...

☐ **1608**

Un nouveau riche fait une affaire sensationnelle. Il téléphone à sa femme :
— Chérie, je t'ai envoyé une Ferrari et un Picasso. Est-ce que tu les as bien reçus ?
Et sa femme lui répond :
— Je crois que oui. Mais quelle est la Ferrari et quel est le Picasso ?

☐ **1609**

Un riche capitaliste anglais a envoyé son fils faire des études aux États-Unis. Un jour, il lui télégraphie : *Tu es heureux ? Tu as tout ce qu'il te faut ?*
Mais le fils est en voyage. Il ne reçoit le télégramme qu'avec quinze jours de retard. Il câble aussitôt à son père : *Oui.*
Entre-temps, le père a oublié de quoi il s'agit. Il est

un peu intrigué. Il envoie un autre télégramme : *Oui, quoi ?*

Le lendemain, le fils répond : *Oui, papa.*

1610 □

— Donne-moi un conseil, dit un milliardaire à un de ses amis. Je voudrais épouser une danseuse de dix-sept ans, et moi, j'en ai soixante-cinq. Est-ce que je peux lui faire croire que j'ai quarante-cinq ans ?

— Non. Dis-lui plutôt que tu en as quatre-vingt-quinze...

1611 □

Un banquier montre à un expert en tableaux sa collection de grands maîtres de la Renaissance italienne.

— Il n'y a pas de doute, dit l'expert après s'être penché attentivement sur chaque toile. Tout ça est rigoureusement authentique. C'est de Vinci, Michel-Ange, Botticelli... Il n'y a qu'une chose qui m'intrigue. Toutes ces toiles sont signées Sarah !

— Oh ! Ne vous inquiétez pas pour ça, dit le banquier. C'est un conseil de mon avocat. Il m'a dit de tout mettre au nom de ma femme !

1612 □

Un nouveau riche a acheté une Cadillac de dix-sept mètres de long. Un de ses amis lui dit :

— Moi, je trouve qu'on ne te remarque pas assez avec ça ! Tu devrais mettre des deux-chevaux à la place des pare-chocs.

1613 □

Un milliardaire américain part en vacances en Floride. Il a fait louer pour lui tout seul un immense hôtel, afin d'être sûr que personne ne le dérangera. Il se met en maillot de bain. Il descend sur la plage. Il trempe un pied dans l'eau et aussitôt il appelle son secrétaire particulier :

— John ! dit-il. Elle est un peu trop froide.

Alors le secrétaire téléphone à un énorme bateau-pompe qui est au large et qui vient déverser des tonnes d'eau chaude dans la petite crique. Et le milliardaire peut ensuite se baigner.

Puis il vient s'allonger sur le sable et une petite fourmi lui monte sur la jambe. Immédiatement le secrétaire se précipite pour téléphoner à une flottille d'hélicoptères qui, cinq minutes plus tard, survolent le rivage en y pulvérisant des centaines de litres d'insecticide.

Après quoi, le milliardaire prend un bain de soleil, mais quelque chose le gêne encore. Il fait un signe à son secrétaire particulier qui accourt et il lui dit :

— Ce ciel entièrement bleu, c'est monotone. J'ai envie d'un nuage. Je trouve que ce serait plus poétique !

Alors quinze hydravions prennent l'air avec des réservoirs de vapeur d'eau et ils viennent fabriquer au-dessus de la plage un merveilleux petit nuage artificiel.

Maintenant, le milliardaire a l'air complètement satisfait. Étendu dans le sable, les mains derrière la nuque, il contemple la mer si pure et le ciel magnifique et il murmure doucement :

— Ah ! Que c'est beau, la nature ! Et dire qu'il y en a qui ne vivent que pour l'argent ! Mais à quoi ça sert, l'argent ?

mimique

(Très ingrates à écrire et à lire, ces histoires-là. On ne peut les faire passer sans joindre le geste à la parole. Pour le mime émérite, les voici quand même, inévitablement alourdies du mode d'emploi nécessaire.)

1614 □

(Avec les index, vous tirez sur vos paupières par le côté et vers le haut, en disant :)

— Papa japonais !

(Puis vous tirez sur vos paupières vers le bas en disant :)

— Maman chinoise !

(Enfin, vous tirez sur votre paupière droite vers le bas et sur votre paupière gauche vers le haut en déclarant :)

— Pauvre bébé !

1615 □

C'est un malade qui va à Lourdes. *(Vous crispez la main gauche comme si elle était paralysée).* Il s'agenouille devant la statue de la Vierge et il implore :

— Sainte Vierge, faites que mes deux mains soient pareilles !

(Aussitôt, sans cesser de crisper la main gauche, vous crispez brusquement la main droite dans le même geste.)

1616 □

(Vous balancez la tête, horizontalement et à toute allure, comme si vous étiez en train de lire précipi-

tamment une lettre très large, et tout d'un coup vous vous écriez :)

— Bon Dieu, ce qu'il écrit vite, ce type !

☐ **1617**

C'est la bonne de Beethoven qui vient le trouver. Elle est très embarrassée. Elle roule son tablier entre ses doigts. Et elle finit par lui dire :

— Monsieur, je suis venue vous avertir que je ne peux pas rester chez vous !

— Comment ça ! dit Beethoven. Ai-je fait quelque chose pour vous déplaire ?

— Pas du tout, Monsieur. Mais il y a trop de travail, je ne peux pas continuer.

— Écoutez, ma chère Joséphine, dit Beethoven, vous ne pouvez pas faire ça ! Songez à ce que vous représentez pour moi. Non seulement vous tenez la maison propre, non seulement vous me faites la cuisine, mais en plus, vous êtes l'inspiratrice de ma musique !

— Moi ! Votre inspiratrice ! s'écrie-t-elle.

Et elle éclate de rire :

— Ah ! Ah ! Ah ! Ah !

(Naturellement, l'histoire n'aura de sel que si vous éclatez de rire en imitant la modulation des quatre notes universellement célèbres de la Cinquième Symphonie.)

☐ **1618**

Un habitué des courses se rend au pesage et il voit passer, parmi les chevaux qui vont courir, un affreux toquard qui lui fait un sérieux clin d'œil à plusieurs reprises.

— Tiens, tiens ! se dit-il. Ce cheval ne me ferait pas signe s'il n'était pas sûr de gagner. Je vais jouer sur lui !

Et il mise mille francs sur le toquard. La course se déroule et ce brave cheval arrive bon dernier.

Furieux, le bonhomme se rend à la sortie des chevaux, en proie à une violente colère. Alors le toquard, en passant, lui fait un geste navré d'impuissance...

(Mais de même que vous aurez mimé le clin d'œil du cheval au début, il vous faut mimer sa protestation d'impuissance avec une exubérance méridionale, le visage tristement penché sur l'épaule, la tête rentrée dans le cou, et les bras levés au ciel.)

1619 ☐

Un gars s'amène chez le docteur et il dit :

— Docteur, j'ai le... la... enfin, vous voyez ce que je veux dire ?

— Vous voulez dire votre sexe ?

— Oui ! C'est ça ! Eh bien, je l'ai comme un enfant de quatre ans !

— Pas possible ! Vous voulez dire comme ça ? *(Et il étend le pouce et l'index en avant, tout près l'un de l'autre, comme pour montrer la largeur d'une petite boîte d'allumettes.)*

— Non docteur ! Comme ça ! *(Et il place sa main en l'air à un mètre du sol, comme pour figurer la hauteur d'un gamin.)*

1620 ☐

(Vous dessinez une énorme trace de pied. Puis vous indiquez au milieu de cette surface un tout petit point minuscule et vous dites :)

— Ici, il y a deux explorateurs au milieu d'un désert. Et il y en a un qui dit à l'autre : « Je crois qu'il va falloir abandonner les recherches. Ces histoires de géants, c'est un attrape-nigaud... »

1621 ☐

Le Christ est cloué sur la croix depuis plusieurs heures. Il réfléchit longuement et il se dit que ça ne peut pas finir comme ça. Alors il fait un effort terrible pour s'arracher le bras droit du clou. Il souffre, il grimace, mais il finit par y arriver.

Puis il fait la même chose avec le bras gauche en s'aidant de son bras droit. Et tout à coup, ses deux bras sont libres. Il pousse un hurlement de triomphe !

Hélas ! A peine ses bras décloués, retenu seulement par les pieds, il perd l'équilibre et il part en avant comme un pantin tragique. *(Vous faites des moulinets des bras sur le côté, pour mimer quelqu'un qui, sur le point de tomber dans le vide, cherche désespérément à se rattraper...)*

☐ **1622**

Savez-vous pourquoi la Dame aux Camélias était heureuse en amour ? Tout simplement à cause de ça ! *(Vous saisissez un doigt du type qui vous écoute, vous l'enfermez complètement dans votre paume et vous vous mettez à tousser convulsivement, ce qui vous donne le rythme pour exercer des pressions de plus en plus fortes avec votre main.)*

☐ **1623**

(Vous racontez cette histoire à la première personne comme si elle vous était arrivée.)

L'autre jour, j'étais de passage dans une ville de province, je suis allé dans une boîte de nuit, et vers une heure du matin, un type m'a abordé en me disant :

— Vous connaissez le Club des Sodomites ?

J'ai répondu que non. Mais comme je suis curieux de nature, j'ai demandé :

— Qu'est-ce que c'est ?

Et le gars m'a dit :

— Venez avec moi ! On va vous montrer !

Il m'a emmené dans une maison isolée qui était pleine d'hommes nus. Et puis il m'a dit :

— Si vous voulez faire partie du Club, on peut vous faire passer les épreuves d'initiation !

Moi, comme je suis curieux de nature, j'ai dit :

— D'accord !

Alors il m'a fait déshabiller, il m'a fait accroupir par terre, la tête penchée en avant, les fesses ouvertes, et on m'a lâché un bouc dessus ! Ça, c'était la première épreuve. Ce n'était pas trop difficile !

Après ça, ils m'ont pris la température avec un énorme thermomètre qui était gros comme un concombre ! Ça, c'était la seconde épreuve, ça pouvait encore aller !

Mais le plus dur, c'était quand ils m'ont rentré une bouteille d'eau Perrier dans l'arrière-train, en me demandant de monter à toute allure un escalier... euh... un escalier en... euh... comment ça s'appelle... un escalier en...

(A ce moment vous mimez de la main, en dessinant une spirale dans l'air, un escalier en colimaçon. Certainement un de vos auditeurs, emporté par le mouvement, va vous souffler le mot : un escalier en colimaçon ! *Alors, vous vous tournez vers lui, l'air très surpris, et vous lui lancez :)*

— Ah ! Par exemple ! Alors, vous faites aussi partie du Club ?

1624 ☐

Un petit vieux et une petite vieille se promènent en Normandie au bord d'une très haute falaise. Il y a un peu de brouillard. On n'y voit pas très bien. Alors le petit vieux dit à l'intention de sa femme :

— Attention à la falaise !

Et un moment plus tard, il répète :

— Attention à la falaise !

Et puis on entend encore sa voix :

— Attention à la falai-ai-ai-ai-ai-aise...

(Naturellement, le dernier mot sera hurlé horriblement, d'une voix décroissante, comme un cri qui s'éloigne et disparaît dans le vide.)

☐ **1625**

(Avec les deux mains, vous vous tirez sur la peau du cou, de chaque côté, vers l'extérieur, et vous imitez la petite fille qui dit :)

— Maman, je ne sais plus ce que j'ai fait de ma brosse à dents...

☐ **1626**

La scène se passe dans le métro. *(Vous vous rentrez l'index dans la bouche, de façon à vous distendre fortement les lèvres du côté droit, en disant d'une voix déformée :)*

— Pardon, monsieur, vous ne voudriez pas déplacer le manche de votre parapluie ?

(Avec le même doigt, vous tirez vers la gauche sur l'autre commissure des lèvres et vous ajoutez :)

— Merci, monsieur.

☐ **1627**

(Histoire très courte et très difficile à mimer. Il s'agit de figurer un homme qui tombe comme une pierre dans le vide et qui dépasse au passage un autre gars dont le parachute est ouvert. Il lui dit :)

— Comment t'as fait pour ouvrir ton parachute ?

(La phrase doit être prononcée très vite, avec un mouvement saccadé de la tête de bas en haut, le regard balayant l'air depuis le sol jusqu'au plafond...)

☐ **1628**

Un as de la chasse française s'est engagé dans les forces aériennes américaines au moment de la guerre contre le Japon. Mais c'est un type qui est très indépendant et qui est têtu comme une mule. Il est à bord du porte-avions qui sert de base à son escadrille. Comme on ne lui a pas confié d'ordre de mission, un beau jour, il se glisse en douce dans son avion et il décolle tout seul.

Il monte très haut et soudain, il discerne au-dessous de lui une quinzaine d'avions japonais. Il pique dessus en mitraillant dans tous les sens, et comme il est d'une témérité et d'une maestria éblouissantes, il fait un véritable carnage : il les descend tous en flammes...

Il jubile, mais il s'aperçoit qu'il ne lui reste plus guère de carburant. Il songe alors à rentrer. Mais il s'est un peu perdu. Il fouille la mer en vain. Enfin, au bout d'une heure de recherches, en sortant d'un amas de nuages, il entrevoit le pont d'un porte-avions.

Il atterrit en beauté. Il descend de sa carlingue, il se précipite chez le commandant, il se met au garde-à-vous et il déclare, tout faraud :

— Je sais ! J'ai décollé sans autorisation ! Mais j'ai tout de même descendu quinze avions japonais ! Vous êtes content ?

Et l'autre lui répond :

— Pas tellement !

(Pour dire ces mots, vous aurez pris soin de tirer avec vos doigts sur l'extrémité de vos paupières, et bien sûr, de prendre un brin d'accent japonais...)

1629 □

(L'histoire qui suit se scinde en deux parties. Vous racontez d'abord le premier récit, avec lequel, normalement, vous devez faire un bide, mais c'est exprès...)

C'est une petite souris qui livre des pains de glace. Elle est très délurée et très débrouillarde. Elle conduit elle-même sa camionnette. Et puis elle charge les pains de glace sur son épaule et elle les porte toute seule à domicile.

Ce matin-là, elle a fait le tour du quartier. Elle n'a plus qu'un seul pain de glace à livrer. Elle s'arrête devant la dernière maison. Elle ouvre les portes à glissières de sa camionnette. Et elle s'aperçoit brusquement qu'il n'y a plus de pain de glace.

— Zut ! s'écrie-t-elle. J'avais pourtant pris juste le compte. Comment se fait-il qu'il me manque un pain de glace ? Ben, c'est l'éléphant qui a dû m'en chiper un !

(Naturellement, personne ne rit. Vous écrasez le coup et vous enclenchez tout de suite sur une autre histoire :)

Ça se passe dans un train. Dans le compartiment, il y a une vieille dame avec un petit basset sur les genoux. C'est un vieux chien qui sent très mauvais. En face d'elle, il y a un monsieur qui fume la pipe. Au bout d'un moment, la dame se penche vers le fumeur et elle lui dit :

— La fumée de votre pipe m'incommode ! Vous ne pourriez pas l'éteindre ?

Et le gars lui répond :

— Et moi, c'est votre sale cabot qui m'incommode ! Il pue horriblement ! Je n'éteindrai ma pipe que si vous faites sortir le chien !

Du coup, la vieille pince les lèvres et elle se renfrogne. Le train continue à rouler et brusquement, la vieille se lance en avant, elle arrache la pipe du gars et elle la jette par la fenêtre. Aussitôt le bonhomme saisit le chien et hop ! il le balance dans le paysage.

La vieille se met à hurler. Le gars râle comme un pou. Mais entre-temps, le train s'est arrêté dans une gare.

Et qui voit-on arriver tranquillement le long de la voie ? Le basset de la dame ! Et qu'est-ce qu'il tient, serré dans sa gueule ?...

(A ce moment, il est presque inévitable qu'un de vos auditeurs réponde : la pipe du monsieur ! *Et vous n'avez plus qu'à dire :)*

— Non ! Pas du tout ! Le pain de glace...

1630 □

Marius vient de rentrer du Gabon. Il avait promis de ramener un perroquet à son pote Escartefigue, mais il a complètement oublié d'y penser. Alors il se rend au jardin zoologique, où il a un ami, et il lui demande s'il ne pourrait pas lui vendre un perroquet.

— Ah ! Des perroquets, je n'en ai pas, répond l'autre. Mais si tu veux, je peux te céder un hibou. Pour un profane, c'est presque la même chose !

Et Marius repart avec son hibou sous le bras, qu'il offre à Escartefigue, en lui faisant croire que c'est un perroquet spécial. Quelques semaines plus tard, il rencontre Escartefigue dans la rue et celui-ci lui dit :

— Tu sais, il est extraordinaire ton perroquet. Il est familier, affectueux, et tout, et tout !

— Ah ! bon... bredouille Marius. Mais tu ne vas pas me dire qu'il parle, quand même ?

— Ah ! non... Il ne parle pas. Mais moi, je crois qu'il va bientôt parler, parce que quand on lui fait la conversation... ça l'intéresse !

(En disant la dernière phrase, il faut placer les mains en cercle autour des yeux, comme pour figurer le hibou avec ses yeux énormes en forme de hublots...)

1631 □

Quelques culturistes, réunis ensemble, sont en train de se vanter de leurs avantages respectifs. Parmi eux, il y a un Allemand, un Noir américain, un Turc et un Juif.

— Moi, dit l'Allemand en ouvrant son col, j'ai des pectoraux formidables ! Regardez !

— Et moi, dit le Noir en remontant la jambe de son pantalon, j'ai les mollets admirablement musclés !

— Et moi, dit le Turc en retroussant ses manches, j'ai des biceps sensationnels !

Alors le Juif ouvre sa braguette :

— Eh bien, moi... *(il sort un pan de sa chemise)*, j'ai une belle popeline d'Alsace à cent cinquante francs le mètre!

(Il va de soi que celui qui raconte cette histoire doit mimer les gestes successifs des personnages. A la fin, il ouvrira donc sa braguette, d'un geste aussi lent que possible, pour obtenir le maximum d'effet.)

missionnaire

☐ **1632**

Un missionnaire débarque dans une île.

— Bonjour, m'sieur, lui dit un petit gamin.

— Ne m'appelle pas monsieur! Appelle-moi *mon père*...

— Oh, chic alors! C'est maman qui va être contente, elle qui disait que tu ne reviendrais jamais...

☐ **1633**

Un missionnaire était arrivé dans un village reculé de l'Afrique pour prêcher l'Évangile. Le matin, il n'était pas cru. Et le soir, il était cuit...

☐ **1634**

Un missionnaire anglais s'est perdu dans la brousse. Il erre lamentablement pendant des semaines, se nourrissant de racines et dormant dans le creux des arbres.

Enfin, il finit par atteindre un village. A l'entrée du village, il y a une potence. Et sous la potence se balance un pendu. Alors le missionnaire se met à danser de joie:

— Dieu soit loué! J'ai retrouvé la civilisation!

1635 □

Un pasteur protestant essaie de convertir deux anarchistes espagnols.

— Vous fatiguez pas, lui répondent-ils. On ne croit déjà pas à la vraie religion, comment voulez-vous qu'on croie à la vôtre?

monstre

1636 □

C'est un petit vaurien, à moitié contrefait, qui est accroupi dans la rue, tous les jours et toujours au même endroit. Intrigué, un agent de police finit par s'approcher de lui pour l'interroger.

— Qu'est-ce que tu fais là?

— Rien.

— Et qu'est-ce qu'il fait, ton père?

— Il boit.

— Et ta mère?

— Elle est à l'asile.

— Et tu n'as pas un grand frère?

— Voui, j'ai un grand frère.

— Et qu'est-ce qu'il fait, ton grand frère?

— Il est à la faculté de médecine.

— Mais s'il travaille à la faculté de médecine, pourquoi est-ce qu'il ne s'occupe pas de toi?

— Parce qu'il est dans un bocal...

1637 □

A la maternité, la dame a accouché depuis déjà trois jours, mais on ne veut pas lui montrer son enfant.

— Mais enfin, docteur, dit-elle, tout de même, c'est mon enfant. J'ai bien le droit de le voir!

— Peut-être, madame, mais je crains que cela ne

vous cause une émotion désastreuse, réplique le médecin.

Pourtant, elle insiste tellement qu'on lui amène sa progéniture enveloppée dans des langes. Quelle horreur! Ce bébé n'est qu'une oreille, une énorme oreille... Devant un tel spectacle, n'importe qui aurait un haut-le-cœur, mais la mère prend le monstre dans ses bras et le dorlote en murmurant:

— Tu es peut-être anormal, mais tu es mon petit, et moi, je t'aimerai de toute façon.

Alors le docteur glisse à l'accouchée:

— Parlez plus fort, madame, il est sourd...

☐ **1638**

Un petit bonhomme sanglotant se présente dans un commissariat et débite tout d'une traite:

— Ma femme a disparu! Ma femme a disparu depuis hier! Elle mesure un mètre quatre-vingt-dix-neuf, elle a une jambe de bois et il lui manque quatre dents sur le devant!

— Eh bien, lui dit le flic, vous en avez de la veine! Justement, *on ne vient pas de la retrouver...*

☐ **1639**

— J'en ai assez! pleurniche Toto. A l'école, ils disent tous que j'ai une grosse tête...

— Mais non, mon petit, tu n'as pas une grosse tête. Tu n'as pas du tout une grosse tête. Tiens, en attendant, va me chercher quatre kilos de patates, tu les mettras dans ta casquette...

☐ **1640**

C'est une dame qui est tellement vilaine que le jour où elle a voulu s'inscrire dans un club nudiste, on lui a répondu:

— C'est d'accord, mais à condition que vous vous mettiez une feuille de vigne sur la gueule...

1641 ☐

Ce pauvre garçon a le nez de travers, un bec-de-lièvre, un œil qui dit merde à l'autre et des boutons plein la gueule. Et il se targue partout de ses succès féminins.

— Moi, dit-il, les femmes, elles m'ont toujours réussi !

Alors un de ses copains lui répond :

— Sauf ta mère...

1642 ☐

C'est un insolent petit gamin qui est assis dans le métro sur les genoux de sa mère. Et en face de lui, il y a un monsieur d'un certain âge qui est affligé d'un gros goitre.

Alors le petit le montre du doigt et ricane horriblement. Il est même tellement odieux qu'au bout d'un moment, le monsieur perd patience. Il éructe :

— Tu as fini de te moquer de moi, petit monstre ? Si tu continues, je vais te manger tout cru...

— Ah, oui ? glousse le petit garçon. Mais faut d'abord finir l'autre...

1643 ☐

Dans une surprise-partie, un gars s'approche d'une fille très collet monté. Il lui met la main dans les cheveux et la perruque lui reste dans les doigts. Il lui met la main sur le sein et il ramène un demi globe de caoutchouc mousse. Il lui met la main sur le ventre et ça racle comme un cactus. Et juste à ce moment, elle lui dit en se pâmant :

— Arrêtez, petit monstre...

1644 ☐

Il était une fois un bonhomme très vilain, borgne, bancal, boiteux, les bras tordus et un trou à la place du nez. Voilà qu'il rencontre une jeune fille affreuse, couverte d'urticaire, les yeux chassieux, les fesses comme des citrouilles, les seins comme des petits pois et la bouche puant l'alcali.

C'est le coup de foudre. Ils se marient. Ils vont avoir un enfant. Ils sautent de joie.

Eh bien, quand leur bébé est venu au monde, on a été obligé de le jeter...

☐ **1645**

C'est un petit enfant hydrocéphale à qui sa mère dit :

— Arrête de remuer la tête tout le temps... tu me donnes soif !

☐ **1646**

Un gars suit dans l'escalier d'un bordel une nana assez quelconque, mais comme il est privé de volupté depuis longtemps, il n'y regarde pas de trop près. La fille arrive dans la chambre, elle enlève son œil de verre, elle retire son dentier, elle dévisse sa jambe de bois, elle fait sauter ses faux seins et elle s'allonge avec son air le plus accueillant.

Le gars reste hébété. Il n'a rien vu de tel depuis les derniers bombardements. Il essaie de filer sur la pointe des pieds.

— Alors, tu me plaques ? grogne la fille.

— Euh... non ! Mais j'ai oublié ma queue dans un autre pantalon...

☐ **1647**

Cet homme était un peu monstrueux. Il n'avait pas de crâne et pas de cerveau. Sa tête s'arrêtait juste au-dessus des oreilles.

Et pourtant la chose ne se voyait pas. Personne ne s'en apercevait, sauf quand il retirait son képi...

1648 □

— Docteur, mon fils, il a une grosse tête pleine d'eau!

— Ce n'est pas grave, madame! Vous allez acheter un pic à glace et il pourra aller arroser les fleurs... Mais comme il fait très froid, donnez-lui quand même de l'antigel...

montagne

1649 □

Deux alpinistes bivouaquent sur une corniche à quatre mille mètres d'altitude. Ils sortent du beurre et ils se font des tartines, quand soudain, rapide comme l'éclair, un oiseau fond sur eux, leur vole le pain de beurre et disparaît...

— Ça alors! dit un des alpinistes, il faut que j'en aie le cœur net!

Il se hisse jusqu'à une arête de roche derrière laquelle l'oiseau s'est envolé et il aperçoit un spectacle incroyable: il voit un petit corbeau tout noir qui se beurre les fesses tant qu'il peut. Et quand il est tout luisant, il se laisse glisser sur une pente de glace en chantant:

— Et youpi! Ça, c'est la vie...

1650 □

Trois Écossais, qui sont aussi alpinistes, sont bloqués par une épouvantable tempête dans une petite cabane. Ils ont verrouillé toutes les portes et les fenêtres pour se protéger des rafales de blizzard.

Dans la vallée, cependant, on a organisé les secours. Une caravane de la Croix-Rouge, malgré la neige qui n'arrête pas de tomber, finit par atteindre au bout de six jours le petit refuge perdu. Et un membre de l'équipe frappe à la porte en hurlant:

— Ouvrez! C'est la Croix-Rouge!
Alors une voix paisible répond:
— On a déjà donné...

☐ **1651**

Un brave mari fait irruption chez lui et il vocifère à l'adresse de sa femme:
— Salope! Je sais tout!
— Tiens, tiens! dit-elle sans lever les yeux. Alors, quelle est la hauteur de l'Everest?

☐ **1652**

Deux alpinistes, un Parisien et un Sénégalais, sont en cordée sur l'Aiguille Verte. Et soudain, un grand rapace les frôle, avant d'aller se nicher dans une anfractuosité.
— Oh! dit le Parisien, un aigle!
Et le Sénégalais lui répond d'un ton pincé:
— On ne dit pas un aigle. On dit un oiseau de couleur...

moustache

☐ **1653**

— Mon vieux, c'est fou ce que tu peux ressembler à ma femme!
— Sans blague!
— Parfaitement! A part la moustache, bien entendu...
— Mais je n'ai pas de moustache!
— Ah! Mais elle, oui...

☐ **1654**

Une jeune dame entre chez le pharmacien:

— Je voudrais du savon à la chlorophylle, s'il vous plaît.
— Désolé, madame, nous n'en avons plus en ce moment.
— Oh ! Que c'est déplaisant... Il m'en faut absolument. C'est le seul savon que je puisse employer pour ma toilette intime.
— Madame, je suis navré, mais si vous voulez, je vais en commander pour demain. Je vous le réserve. Vous pourrez passer dans l'après-midi.
— Demain, je ne peux pas. Mais vous m'en mettrez quand même trois de côté. Mon mari passera les prendre. Vous le reconnaîtrez facilement. C'est un monsieur brun avec une moustache verte...

1655 ☐

Un petit avorton lit une offre d'emploi :
« Cherchons personne musclée et si possible moustachue, capable d'exercer surveillance permanente sur tout le monde, ayant assez d'autorité pour prendre les gens au collet et même éventuellement les mettre hors de combat s'ils résistent. Le poste à pourvoir est celui de surveillant contre le vol dans un grand magasin. »
Le petit gars se présente à l'adresse indiquée et tout de suite, on lui répond :
— Vous ne pouvez pas faire l'affaire. D'abord, vous n'avez pas de moustache. Et puis vous ne vous êtes pas regardé dans une glace, non ?
— Si, fait le gars. Je savais bien que ça ne collerait pas. J'étais juste venu pour vous proposer ma femme, parce que les gosses et moi, on n'en peut plus...

1656 ☐

Une mère éplorée amène sa petite fille chez le médecin :
— Docteur, elle a un bec-de-lièvre. Est-ce que vous pouvez faire quelque chose ?

Alors le docteur prend la petite fille par la nuque et il dit :
— Viens par ici, mon petit lapin. Bien sûr qu'on peut faire quelque chose. Il faut qu'elle se laisse pousser la moustache...

moyen âge

☐ **1657**

Un chevalier part en croisade et il appelle son écuyer :
— Tiens, voilà la clef de la ceinture de chasteté de ma femme Isabelle. Si dans dix ans, je ne suis pas de retour, tu pourras t'en servir...
Et il s'éloigne sur la route poudreuse, harnaché de pied en cap, quand tout à coup, il voit son écuyer affolé passer le pont-levis et lui courir derrière.
— Qu'est-ce qui arrive ? lui dit-il. J'ai oublié quelque chose ?
— Non, mais heureusement que je t'ai rattrapé, fait l'écuyer en tendant la clef, parce que c'est pas la bonne...

☐ **1658**

Pendant le siège de Saint-Jean-d'Acre, deux croisés sont en train de tirer à l'arbalète sur les Sarrasins. Et tout d'un coup il y en a un qui se passe la main sur le front et qui dit à l'autre :
— D'accord ! On combat les Infidèles ! Mais je pense à une chose. C'est bien joli, les Infidèles... Mais qu'est-ce qu'elle fait, ma femme, en ce moment ?

☐ **1659**

Autrefois, c'était le bon temps. Au Moyen Âge par exemple, l'amour se faisait très doucement. Les princesses apprenaient l'amour page par page. Et les princes en retournant les pages...

1660 □

L'histoire se passe au Moyen Âge. Un croisé s'est perdu dans le désert. Il tombe d'inanition. Il n'en peut plus. Il voit arriver un lion qui se penche sur lui et flaire son armure.
— Zut ! grogne le lion. J'ai pas d'ouvre-boîte !

1661 □

C'est un croisé, un peu bizarre, un peu poète, qui ne parle qu'en alexandrins. Il revient de la guerre et il trouve sa femme au lit avec quelqu'un. Alors, il s'écrie :
— Tiens ! Tiens ! Tiens ! Tiens ! Tiens ! Tiens ! Tiens ! Tiens ! Tiens ! Tiens ! Tiens ! Tiens !

1662 □

Deux chevaliers en armure partent pour la guerre de Cent Ans et le premier dit à l'autre :
— Pourquoi as-tu mis un cadenas à la ceinture de chasteté de ta femme ? De toute façon, elle est tellement moche, ta femme, que personne ne te l'aurait prise !
— Justement, dit l'autre, c'est pour ça que je lui ai mis un cadenas. Comme ça, quand la guerre sera finie, je dirai que j'ai perdu la clef...

1663 □

Une rencontre à la cour du roi Arthur :
— Je m'appelle Merlin...
— Enchanté !

1664 □

Un seigneur, partant pour la croisade, décide

d'expérimenter sur sa femme un modèle absolument nouveau de ceinture de chasteté: la ceinture de chasteté qui déclenche une guillotine en cas de viol...

Après trois ans d'absence, ce brave homme regagne son fief et constate qu'apparemment, il n'est rien arrivé de préjudiciable à son honneur, tandis qu'il guerroyait au loin. Cependant il est pris d'un léger soupçon et il décide aussitôt de faire rassembler tous les habitants mâles du château dans la grande cour. Puis il ordonne à tout le monde de se déshabiller.

Alors il découvre avec stupéfaction que du premier chevalier au dernier mitron, s'il doit en croire cette même douloureuse cicatrice, la guillotine a bien fonctionné ! Il n'y a plus un seul homme entier dans le château !

Si pourtant : un peu à l'écart, un jeune page semble vierge de toute blessure. Le seigneur s'approche de lui et lui dit en dominant sa douleur :

— Il n'y a donc que toi sur qui je puisse compter ?

Le page ouvre la bouche pour répondre, mais aucun son ne sort de ses lèvres. Alors le seigneur s'écrie :

— Eh bien ? Parle ! T'aurait-on coupé la langue ?

☐ **1665**

Imaginez des douves, des tours, des créneaux, un pont-levis, et par-dessus un donjon, où règne un souverain qui croit au ciel. Or voici qu'un saint homme un peu vagabond vient à passer par là, suivi par une cohorte de fidèles. Et le roi sort de son château pour s'avancer à sa rencontre.

— Tout le monde m'obéit, lui dit-il, mais c'est toi qui as la meilleure part, car on t'écoute comme un oracle. Serais-je donc si mal entouré ? Il y a pourtant trois cercles concentriques autour de mon trône. En premier, les favoris. En second, les dignitaires. Et pour finir, les serviteurs. Tu as dû trouver mieux. Qui sont ces gens qui boivent tes paroles ?

— Trois cercles aussi, répond le sage. Mais pas les mêmes. Les plus proches sont les sourds, c'est tout juste s'ils m'entendent. Au second rang se tiennent les ignorants, ils sont au milieu, ils grappillent comme ils peuvent. Et tout à fait derrière, il y a les illuminés, parce qu'ils n'ont rien à foutre de mes conneries...

1666 □

Un chevalier, de retour d'une longue croisade, rentre chez lui et tombe dans les bras de sa femme, qu'il n'a pas vue depuis quatre ans. Dans la joie des retrouvailles, ils finissent par s'endormir ensemble et voilà qu'au milieu de la nuit quelqu'un frappe au vantail.

— Ciel, mon mari ! s'écrie la femme, réveillée en sursaut.

Et en entendant ça, le mari se précipite dans un coffre.

1667 □

Vers la fin du quinzième siècle, au pied des fortifications d'un château assiégé, une petite troupe de guerriers avance silencieusement en file indienne.

C'est la nuit. Ils ont décidé de s'infiltrer dans la place par une porte dérobée. Tout d'un coup, on entend :

— Hic !... Hic !... Hic !...

— Silence ! glousse le chef de la troupe. Qu'est-ce que c'est ?

Et les hommes se font passer, un à un, la question de bouche à oreille...

— Qu'est-ce que c'est ?

— Qu'est-ce que c'est ?

— Qu'est-ce que c'est ?

Et de même, la réponse revient du bout de la file :

— J'ai le hoquet!
— Il a le hoquet!
— Il a le hoquet!
— Il a le hoquet!
Et quand la nouvelle arrive au chef, il siffle entre ses dents:
— Qu'on lui fasse peur!
Alors chacun répète à son voisin:
— Qu'on lui fasse peur!
— Qu'on lui fasse peur!
— Qu'on lui fasse peur!
La réplique ne se fait pas attendre:
— On peut pas!
— On peut pas!
— On peut pas!
Du coup, le chef manque prendre un coup de sang. Il hurle dans un souffle:
— Pourquoi?
Et ça circule:
— Pourquoi?
— Pourquoi?
— Pourquoi!
Enfin la réponse revient:
— C'est Bayard!
— C'est Bayard!
— C'est Bayard!

□ **1668**

Jeanne d'Arc est en train d'assiéger Orléans, quand soudain l'un des archers de sa troupe lève les yeux vers le ciel et s'écrie:
— Quoi? J'entends pas bien! Qu'est-ce que vous dites?
Puis au bout d'un moment, il pose ses armes et il quitte le champ de bataille. Alors Jeanne d'Arc l'appelle:
— Eh bien, quoi? Qu'est-ce qui t'arrive?
— Je fous le camp! dit le gars. J'ai entendu des voix...

— Hein ? bredouille Jeanne d'Arc. Tu as entendu des voix ? Qu'est-ce qu'elles disaient ?
— Elles disaient : « Laisse tomber et va garder tes moutons... »

music-hall

1669 ☐

Une chanteuse sur le retour se présente au directeur d'un grand music-hall de New York :
— Je vous conseille de m'engager. Je suis une grande cantatrice. J'ai même beaucoup chanté pour l'armée autrefois !
— Ah ! fait le gars. L'armée sudiste ou l'armée nordiste ?

1670 ☐

Un masseur, qui cherche du travail, lit une offre d'emploi :
« Grand cabaret engagerait masseur diplômé pour strip-teaseuses. »
Il se précipite à l'adresse indiquée et il dit :
— Voilà ! C'est moi ! J'ai tous les diplômes... Si c'est pour masser les strip-teaseuses, je peux commencer tout de suite !
— O.K. Sept mille balles par mois, ça va ?
Alors le gars répond piteusement :
— Ben... je suis débutant, vous comprenez ! Je ne sais pas comment je vais pouvoir vous donner une somme pareille...

1671 ☐

Un cabot du music-hall raconte ses souvenirs à un ami :
— J'avais un numéro sensationnel ! Je sciais ma femme en deux ! J'ai fait ça sur toutes les scènes du

monde... Hélas! Maintenant, nous sommes divorcés...
— Ah, tiens! Et où vit-elle maintenant?
— A Marseille et à Lyon.

☐ **1672**

Un dresseur d'animaux postule un engagement au Lido. Il déclare au directeur:
— Écoutez! J'ai un chat et une souris prodiges. La souris joue au piano la Neuvième de Beethoven et le chat fait les chœurs...
Le directeur demande à voir. Stupéfait du spectacle, il s'écrie:
— Fantastique! Je vous engage tout de suite... Quatre cents dollars par soirée, ça vous va?
— Oh! dit l'autre en papillonnant des paupières, je crois que c'est trop. Parce qu'il faut que je vous dise... Il y a un truc! En réalité, le chat ne fait rien et c'est la souris qui fait tout... Elle est ventriloque...

☐ **1673**

Un vieux chanteur qui n'a plus aucun engagement depuis trente ans, se morfond dans une chambre de bonne sous les toits. Il a vendu tout ce qu'il avait pour subsister. Il a bazardé tous ses meubles. Il ne lui reste que son lit et le téléphone, pour le cas où un jour un imprésario l'appellerait.
Mais naturellement, jamais un coup de fil, et le pauvre homme végète tristement entre sa femme et ses souvenirs. Pourtant, un matin, la sonnerie du téléphone se fait entendre dans la pauvre mansarde. Le gars se précipite et il décroche:
— Allô! Ici, c'est le directeur de l'Olympia! Montand vient de tomber malade. Est-ce que vous êtes libre pour le remplacer au pied levé à partir de demain soir, en tête d'affiche?
Le gars est tellement époustouflé qu'il ne peut en

croire ses oreilles. Il rassemble ses esprits et il bredouille :

— Mais... euh... oui, naturellement !

— Parfait ! Considérez-vous comme engagé ! S'il y a un pépin de dernière minute, vous aurez un télégramme avant demain midi... Mais ça m'étonnerait, parce que je compte absolument sur vous !

Alors le vieux chanteur saute au plafond. Il ne se tient plus de joie. Il dit à sa femme d'aller chercher son smoking au clou et de le payer en vendant le matelas. Il passe sa journée à répéter les textes de ses chansons d'autrefois : « Ah ! chérie, donnez-moi votre main ! » et puis « J'ai cru vous aimer en silence ! » et encore « J'ai ramassé pour toi un trèfle à quatre feuilles »...

Le soir, il n'arrive pas à s'endormir. Il rêve qu'il entend le téléphone sonner et qu'on le décommande. Il se réveille en sursaut. Il se fait un sang d'encre. Finalement il ne dort pas de la nuit.

Le lendemain, il passe une matinée affreuse, tantôt à se croire devenu le plus grand artiste du siècle, poursuivi par des foules d'admirateurs, tantôt à s'imaginer victime d'une plaisanterie.

Et il se répète mécaniquement :

— Pourvu qu'il n'y ait pas de télégramme avant midi ! Pourvu qu'il n'y ait pas de télégramme avant midi !

Et il se creuse la tête pour savoir s'il doit raser sa moustache ou pas. Et il tourne en rond comme un fauve dans l'horrible petite chambre de bonne. Onze heures et quart ! Toujours pas de télégramme ! Pourvu que ça dure ! Midi moins vingt ! Toujours rien ! Midi moins dix ! Il est au bord de la crise de nerfs...

Midi moins cinq ! Midi moins une ! Ah ! C'est extraordinaire ! C'est sublime ! Il va redevenir le grand Duchnock ! Il entre en scène ! La salle croule sous les bravos ! Au premier rang, des jeunes filles cassent leur fauteuil en hurlant qu'elles l'aiment ! Midi ! On sonne à la porte !

Ça y est! C'est foutu! C'était trop beau... C'est le télégramme qui le décommande... Il va ouvrir. Il voit un petit télégraphiste qui lui tend un papier. Il s'effondre comme une chiffe molle. Finis les beaux rêves. Il prend le télégramme d'une main désespérée. Il l'ouvre... Il le lit...

Alors son visage se transfigure et rayonne de bonheur. Il se met à danser, il appelle sa femme, il la couvre de baisers et il gueule:

— Chérie! Quelle bonne nouvelle! Ta mère est morte...

☐ **1674**

Une grande vedette de strip-tease se confie à une de ses amies:

— Tu sais, mon travail m'épuise. Je suis en train de devenir neurasthénique... Quand je rentre chez moi, après le spectacle, je n'ai plus qu'une envie: m'habiller et me mettre au lit...

☐ **1675**

C'est un fakir extraordinaire. Il hypnotise le public comme il veut. Il arrive sur scène, il regarde l'assistance, il dit *Riez*!... et tout le monde s'esclaffe. Et s'il dit *Pleurez*!... tout le monde fond en larmes. Un jour, en entrant en scène, il trébuche sur une latte du plancher et il s'étale par terre en criant *Merde*!...

Eh bien, il a fallu une semaine pour nettoyer la salle...

☐ **1676**

On n'a jamais vu une attraction de music-hall aussi stupéfiante. Un gars s'amène sur scène avec une valise. Il en sort un petit pianiste qui doit faire quarante centimètres de haut. Il en sort un piano à queue qui doit faire soixante centimètres de long. Le pianiste se met au piano et il joue une sonate de Brahms à vous tirer des larmes. Naturellement la foule hurle d'enthousiasme. C'est même un tel triomphe que dans toutes les villes du monde, on loue les places un mois à l'avance.

Un beau jour, un journaliste entre dans la loge du présentateur et il lui dit :

— Votre truc est absolument extraordinaire. Il faut que vous m'expliquiez comment vous avez trouvé ce petit prodige...

L'autre fait une moue ennuyée et il lui répond :

— Moi, je veux bien vous raconter toute l'histoire, mais j'aime autant vous prévenir que jamais aucun journaliste n'a osé l'imprimer. Voilà comment ça s'est passé. Je me baladais un jour à la campagne et voilà que je tombe sur un crapaud qu'on avait attaché en laisse à un arbre. Je me dis que ce doit être une méchanceté de gamins en vadrouille. Sans trop réfléchir, je détache le crapaud, parce que je n'aime pas voir les bêtes souffrir. Et soudain, vous n'allez pas me croire, le crapaud se transforme en une fée souriante qui me dit : « Vous m'avez délivrée d'un mauvais charme ! Je ne sais comment vous remercier. Tenez ! Faites un vœu et je le réalise tout de suite ! » Alors j'ai eu un moment de stupéfaction, mais je n'ai pas perdu le nord. Et je lui ai répondu : « Ah ! ben ça, c'est drôlement chouette ! Je voudrais avoir un pénis de quarante centimètres ! » Le malheur, voyez-vous, c'est que cette putain de fée était un peu sourde !

1677 □

Un grand acrobate a été engagé dans un music-hall pour y présenter un spectacle qui coupe le souffle. Il se bande les yeux, il monte sur une plate-forme à une hauteur de vingt mètres, il se laisse choir dans le vide, il fait en l'air un triple saut périlleux, il retombe sur la tête et il reste une minute entière planté sur la tête, juste devant le trou du souffleur, avant de retirer son bandeau et de saluer le public.

Comme le numéro est très épuisant, il ne le donne qu'une seule fois par jour.

Or, ce soir-là, il entre sur scène les yeux bandés, il grimpe sur la plate-forme, il se lance dans son saut périlleux et il retombe sur la tête, exactement comme le programme l'a annoncé. Et maintenant, il est là, debout sur la tête, raide comme un piquet, depuis au moins une bonne minute et il est tout étonné de n'avoir pas été salué comme d'habitude par un tonnerre d'applaudissements.

Furieux, il se relève, il remonte en haut, il se rejette dans le vide avec encore plus de maestria et le public ne réagit pas davantage.

Fou de colère, il recommence une troisième fois, il retombe sur la tête, il sent son crâne qui va éclater et le public reste complètement de glace. Alors il entend la voix du régisseur qui lui crie :

— Attention, mon vieux. On ouvre le rideau ! C'est à vous tout de suite...

□ **1678**

Un jeune chansonnier inconnu passe ses journées d'audition en audition pour essayer de décrocher un engagement. Un beau jour, il reçoit un coup de téléphone du directeur de Bobino qui lui dit :

— Je vous ai auditionné hier. Je vous engage pour un mois en vedette américaine. Vous commencez demain soir ! C'est d'accord ?

— Demain soir ? bredouille l'autre. Mais ce n'est pas possible. Demain soir, j'ai une audition...

□ **1679**

Un soir où Aznavour sort de la scène de l'Olympia, ruisselant de sueur, un machiniste se précipite sur lui et le noie sous un déluge de paroles :

— Ah ! Formidable ! On peut dire que vous avez décroché la timbale ! C'était un triomphe ! Et puis vous avez vos affiches sur tous les murs de Paris...

Qu'est-ce que vous devez être fier! Ah! Ça a changé depuis l'époque où vous passiez ici comme bouche-trou! Vous vous souvenez? Vous arriviez au théâtre en bicyclette! Vous étiez mal coiffé, mal foutu, dégueulasse! Vous bouffiez des sandwiches rassis! Et vous étiez sale! Bon Dieu, ce que vous étiez sale! Et maintenant, trois millions par soir! Maintenant on n'entend plus que vous à la radio! Qu'est-ce que ça doit rentrer, le pognon! On peut dire que vous en avez fait du chemin, monsieur... Monsieur? Au fait, comment c'est déjà, votre nom?

musique

1680 □

Un gars arrive chez lui un peu plus tôt que d'habitude et il voit sa femme couchée dans son lit. Mais à côté d'elle, allongé sous les draps, blotti contre la poitrine de la fille, il y a le voisin de palier. Alors le mari éclate :

— Ça, c'est un peu fort! De quel droit, cher monsieur, êtes-vous dans le lit de ma femme?

— Taisez-vous, fait l'autre. J'écoute la musique!

— La musique? Quelle musique?

— Z'avez qu'à écouter l'autre sein. Vous allez voir si vous entendez pas la musique...

Interloqué, le mari se penche et il appuie son oreille contre l'autre sein de sa femme.

— Qu'est-ce que c'est que ces salades? dit-il. J'entends rien!

— C'est pas étonnant, dit le gars. Vous n'avez pas branché la prise de courant...

1681 □

La vieille dame se penche par-dessus l'épaule du virtuose:

— Et ça, dit-elle, qu'est-ce que c'est, ces petites notes barrées sur votre partition ?
— Ce sont des quadruples croches, madame !
— Oh ! Maître ! Jouez-m'en une...

☐ **1682**

On joue *Roméo et Juliette* à l'Opéra. Un brave couple de retraités s'avance vers le guichet des réservations et la vieille dit :
— Deux balcons pour samedi.
L'employé lui répond sans lever les yeux :
— C'est bien pour *Roméo* ?
Alors, un peu interloquée, la vieille consulte son petit vieux et elle bredouille :
— C'est-à-dire que... oui, moi c'est pour Roméo, mais mon mari voudrait bien qu'il y ait aussi Juliette...

☐ **1683**

Dans la salle de concert, une dame s'exclame à haute voix :
— Que c'est long, cette musique, que c'est long !
Le chef d'orchestre se retourne et il lui lance :
— C'est peut-être vous, madame, qui êtes trop courte...

☐ **1684**

Ça fait un an que Toto fait des gammes au piano tous les matins. Un an, et toujours à la même heure et toujours les mêmes gammes. Et un beau jour, plus rien.
Le voisin d'à côté, qui était en train de devenir fou, ne peut pas résister à la curiosité. Il va frapper à la porte de l'appartement et il dit à Toto qui est venu lui ouvrir :
— Tu ne joues plus du piano ?
— Non, dit Toto. C'est plus la peine. Maintenant, je sais...

1685 □

Deux déménageurs descendent un énorme piano à queue depuis le septième étage. Sur le palier du troisième, ils soufflent une minute. Il y en a un qui s'éponge le front et qui dit à l'autre :
— Moi, je préfère la flûte...

1686 □

Le général de Gaulle, qui vient d'assister à un concert, s'en va dans les coulisses pour féliciter les musiciens.
— C'est bien ! leur dit-il. C'est très bien ! Et pourtant, vous savez, je n'ai pas l'oreille musicale. Je ne connais que deux airs. Le premier, c'est *la Marseillaise*. Et l'autre, ce n'est pas *la Marseillaise*...

1687 □

Dans une loge de l'Opéra-Comique, il y a deux amoureux qui n'ont pas l'air de s'occuper beaucoup de ce qui se passe sur scène. Profitant de l'obscurité complice, la fille a arraché le pantalon du garçon, pendant qu'il lui faisait sauter sa jupe. Heureusement on n'entend pas leurs gémissements qui sont couverts par la voix tonitruante du ténor. Mais dans un coin de la fosse d'orchestre, juste en dessous de la loge, un vieux violoniste commence à se sentir terriblement mal à l'aise. Il se penche vers le musicien qui est à côté de lui et il lui souffle :
— C'est bizarre ! je me demande d'où ça peut bien venir... Il y a du foutre qui me coule dessus de partout...
— Pas étonnant ! dit l'autre. Tu joues toujours comme un con...

1688 □

C'est un violoniste célèbre qui rencontre dans les

coulisses de la salle Pleyel un petit violoniste raté et amer. Et gentiment il se présente à lui :

— Yehudi Menuhin...

L'autre le regarde d'un air mauvais et il lui répond :

— Et moi, yehudi merde...

□ **1689**

Trois ou quatre copains sont en train de discuter sur l'hérédité.

— Moi, dit l'un d'eux, je n'y crois pas, à l'atavisme ! Il y a des gens qui s'imaginent qu'ils aiment les fraises parce que leur mère a eu envie de fraises quand elle était enceinte... Eh bien, c'est complètement stupide ! Je peux même vous prouver le contraire ! Ma mère à moi, quand elle était enceinte de moi, elle a flanqué un coup malheureux sur le phonographe qui jouait un disque d'Édith Piaf ! C'est quand même pas pour ça que je vais être traumatisé par *la vie en rose... vie en rose... vie en rose... vie en rose... vie en rose... vie en rose...*

□ **1690**

Un gars a été invité à déjeuner chez un copain. Après le café, il lui dit :

— Faut que je me grouille de rentrer au bureau. Quelle heure est-il ?

Alors l'autre se lève, il va à la fenêtre, il regarde la position du soleil et il déclare :

— Il est deux heures moins vingt-cinq !

— Comment ? bredouille son ami. Tu n'as pas de montre ?

— Non ! J'ai horreur des montres ! C'est une question de principe !

— Et tu ne te trompes jamais sur l'heure qu'il est, en regardant le soleil ?

— Jamais !

— Mais enfin, si tu te réveilles en pleine nuit et que tu veux savoir l'heure, comment fais-tu ?
— Ben, j'ai mon clairon !
— Quoi ? Qu'est-ce que tu dis ?
— Je te dis que j'ai mon clairon. Si je me réveille la nuit et que je veux savoir l'heure, je vais à la fenêtre, je l'ouvre et je joue du clairon !
— Et alors ?
— Ben alors, il y a toujours un voisin qui ouvre ses volets en hurlant : « Quel est l'enfoiré qui joue du clairon à trois heures du matin ?... »

1691 □

La police vient de ramener à sa famille un petit garçon de six ans qui s'était enfui de chez lui.
— Et alors, Jean-Sébastien ? demande monsieur Bach à son fils. Qu'est-ce que c'est que ces manières ?
— Ben quoi ! dit le môme. J'ai fait une fugue !

1692 □

C'est une dame qui apprend à jouer du cor de chasse. A la fin, son mari n'en peut plus. Il se met à crier :
— Arrête ! Arrête, je t'en supplie ou alors je vais devenir fou !
Et elle lui répond, toute surprise :
— Mais chéri, ça fait une heure que j'ai arrêté...

1693 □

La foule des mélomanes de la salle Pleyel est en train d'applaudir à tout rompre le chef d'orchestre et ses musiciens. Au septième rang, une dame se penche vers son voisin et lui glisse :
— Quel dommage qu'ils n'aient pas joué plutôt la Neuvième de Beethoven !
— Comment ? fait l'autre, interloqué. Mais c'est justement ça qu'ils viennent de jouer !

— Ah ! Par exemple... gémit la dame. Alors ils ont joué mon morceau préféré et personne ne me l'a dit ?

☐ **1694**

C'est un petit pianiste prodige. Il a cinq ans. Il interprète Bach et Brahms à la salle Pleyel. Il obtient un triomphe. On lui fait vingt rappels. Mais lui, il est dans sa loge, tout seul, en train de pleurer à chaudes larmes.

— Pourquoi pleures-tu, mon petit ? lui demande un machiniste du théâtre.

Et il répond, désespéré :

— J'aime pas la musique !

myope

☐ **1695**

Ces amoureux sont horriblement timides. Et en plus, ils sont myopes comme des taupes. Un soir, à force de tourner autour du pot, ils finissent par rapprocher leurs bouches. Ils sont sur le point de s'embrasser, quand soudain leurs lunettes s'entre-choquent. Alors, ils se reculent, un peu apeurés, et ils disent tous les deux en même temps :

— A votre santé !

☐ **1696**

Il est affligé d'une myopie abominable. Quant à sa nana, elle est tellement affreuse qu'on dirait presque une machine à coudre. Mais évidemment, comme il n'y voit presque rien, il l'a quand même épousée.

Et puis un jour, comme il a un peu d'argent de côté, il s'achète des lunettes, il rentre chez lui, elle lui ouvre la porte et... il tombe dans les pommes.

1697 □

Le père Anselme, qui a une grosse ferme dans le Poitou, a reçu une lettre de l'instituteur :

— Cher monsieur, lors de l'examen de ce jour, nous avons constaté que votre fils avait une forte tendance à la myopie. Veuillez faire le nécessaire.

Alors le père Anselme prend sa plus belle plume et il répond :

— Vous avez eu raison de m'avertir. Je lui avions foutu une belle raclée et il ne recommencera plus !

1698 □

C'est la nuit, une douce nuit d'été. Le jardin public est désert. Sauf deux amoureux sur un banc. Elle est assise. Il est à genoux entre ses jambes. Sa bouche remonte le long de ses cuisses. Et elle bredouille :

— Tu devrais enlever tes lunettes. La monture me fait mal...

Il enlève ses lunettes et il fouine avec délices. Alors elle lui dit :

— Tu devrais remettre tes lunettes ! Tu es en train de lécher le banc...

1699 □

Un gars est penché au-dessus du parapet du Pont-Neuf. Il a l'air assez désemparé. Un flic s'approche et lui demande :

— Vous avez perdu quelque chose ?

— Oui, fait le gars. Y a mes lunettes qui sont tombées dans la Loire...

— Dans la Loire ? Vous voulez dire dans la Seine ?

— Oh ! Ben, vous savez... Quand j'ai pas mes lunettes...

1700 □

Un type se présente chez l'oculiste. Celui-ci le fait

asseoir et fait défiler devant lui des tableaux de lettres.

— Qu'est-ce qu'il y a d'écrit là ?

— Je ne vois pas.

— Et là ?

— Je ne vois pas.

— Et ici ?

— Je ne vois pas.

— Et cette énorme lettre, toute seule, qu'est-ce que c'est ?

— Je ne vois pas...

— Bon. Alors c'est pas des lunettes qu'il vous faut. C'est un chien !

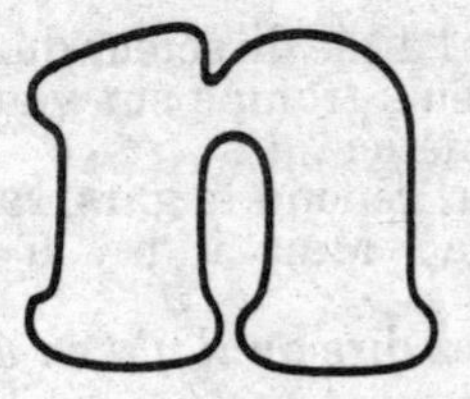

nain

1701 □

C'est un nain. Un nain tellement petit que pour cracher par terre, il doit se mettre sur la pointe des pieds... Le voilà qui revient d'une soirée de gala et il raconte à sa femme :

— C'était très huppé. Il y avait les plus beaux genoux de Paris.

1702 □

Un pauvre petit nabot, presque un nain, se présente dans une grande entreprise de coupe de bois et il dit :

— Je suis scieur ! Vous avez du travail ?

On regarde le gars d'un œil méprisant et on lui répond :

— Bien sûr qu'il y a du travail. Mais pas pour vous ! Avec vos petits bras minuscules, vous allez mettre une semaine pour abattre un arbre !

— Qu'est-ce que vous en savez ? dit le gars. Prenez-moi toujours à l'essai...

Alors on l'amène dans la forêt, on lui donne une hache et avant que les autres aient eu le temps de dire ouf, il a abattu quinze chênes...

— Incroyable ! dit le directeur du chantier. Je peux dire que je me suis trompé sur vous ! Mais où avez-vous appris le métier ?
— Au Sahara ! répond le gars, radieux.
— Au Sahara ? Mais il n'y a pas d'arbres au Sahara...
— Vous voulez dire qu'*il n'y en a plus*...

☐ **1703**

Dans la chambre d'une maison de rendez-vous, une putain voit arriver un nain tout guilleret.
— Je fais ça debout ! lui dit-il. Mais il faut me tenir en l'air...
Et comme elle se rend à son désir, au bout d'un moment, il crie :
— Trop haut ! Trop haut !
Et comme elle le rabaisse un peu, il glapit :
— Trop bas ! Trop bas !
Et puis tout d'un coup :
— Trop tard ! Trop tard !

☐ **1704**

Un visiteur entre dans une des roulottes du cirque et il dit :
— Je cherche le nain...
Allongé sur le lit, il y a un type qui fait presque trois mètres de long, et il répond :
— C'est moi ! Qu'est-ce que vous me voulez ?
— Comment ? fait l'autre, interloqué. C'est vous le nain ?
— Ben oui, quoi ! On ne peut pas se détendre de temps en temps ?

☐ **1705**

Un grand magicien présentait devant toutes les cours d'Europe un numéro extraordinaire : il commandait à distance une boule mystérieuse qui obéissait miraculeusement à tous ses ordres. Mais personne ne savait qu'à l'intérieur de la boule se cachait un complice, sous la forme d'un petit nain.

Or, un soir où le magicien devait montrer son spectacle à un sultan oriental, entouré de tous ses dignitaires, il apprit que son petit nain venait de se faire écraser sur la route. Il était trop tard pour annuler la soirée. Il fallait absolument trouver une solution de rechange.

Plein d'inquiétude, le magicien arpenta les rues de la ville à la recherche d'un autre nain. Il ne trouva qu'un tout petit garçon. Cependant, il réussit à lui expliquer tout ce qu'il attendait de lui :

— Ce ne sera pas difficile, lui dit-il. Quand j'aurai prouvé à l'assistance que la boule est vide, tu n'auras qu'à profiter de mes discours qui détourneront l'attention, pour entrer furtivement dans la boule par-derrière. Ensuite tu n'auras plus qu'à obéir aux ordres que je te lancerai...

Et le magicien glissa dans la main du petit garçon un sac de monnaie.

Quelques heures plus tard, dans la salle des fêtes du palais, le magicien devait obtenir le plus grand triomphe de sa carrière. Jamais la boule n'avait fonctionné de manière aussi stupéfiante.

Le malheur voulut que cet homme soit grisé par sa réussite. Pendant la nuit, il but beaucoup et, poussé par l'orgueil, se laissa aller à un véritable scandale, déclarant à qui voulait l'entendre qu'il avait mystifié tout le monde.

Outré qu'on se soit moqué de lui, le sultan ordonna aussitôt qu'on coupe la tête au magicien. Celui-ci fut traîné sur le lieu de son supplice, dès le matin, au milieu d'un grand concours de population : les mêmes gens qui l'avaient applaudi la veille se bousculaient pour l'insulter.

Et comme le bourreau venait de soulever son sabre, le magicien, qui avait posé sa tête sur le billot, entendit devant lui une voix pleine de regrets.

C'était le petit garçon qui lui parlait du premier rang de la foule :

— Excusez-moi pour hier, m'sieur. C'est ma maman qu'a pas voulu que je vienne...

☐ **1706**

Un nain rencontre un autre nain :

— Ça alors ! Toi ici ? J'aurais jamais cru qu'on finisse par se revoir...

— Eh oui ! dit l'autre. Le monde est petit.

☐ **1707**

Ce sont deux vieux amis, un nain et un géant. Ils ont travaillé toute leur vie dans le même cirque et maintenant ils sont à la retraite. Et ils se retrouvent tous les soirs pour faire une petite belote. Mais un soir, le géant s'amène chez le nain et la concierge lui dit :

— Votre copain, il est mort.

— Il est mort ?

— Tout ce qu'il y a de plus mort. Je l'ai laissé sur son lit et j'ai téléphoné aux croque-morts qui ne vont pas tarder. Si vous voulez le voir, vous pouvez monter. Mais je vous en supplie, fermez la porte en repartant, ça fait six fois que le chat me le redescend...

naufrage

☐ **1708**

Un bateau fait naufrage. Lentement, mais sûrement. Le capitaine a réuni tous les matelots autour de lui et il leur dit :

— Mes enfants, nous sommes perdus. La radio et le radar sont en panne. Il n'y a plus rien à faire. Si vous croyez en Dieu, prions le Seigneur de nous recevoir avec indulgence dans l'autre monde !

Bouleversé, tout l'équipage se jette à genoux, sauf un marin qui reste de glace.

— Et alors, lui lance le capitaine, tu ne pourrais pas faire comme nous ?

— Non, dit l'autre, moi, je suis juif !

— Ce n'est pas une raison, fait le capitaine. Au point où on en est, il n'y a plus de religion qui compte ! Tu devrais au moins avoir un geste catholique, mon pauvre Isaac !

Aussitôt Isaac enlève son béret et il fait la quête...

1709 ☐

Quatre naufragés, dont un prêtre, dérivent sur un radeau. Plus rien à manger depuis trois jours. Soudain un homme se lève et déclare :

— Il faut en finir. Il faut tuer l'un de nous et les autres pourront le manger. Je suis chrétien. Je veux bien m'offrir en sacrifice pour vous sauver.

— Vous n'avez pas le droit, dit le prêtre. Dieu interdit le suicide. Et Dieu interdit aussi le cannibalisme.

Mais déjà l'autre a sorti un revolver et l'appuie sur sa tempe. Alors le curé hurle :

— Pas dans la cervelle, malheureux ! C'est ce que je préfère...

1710 ☐

A bord d'un paquebot de grand luxe, une passagère de première classe a fait venir le plombier de service, parce que sa baignoire a une fuite.

Alors le gars examine les tuyaux et les robinets. Puis au bout d'un moment, il déclare :

— Ça vient pas de la baignoire ! C'est le bateau qui coule...

1711 ☐

— Alors, tu as fini par divorcer ?

— Oui ! Elle était trop puérile... A chaque fois que je prenais un bain, elle arrivait par-derrière et elle me coulait tous mes bateaux !

☐ 1712

Sur un radeau en perdition, deux naufragés se désespèrent. L'un d'eux s'est agenouillé et il implore le ciel :

— Seigneur, j'ai été un affreux mécréant. Si vous me sauvez, je promets de consacrer le reste de mon existence à me racheter. Je mènerai une vie de pénitence. Je me retirerai dans un cloître. Je...

A ce moment, l'autre lui frappe sur l'épaule :

— Arrête ! Je vois un bateau qui arrive...

☐ 1713

Trois naufragés anglais dérivent sur un radeau. Le premier dit :

— Si on jouait au golf miniature ? Il suffit d'avoir une canne, une balle et un trou. Moi, je fournis la canne !

— Et moi, dit le second, je peux fournir la balle.

— C'est possible, dit le troisième, mais moi, je ne joue pas...

☐ 1714

Le bateau a fait naufrage. Seul un quartier-maître et six passagères ont échappé à la catastrophe. Ils ont abordé dans une île déserte. Et la situation devient tellement spéciale, qu'au bout de quinze jours, le marin réunit les femmes et leur dit :

— Décidément, ça ne peut pas continuer comme ça. Moi, je veux bien vous satisfaire, mais à condition qu'il n'y en ait qu'une par jour. Au moins, comme vous êtes six, j'aurai un jour de repos.

Après bien des discussions, finalement, tout le monde réussit à se mettre d'accord sur les bases proposées. Quelques mois se passent et un beau jour, un radeau apparaît à l'horizon, et sur le radeau, la silhouette d'un homme qui fait de grands gestes. Toutes les filles se précipitent sur la plage et le quartier-maître pousse un soupir de soulagement :

— Ouf! se dit-il. Enfin quelqu'un qui va me relayer!

Mais voilà que le nouveau venu, à peine débarqué, se jette sur lui en poussant des petits cris excités :

— Oh! Le beau mâle! Le beau mâle! Qu'il est beau!

Et l'autre laisse tomber ses bras en gémissant :

— Ça y est! Mon dimanche est foutu.

1715 ☐

La mer est houleuse. Le capitaine d'un paquebot aperçoit un petit radeau au loin. Il regarde dans sa longue-vue et il voit flotter un drapeau britannique sous lequel il y a un quidam flegmatique.

Il ordonne qu'on fasse route vers l'épave. Et quand son bateau est arrivé à portée de voix, il crie dans son mégaphone :

— Ohé, du radeau! Vous êtes naufragé?

— Oui, répond placidement l'Anglais. Pourquoi?

1716 ☐

Un prestidigitateur donne une séance de magie à bord d'un paquebot qui fait route vers l'Amérique. Il fait apparaître et disparaître toute une kyrielle d'animaux. A la fin, il prend un perroquet sur son bras et il lance au public :

— Et maintenant, ce petit animal va s'évanouir dans l'air sous vos yeux, sans que vous puissiez soupçonner où il est passé!

Et juste à ce moment-là, le paquebot heurte une vieille mine flottante et il coule en moins d'une minute...

Quelques instants plus tard, on peut voir le prestidigitateur s'aidant d'une bouée pour surnager. A côté de lui, le perroquet, accroché à un débris de bois, lui crie d'une voix rauque :
— C'est malin, ça ! Où est-ce que t'as mis le bateau ?

nègre

☐ 1717

Il pleut des cordes. Un nègre ruisselant entre dans un bistrot et il dit :
— Garçon ! Un blanc sec !

☐ 1718 1718 ☐

Ça se passe dans le sud des États-Unis au temps du Ku-Klux-Klan. Un gars sonne à la porte. Une femme lui ouvre. C'est une négresse. Il la regarde dans le blanc des yeux et il lui dit :
— Vous êtes bien madame veuve Armstrong ?
— Madame Armstrong, dit la femme. Mais pas veuve.
— Tiens, fait le gars, vous n'êtes pas au courant ? Écoutez, vous allez rire : on a lynché le type qu'il fallait pas !

☐ 1719

— Chérie, ça fait cinq ans que nous sommes mariés et il y a quelque chose que je ne savais pas. C'est l'oculiste qui me l'a dit aujourd'hui. Figure-toi que je suis daltonien !
— Chéri, il y a cinq ans que nous sommes mariés, mais il y a autre chose que tu ne savais pas : je suis une négresse !

1720 □

Un homme noir se présente aux portes du paradis. Il dit à saint Pierre :

— J'ai mérité le ciel. Je m'appelle John Smith. J'habite dans l'État d'Alabama et j'ai fait une chose qui demande beaucoup de courage. J'aimais une femme blanche. Elle m'aimait. Je l'ai épousée.

Saint Pierre siffle d'admiration :

— Vous avez fait ça dans l'Alabama ?

— Oui.

— Et il y a combien de temps ?

L'homme noir regarde sa montre et il dit :

— Maintenant, ça fait dix minutes...

1721 □

Un voyageur de commerce américain arrive à la nuit tombée dans une petite ville de l'Alabama. Tous les hôtels sont pleins. Il n'y en a plus qu'un où il reste des chambres, mais c'est un hôtel réservé aux Noirs.

— Je ne peux tout de même pas coucher dehors, se dit le gars.

Et il se barbouille la figure avec de la suie. Devenu plus noir qu'un vrai Noir, il réussit enfin à louer un lit et il dit au garçon d'étage :

— N'oubliez pas de me réveiller à six heures pétantes. J'ai un train à prendre.

Le lendemain, réveil en sursaut à la dernière minute. Le gars tombe dans son pantalon sans avoir le temps de faire sa toilette, il se précipite à la gare et il attrape son train au vol. Mais à peine est-il assis dans un compartiment qu'intervient un contrôleur :

— Vous allez descendre en vitesse ! Ce train est réservé aux Blancs !

— Oh ! dit le gars, attendez une minute. Vous allez avoir une surprise ! Vous allez voir que je suis aussi blanc que vous !

Il sort un mouchoir de sa poche et il se frotte énergiquement le visage. Mais il a beau faire, il est toujours noir. Il s'énerve. Il s'arrache la peau. Rien à faire ! Il est bel et bien noir ! Et pour cause... Le garçon d'étage s'est trompé de chambre...

□ **1722**

Dans une synagogue de New York, un Noir est abîmé en prière. Derrière lui, une voix lui lance :
— Alors, ça te suffisait pas d'être nègre ?

□ **1723**

A l'école communale, Toto s'approche d'un nouvel élève et il lui dit :
— Mais tu es un nègre !
Et l'autre répond humblement :
— Non. C'est un gros grain de beauté...

□ **1724**

— Tu sais, dit une dame à son mari, je crois qu'il vaudrait mieux renvoyer le chauffeur sénégalais que tu as engagé la semaine dernière.
— Ah ! Pourquoi ? Il fait mal son service ?
— Ce n'est pas ça. Mais il a un petit quelque chose qui me gêne.
— Allons chérie, réplique le mari, ne sois pas stupidement raciste.
Et il part au bureau. Et le soir en rentrant, il trouve le chauffeur sénégalais couché sur sa femme, en plein milieu du salon.
— Tu vois, dit-elle, tu ne diras pas que je ne t'avais pas prévenu. Mais avec toi, c'est toujours comme ça. Tu veux la preuve, noir sur blanc...

□ **1725**

Dans une petite ville des États-Unis, une doctoresse fait partie du conseil de révision. Quelqu'un de charitable lui dit :

— Ça doit être choquant, tous ces hommes nus ! C'est terrible pour vous, non ? Et encore, les Blancs, ça passe, mais il y a les Noirs aussi ! Ça doit faire carrément obscène ?

— Non, dit la doctoresse froidement. Le noir, ça fait plutôt habillé...

1726 □

Un riche industriel surmené a été mis au repos complet par son médecin. Il part s'installer pour un mois dans un petit hôtel d'Auvergne, avec l'ordre d'éviter tout effort inutile. Mais au bout de quelques jours, il commence à lorgner la femme de chambre martiniquaise, qui n'a pas perdu une occasion de lui faire de l'œil, elle aussi.

Et l'inévitable se produit... La belle négresse se retrouve dans son lit et ils passent tous deux une nuit d'amour délirante. Il n'y a qu'une toute petite chose qui surprend notre homme. C'est que la fille insiste pour qu'il la serre très fort...

— Je t'en prie, mon chéri, serre-moi la taille bien fort !

Lui, il est bon prince ! Il fait ce qu'elle lui dit. Et il s'aperçoit d'ailleurs que la recette est épatante. L'idylle dure pendant tout son séjour, mais tout a une fin, et le gars est bien obligé de rentrer à Paris.

Et voilà que le soir de son retour, emporté par l'habitude, il se précipite sur sa femme, il la jette au lit et il lui serre la taille convulsivement... Alors elle se renfrogne et elle lui lance :

— Qu'est-ce qui te prend ? Tu fais ça comme les nègres maintenant ?

1727 □

Dans une maternité, une négresse vient d'accoucher d'un bébé tout blanc. Le père, un pur Sénégalais,

arrive à la hâte, il regarde le berceau et il laisse tomber piteusement :
— Moi, avoir fait chou blanc...

☐ 1728

Un riche Nigérien revient d'un voyage aux États-Unis. Et son entourage l'assaille de questions :
— Alors, New York, comment c'était ?
— Ah ! New York ! Ce qui m'a frappé à New York, c'est les gratte-ciel !
— Et les chutes du Niagara ?
— Alors là, aux chutes du Niagara, j'ai surtout été frappé par le vacarme assourdissant...
— Et l'Alabama ?
— Eh bien, l'Alabama, c'est l'endroit où j'ai été le plus frappé...

☐ 1729

Sur la plage, une baigneuse observe un jeune nègre en maillot de bain noir, qui porte un collier de perles autour du cou. Très étonnée, elle s'approche de lui et elle lui demande :
— Vous ne trouvez pas que ça fait un peu féminin ?
— Pas du tout, réplique-t-il. Et d'abord, avec le noir, qu'est-ce que vous voulez que je mette d'autre ?

☐ 1730

Dans un avion d'une compagnie africaine, entre Dakar et Paris, il y a un steward du plus beau noir qui passe parmi les voyageurs, avec un plateau de gâteaux à la main, en disant :
— Qui veut de la pâtisserie ?
Et un gars lui répond :
— Moi, je voudrais cet éclair au chocolat qui est au bord...

— Ah ! C'est pas possible, monsieur, dit le steward. Cet éclair au chocolat, c'est mon pouce...

1731 □

Le président Bongo est reçu à la Maison Blanche. Et tout faraud, il déclare à Reagan :

— Vous, les Américains, vous êtes allés sur la lune. Eh bien nous, les Gabonais, on a fabriqué une fusée pour aller sur le soleil !

— Sur le soleil ? dit Reagan. Et vous n'avez pas peur de vous brûler ?

— Ça, c'est bien de vous, dit Bongo, vous prenez toujours les Noirs pour des cons. Mais on y a pensé... On ira la nuit !

1732 □

La scène se passe dans le quartier noir de La Nouvelle-Orléans. Au milieu du trottoir, un nègre vient de tomber à terre, en proie à une abominable crise d'épilepsie.

Tout autour de lui, la foule s'est rassemblée et chacun scande les spasmes du pauvre homme, en faisant claquer ses doigts...

1733 □

Une pure jeune fille vient trouver sa mère et lui annonce qu'elle est demandée en mariage par un roi nègre, le grand Ouagadoudou.

— Écoute, lui dit sa mère. Cette histoire ne tient pas debout. Tu ne peux pas épouser un nègre ! Demande-lui une chose impossible, une rivière de diamants par exemple, et il sera obligé de renoncer !

Mais le lendemain, la fille revient avec une somptueuse rivière de diamants autour du cou :

— Tu vois, maman, il me l'a donnée tout de suite. Il a dit : « Quand Ouagadoudou aime, Ouagadoudou fait ce qu'il faut ! »

— Bon ! dit la mère. Eh bien, puisque c'est comme ça, demande-lui de t'acheter un yacht de quarante mètres !

Et le lendemain, la fille revient en disant :

— Ça y est ! Il m'a acheté un yacht de quarante mètres qui m'attend dans le port de Saint-Tropez. Il a seulement dit : « Quand Ouagadoudou aime, Ouagadoudou achète ! »

— Mais il est fou à lier, s'écrie la mère. Qu'est-ce qu'on va faire ? Écoute ! Tu vas lui dire que tu es très portée sur l'amour et que tu ne peux épouser un homme que s'il a un organe d'au moins cinquante centimètres ! Tu as bien compris ? Comme ça, il ira se faire cuire un œuf !

Et le lendemain, la fille arrive, affolée :

— C'est terrible, ce qu'il a fait, maman ! Il a pris une hache et il m'a dit : « Quand Ouagadoudou aime, Ouagadoudou raccourcit ! »

---

nymphette

☐ **1734**

Deux nymphettes se font des confidences :

— Si tu savais ce qui m'est arrivé tout à l'heure ! J'ai croisé deux Noirs énormes, de vrais athlètes. Ils se sont mis à me regarder d'une manière tout à fait indécente. J'ai cru qu'ils allaient tout de suite me renverser par terre. Alors j'ai pris mes jambes à mon cou et j'ai couru aussi vite que j'ai pu...

— Et tu es arrivée à les rattraper ?

☐ **1735**

Pendant la récollection des jeunes filles, le curé leur déclare :

— Quand vous sentez venir la tentation, dites-vous

bien qu'une heure de plaisir ne vaut pas une vie de remords...

On entend fuser une question dans les rangs :

— Et comment peut-on faire pour que ça dure une heure ?

1736 ☐

— Docteur, dit la jeune fille, vous devez sûrement savoir comment on peut s'arranger pour ne pas être enceinte ?

— Mais certainement, prenez donc une rasade d'alcool.

— Avant ou après ?

— Ni avant, ni après : *à la place.*

1737 ☐

Une jolie minette est complètement intoxiquée de radio. Elle a pris l'habitude de trimbaler son transistor de poche partout où elle va. Et elle écoute les émissions d'un bout de la journée à l'autre. Un beau soir, elle se laisse draguer par un célèbre présentateur de France-Inter qui l'entraîne chez lui. C'est un gars qui ne perd pas son temps. Cinq minutes plus tard, il renverse la nana sur son divan. Et puis il ouvre sa braguette toute grande et il lui lance :

— Celui-là, il va te jouer un morceau que tu connais pas !

— Au poil ! dit la fille... Et je voudrais profiter de l'occasion pour dire un grand bonjour à Brigitte, à Olivier, à Jean-Louis et à toute la bande des Batignolles !

1738 ☐

A Saint-Tropez, deux filles se baladent sur le port. Et la première dit à l'autre :

— Je ne suis pas curieuse, mais j'aimerais quand même savoir avec qui j'ai couché tout à l'heure...

☐ **1739**

Une fille en minijupe dit à une de ses copines :

— Le danger, tu comprends, avec ces gars qui te font des avances, c'est qu'après, tu peux avoir un retard !

☐ **1740**

Une jeune fille, très dans le vent, vient confier son embarras à une de ses amies :

— C'est terrible ! Les minijupes raccourcissent encore. Si ça continue, il va falloir que je me fasse refaire les jambes... Sinon, elles monteront trop haut !

☐ **1741**

Deux vieux satyres observent une petite fille de huit ans qui fait des pâtés de sable dans un square. Et le premier dit à l'autre :

— Elle a dû être drôlement bien quand elle était jeune !

☐ **1742**

La petite Brigitte vit avec son temps. Elle porte des minijupes et elle va danser tous les soirs. Une fois pourtant, sa mère, un peu inquiète, décide de vérifier certaines choses. Elle s'approche de sa fille qui s'apprête à sortir et elle la tâte un peu :

— Mais enfin, Brigitte, s'écrie-t-elle, tu es folle ! Tu n'as pas de soutien-gorge ! Mon Dieu, mais tu n'as pas de slip non plus ! Voyons, explique-toi !

— Écoute, dit Brigitte, tu ne vas pas en faire toute une histoire ! Quand tu vas au concert, tu n'emportes tout de même pas tes boules Quiès...

☐ **1743**

C'est une fille jolie comme un cœur. Il l'a emmenée dans sa chambre. Elle a commencé à se déshabiller.

Et tout d'un coup, il a un petit soupçon, il lui demande :
— Mais quel âge as-tu ?
— Treize ans, fait-elle candidement.
— Treize ans ! hurle-t-il. T'es pas folle de faire ça à treize ans ? Tu vas me faire le plaisir de te rhabiller et de déguerpir en vitesse !
— Oh ! là, là, dit-elle, si tu es superstitieux, alors, n'en parlons plus...

1744 ☐

Un producteur, qui collectionne les nymphettes, confie à un ami :
— Vivement que la mode change ! Moi, les mini-jupes, j'en ai par-dessus la tête !

1745 ☐

Le petit chaperon rouge arrive chez sa grand-mère dans la forêt et il trouve le loup couché dans le lit. Et le loup lui dit :
— Je suis le loup. J'ai des grandes griffes, j'ai un gros museau, j'ai d'énormes oreilles, j'ai de longues pattes, j'ai de gros yeux, j'ai des épaules très fortes, j'ai des cuisses poilues, j'ai une grosse...
Mais le petit chaperon rouge l'interrompt :
— Vite ! Fais voir...

1746 ☐

Une nymphette, qui a eu bien des malheurs avec les garçons, vient chercher un peu de tendresse auprès d'une amie de son âge :
— Dis-moi, tu ne trouves pas qu'on serait drôlement heureuses si on vivait tous les trois ensemble : toi, moi et ton godemiché ?

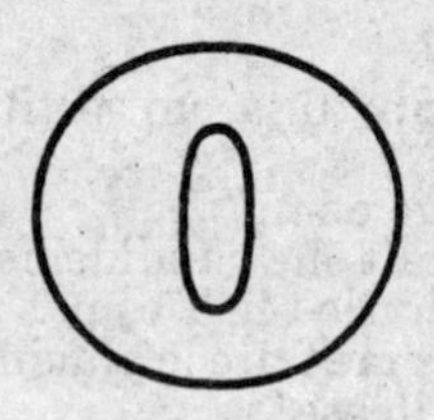

obèse

☐ **1747**

C'est un grand orchestre qui joue la *Symphonie Inachevée* de Schubert. Ils sont tous occupés à répéter, et le chef d'orchestre est dans une colère noire. Il est en train de s'engueuler avec le contrebassiste, un gros bonhomme qui fait dans les cent vingt kilos. Il lui hurle aux oreilles :

— Pourquoi est-ce que vous continuez à jouer quand c'est fini ? Z'êtes pas un peu dingue, non ? Quand c'est fini, c'est fini ! Vous n'entendez pas que tous les autres musiciens s'arrêtent ?

Et le gars, il se bute :

— Les autres, je m'en moque ! Moi, je joue ce qui est marqué sur ma partition !

— Quoi ? Qu'est-ce qui est marqué sur votre partition ?

— Il y a marqué : *allegro* !

☐ **1748**

— Docteur, dit une dame, je ne sais pas pourquoi, mais en l'espace de six mois, j'ai grossi de soixante kilos !

— Bien, madame, je vais voir ça. Ouvrez la bouche et faites *meuh*...

1749 □

Un motocycliste vient de rentrer dans une énorme bonne femme. Elle est étendue sur le pavé, à moitié défoncée, avec les bras qui se mélangent dans les jambes. Elle secoue la tête, elle reprend un peu ses esprits et elle dit :

— Bon Dieu ! Vous n'auriez pas pu faire le tour, non ?

Et il répond, penaud :

— J'étais pas sûr d'avoir assez d'essence...

1750 □

On a signalé un satyre aux alentours de l'école et le commissaire de police a placé un agent devant la grille pour surveiller la sortie des petites filles. Le flic est là, sur le trottoir, et de l'autre côté de la rue, il voit un gros bonhomme avec un ventre énorme. Comme il lui trouve la mine patibulaire, il traverse et il l'accoste :

— Vous attendez peut-être un enfant ?

— Non, dit l'autre, c'est parce que depuis toujours, je mange trop de nouilles...

1751 □

C'est une très grosse dame, toute nue sur un lit, et un tout petit monsieur, à côté, qui doit être son mari. Et elle lui crie comme à un chien :

— Déshabille-toi !

Alors il se déshabille tristement. Et elle lui dit :

— Viens ici immédiatement !

Alors, il s'approche, très malheureux. Et elle hurle :

— Monte sur moi tout de suite !

Alors il grimpe, il s'installe gauchement sur l'énorme masse. Et soudain il éclate en sanglots et il hoquette :

— Je voudrais descendre...

□ **1752**

Une bonne femme est tellement grosse, que partout où on regarde, elle est toujours là ! Elle est tellement grosse, que pour se curer les dents, elle prend des œufs durs... Un beau jour, elle rencontre une de ses amies et lui dit avec une satisfaction manifeste :

— Ça y est ! J'ai trouvé du travail. Je suis mannequin !

— Hein ? Mannequin ? Où ça ?

— Chez Olida...

occupation

□ **1753**

Pendant l'occupation allemande, un gars en complet-veston s'approche d'une sentinelle allemande qui garde l'entrée de la Kommandantur. C'est un petit vieux bien propre, avec son petit chapeau, son parapluie et son petit paquet sous le bras. Et il dit à la sentinelle :

— Je veux voir le général.

— Vous, *ausweiss* ? demande la sentinelle.

— Non, je n'ai pas de laissez-passer, dit le petit vieux, mais je veux voir le général, je veux voir le chef de la Kommandantur...

— Pas d'*ausweiss*, fait la sentinelle, impossible... *Heraus* !

— Mais c'est très important ! Je veux voir le...

— Circulez ! hurle la sentinelle. Vite ! Ouste !

— Merde alors, fait le petit vieux. Mais putain, où est-ce que je vais la mettre, ma bombe ?

□ **1754**

Deux fourmis se promènent dans le jardin du Luxembourg pendant l'occupation allemande. Elles sont très inquiètes.

— Où allons-nous ? Vous savez que non seulement ils arrêtent les Juifs, mais aussi les escargots ?
— Mais ce n'est pas tellement grave ! Nous ne sommes pas des escargots...
— C'est bien possible. Mais allez prouver ça à la Gestapo !

1755 □

Pendant l'occupation, un gamin s'approche d'un soldat allemand qui passe dans la rue et il lui dit :
— Qu'est-ce qui est marqué sur la boucle de ton ceinturon ?
— C'est marqué *Gott mit uns,* dit le soldat. Ça veut dire que Dieu est avec nous !
— Ah ! Ben, tu sais, fait le gamin. Nous, on s'en fout. On a les Américains et les Russes avec nous !

1756 □

Dans le train, il y a un petit vieillard juif, au manteau tout élimé, qui a sorti de sa poche un paquet enveloppé de papier journal. Dans le paquet, il y a des vieilles sardines. Le bonhomme les mange tranquillement. Et quand il a fini, qu'il ne reste plus que les arêtes et les têtes, il les replace dans son papier journal et il met tout ça dans sa poche.
À ce moment, un colonel de la Wehrmacht monte dans le compartiment. Il y a un long silence et puis l'officier dit au petit vieux :
— Naturellement, tu es un sale Juif ?
— Hélas ! monsieur l'officier, dit l'autre. Est-ce que je peux faire quelque chose pour vous ?
— Oui. Tu peux me dire, par exemple, comment vous faites, vous les Juifs, pour réussir dans le commerce...
— Eh bien, monsieur l'officier, c'est parce que nous avons de *ça* dans la tête.
Et il se frappe le front avec la paume.

— Mais, dit l'officier, comment faut-il faire pour avoir de *ça* dans la tête ?

— Ah ! C'est que nous n'avons pas le droit de le dire à ceux qui ne sont pas juifs !

— Tu te fiches de moi ? Fais attention ! Tiens, je suis bon prince ! Voilà mille marks... Explique-moi.

Le vieux Juif empoche les mille marks et il sort le petit paquet de sa poche :

— Si nous avons de *ça* dans la tête, c'est parce que nous mangeons tout le temps de ça !

Il déplie son paquet et il montre les arêtes de sardines.

— Alors, donne-moi ça tout de suite, dit l'Allemand, je veux en manger aussi.

— Ah non ! monsieur l'officier, ce n'est pas de la nourriture pour ceux qui ne sont pas juifs !

— Ferme ta gueule ! Tiens, voilà encore mille marks, et donne-moi ta saloperie...

Et le colonel se met à manger les têtes et les arêtes de sardines, avec une épouvantable grimace de dégoût. Puis il s'essuie la bouche, il a l'air de réfléchir et il dit :

— Je viens de penser à une chose, espèce de sale Juif ! Non seulement tu me fais bouffer tes restes, mais en plus tu m'as vendu ces déchets de sardines pour mille marks, sans compter les mille marks que je t'avais déjà donnés. Et tu sais combien ça vaut, un kilo de sardines ? Non, mais tu te rends compte... (et il se frappe le front avec la paume), non, mais tu te rends compte du bénéfice que tu fais ?

— Ben, vous voyez, monsieur l'officier, dit le Juif, *ça* vient...

□ **1757**

Les autorités d'occupation viennent d'édicter l'ordre imposant le port de l'étoile jaune à tous les Juifs. Avant de commencer sa classe, un instituteur décide d'en parler à ses petits élèves :

— Mes enfants, il y a parmi vous de jeunes Israélites. Ils vont être obligés de porter un signe qu'on voudrait infamant. Je recommande à tous les autres de se conduire à leur égard avec le plus de gentillesse possible.

Mais à l'heure de la récréation, l'instituteur aperçoit un attroupement dans un angle de la cour. Tous les élèves se pressent autour du petit Isaac. Craignant tout de la méchanceté de cet âge sans pitié, le maître se précipite pour voir ce qui se passe.

Adossé au mur, entouré de tous ses camarades fous de curiosité, le petit Isaac soulève de temps en temps la pèlerine qui cache son étoile jaune. En même temps, il tend la main. Et il répète mécaniquement:

— Vingt ronds, et je te la montre...

1758 □

Un colonel de la Gestapo fait rassembler toute la population sur la grande place de la ville et il se met à crier dans un porte-voix:

— Demain matin, à sept heures, dans la cour du lycée, au profit des œuvres sociales des troupes d'occupation, colossale fusillade d'otages!

Et il ajoute d'un ton plaintif:

— Mais alors, s'il vous plaît, pour une fois, tout le monde à l'heure!

1759 □

Un officier allemand de l'armée d'occupation s'apprête à prendre son train à la gare de l'Est. Il pose sa valise. Il achète un journal. Il se retourne. Plus de valise! Il se met à hurler comme un veau:

— Ces Français sont ignobles! Tous des voleurs! Ça ne se passerait pas comme ça en Allemagne!

Alors un passant s'approche et lui dit:

— En Allemagne, c'est pire. Moi qui vous parle, je partais la semaine dernière de Cologne où j'ai été envoyé comme travailleur obligatoire. J'allais prendre le train de Paris. Je pose ma valise. Je vais prendre un café à la buvette. J'entends les sirènes d'alerte et le vrombissement des avions. Je me retourne. Non seulement, il n'y avait plus de valise, mais il n'y avait plus de gare!

□ **1760**

Pendant l'occupation, un officier allemand entre dans un restaurant cossu, qui n'ignore pas le marché noir et où certains clients se gobergent tout à leur aise. Le maître d'hôtel s'approche de l'arrivant et lui dit:

— Monsieur l'officier, je n'ai pas grand-chose à vous proposer. Nous subissons les restrictions.

— Mais, dit l'Allemand en désignant la table la plus proche, il me semble que vos clients ont tout ce qu'il faut...

— Ah! Ça, oui, bien sûr! Mais vous savez, ce sont des vaincus...

□ **1761**

Un Juif alsacien est en train de se faire horriblement torturer par la Gestapo, quand soudain le téléphone sonne... Un officier allemand décroche, écoute un moment, se retourne et demande:

— Quelqu'un parle français ici?

— Moi, dit le Juif d'une voix plaintive.

On le sort de la baignoire, on l'essuie un peu, on lui met de force l'écouteur dans les mains et on lui dit:

— Répondez! Vous traduirez après!

Alors le gars s'ébroue, il se redresse de toute sa taille et il dit dans le téléphone:

— Allô! J'écoute! Ici, la Gestapo...

□ **1762**

Un colonel S.S. demande à un feldwebel:

— Est-ce que vous savez la différence qu'il y a entre un wagon de billes et un wagon de Juifs?

— Euh... non!
— Eh bien, essayez de décharger un wagon de billes avec des fourches!

offres d'emploi

1763 ☐

« Société de la Maille cherche petites mains visiteuses jeune garçon, sans spécialité. » *(Le Républicain Lorrain)*

1764 ☐

« Cherche dame végétarienne pour garder bébé. » *(Dernières Nouvelles d'Alsace)*

1765 ☐

« Maison circoncision à Orthez recherche affûteur qualifié. » *(Éclair-Pyrénées)*

1766 ☐

« Demoiselle sérieuse demande place pour garder vaches ou vieillards. » *(Le Résistant de Libourne)*

1767 ☐

« Cherchons représentant pour ceinture d'amaigrissement, trois vitesses, toute neuve, coût original. » *(Le Chasseur Français)*

1768 ☐

« Besoin jeune homme, s'intéressant à la météo, avec parapluie. » *(Nord-Matin)*

☐ **1769**

«Maison de repos à remettre en pleine activité. Écrire d'urgence.» *(Le Soir de Bruxelles)*

☐ **1770**

«Importance société parisienne recherche retraités pour situation d'avenir.» *(Résistance de Nantes)*

☐ **1771**

«Recherchons secrétaire sténo-dactylo expérimentée, possédant si possible une langue.» *(Usine Nouvelle)*

☐ **1772**

«Bonne à tout faire cherche place dans famille connaissant la cuisine.» *(Nice-Matin)*

☐ **1773**

«Pour biscuiterie, on demande dame sachant casser des œufs adroitement. Sauterelle exclue.» *(Paris-Normandie)*

☐ **1774**

«Demande homme de peine usine dynamite pour déplacements rapides.» *(Dépêche du Midi)*

☐ **1775**

«Demandons jeune fille pour faire porcherie. Vie de famille assurée.» *(Le Bien Public)*

☐ **1776**

«Foie gras cherche cuisinier connaissant conserves.» *(Dernières Nouvelles de Strasbourg)*

1777 □

« Homme seul demande place vache. » *(L'Agriculture Sarthoise)*

1778 □

« Jeune dame cherche travail à domicile, enfilage ou autre. » *(Ouest-France)*

1779 □

« Ne concevant pas vivre sans travailler, accepterait n'importe quel emploi, même non rétribué. » *(Résistance de l'Ouest)*

1780 □

« Prendrais bébés ayant notions puériculture. » *(L'Écho du Maroc)*

oiseau

1781 □

Un artiste se présente chez un directeur de cirque. Il dit :

— Je suis imitateur d'oiseaux. Vous ne voulez pas voir mon numéro ?

— Non, dit le directeur. Des imitateurs, j'en ai à la pelle. Vous pouvez disposer.

Alors le gars hoche la tête tristement et... il s'envole par la fenêtre.

1782 □

Une grand-mère raconte à ses petits enfants :

— Il était une fois un petit oiseau qui picorait du crottin de cheval. Et il était tellement content qu'il

s'était mis à chanter. Alors un vautour l'entendit, se précipita sur lui et n'en fit qu'une bouchée...
— Et après, grand-mère ?
— Après, rien !
— C'est tout ?
— Non. C'est pas tout. Il y a une moralité : quand on veut absolument bouffer de la merde, c'est pas la peine d'aller le crier sur les toits...

□ **1783**

Un pigeon de Londres dit à sa pigeonne :
— J'ai rencontré un charmant pigeon à Hyde-Park et je l'ai invité à dîner ce soir.
— Tu sais très bien, lui répond la pigeonne, qu'on ne peut pas compter sur les pigeons de Hyde-Park. Ils promettent n'importe quoi et ils oublient toujours. Je suis sûre qu'il ne viendra pas.
Effectivement, à neuf heures du soir, personne n'a sonné à la porte, et à dix heures, non plus. Exaspérés, le pigeon et la pigeonne se mettent à table, quand soudain quelqu'un frappe au-dehors. C'est le pigeon de Hyde-Park et il se répand en excuses :
— Je suis confus de vous avoir fait attendre. Mais que voulez-vous, il faisait tellement beau que j'ai décidé de venir à pied...

□ **1784**

— Allez, dit le hibou à la chouette, je vous embarque. On va faire la tournée des grands-ducs !

□ **1785**

Un client, fort mécontent, appelle le garçon :
— Dites donc, mon vieux, votre pigeon est absolument immangeable. Je n'arrive même pas à le découper !
— Oh ! Monsieur, dit le garçon, vous m'étonnez beaucoup ! C'est un pigeon qui vient de notre chasse

de Sologne. Je peux vous certifier qu'il était encore vivant avant-hier...

Alors le client reprend son couteau et il repart à l'attaque. Tout d'un coup sa fourchette glisse sur quelque chose de brillant et il retire de son assiette un petit tube de métal. Il l'ouvre, il en sort un papier qu'il déroule et il lit :

« Message à Gallieni : nous attaquons demain au lever du jour. Signé : Joffre. »

1786 □

On est en plein mois de mai. Le ciel est pur et le soleil radieux. Dans les arbres, tous les oiseaux chantent :

— Cui... Cui... Cui...

Alors passe un corbeau qui fait :

— *Côa ?*

1787 □

— Vous ne savez pas ce qui est arrivé à mon canari ? C'est horrible ! Il a avalé toute l'essence de mon briquet...

— Et alors ?

— Et alors, il s'est mis à voler en rond dans sa cage, comme une mécanique, pendant une heure. Et puis, à la fin, il est tombé comme une pierre !

— Un arrêt du cœur ?

— Non ! Il n'avait plus d'essence...

1788 □

Dans une école communale suisse, on a demandé aux élèves d'expliquer la différence qu'il y a entre une pie et un corbeau. Le petit Ouin-Ouin a rédigé la copie suivante :

« La différence entre une pie et un corbeau, c'est qu'ils ont pas les pattes de la même longueur, surtout celle de gauche et surtout le corbeau... »

☐ **1789**

La comtesse s'est aperçue que son mari est rentré très tard dans la nuit et qu'il n'avait plus tous ses sens. Le lendemain matin, elle lui demande :

— Hector, qu'avez-vous fabriqué cette nuit ? Il y a du désordre dans la maison et je ne trouve plus le canari...

— Mais je n'ai rien fait, mon amie, rien du tout. J'avais seulement un peu soif et je me suis pressé un citron...

☐ **1790**

Le moineau des villes rencontre le moineau des champs.

— Eh bien ! dit le moineau des champs, comment ça marche à Paris ? Il paraît qu'on mène la grande vie, là-bas ?

— Oh ! tu sais, fait l'autre, faut rien exagérer. Vous, vous avez la campagne, les champs de blé, les cerisiers. Vous avez à bouffer partout. Même les chevaux vous donnent à manger avec ce qu'ils laissent sur les chemins. Tandis que nous, si on veut vivre, faut se lever de bonne heure !

— Comment ? dit le moineau des champs. Mais je me suis laissé dire qu'il y avait une circulation folle à Paris ! Des cinq chevaux, des sept chevaux et même des vingt chevaux...

— Oui, dit le moineau des villes, mais ces chevaux-là, ça pète seulement. Et on ne vit pas que de promesses...

☐ **1791**

Dans un platane, deux moineaux sont en train de se caresser tant qu'ils peuvent. Tout d'un coup le mâle dit à la femelle :

— Bon ! Allez, maintenant ça suffit ! Fous-toi à plume...

ordinateur

1792 □

Un candidat à la présidence de la République s'adresse à un institut de sondages pour connaître à l'avance le résultat des élections. On met en marche un ordinateur perfectionné auquel on a fourni une masse énorme de renseignements. La machine digère lentement tous ces documents et au bout d'un quart d'heure, son verdict tombe :

— Vous allez être élu avec 50,03 % des voix, mais bordel de Dieu, arrêtez de vous faire chier avec le peuple, je peux faire ça tout seul !

1793 □

L'ordinateur le plus perfectionné du monde vient de se détraquer soudain, sans qu'on sache comment ni pourquoi. Et on a beau appeler en consultation les meilleurs spécialistes, rien n'y fait, c'est la panne définitive !

Mais il se trouve que dans le bruissement affairé des techniciens qui se pressent autour de l'énorme machine, personne ne s'est aperçu que le cerveau électronique avait lancé un dernier message, avant de se taire pour toujours : c'est un papier qu'une femme de ménage finit par trouver en balayant autour de l'ordinateur. Elle le ramasse et elle lit :

Ici H.B.L. 231 ! Qu'est-ce qui va remplacer l'automation ? Qu'est-ce qui va remplacer l'automation ? Si personne ne me sort de cette angoisse, je préfère disparaître que me retrouver au chômage !

1794 □

On a mis trente ans à construire le plus grand ordinateur du monde. C'est une machine à laquelle on a infusé toutes les connaissances scientifiques et qui peut répondre à tous les problèmes restés insolubles. Et le jour de son inauguration, une centaine d'ingénieurs sont rassemblés autour de ce cerveau phénoménal. Ils ont décidé de lui poser la question des questions : *Est-ce que Dieu existe ?*

Et au bout d'une minute, l'ordinateur rend sa réponse :

— *Maintenant, oui... Dieu, c'est moi !*

ours

☐ **1795**

Au zoo de Vincennes, une mère dit à son fils :

— André, ne t'approche pas de l'ours polaire. Tu sais bien que tu attrapes des rhumes tout le temps !

☐ **1796**

Un cow-boy de l'Arkansas arrive dans un village de l'Alaska. Il entre dans un bistrot et il clame :

— Salut, les gars ! Je viens travailler dans votre pays.

Le barman le toise d'un air mauvais et lui dit :

— Pas si vite, étranger ! Pour être des nôtres, pour être vraiment de l'Alaska, il faut passer des épreuves...

— Ah, oui ? Et lesquelles ?

— Il y a trois épreuves. Il faut siffler une bonbonne de whisky, cul sec. Il faut danser une valse avec un Esquimau. Et il faut ramener la peau d'un ours blanc...

— C'est rien, dit le cow-boy. Le whisky d'abord...

Il prend une bonbonne de whisky et il se l'ingurgite d'un seul trait.

— Et maintenant, aux deux autres, dit-il.

Et il sort en titubant.

Vers minuit, les clients du bistrot le voient revenir, exsangue, plein de poils et de sang, les vêtements en lambeaux, avec des traces de morsures partout.

— Voilà, bégaie-t-il. Hic! Et de deux... J'ai fait la valse avec le gros machin... Il reste plus que cet Esquimau que je dois dépecer. Hic! Où est-ce que je peux en trouver un?

1797 ☐

Un ours blanc s'est échappé d'un cirque. Après trois heures de recherches, le dompteur finit par retrouver sa trace. On lui montre une petite maison et on lui dit:

— Votre ours, il est entré là.

Le dompteur pousse la porte et il entend une voix de jeune fille qui susurre:

— Allez! Maintenant que j'ai fait tout ce que tu voulais, tu peux bien enlever ta fourrure...

1798 ☐

Un montreur d'ours arrive dans une petite auberge et il dit:

— Je voudrais deux chambres!

— Pas question, dit l'aubergiste. Pas de chambre pour votre bestiole. Il me foutrait des puces partout. A la rigueur, vous pouvez coucher tous les deux dans la grange. Il y a beaucoup de paille. Et à minuit, quand ma serveuse a fini son service, c'est là aussi qu'elle couche. Ça vous dit quelque chose?

— Ben, s'il y a la serveuse, dit le gars, c'est d'accord!

Il prend un sandwich, il donne un morceau de jambon à son ours et puis ils vont tous les deux dans la grange. Le gars, il attend la serveuse, il attend une heure, il attend deux heures, et comme il tombe de sommeil, il finit par s'endormir. Le lendemain, il va prendre son petit déjeuner. La serveuse lui apporte un café au lait. Elle a les yeux cernés, les cheveux en bataille, le corsage déchiré, et elle lui dit :

— Vous, vous êtes un gentleman. Mais votre copain à la canadienne, lui alors, faut pas lui en promettre !

☐ **1799**

Une brave femme entre au marché Saint-Pierre et elle dit :

— Je veux du tissu rouge.

On lui montre un coupon. Non, ce n'est pas ce rouge-là. On lui en déballe un autre. Non, celui-là est trop foncé. On vide les rayons. Non, celui-ci tire trop sur le violet et celui-là est trop pelucheux. Un autre employé accourt pour relayer le premier. Au bout d'une heure et demie, ils sont cinq devant elle, et le magasin est sens dessus dessous.

Alors, elle pousse un petit cri, elle montre un morceau de toile qui dépasse sous une montagne de tissus rouges et elle lâche :

— Voilà ce qu'il me faut !

— Ouf, dit un des vendeurs en s'épongeant le front. Et vous en voulez combien ?

— Deux centimètres... C'est pour l'ours en peluche de mon petit dernier. Il faut juste lui remplacer la langue...

ouvrier

☐ **1800**

C'est l'heure de la pause sur le chantier et les ouvriers commencent à discuter entre eux :

— Moi, je lis *La Cause du Peuple,* dit le premier. C'est un journal qui défend les prolétaires.

— Et moi, dit un autre, c'est *L'Humanité* que j'achète !

— Ah, bon! dit un troisième. Eh bien, moi, je préfère prendre *Le Petit Écho de la Mode!*

— Comment? crient les autres. Mais pourquoi *Le Petit Écho de la Mode?*

— Parce que c'est plein de patrons, et tous les matins, je me torche avec...

1801 □

C'est une très belle fille et en même temps une allumeuse redoutable. Elle est dans sa chambre et tout d'un coup, elle voit surgir de l'autre côté de sa fenêtre un laveur de carreaux, sur un échafaudage mobile.

— Celui-là, se dit-elle, il faut absolument que je me le fasse!

Elle se plante en plein devant la fenêtre et elle commence à se déshabiller très lentement avec des gestes particulièrement lascifs. Elle enlève son corsage, elle enlève sa jupe, elle enlève son soutien-gorge, elle se caresse les cuisses, elle enlève le peu qui lui reste et elle se trémousse comme un serpent...

Mais rien à faire! De l'autre côté des vitres, le laveur, qui a pourtant assisté à toute la scène, reste absolument de marbre: il continue à rincer ses carreaux comme si de rien n'était.

Alors, folle de dépit, elle ouvre bruyamment la fenêtre et elle lui lance:

— Eh bien, quoi?

Et jetant sur elle un regard distrait, il lui répond:

— Eh bien, quoi? Vous n'avez jamais vu un laveur de carreaux?

1802 □

Un écrou est amoureux d'une clef anglaise et il lui dit passionnément:

— Serre-moi plus fort, chérie!

☐ **1803**

Quelques ouvriers de chez Renault sont en train de bavarder à la cantine. Il y en a un qui dit :

— Vous savez qui c'est, Gutenberg ?

— Non, disent les autres.

— Ben, si vous alliez comme moi aux cours du soir, vous sauriez que Gutenberg, c'est le mec qui a inventé l'imprimerie. Et Parmentier, vous savez qui c'est ?

— Non, disent les autres.

— Ben, si vous alliez aux cours du soir, vous sauriez que Parmentier, c'est l'inventeur de la pomme de terre. Si vous n'allez pas aux cours du soir, vous resterez toute votre vie des paumés...

Alors, il y a un soudeur qui se met en colère et il dit :

— Bon, d'accord ! On sait pas qui c'est, Gutenberg et Parmentier. Mais toi, tu sais qui c'est, Totoche ?

— Non !

— Ben, Totoche, c'est le mec qui pourrait pas coucher avec ta femme si t'allais pas aux cours du soir...

☐ **1804**

A l'époque où le nazisme pressure presque toute la force de travail de l'Europe, Hitler passe une inspection dans une usine de Berlin. Il s'arrête devant un soudeur et il lui dit :

— D'où es-tu ?

— De Munich.

— Bien. Qu'on lui donne une mitraillette ! Je t'ordonne de tirer sur le camarade qui est à côté de toi.

Mais voilà que le soudeur verdit, il se met à trembler, il s'effondre.

— Tu es un mauvais Allemand, rugit Hitler. Il n'y a rien de plus sacré qu'un ordre du Führer.

Et s'avançant vers un autre travailleur, il lui tend la mitraillette :

— Tiens ! Tire tout de suite sur ce groupe d'ouvriers qui est là-bas !

Le gars prend la mitraillette, il l'épaule sans hésiter et il descend en trois secondes quinze de ses collègues. Hitler est émerveillé.

— Arrête, dit-il. Ça suffit. Toi au moins, tu m'es fidèle et je peux compter sur toi. Comment t'appelles-tu et d'où es-tu ?

Et l'autre, épanoui, répond :

— J' m'appelle Gégène et j' suis de Ménilmontant.

1805 ☐

Deux ouvriers sont en train de parler de pognon.

— Moi, dit le premier, j'ai eu l'idée de mettre mon salaire en loterie. Un veinard l'empoche à ma place, mais comme ils sont une tripotée dans ma boîte à casquer pour risquer le coup, je gagne trois fois plus !

— Dégueulasse, dit l'autre, il faut exploiter le capital et pas les camarades. Moi, j'ai promis au patron de renoncer à cinquante pour cent de mon salaire, pourvu qu'il me paie tout d'avance. Vu qu'il y gagne la moitié de ce que je lui coûterai jusqu'à ma retraite, il m'en a versé autant tout de suite, et tout ce fric, je l'ai placé à dix pour cent d'intérêt. Après ça, c'est du gâteau, parce que le patron, il ne me déclare même plus, c'est moi qui l'arrose. Au lieu d'aller pointer à l'usine, j'ai plus qu'à lui rembourser chaque mois mon boulot à la moitié de ce qu'il vaut, et il m'en reste trois fois plus, mais j'en fous plus une ramée !

1806 ☐

Vous savez quelle est la différence entre un patron et un prolétaire ? C'est très simple. Celui qui sait *comment* on fait quelque chose, c'est un prolétaire. Et celui qui sait *pourquoi,* c'est un patron...

□ **1807**

Le juge d'instruction interroge un délinquant qui a été arrêté pour scandale sur la voie publique :

— Voyons voir, dit-il en compulsant le dossier, si j'en crois le rapport de police, vous travaillez chez Citroën. Vous êtes sorti de votre usine vers quatre heures de l'après-midi. Vous avez mis le feu à des voitures qui stationnaient. Et puis vous vous êtes déshabillé fébrilement et vous avez commencé à caresser toutes les femmes qui passaient dans la rue... C'est bien ça ? Vous avez des explications à me donner ?

— Oh ! oui, j'ai des explications... Si j'avais pas fait ça, je serais devenu fou !

□ **1808**

C'est un ouvrier qui est en cure de psychanalyse. Il est couché sur le divan et il dit :

— Vous savez, docteur, la machine sur laquelle je travaille à l'usine, elle est drôlement belle... Elle est toute brillante. Elle est pleine de trous. Ça fait un bon bout de temps que j'avais envie de la baiser ! Alors, l'autre jour, c'était plus fort que moi, je lui ai fait son affaire... Le malheur, c'est que je peux pas recommencer !

— Tiens, tiens ! dit le psychanalyste en essuyant ses lunettes. Ça vous a rendu impuissant ?

— Non, pas du tout ! Mais le contremaître nous a surpris et elle s'est fait foutre à la porte !

□ **1809**

Un ouvrier très pauvre vit dans un galetas avec son unique petit garçon. Il est veuf. Il travaille d'arrache-pied pour élever son enfant dignement et honnêtement.

Un jour, le gamin revient de l'école en disant :

— Tu sais, papa, en passant devant les Nouvelles Galeries, j'ai vu une belle veste rouge dans la vitrine et je crois qu'elle est juste à ma taille !

— Mais mon pauvre petit, lui répond son père, tu sais bien que je ne gagne pas assez d'argent pour t'acheter une veste rouge ! Ça doit coûter très cher. Sois gentil et n'y pense plus !

Mais le lendemain et les autres jours, le môme fait la même observation en rentrant de classe :

— Tu sais, papa, la veste rouge, elle est toujours dans la vitrine !

Et petit à petit, le père se fait un mauvais sang terrible. Il se dit qu'il faut bien donner une joie de loin en loin à ce pauvre enfant. Mais comment faire ? Alors, un soir, sans rien dire à personne, il se rend au magasin et il demande le prix de la veste rouge. C'est un prix qui est astronomique par rapport à ses modestes revenus. Mais il réussit à persuader la vendeuse de lui mettre la veste rouge de côté. Il paiera plus tard.

Puis, il se met à travailler comme un nègre, douze heures par jour. Il fait des heures supplémentaires la nuit et le dimanche. Ses joues se creusent. Son visage devient hâve. De temps en temps, on le ramasse évanoui sur le chantier. Aux approches de Noël, il n'est plus qu'une loque humaine, mais il a réussi à économiser assez d'argent pour acheter la belle veste rouge.

Alors, il arrive chez lui en titubant, parce que ça fait des semaines et des semaines qu'il se prive de repas, mais sous son bras, il a un gros paquet. Il le pose devant son petit garçon et il dit en essayant de sourire :

— Je t'ai apporté une surprise pour ton petit Noël !

Le gosse défait le paquet, il saute de joie, il enfile la petite veste rouge qui lui va à ravir et il embrasse son père en pleurant :

— Oh ! merci, papa ! Tu es le plus gentil papa du monde !

Bientôt il retourne à l'école, tout fier, avec sa petite veste rouge sur le dos. Tandis qu'il s'éloigne, son père le regarde, le cœur plein de bonheur, avec la satisfaction du devoir accompli. Mais à midi, quand le môme revient, il n'a plus sa veste rouge.

— Qu'est-ce qui est arrivé ? lui demande son père. Qu'est-ce que tu as fait de la veste ?

— Oh ! Je vais t'expliquer, papa, dit le petit garçon. Je suis sûr que tu ne m'en voudras pas, parce que tu m'as toujours dit qu'il fallait être généreux avec les autres. Quand je suis arrivé à l'école avec ma belle veste rouge, il y a un camarade qui m'a regardé avec ses grands yeux. C'est un petit garçon qui est encore plus malheureux que nous, tu sais, papa... Il est habillé en haillons et l'hiver, il tremble toujours de froid. Il a regardé ma veste rouge en disant : « Mon Dieu, qu'est est belle ! » Et moi, je lui ai dit : « Tu veux que je te la donne ? » Et il a fait signe que oui. Et ses yeux brillaient de plaisir. Alors, j'ai réfléchi et je me suis dit que tu aurais fait la même chose, toi qui es le meilleur papa de la terre. J'ai enlevé la veste et je la lui ai donnée ! N'est-ce pas que j'ai eu raison ?

Alors l'ouvrier très pauvre s'effondre dans un vieux fauteuil déglingué, il passe sa main dans les cheveux de son enfant, il lui caresse le front et il lui dit :

— Mon pauvre petit ! Si tu savais ce que tu peux me faire chier...

□ **1810**

Sur un échafaudage, un ouvrier demande à un autre :

— Elle est chouette, ta salopette ! Où l'as-tu achetée ?

Et l'autre se rengorge :

— Chez Cardin, parce qu'il livre à domicile...

1811 ☐

Un ouvrier arrive affolé dans le bureau du chef de chantier.

— Chef, hurle-t-il, c'est horrible. La maison qu'on est en train de construire vient de s'écrouler !

— Nom de Dieu ! explose l'autre. Je vous ai pourtant répété cent fois de ne pas retirer les échafaudages avant d'avoir posé les papiers peints...

1812 ☐

Sur un chantier de démolition, à la pause de midi, un ouvrier prend sa gamelle et va s'asseoir sur une caisse de nitroglycérine. Puis il se frotte les mains en se disant à lui-même :

— Ah ! Maintenant ça va être formidable ! Je vais me faire sauter mes petites patates...

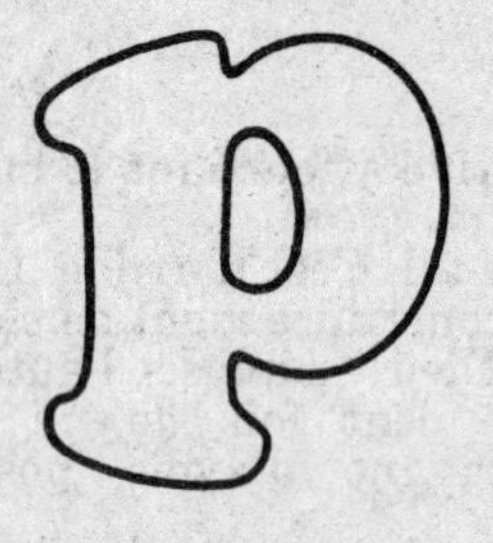

pantalon

☐ **1813**

Ce chanteur de rock d'origine juive est doué d'un extraordinaire charme. Dès qu'il est sur scène, la foule entre en transe. Et à la sortie des artistes, les garçons et les filles se battent pour pouvoir le toucher. On assiste même à de véritables crises d'hystérie...

Mais lui, c'est un perfectionniste. Il trouve que ça ne suffit pas. Alors il va trouver son tailleur et il lui dit :

— Il me faut un pantalon de scène qui soit de couleur chair, un pantalon de scène tellement collant que tout le monde voie mon sexe ! Vous voyez ce que je veux dire ?

— Je vois, dit le tailleur. Vous inquiétez pas. On verra même votre religion...

☐ **1814**

C'est avare, les Écossais... Et celui-là, il n'a vraiment pas envie de dépenser de l'argent pour acheter des jouets de Noël à son fils. Pourtant sa femme essaie de le persuader :

— Enfin, tout de même, Edward ! Il faut faire quelque chose ! Il faut bien qu'il s'amuse un peu cet enfant...

Alors le bonhomme réfléchit et il dit :
— S'il faut qu'il s'amuse, tu n'as qu'à prendre une paire de ciseaux et lui couper les poches de son pantalon...

1815 ☐

Un petit flic entre dans le bureau du commissaire de police, il fait un salut réglementaire et il dit :
— Chef ! J'ai deux rapports à faire... Premièrement, j'ai arrêté Fredo Fric-Frac, le roi de la cambriole ! Deuxièmement, je me suis fait piquer le pantalon d'uniforme que j'avais mis ce matin !

1816 ☐

— Alors ? Cette folle nuit d'amour avec Robert ?
— Ben, il s'est rien passé ! Il était tellement soûl qu'il a essayé toute la nuit d'enlever son pantalon par en haut...

1817 ☐

Deux jolis garçons bavardent devant l'entrée d'une boîte à pédés :
— Tu sais ce que j'ai fait ? J'ai acheté un pantalon qui est plus ajusté que ma peau !
— Sans blague ? Tu rigoles...
— Mais non ! La preuve, c'est que je peux m'asseoir avec ma peau... Et avec ce pantalon, impossible !

---

pape

1818 ☐

Le pape se présente à la porte du paradis et il dit à saint Pierre :
— Laissez-moi entrer. Je suis le pape, votre successeur !

Saint Pierre dit :

— Connais pas ! Attendez. Je vais me renseigner !

Il va voir Dieu le Père, qui n'a jamais entendu parler du pape.

Il va voir Dieu le Fils, qui n'a jamais entendu parler du pape.

En désespoir de cause, il va trouver Dieu le Saint-Esprit. Et celui-ci se met en colère :

— Le pape ? Ah, non ! Je n'en veux pas ! C'est celui qui raconte des choses tellement obscènes sur Marie et sur moi !

☐ **1819**

Dans les années soixante, parmi la foule empressée qui attend l'apparition du pape au balcon de Saint-Pierre de Rome, il y a Marie-Chantal qui pousse le coude de Gladys :

— Vingt-trois, chérie, c'est Jean !

☐ **1820**

La Cadillac du pape arrive devant le building des Nations Unies à New York, au milieu d'un grand concours de population. Sur le trottoir d'en face, noyé dans la foule, un petit Juif dit à un de ses coreligionnaires :

— C'est une bonne affaire ! Est-ce que tu savais qu'ils ont commencé avec un âne ?

☐ **1821**

Un producteur de cinéma revient de Rome et il raconte à un de ses amis :

— Extraordinaire ! Le pape m'a reçu en audience privée... Si tu voyais ses appartements... Des Vierges en or du Moyen Âge, des miroirs de Venise, des fresques de Michel-Ange ! Tu ne peux pas imaginer ! Et puis si tu savais quelle intelligence il a, cet homme... Il dégage vraiment un charme fou ! Et encore, lui, c'est rien. Mais si tu la voyais, *elle!* Ah! là, là...

1822 □

Le pape a fait refaire ses appartements dans sa résidence de Castel Gandolfo. C'est le plus grand décorateur de Rome qui s'est occupé de tout: meubles, tapisseries, tentures... Il s'est vraiment surpassé. Quand les ouvriers ont tout fini, il accompagne le pape pour lui faire visiter son nouveau domaine. Et arrivé dans la chambre à coucher, comme pour mettre la dernière touche à son chef-d'œuvre, il sort de sa serviette un admirable crucifix du onzième siècle et il le suspend à un clou au-dessus du lit.

— Ah, non! fait le pape. Je vous ai dit que je ne voulais rien ici qui me rappelle le bureau...

1823 □

Marius s'est laissé convaincre d'aller à Rome pour voir le pape. A la gare de Marseille, au moment de partir, il aperçoit par la fenêtre de son compartiment l'archevêque qui lui crie:

— Et surtout, Marius, dites bien au Saint-Père que je suis son fils soumis et respectueux...

— Vous faites pas de bile, répond Marius.

Et à peine descendu de son train à la gare de Rome, alors qu'il s'apprête à monter dans un car de pèlerins, il est abordé par l'ambassadeur de France qui lui glisse dans l'oreille:

— Marius, puisque vous allez représenter notre pays tout entier auprès de Sa Sainteté, je vous charge de lui transmettre l'assurance de mon profond respect.

— Oh! Pour ça, vous pouvez y compter, dit Marius.

Et en se retournant, il entrevoit dans une somptueuse limousine du corps diplomatique un cardinal qui lui lance par la portière:

— Par ici, Marius ! Je suis venu vous chercher sur l'ordre exprès du pape et il veut vous recevoir tout de suite !

— Oh ! C'est bien gentil, dit Marius.

Et quand enfin il est introduit dans les appartements pontificaux, le pape court vers lui :

— Quel bonheur de vous voir, Marius ! Je n'aurais jamais cru que vous me feriez la grâce de venir jusqu'ici. Eh bien, nous allons passer ensemble sur le balcon et bénir la foule qui nous attend...

Alors ils s'avancent tous les deux, radieux. Dans un coin de la pièce, il y a une très belle statue de la Sainte Vierge avec l'enfant Jésus sur le bras. Et comme les deux hommes sortent sur le balcon au milieu des vivats, on entend le petit qui dit à sa mère :

— Dis donc, maman, qui c'est, ce bonhomme en blanc à côté de Marius ?

☐ **1824**

Le pape meurt et arrive au ciel. Mais saint Pierre refuse de le laisser entrer.

— Écoutez, dit le pape, je suis le pape tout de même !

— Jamais entendu parler ! fait saint Pierre.

— C'est un peu fort ! s'indigne le pape. Allez au moins vous renseigner auprès de Dieu le Père. Tout le monde devrait me connaître ici.

Alors saint Pierre va trouver le Bon Dieu :

— Seigneur, dit-il, il y a là un citoyen qui prétend être le pape.

— Le pape... dit Dieu, qu'est-ce que ça veut dire ?

— Il affirme qu'il est votre représentant sur terre...

— Mon Dieu, s'écrie Dieu en se frappant le front, ça y est, je me souviens !

Il appelle son fils et il lui dit :

— Tu te rappelles ce club qu'on a lancé à Rome ? Mais oui, tu sais bien... cette petite affaire dont on avait eu l'idée à Jérusalem... Eh bien, il paraît que ça marche toujours !

1825 ☐

Le pape a fait une petite sortie dans le plus strict incognito. Comme il regagne ses appartements, il aperçoit devant la porte un garde suisse tout nouveau, qui mange une tartine de pain avec de la confiture.

— Eh bien, fait le pape, on ne salue plus ?

— J'ai pas à te saluer, réplique l'autre. T'es même pas évêque.

— Oh ! dit le pape, je suis plus que ça !

— Tu voudrais peut-être me faire croire que tu es archevêque ?

— Encore plus haut que ça !

— Alors, tu te prends pour un cardinal ?

— Je ne suis pas cardinal. Je suis le pape !

— Oh ! Alors, si tu es le pape, tiens vite ma tartine que je te présente les armes...

parachute

1826 ☐

C'est un gars qui s'est engagé dans les parachutistes. Un jour, il participe aux grandes manœuvres. On lui dit :

— Voilà ! Écoutez bien les instructions. Vous sautez de l'avion en parachute. Le parachute s'ouvre. S'il ne s'ouvre pas, vous tirez sur la boucle de sécurité. Alors le parachute s'ouvre. Vous atterrissez dans un champ de blé. A côté, il y a un petit bosquet. Dans le petit bosquet, il y a un vélo qui vous attend. Vous sautez sur le vélo et vous rejoignez votre compagnie au carrefour forestier de l'Arbre Mort... Vous avez compris ?

— Oui, fait le gars.

Et il embarque dans l'avion. Et quand l'avion est au-dessus du champ de blé, il saute. Seulement, le parachute ne s'ouvre pas. Il attend un petit moment, puis il tire sur la boucle de sécurité. Mais le parachute ne s'ouvre pas. Il tire encore. Rien à faire! Alors il dit:

— Me suis encore fait baiser! Je suis sûr que le vélo, il y sera même pas, dans le bosquet...

☐ **1827**

— Et pourquoi êtes-vous devenu parachutiste?

— Je n'avais pas le choix... Un avion... trois moteurs stoppés!

☐ **1828**

Un parachutiste s'écrabouille au sol. Et tout de suite, il monte au ciel. Mais au lieu d'y rencontrer saint Pierre, comme on fait d'habitude, le gars tombe sur sa femme, blottie dans les ailes d'un ange. Et elle se met à crier:

— Terre! Mon mari...

☐ **1829**

Il est désespérément suisse, ce parachutiste suisse. A l'instruction, on lui a bien dit:

— Vous sautez de l'avion. Vous comptez jusqu'à trois. Alors vous tirez sur la manette et le parachute s'ouvre...

Eh bien, effectivement, il saute de l'avion. Mais son parachute ne s'ouvre pas et il s'écrase au sol. Une ambulance arrive à toute allure pour le ramasser. Un infirmier s'approche de lui, il se penche sur le malheureux et il entend une petite voix qui gémit:

— Trois.

☐ **1830**

Dans un petit avion de tourisme, ont pris place un

Français, un Allemand, un Anglais et un Italien. Tout d'un coup, un des moteurs tombe en panne et le pilote s'écrie :

— Messieurs, nous sommes trop chargés! Endossez vos parachutes! Il faut sauter...

Aussitôt l'Allemand s'exécute et pique une tête dans le vide.

Pendant ce temps, l'Italien grommelle, tergiverse, et d'un geste théâtral lance son parachute par-dessus bord, avant d'aller se rasseoir sans se faire remarquer.

L'Anglais, qui était en train de se raser, achève tranquillement de se faire la barbe, puis il vide une tasse de thé, il vérifie le fonctionnement de son parachute et il saute à son tour.

Alors le Français s'approche de la porte de la carlingue en grognant entre ses dents :

— Merde, merde et merde!

Et finalement, il se jette dehors. Mais il a oublié de mettre son parachute...

1831 □

Un parachutiste saute dans le vide, mais son parachute ne fonctionne pas. Désespéré, il appelle saint Antoine à son secours.

Une énorme main sort d'un nuage et le saisit au passage. Puis une voix tonne :

— Saint Antoine, c'est bien joli, mais lequel tu demandes ?

— Saint Antoine de Padoue, fait l'homme, terrorisé.

— Navré, ce n'est pas moi, dit la voix.

Et la main s'ouvre.

paradis

☐ **1832**

Saint Joseph végète au paradis et il ne sait vraiment plus quoi faire. Il file chez saint Pierre et il lui dit :

— Une petite balade sur terre ne me ferait pas de mal !

Saint Pierre le regarde :

— Pas possible, mon vieux ! Formellement interdit !

— Oh ! dit saint Joseph, on pourrait bien faire une petite exception pour moi tout de même...

— Rien à faire ! réplique saint Pierre. Le règlement est formel : personne ne doit sortir d'ici !

— Ah, bon ! C'est comme ça ! glapit saint Joseph.

Il se retourne et il crie :

— Marie ! Prends le gosse ! On fout le camp !

☐ **1833**

Sur le pas de sa porte, saint Pierre bavarde avec un visiteur. Le bonhomme lui dit :

— Vous ne risquez rien, vous ! La bonne place ! Qu'il y ait des grèves, des crises, des guerres, vous ne bougez pas, vous avez l'éternité devant vous et jamais de problèmes d'argent !

— Mais vous oubliez, dit saint Pierre, qu'ici, ce n'est pas comme sur la terre ! Quand vous parlez d'un milliard de francs, pour nous, c'est un centime. Quand vous parlez d'un million d'années, pour nous, c'est une seconde...

— Ah, bon ! réplique l'autre. Alors, vous pourriez peut-être me prêter un centime ?

— Certainement, dit saint Pierre, attendez une seconde...

1834 □

Saint Pierre contrôle une longue file de nouveaux qui s'étire à la porte de l'autre monde. Il a vérifié les papiers de quelqu'un et il lui lance :
— Vous êtes médecin ? Deuxième porte à droite : entrée des fournisseurs...

1835 □

Un brave gars se morfond au paradis. Il demande au Bon Dieu :
— Je pourrais pas avoir un petit boulot ?
Et Dieu lui dit :
— Prends une lime et va limer l'Himalaya !
Au bout de sept mille ans, le bonhomme est de retour :
— Ça y est ! J'ai fait vite. Et maintenant ?
— Eh bien, lui dit l'Éternel, voilà une cuillère à soupe. Va vider l'océan Pacifique !
Le type est de retour vingt mille ans après et il dit :
— J'ai fini. Il n'y a rien d'autre ?
Alors le Bon Dieu, excédé, le prend par les épaules et lui dit :
— Écoute, Jésus, tu vas filer sur terre et tu vas leur dire de s'aimer les uns les autres. T'en as pour l'éternité !

1836 □

Staline vient de mourir. Le pape Pie XII, qui ne lui portait pas une grande affection, s'empresse de téléphoner en enfer pour savoir s'il y est bien arrivé.
— Staline ? lui répond-on. Non ! Nous n'avons reçu personne qui porte ce nom...
Assez stupéfait, le pape téléphone alors au purgatoire où on lui fait la même réponse.
— Ce n'est pas possible, se dit-il. On ne va pas me faire croire qu'il est entré au paradis !

Et pour en avoir le cœur net, il décroche son appareil et il appelle saint Pierre :
— Allô ! C'est vous, saint Pierre ? Vous n'auriez pas accueilli par erreur un dénommé Staline ?
Et il entend une voix qui lui répond :
— Il n'y a plus de saint Pierre ! Je suis le camarade Pierre...

☐ **1837**

— Comment vous appelez-vous ? demande saint Pierre au nouvel arrivant.
— Paul Claudel.
— Claudel ? Ah ! je vois... Vous venez pour l'Annonce ?

☐ **1838**

A saint Pierre qui hésite à lui ouvrir la porte du paradis, un financier véreux essaie d'expliquer :
— Écoutez... J'avais quelques mauvaises actions, mais je les ai toutes refilées...

☐ **1839**

Une longue colonne de postulants attend pour entrer au paradis. Saint Pierre pose de petites questions à tout un chacun :
— Et vous, qu'est-ce que vous faisiez ?
— J'étais boulanger.
— Et vous, qu'est-ce que vous faisiez ?
— J'étais peintre.
— Et vous, qu'est-ce que vous faisiez ?
— Euh... j'étais pédéraste... bredouille un petit bonhomme.
— Pédéraste ? dit saint Pierre. Qu'est-ce que c'est que ça ?
— Ben, c'est... euh... Je ne peux pas vous le dire, répond le gars en rougissant.
— Et alors, qui va me le dire ?

Et saint Pierre, se tournant vers le paradis, crie à la cantonade :

— Pédéraste, ça dit quelque chose à quelqu'un ?

Alors Vercingétorix s'avance et il siffle entre ses dents :

— Ça serait encore un truc pour emmerder les Gaulois, que ça m'étonnerait pas !

1840 □

Une femme se présente à la porte du paradis :

— Je cherche mon mari, dit-elle à saint Pierre. Il est petit, gros, avec une moustache noire et il m'avait dit que si jamais je couchais avec un autre homme, il se retournerait dans sa tombe.

— Ah ! Je vois qui c'est, dit saint Pierre. Ici, nous l'appelons la Toupie...

1841 □

Un gars arrive au bureau, il ouvre son journal et il y lit l'annonce de sa mort. Effaré, il téléphone à sa femme pour la rassurer. Et elle lui répond :

— Bien sûr que j'ai lu le journal ! Mais dis-moi : d'où m'appelles-tu ?

pêche

1842 □

Un pêcheur est fou de colère parce que, le matin, il a laissé tomber sa montre en or dans la rivière. Heureusement, il a eu la petite consolation de tirer un énorme brochet dans l'après-midi.

Mais il rentre quand même chez lui de fort méchante humeur. Il pose le brochet sur la table de la cuisine. Sa femme prend le brochet, elle commence à lui racler les écailles et à l'ouvrir. Et qu'est-ce qu'elle trouve dedans ? Vous ne devinerez jamais ce qu'elle trouve !

Une arête !...

☐ **1843**

Marius rentre dans une auberge et au-dessus de la cheminée, il voit un splendide brochet empaillé de deux mètres de long.

— Peuchère, dit-il, celui qui a pêché ça, c'est un beau menteur...

☐ **1844**

C'est les vacances. Un petit employé de bureau revient de la plage et rentre à son hôtel. Et il dit à sa femme :

— Je suis allé à la pêche aux moules... Je suis moulu !

— Ah, bon ! qu'elle fait... Ben demain, tu devrais aller aux coques...

☐ **1845**

Au bord d'une rivière, un badaud s'approche d'un pêcheur à la ligne et il engage la conversation :

— Vous en avez pris beaucoup ?

— Eh bien, dit l'autre, si j'attrape celui qui est en train de tourner autour de mon hameçon, et puis deux autres après, ça m'en fera trois...

☐ **1846**

L'avion survole une belle vallée. Le pilote se penche vers le mécanicien et il lui dit :

— Tu vois ce petit lac ? Quand j'étais gosse, c'est là que j'allais à la pêche. Je regardais passer les avions et j'avais envie de devenir pilote !

Puis il se passe la main sur le front et il ajoute :

— Tu as vu cet enfant qui pêchait au bord du lac ? Ah ! Comme j'aimerais être à sa place...

1847 □

Un pêcheur invétéré raconte à un ami :
— J'ai fait un rêve ahurissant. Je m'en allais à la pêche avec tout mon matériel, quand soudain j'aperçois une fille sublime qui me suit de loin. Je ne dis rien. Je m'installe au bord de la rivière. Elle vient s'asseoir à côté de moi. Elle me fait un grand sourire et lentement, elle commence à se déshabiller ! Elle enlève son manteau, elle enlève son tricot, elle enlève son corsage, elle enlève sa jupe, elle enlève son soutien-gorge, elle enlève...
— Et alors ? demande le copain, haletant.
— Et alors, juste à ce moment-là, j'ai accroché une carpe de douze kilos !

1848 □

Deux pêcheurs sont au bord de la mer, quand soudain l'un d'eux voit sa ligne qui s'enfonce. Il résiste de toutes ses forces et finalement, il tire de l'eau une magnifique sirène. Or, voilà que l'étrange créature commence à lui faire les yeux doux... Quelle complication ! Tant pis, il la rejette à la mer. Alors son copain proteste :
— Mais pourquoi ?
Et le pêcheur répond en haussant les épaules :
— Et comment ?

1849 □

Il était une fois un pêcheur qui avait épousé une très vilaine femme, alors qu'il aurait pu choisir entre des flopées de belles filles. Et vous savez pourquoi ? Parce qu'elle avait des vers...

1850 □

Marius et Escartefigue sont allés à la pêche ensemble. Mais alors que Marius sort de l'eau un poisson après l'autre, Escartefigue ne prend rien, absolument rien. A la fin de la journée, il trouve la plaisanterie mauvaise :

— Marius est tombé sur le bon coin, se dit-il. Demain, je reviens une heure avant lui et je prends sa place. On va voir ce qu'on va voir !

Et le lendemain, il s'installe exactement à l'endroit où Marius a fait sa pêche miraculeuse. Il jette sa ligne. Il attend. Ça ne mord pas. Et tout d'un coup, un petit poisson sort la tête de l'eau et lui demande :

— Ben alors, votre collègue, il vient pas aujourd'hui ?

peinture

☐ **1851**

Un peintre est en train de bavarder tranquillement dans son atelier avec la fille qui lui sert de modèle, quand soudain on entend une clef qui tourne dans la serrure.

— Mon Dieu, dit le peintre, c'est sûrement ma femme ! Vite ! Fous-toi à poil !

☐ **1852**

Un rapin rencontre une fille sensationnelle, tellement bien roulée qu'il se met à trembler de désir en la regardant. Il commence par balbutier et puis il finit par lui dire :

— Je suis portraitiste. Vous ne voudriez pas poser pour moi ?

— Je veux bien, répond la fille, mais ce sera cinq cents balles.

Le gars racle les fonds de tiroir pour pouvoir la payer, mais à la troisième séance de pose, il n'y tient plus et il lui dit :

— Vous savez que j'aimerais bien vous peindre les seins nus ?

— D'accord, dit la fille, mais ce sera mille balles.

Alors il emprunte à tous ses amis. Et puis à la deuxième séance de pose, il lui avoue tout d'un coup :

— Écoutez ! Je ne vous ai pas tout dit. La vérité, c'est que je voudrais vous faire poser à poil...

— O.K., dit la fille, seulement ce sera deux mille balles.

Cette fois-ci, il vend ses fringues. Et à la première séance de pose, il a les yeux qui lui sortent de la tête, il n'en peut plus, il se précipite sur elle et il s'écrie :

— Tant pis ! Je vais le dire ! Je crève d'envie de coucher avec vous. Quel est votre prix ?

Et la fille lui répond :

— Deux cents, comme pour tout le monde...

1853 □

Un farceur apostrophe un peintre en bâtiment juché sur son échelle :

— Eh ! Patate ! Tiens-toi bien au pinceau, parce que j'enlève l'échelle !

Et il enlève l'échelle... Mais à sa grande stupéfaction, le peintre reste suspendu à son pinceau !

— Nom de Dieu, fait-il, comment tu y arrives ?

— Oh ! explique le peintre, on m'a déjà raconté l'histoire...

1854 □

Une dame très snob, mais très riche, confie à Picasso :

— Il faut que je vous fasse un aveu. Vos tableaux, je les achète. Mais je n'y comprends rien...

— Ah ! bon... fait Picasso. Et le chinois vous comprenez ?

— Euh... non, dit la dame, décontenancée.

— Eh bien, il y a pourtant un milliard de gens qui le parlent...

☐ **1855**

Dialogue entre deux mélomanes :

— Beethoven... Ah ! quel grand musicien ! Et dire qu'il était sourd...

— Oh ! oui... Il était même tellement sourd que toute sa vie il a cru qu'il faisait de la peinture !

☐ **1856**

On est en train de repeindre toute la maison. Or le soir, quand le mari rentre, il est tellement soûl qu'il ne tient plus debout : il se rattrape aux murs et il laisse des traces de main partout sur la peinture fraîche.

La maîtresse de maison est très ennuyée, parce que les peintres se sont donné beaucoup de mal et qu'ils sont très susceptibles. Alors le lendemain, elle en avise un et elle lui dit :

— J'ai quelque chose d'ennuyeux à vous dire ! C'est au sujet de mon mari. Vous voulez un verre de vin ?

— Je veux bien, dit le peintre.

— Bon ! Ben voilà ! Il faut que je vous montre où mon mari a mis les mains hier soir, parce que vous allez être obligé de passer derrière lui...

— Oh ! Vous savez, madame, dit le peintre, j'ai vingt-cinq de tension, je préfère le verre de vin...

☐ **1857**

Dans un pré, un peintre du dimanche rencontre un berger et il lui dit :

— Est-ce que je peux peindre tes moutons ?

— Ah, non ! dit le berger. Après, je pourrais plus vendre la laine !

☐ **1858**

Une fille, qui vient pour poser, arrive chez le peintre. Il lui dit :

— Déshabillez-vous.
Quand elle est nue, le peintre sort un revolver et il le décharge sur elle.
— Vous êtes fou! crie-t-elle, en s'effondrant. Qu'est-ce qui vous prend?
— Comment? On ne vous a pas prévenue que c'était pour une nature morte?

1859 □

Une riche veuve fait venir un grand peintre et elle lui demande d'exécuter pour elle un portrait de son mari défunt.
— C'est entendu, dit le peintre. Vous avez des photos de lui?
— Ah, non! Je n'ai pas de photos! C'est même pour ça que l'idée m'est venue de commander un portrait.
— Mais alors, madame, comment voulez-vous que je fasse?
— Comment vous allez faire, ça ne me regarde pas! C'est votre métier... Moi, ce que je peux vous dire, c'est qu'il avait les yeux marrons, les cheveux noirs, une petite moustache et qu'il souriait tout le temps!
Alors le peintre se dit qu'il ne faut pas contrarier cette bonne femme et qu'après tout, il n'y a aucune raison de rater une pareille affaire.
Un mois plus tard, il se présente au domicile de la veuve, sa toile empaquetée sous le bras. Il entre, il défait les ficelles, il enlève le papier et il pose le portrait sur la cheminée. Aussitôt la veuve se recule un peu et elle s'exclame:
— Mon Dieu! Comme il a changé!

1860 □

Un peintre en bâtiment arrive chez une vieille dame pour refaire les murs. Il sonne et il entend une voix chevrotante qui crie:

— Qu'est-ce que c'est?
— C'est le peintre, crie-t-il à travers la porte.
— Qu'est-ce que c'est? répète la voix.
— C'est le peintre, je vous dis!
— Qu'est-ce que c'est?
— C'est le peintre! hurle le gars.
— Qu'est-ce que c'est?
— C'est le peintre! braille-t-il à s'égosiller.

Et ça dure comme ça une bonne demi-heure. Le gars a gueulé tellement fort qu'il n'a plus de voix et presque plus de forces. Il est effondré sur le paillasson, livide, exsangue, au bord de l'évanouissement.

A ce moment, la petite vieille monte l'escalier tranquillement et, en arrivant sur son palier, elle aperçoit le peintre, apparemment sans vie, tassé par terre devant sa porte. Alors, elle a un haut-le-corps et elle s'exclame:

— Qu'est-ce que c'est?

Et à l'intérieur de l'appartement, le perroquet vocifère:

— C'est le peintre!

père noël

□ **1861**

C'est un petit garçon qui écrit au père Noël:

— Cher père Noël, papa n'a plus de travail et maman est très malade. Mes frères et mes sœurs n'ont plus rien à se mettre. Tu vois qu'on est très malheureux Si tu pouvais m'envoyer mille francs, ça ferait bien plaisir à tout le monde. Merci, père Noël.

Les postiers, dans l'incapacité de faire parvenir la lettre à son destinataire, sont bien obligés de l'ouvrir. Ils sont tellement bouleversés par la détresse de cette famille qu'ils décident de se cotiser. Ils font la quête, ils réunissent cinq cents balles et ils envoient cette somme au pauvre gosse.

Trois jours plus tard, ils ouvrent avec curiosité une autre enveloppe, portant la même écriture et adressée au même destinataire :

— Merci, cher père Noël. J'ai bien reçu l'argent, mais il faut que je te dise que ces salauds de postiers ont gardé la moitié pour eux !

1862 ☐

C'est une petite fille à qui le père Noël a apporté une patinette. Elle est en train de trottiner dans la rue, lorsqu'un vieux satyre commence à tourner autour d'elle en lui lançant des regards crapuleux. Alors elle lui dit avec toute l'innocence de ses cinq ans :

— Elle est jolie, ma patinette ! Et à toi, qu'est-ce qu'il t'a donné, le père Noël ?

Et le gars ouvre sa braguette en grasseyant :

— Tiens ! Regarde... Une grosse bite !

— Ah ! bon... fait la fillette. Ça, c'est bien fait pour toi ! T'avais qu'à pas mettre ton cul dans la cheminée...

1863 ☐

Le père Noël a réussi à s'infiltrer par une cheminée minuscule et il atterrit dans une chambre ou dort une merveilleuse femme nue.

— Zut ! dit-il. Je me suis encore gouré...

Alors il regarde longuement le beau corps endormi, il baisse les yeux sur lui-même et il murmure :

— Si je lui fais quelque chose, je ne peux plus remonter au ciel. Mais si je ne lui fais rien, je ne peux plus remonter la cheminée...

1864 ☐

Entre le Printemps et les Galeries Lafayette, un père Noël exténué en croise un autre et il lui dit :

— Vous croyez encore aux enfants, vous ?

perroquet

☐ **1865**

Un amateur pénètre chez un marchand de perroquets. Il y en a de très beaux, tout multicolores. Il y en a d'un peu plus gris. Le gars, il demande les prix et il est un peu effrayé.

— Mais dites donc, c'est drôlement cher, ces petites bestioles ! Vous n'en auriez pas un qui soit davantage dans mes moyens ?

Alors le marchand l'entraîne tout au fond du magasin. Dans un coin d'ombre, il y a une cage à moitié cassée, et dans la cage, il y a un perroquet tellement déplumé, tellement souffreteux, tellement dégueulasse, qu'on ne sait même plus si c'est une musaraigne, une marmotte ou un rat crevé.

— Celui-là, je peux vous le laisser à deux cents balles, dit le marchand.

— Non ! proteste l'autre, mais vous m'avez pas regardé ? Et surtout, vous l'avez pas regardé ? Vous me voyez en train de ramener ce déchet à ma femme ? Il a la pelade. Il lui coule de la morve partout. Il peut même plus ouvrir l'œil gauche. Il est juste bon pour aller à la poubelle...

— Hé là ! l'ami... réussit à dire le perroquet entre deux quintes de toux, faut quand même pas exagérer ! Ça t'est jamais arrivé d'attraper la grippe ?

☐ **1866**

Un vieux matelot à la retraite va trouver le curé de sa paroisse.

— J'ai un perroquet très mal élevé. Il a bourlingué sur toutes les mers avec moi. Il passe son temps à jurer. J'aimerais bien essayer de le mettre quelques jours avec votre perroquet qui est si doux et si aimable. Ça lui servirait de leçon.

— Bien sûr, dit le curé. Mon petit animal, qui mène une vie parfaitement chrétienne, ne peut que faire du bien au vôtre.

Mais à peine les deux perroquets sont-ils ensemble que celui du matelot lance à l'autre :

— Alors, mon p'tit père, tu veux que je te ramone le trou de balle ?

Et le perroquet du curé répond en rougissant :

— Et pour quoi pensez-vous que je prie depuis si longtemps ?

1867 □

Un type a commandé du charbon chez un bougnat. Le livreur arrive en son absence et il pose les sacs devant la porte. Et au moment où il va redescendre, il entend une voix qui crie :

— Hé ! Faut encore deux sacs !

Il repart chercher deux sacs, il se les coltine jusqu'au cinquième et il entend une voix derrière la porte qui crie :

— Hé ! Faut encore deux sacs !

Le gars redescend, il remonte deux sacs de charbon, il s'éponge le front, il entend une voix derrière la porte... Bref, au bout d'une demi-heure, le gars n'en peut plus et il y a presque deux tonnes de charbon qui ont envahi l'escalier.

C'est alors que le propriétaire s'amène. Il est pris d'une rage folle, il nage dans le charbon pour rentrer chez lui, il ouvre la porte et il voit son perroquet qui hurle tellement de rire qu'il en est décoloré !

— Comment ! s'écrie le bonhomme, c'est toi qui as commandé tout ce charbon ! Sale bête ! Espèce de petite pourriture !

Il prend le perroquet et il lui fout une trempe épouvantable. Et comme ça ne suffit pas à calmer sa colère, il attrape aussi le chat par la queue, il lui met les yeux au beurre noir et il l'envoie valdinguer sur le charbon à côté du perroquet. Alors, entre deux hoquets de rire, le perroquet souffle au chat :

— Sans blague ? Toi aussi, t'avais commandé du charbon ?

□ **1868**

Un promeneur, passant devant une oisellerie, aperçoit un perroquet ravissant qui chante divinement. Mais dans la même cage, on a mis un petit oiseau miteux et dépenaillé, qui a l'air complètement stupide. Il entre et il dit :

— J'achète celui qui chante.

— Monsieur, dit le vendeur, je suis obligé de vendre les deux en même temps.

— Vous êtes fou ! Qu'est-ce que vous voulez que je fasse du petit affreux ?

— Monsieur, je ne veux pas vous contredire, mais si vous n'emportez pas aussi le petit affreux, vous allez être très déçu...

— Ah ! Et pourquoi donc ?

— Parce que celui qui est beau, il chante, mais le minable, c'est le compositeur...

□ **1869**

Ce marin a ramené un perroquet de ses voyages au long cours. Sa femme lui dit :

— C'est un mâle ou une femelle, cet animal ?

— Ah ! J'en sais rien, dit le matelot. Mais attends ! Je vais aller demander au Vieux Nick. Lui, il sait sûrement.

Et il s'amène chez le Vieux Nick, avec son perroquet sur le bras.

— Dis donc, le Vieux Nick ! Toi, tu dois pouvoir me dire si mon perroquet, c'est un mâle ou une femelle...

— Pour sûr, dit le Vieux Nick. Attends. Il suffit de le peser.

Il va chercher une vieille balance d'avant-guerre, une balance sans plateau. Il accroche le perroquet à un des crochets. Il accroche un poids de dix kilos à l'autre crochet. Le perroquet part au plafond. Il enlève le poids. Le perroquet retombe brutalement. Il accroche un poids de huit kilos. Le perroquet repart en l'air. Il essaie avec un poids de sept kilos...

Au bout de dix minutes de ce manège un peu épuisant, le perroquet n'en peut plus, il bave, il a les plumes dans tous les sens et il se met à crier :

— Bon ! Ben, ça suffit comme ça ! Vous commencez à me les casser !

— Tu vois, fait le Vieux Nick, c'est un mâle !

1870 □

C'est un perroquet qui est installé en bas de l'escalier, devant la loge de la concierge. Et dès que quelqu'un entre, il se met à crier :

— Attention à la marche !

Et tout le monde se casse la gueule, parce qu'il n'y a pas de marche.

1871 □

Une vieille bigote entrouvre la porte de la cuisine et dit à sa bonne :

— Marie, est-ce que le perroquet a pris son bain ?

— Oui, dit la bonne. Il a fini. Vous pouvez entrer...

1872 □

Une brave dame achète un perroquet à la gérante d'un bordel. Elle l'installe sur un perchoir dans son salon. Et le perroquet dit :

— Tiens ! La patronne a changé...

Et à midi, quand les deux filles de la dame arrivent, le perroquet dit :

— Tiens ! Les filles aussi ont changé...

Et le soir, quand rentre le mari, le perroquet le regarde et il dit :
— Ah, ben ! Y a au moins un client qui est le même...

□ **1873**

Le bateau a fait naufrage. Il n'en reste que trois matelots à la dérive sur un petit radeau. Et tout à fait par hasard, le perroquet du bord a trouvé refuge avec eux. On commence par bouffer des conserves, mais au bout de quinze jours, il n'y a vraiment plus rien à se mettre sous la dent. Alors les matelots disent au perroquet :
— Marie-Rose ! Va-t'en dans un coin. Il faut qu'on discute de choses qui ne te regardent pas...
Ils tiennent un long conciliabule et puis l'un d'eux se retourne avec un couteau à la main et il crie :
— Marie-Rose ! Marie-Rose, ma chérie ! Viens vite. Maintenant, on a besoin de toi.
Et le perroquet, coincé au bout du radeau, les plumes tout hérissées, répond d'une voix étranglée :
— Puisque c'est comme ça, appelez-moi Jeanne d'Arc !

□ **1874**

— Et qu'est-ce qu'il a de particulier, ce perroquet ? demande le client à la marchande d'oiseaux. Il est tout gris, tout déplumé et vous le vendez quand même très cher !
— C'est que, voyez-vous, monsieur, ce perroquet est un phénomène. C'est le seul perroquet au monde qui puisse pondre des œufs en forme de cubes...
— Qu'est-ce que vous voulez que ça me fasse ? Moi, je cherche un perroquet qui parle !
— Mais il parle, monsieur ! Il parle ! Pas souvent, bien sûr, mais de temps en temps, il dit : *Aïe...*

1875 □

C'est une vieille dame qui a un perroquet, mais ce perroquet est devenu complètement acariâtre.

— Lui qui était si gentil autrefois, dit-elle au vétérinaire, je ne sais pas ce qui lui arrive, mais il n'est pas à toucher avec des pincettes, il râle, il gueule et il me griffe.

— Mon Dieu, madame, dit le vétérinaire, c'est très simple. Il a besoin d'une femelle...

— Ah ! dit la dame, il a besoin d'une... Très bien !

Et elle file acheter une petite perruche belle à croquer qu'elle met dans la cage du perroquet. Puis elle repart dans sa cuisine et, tout d'un coup, elle entend des hurlements abominables. Elle se ramène à toute pompe et elle voit son perroquet qui est en train d'arracher, une à une, les plumes de la perruche. Il a des ricanements sardoniques et il braille :

— Toi, t'es trop bien roulée ! Il faut que je te voie à poil !

1876 □

Un gars a ramené chez lui un perroquet qu'il a acheté sur les quais. Mais par négligence, il l'a simplement déposé dans la cuisine. Et le soir, quand il rentre, sa femme lui dit :

— C'est gentil de m'avoir apporté cette drôle de volaille à midi. Je l'ai préparée en suivant la recette du coq au vin ! On va se régaler...

— Hein ! hurle le type. Mais tu es folle ! C'est pas une volaille. C'est un perroquet ! Un oiseau précieux ! Un oiseau qui parle !

— Ah ! Il parle ? Ben, pourtant, il ne m'a rien dit...

1877 □

Un perroquet hirsute et rachitique erre lamentablement dans la rue froide. Pris de pitié, un chat s'approche de lui et lui demande:

— Qu'est-ce qui t'est arrivé?

— Oh! répond le perroquet en grelottant, c'est une longue histoire. J'ai foutu le camp de la maison. Je vivais depuis dix ans avec un montreur d'animaux. On a travaillé ensemble dans tous les cirques. Il m'avait appris à imiter tous les bruits, le sifflet du chef de gare, le hurlement de la femme en couches, le klaxon des camions et même les cris d'animaux, le coq, la cigale, le lion... Le malheur, c'est que je me faisais vieux et les affaires commençaient à mal marcher. Nous n'avions plus d'engagements nulle part. Nous n'avions plus rien à bouffer. Alors un soir, il a allumé le four, il m'a regardé d'une drôle de manière et il m'a dit: Et maintenant, tu vas imiter le cri du faisan...

□ **1878**

— Tu sais, j'ai un perroquet extraordinaire! Il imite absolument tout ce qu'il entend. Il imite même mon fils en train de jouer du trombone à coulisse...

— Sans blague! C'est pas croyable. Ça doit être drôlement difficile?

— Tu parles! Surtout de tenir le trombone...

□ **1879**

Deux passagers d'un paquebot sont en train de jouer à la belote et pour élargir la partie, ils ont décidé d'apprendre à jouer à leur perroquet. Celui-ci semble avoir bien compris les règles, puisqu'à un moment donné, il jette une carte sur la table en criant:

— Je coupe!

Et instantanément, le bateau heurte un récif et coule! Dix minutes plus tard, on peut voir un perroquet accroché à une bouée de sauvetage, au milieu de débris de toutes sortes qui flottent sur la

mer. Il tient entre ses griffes un as de carreau et il grommelle :
— Pour un jeu de cons, on peut dire que c'est un jeu de cons...

1880 ☐

Un bonhomme rapporte un perroquet chez lui et il dit à sa femme :
— Je l'ai payé deux mille balles à la salle des Ventes. Faut dire qu'on était bien dix amateurs à se le disputer... Et le plus fort, c'est que je ne sais même pas s'il parle !
— Comment, si je parle ? grogne le perroquet. Et qui c'est qui a fait monter les enchères ?

pharmacie

1881 ☐

Un gars entre en coup de vent chez le pharmacien et il dit :
— Je voudrais un litre d'arsenic.
Le pharmacien lui demande :
— C'est pour quoi faire ?
— C'est pour ma femme, fait le gars.
— Ah, bon ! Et vous avez une ordonnance ?
— Non, mais je peux vous montrer sa photo...

1882 ☐

Une dame demande au pharmacien :
— Vous avez de l'acide acétylsalicylique ?
— De l'acide acétylsalicylique ? fait le pharmacien interloqué. Ah ! Vous voulez dire de l'aspirine ?
— Oui ! C'est ça ! Je ne me rappelle jamais le nom...

☐ **1883**

Un petit gamin de sept ans entre dans une pharmacie et il dit :

— Je voudrais des tampons périodiques au déodorant bactéricide...

— C'est pour ta maman ? demande le pharmacien.

— Non, monsieur, c'est pour moi !

— Pour toi ? Mais qu'est-ce que tu vas faire avec ça ?

— Ben, c'est pour être protégé même si je mène une vie agitée... Comme ça, je vais découvrir une nouvelle aisance sans irriter ma peau délicate... Et puis j'aime sentir entre mes jambes un confort ouaté !

☐ **1884**

Un gars entre dans une pharmacie et il dit :

— Vous avez quelque chose contre... euh... quelque chose contre...

Il y a une très jolie fille derrière le comptoir. C'est elle, la pharmacienne. Elle dit :

— Vous voulez quelque chose contre quoi ?

Le gars, il bredouille :

— Contre... Enfin, quelque chose pour... euh... c'est-à-dire que je ne sais pas si vous me comprenez, mais je fais l'amour trop souvent, alors je n'en peux plus.

La fille le regarde attentivement et elle dit :

— Cinq mille balles par mois, nourri, logé, ça vous va ?

☐ **1885**

— Vous voulez des capotes anglaises, dit la pharmacienne, mais vous ne m'avez pas dit la taille...

— Euh... fait le client, je ne sais pas ! Vous n'avez qu'à prendre la mesure vous-même...

— Très bien, dit la fille sans sourciller.

Et au bout d'un moment, elle se tourne vers l'arrière-boutique et elle crie :

— Apportez-moi une boîte de préservatifs de taille 3... non, de taille 4... attendez une seconde, c'est la taille 5 qu'il faut... Oh ! Pendant que vous y êtes, apportez aussi la serpillière !

1886 ☐

Un jeune apprenti commence à travailler dans la boutique d'un pharmacien. Il apprend par cœur le nom de tous les médicaments. Et il s'étonne de voir sur une étagère un étrange bocal recouvert d'une étiquette sur laquelle est marqué le mot *illisible.*

— Cherche pas, lui dit le pharmacien. Ça, c'est ce qu'on donne aux clients quand on n'arrive pas à lire l'ordonnance...

1887 ☐

Un gars rentre chez lui au moment où sa femme ne l'attend pas et elle a juste le temps d'enfermer son amant dans le placard. Elle est allongée dans l'obscurité, au milieu des draps défaits, et elle dit à son mari :

— Oh ! chéri, surtout n'allume pas la lumière. Je me suis couchée parce que j'avais une migraine abominable !

— Mon pauvre trésor ! fait le gars. Attends ! Je vais te faire passer ça...

Et il se déshabille dans le noir pour se coucher à côté d'elle. Pendant ce temps, elle réfléchit à ce qu'il faut faire pour laisser à son amant l'occasion de se barrer discrètement. Et au moment où son mari va entrer dans le lit, elle se met à gémir :

— Oh ! là, là... Ma tête, ma pauvre tête ! Tu ne voudrais pas descendre jusqu'à la pharmacie me chercher de l'aspirine ?

— Mais bien sûr ! répond le gars gentiment.

Et le voilà qui cherche ses vêtements à tâtons et qui se rhabille comme il peut, sans oser rallumer l'électricité. Il descend les étages à toute allure et il arrive à la pharmacie :

— Vous avez de l'aspirine ?

— Mais certainement, Monsieur Dupont, réplique le pharmacien. Qu'est-ce qui vous arrive ? Qu'est-ce que c'est que cet uniforme que vous avez sur le dos ? Vous vous êtes engagé dans les pompiers ?

□ **1888**

Avant de partir en croisière pour trois mois, une jeune femme entre chez le pharmacien et elle dit :

— Donnez-moi quelque chose contre le mal de cœur, donnez-m'en dix boîtes. Et puis donnez-moi dix boîtes de pilules contraceptives.

Le pharmacien lui sert sa commande et il ne peut s'empêcher de lui confier à voix basse :

— Entre nous, si ça vous chavire à ce point-là, vaudrait mieux vous en passer...

□ **1889**

Un brave paysan entre dans une pharmacie et il dit :

— Vous me donnerez de l'aspirine et du coton. Ah ! Pendant que j'y suis, il faut que je vous dise que ces capuches anglaises que vous m'avez fournies le mois dernier, vous savez, les préservateuses, eh bien, c'est formidable ! Ma femme n'est plus du tout inquiète !

— Parfait, dit le pharmacien. Vous en voulez d'autres ?

— Non. Nous sommes économes à la ferme. Maintenant, c'est ma femme qui me les tricote...

□ **1890**

Bien sûr, le pharmacien est un homme habitué aux choses délicates, mais tout de même, aujourd'hui, il estime que la mesure est pleine. C'est la douzième personne dans la matinée qui lui demande ces petits articles de caoutchouc d'origine soi-disant anglaise, qui sont destinés à refréner la natalité.

Et le plus fort, c'est qu'un client en veut des jaunes, un autre des verts, un troisième des noirs, à croire que c'est la couleur qui a le plus d'importance.

Si bien que lorsqu'un petit vieux entre à son tour dans la boutique en réclamant lui aussi la même chose, le pharmacien explose :

— Et naturellement, vous les voulez à carreaux rouges et blancs ?

— Non, dit le petit vieux d'un air navré, la couleur, ça m'est égal. Mais je voudrais que ce soit renforcé avec des baleines...

1891 ☐

Dans un placard, une vieille bouteille d'huile de ricin dit à une bouteille d'eau oxygénée :

— Ah ! Si vous m'aviez connue quand j'étais jeune ! Je faisais courir tout le monde !

philosophie

1892 ☐

Un milliardaire avait tiré de l'argent tous les plaisirs possibles. L'argent lui avait donné l'amour, la volupté, les voyages, la puissance... Maintenant, au seuil de la vieillesse, il désirait se retirer en lui-même pour trouver un sens à la vie et plus rien d'autre ne l'intéressait.

Il se mit à rendre visite aux philosophes, aux poètes et aux sages de tous les pays, mais ce fut en vain qu'il chercha auprès d'eux une réponse à la question cruciale.

Enfin on finit par lui indiquer un ermite hindou qui vivait dans une grotte sur les contreforts du Tibet.

Certainement ce vieillard saurait apaiser son inquiétude.

Alors le milliardaire mit sur pied une grande expédition. Il engagea des guides et des porteurs pour le conduire jusque dans la grotte perdue. Après des mois et des mois de difficile voyage, après avoir surmonté les embûches de la forêt, de la montagne et du froid, après avoir repoussé les attaques des grands fauves, après avoir subi des orages, des cyclones et des cataclysmes sans nombre, notre homme arriva enfin, seul survivant de sa caravane, au terme de ses épreuves et au seuil de la caverne. Il entra dedans.

Un patriarche chenu et vénérable était là, qui semblait l'attendre. Le milliardaire s'inclina devant lui et prit la parole :

— Je suis venu de très loin pour te demander quel est le sens de la vie...

Alors le vieillard considéra son visiteur en silence et il lui répondit très lentement :

— La vie est un grand fleuve...

— Comment ? dit l'autre.

— La vie est un grand fleuve ! répéta le vieillard avec béatitude.

— Mais enfin, ce n'est pas possible ! s'écria le milliardaire. J'ai marché, souffert et risqué mille fois la mort pour arriver jusqu'ici. J'ai perdu tous mes compagnons. J'ai presque perdu la santé. Tout cela pour atteindre à la vérité suprême... Et tout ce que tu trouves à me dire, c'est une ânerie pareille ?

Alors, le vieillard, soudain pris de panique, se mit à bégayer, les lèvres tremblantes :

— Sans blague ? La vie n'est pas un grand fleuve ?

☐ **1893**

— Écoutez, mon petit Descartes, dit le professeur à un cancre au fond de la classe, vous pensez, c'est une affaire entendue, mais vous ne suivez pas...

1894 □

Un gars trouve une épingle par terre. Bien sûr, elle est un peu rouillée, mais il la polit au papier de verre et il réussit à la vendre cinq centimes, comme si c'était une épingle neuve. Avec les cinq centimes, il achète deux épingles au rabais, et il les revend dix centimes.

En continuant ce petit manège, il finit par se trouver à la tête d'une énorme provision d'épingles, qu'il revend par boîtes de cent en faisant un assez joli bénéfice. Au bout d'un an, comme il n'a plus assez de marchandise pour satisfaire les commandes et qu'il a amassé une somme rondelette, il achète une usine d'épingles. Et au bout de cinq ans, comme il est très dur en affaires, les autres fabriques d'épingles ont fait faillite. Il règne sur le marché des épingles.

Il devient millionnaire, milliardaire. Il achète une écurie de courses, une compagnie d'aviation, deux ou trois yachts, il se monte un vrai harem. Il va dans des grands restaurants et il bouffe comme un chancre. Et il finit par attraper un ulcère d'estomac.

Enfin, à quatre-vingt-dix-huit ans, il meurt de son ulcère d'estomac, dont il n'aurait certainement pas souffert, s'il avait ramené honnêtement sa première épingle au commissariat de police.

Tout ça pour vous dire que bien mal acquis ne profite jamais...

1895 □

Dans un affreux galetas, un petit mec se met tout nu devant sa glace, il ouvre une boîte de sardines à l'huile, il débouche une bouteille d'eau Perrier, il mange à petites bouchées, il boit à petites lampées. Pour finir, il se donne un petit plaisir solitaire avec la main et il siffle entre ses dents :

— Y a pas à dire ! Le caviar, le champagne et les femmes, il n'y a que ça de vrai !

☐ **1896**

— L'égalité, quelle connerie! dit un clochard. Ça n'est possible qu'au paradis où on n'en a pas besoin. Et en enfer où elle rend la vie insupportable.

☐ **1897**

Qu'est-ce que la philosophie? Un tunnel, avec un nègre dedans.

Qu'est-ce que la philosophie religieuse? Un tunnel, avec l'esprit d'un nègre dedans...

Qu'est-ce que la philosophie humaniste? Un tunnel dans lequel on cherche l'esprit d'un nègre qui n'y est pas...

Qu'est-ce que la philosophie scientifique? Un tunnel, dans lequel on cherche l'esprit d'un nègre qui n'y est pas, en criant très fort: Je le tiens!...

☐ **1898**

Dans un village hindou, au pied des montagnes de l'Himalaya, vivait un mage que tout le monde révérait comme un saint et un prophète. Il était très vieux. Il semblait avoir vécu plusieurs existences. Or, un matin, il annonça à tout le monde:

— Demain, le soleil ne se lèvera pas...

Aussitôt tous les habitants furent pris d'une épouvantable panique. Ils rassemblèrent leurs biens et, courant dans tous les sens, se mirent à fuir, avec la stupide espérance d'échapper à la fin du monde.

Seuls, quelques sages décidèrent d'attendre la catastrophe paisiblement. Quelques heures avant l'aurore, ils étaient allongés sur l'herbe, prêts au pires événements. Au bout d'une longue patience, ils virent une lueur imprécise apparaître à l'horizon. Et le soleil se leva.

Alors, ils se rendirent en procession chez le vieux mage pour lui reprocher d'avoir menti. Ils entrèrent dans la vieille caverne qui lui servait de demeure.

Tout était silencieux. Le vieux mage était mort dans la nuit.

photographie

1899 □

Un bègue et un bossu se font photographier.
— Fais attention de ne pas bégayer, dit le bossu, ou alors la photo sera floue...
— Et toi, répond le bègue, tu... tutu... ferais meu... mieux de rentrer ta... tata... bobosse, autrement on... on pou... poupou... pourra pas fer... fermer l'album!

1900 □

Un gars un peu taré montre des photos à une fille:
— Tiens, regarde, dit-il. Sur celle-là, je suis en Afrique, avec le singe de mon oncle. Il est marrant, non?
— Oh, oui alors! C'est celui qui est à droite, avec les lunettes et le galurin à la main?

1901 □

Un voyageur de commerce a des soupçons sur l'infidélité de sa femme. Un beau jour, au lieu de quitter la ville comme d'habitude, il s'installe dans l'hôtel en face de chez lui et en se mettant à la fenêtre, il aperçoit son meilleur ami dans le lit de sa femme. Sur le coup, il est furieux, mais comme c'est un gars méticuleux, il avale sa salive, il va chercher un appareil photo et il se met à mitrailler tant qu'il peut les ébats de son épouse.
Et la semaine suivante, il rencontre son copain au bistrot et il lui dit:
— Tiens! J'ai des jolies photos à te montrer. Regarde!

— Oh ! fait le gars stupéfait, mais c'est pas possible ! C'est ta femme complètement à poil.

— Vouais, fait le mari, les dents serrées. Et regarde celle-là !

— Formidable ! C'est ta femme en train de... Oh ! Mais le gars qui est avec elle, c'est moi ! Ça alors ! J'en reviens pas ! C'est marrant, ces photos...

— Comment ! hurle le mari. Je te montre des photos où tu me fais cocu et tout ce que tu trouves à répondre, c'est que c'est marrant ! C'est tout ce que t'es capable de me dire ?

— Ben, fait l'autre, qu'est-ce que tu veux que je te dise ? Si tu veux, tu peux m'en faire tirer trois de chaque...

□ **1902**

C'est un photographe qui a épousé une jeune fille. Et au bout de neuf mois, elle accouche d'un petit bébé... tout noir. Alors le photographe regarde le berceau et il dit :

— Aïe, aïe, aïe... J'ai pas assez posé !

□ **1903**

Appelé au régiment, un jeune homme fait ses adieux à sa famille. Sa fiancée fond en larmes et lui dit :

— Laisse-moi au moins une photo de toi !

Alors, pressé par l'heure du train, il monte dans sa chambre, il fouille dans tous ses tiroirs et il ne trouve rien d'autre qu'une photo de lui, prise par des camarades sur la plage. Malheureusement, sur cette photo, il est tout nu.

Qu'à cela ne tienne ! Il coupe la photo en deux à l'endroit du nombril, il balance le bas, et il s'en va donner le haut à sa fiancée. Puis il file dire au revoir à sa vieille mémé qui l'embrasse et qui lui dit :

— Mon petiot ! Et tu t'en vas sans me laisser un souvenir ?

Du coup, il remonte dans sa chambre, il bouleverse encore toutes ses affaires, pour trouver quelque chose, mais en vain. Alors en désespoir de cause, il ramasse dans le panier à papiers la moitié de photo qu'il venait de jeter et il se dit :
— Après tout, la vieille n'y voit plus très clair avec ses yeux chassieux. Je vais lui donner ça et elle ne s'apercevra de rien.
Il redescend, il colle un gros baiser à la mémé et il lui dit :
— Tiens ! voilà une photo qui te fera penser à moi !
Et la mémé prend la photo en tremblant des mains, elle la regarde en dodelinant de la tête et elle chuchote :
— Oh ! C'est tout à fait ton grand-père ! Jamais rasé ! Toujours la cravate de travers...

poisson

1904 □

C'est un petit poisson qui est allé passer une nuit d'amour avec une petite huître. Au petit matin, il s'en va et la petite huître soupire :
— Ah ! Que c'était bon !
Mais au bout d'un moment, elle s'aperçoit qu'il est parti en emportant sa perle. Alors elle se met à trépigner de rage :
— Ah ! le salaud ! Je me suis encore fait avoir par un petit maquereau...

1905 □

Un gars rencontre un copain et il lui dit :
— Viens bouffer à la maison demain. Ma femme te fera de la sole !
Le gars fronce les sourcils et il répond :

— Mais ça fait trois fois que je vais manger chez toi et on bouffe toujours de la sole ! C'est une manie ou quoi ?

— Non, dit l'autre. C'est pas une manie. C'est mon appartement qui est bas de plafond...

☐ **1906**

Un jeune berger a apprivoisé un poisson rouge. Il lui raconte sa vie. Il l'emmène se promener avec lui dans les prairies. Le poisson trotte à côté du garçon. Même le chien et les brebis se sont habitués à lui. Le berger et le poisson deviennent inséparables. Ils parlent du ciel, et de la nuit, et des étoiles, et des hommes dans les villes. Pour un peu, le poisson apprendrait la philosophie.

Et puis, un jour où la chaleur de l'été est très forte, ils décident tous les deux d'aller se baigner dans la rivière. Le berger plonge et nage. Jamais il n'a autant éprouvé qu'au milieu de l'eau l'amitié qu'il porte au poisson.

Le poisson aussi s'est jeté dans la flotte, mais soudain il s'affole, il boit la tasse et il disparaît, emporté par le courant. *Il ne savait plus nager...*

☐ **1907**

Un vieux patriarche est en train d'écouter attentivement une énorme voix qui sort des nuages. Et au bout d'un moment, il dit :

— D'accord ! J'ai compris toutes vos instructions... Mais qu'est-ce que je fais pour les poissons ? Je les accueille dans l'Arche ou bien autour ?

☐ **1908**

— Alors, ta fiancée ? Elle est belle, au moins ?

— Oh ! Elle est belle comme une déesse. Enfin, je veux parler de son corps. Parce que la tête, ça va pas

du tout. Elle a une tête tellement affreuse que j'aimerais bien la jeter...
— En somme, c'est comme avec le poisson ?
— C'est ça ! D'ailleurs, elle ne reçoit que le vendredi...

1909 □

Un député communiste vient de faire une virulente intervention à la tribune de la Chambre contre l'augmentation du coût de la vie et l'appauvrissement des travailleurs. Le lendemain, il reçoit un coup de téléphone d'un correspondant qui semble très en colère :
— Allô, monsieur, c'est insensé, ce que vous avez dégoisé hier ! Vous n'êtes qu'un stupide démagogue ! Et pour vous le prouver, je vais vous dire une chose. Ma compagne et moi, nous vivons comme des rois pour une dépense d'un franc par jour. Il ne nous manque absolument rien pour être heureux. Et pourtant, nous sommes d'un milieu très modeste.
— Mais enfin, répond le député, c'est absolument impossible ! Pouvez-vous m'expliquer comment vous faites pour vous en tirer ainsi ?
— Bien sûr que je peux vous expliquer. C'est tout à fait simple...
— Oh ! S'il vous plaît, voudriez-vous parler plus fort ? Je vous entends très mal...
— Je ne peux pas parler plus fort. Je suis un poisson rouge dans un bocal...

1910 □

Dialogue entre deux harengs saurs :
— Vous avez l'air bien cavalier, ce matin !
— C'est normal. Je sors de Saumur...

1911 □

L'invité demande à la maîtresse de maison :

— Je ne comprends pas pourquoi vous avez mis une bâche sur l'aquarium. Nous ne pouvons plus voir vos si jolis poissons !

— Ça ne fait rien ! L'essentiel, c'est qu'ils ne s'aperçoivent pas qu'il y a une friture de sardines pour dîner. Ils sont tellement susceptibles !

☐ **1912**

Un professeur de sciences naturelles termine son cours :

— J'espère que vous avez bien compris ma démonstration. Je résume donc. Chez les poissons, la femelle pond ses œufs dans l'eau. Le mâle arrive ensuite et il les féconde. Il n'y a donc aucun contact sexuel dans cette espèce animale...

— Mais alors, demande un élève au fond de la classe, pourquoi dit-on toujours : heureux comme un poisson dans l'eau ?

☐ **1913**

Un jeune crabe est tombé amoureux d'une sardine. Mais c'est une sardine de bonne famille et elle a horreur des gens qui ne savent pas marcher droit. Le pauvre petit crabe fait des efforts terribles et un beau soir, il arrive chez la sardine sans faire un seul pas de côté.

— Regarde, lui dit-il. J'ai appris à marcher droit ! Ce n'est pas une preuve d'amour, ça ?

Alors, la sardine est tellement bouleversée qu'elle cède aux avances du petit crabe. Et ils passent ensemble une folle nuit d'amour. Mais le lendemain matin, en se réveillant, elle le voit qui s'éloigne en zigzaguant de côté, comme font tous les crabes. Et furieuse, elle lui crie :

— Tu recommences à marcher de travers ! Tu vois, tu ne m'aimes déjà plus !

Et le pauvre petit crabe se retourne tristement et déclare :

— Mais si, je t'aime ! Seulement, je ne peux pas me soûler tout le temps !

1914 ☐

Un petit poisson a un gros chagrin d'amour et il décide de se suicider. Alors il se met une bulle d'air autour du cou et il se jette hors de l'eau...

1915 ☐

Un malheureux pêcheur a jeté sa ligne depuis trois heures, sans attraper le moindre poisson. Et puis tout d'un coup, il sent une prise. Il tire sur sa ligne et il sort un petit poisson rouge qui gigote beaucoup. Il le met dans son seau, il relance sa ligne. Et juste à ce moment, il voit un poisson qui émerge de l'eau et qui lui demande très poliment :

— Pardon, monsieur, de vous déranger, mais nous avions organisé une matinée récréative entre amis. Vous ne pourriez pas nous rendre notre comique ?

poker

1916 ☐

Un jeune étudiant est en train de jouer au poker. Soudain ses yeux vacillent. Il vient de lui rentrer une quinte majeure : as, roi, dame, valet, dix de pique. Il essaie de cacher sa joie, il relance, il relance encore, il met sur le tapis tout l'argent qu'il a sur lui et soudain, il s'aperçoit qu'il ne peut pas continuer. Alors il va au téléphone, il appelle son père et il lui dit :

— Viens tout de suite, papa. Je ne peux pas t'expliquer, mais c'est important !

Le père arrive, il regarde le jeu de son fils, il a un grand sourire et il lui dit :

— Tiens ! Voilà deux mille balles... Tu peux relancer.

Et le gars ramasse une somme folle. Il saute au cou de son père en criant :

— Merci, papa. T'es un papa en or !

Et le père laisse tomber :

— Pour cette fois-ci, ça va. Mais la prochaine fois que tu prendras l'as de trèfle pour l'as de pique, je t'avertis que je te laisserai baigner dans ton jus...

☐ **1917**

Un joueur impénitent meurt en plein milieu d'une partie de poker et il se présente à la porte du ciel :

— Oh ! Oh ! Attention, lui dit saint Pierre. Le paradis n'est pas pour vous !

— Comment ? supplie le bonhomme. Je n'ai jamais fait de tort à personne. Je ne trichais qu'avec les tricheurs. Tenez, je vous joue ma part de paradis en trois manches. Si je perds, je vais en enfer !

Saint Pierre se laisse amadouer et il sort un jeu de cartes de sa poche :

— Mais je vous préviens, dit-il, pas d'entourloupette !

— D'accord, fait l'autre, mais de votre côté, pas de miracle !

☐ **1918**

Un mari rentre chez lui et naturellement, il trouve son meilleur ami dans le lit de sa femme. Il est sur le point de piquer une grosse colère, mais son copain lui dit :

— Écoute, on est potes depuis trente ans. On ne va pas se fâcher pour si peu. Je te propose un truc : ta femme, on la joue au poker ! Celui qui gagne, il se la garde...

Le mari, il réfléchit une minute et il dit :

— D'accord !

Alors, ils sortent les cartes, ils les distribuent. Et puis le mari se passe la main sur la moustache et il dit :

— Si on mettait mille balles sur la table pour intéresser la partie ?

politique

1919 □

Deux hommes politiques sont en grande conversation dans les couloirs de l'O.N.U. Le premier, qui est un optimiste, déclare :

— Je crois que d'ici dix ans, dans les pays sous-développés du tiers monde, tout le monde sera obligé de manger des cailloux...

Et le second, qui est un pessimiste, réplique :

— Moi, je crois qu'il n'y a déjà plus assez de cailloux pour tout le monde...

1920 □

Un jeune étudiant soviétique a décidé d'épouser une charmante fille qui travaille dans la même école que lui. Et ils se mettent à faire des projets d'avenir.

— Tu sais, dit-elle langoureusement, si on économise un peu d'argent, on pourra peut-être avoir une maison à nous...

— Une maison à nous ? dit-il. Mais enfin tu rêves ! Je suis né dans une maternité de l'État. J'ai grandi dans un foyer ouvrier. J'ai eu le secours du gouvernement pour faire mes études. On s'est rencontrés au restaurant communautaire. Le soir, je travaille comme secrétaire dans une cellule du parti. Et le dimanche, on fait des excursions avec les Jeunesses communistes. Non, ce qu'il nous faut, ce n'est pas une maison à nous, c'est juste une chambre de location où on ne nous dérangera pas tout le temps quand nous parlerons politique...

☐ **1921**

Un candidat aux élections harangue la foule :

— Il faut en finir avec le capitalisme! Le capitalisme, c'est l'exploitation de l'homme par l'homme!

— Et le communisme, lance un interrupteur, qu'est-ce que c'est, le communisme?

— Le communisme, c'est le contraire...

☐ **1922**

Un avion français est sur le point d'atterrir sur l'aéroport de Pékin. L'hôtesse passe parmi les voyageurs en disant:

— Nous allons nous poser en Chine populaire. Veuillez attacher vos ceintures...

Alors un petit Chinois, qui est encore maoïste, se dresse furibond et se met à piailler:

— Attention, mademoiselle! Pas de révisionnisme, je vous prie...

☐ **1923**

Reagan, Mitterrand et Margaret Thatcher se sont réunis pour débattre d'affaires graves. Tout à coup, Reagan se penche vers les deux autres et il leur souffle:

— Je ne sais pas comment ça se passe pour vous, mais moi, j'ai un mal fou à résister à l'autorité de ma femme!

— Tiens donc, répond Margaret Thatcher. Pourtant moi, de ce côté-là, j'ai une paix royale!

Alors Mitterrand se carre dans son fauteuil, il se frotte les mains et il dit:

— Eh bien, ma femme et moi, nous ne nous disputons jamais. C'est elle qui prend toutes les décisions importantes. C'est elle qui choisit les menus, les meubles, l'endroit où on va en vacances, la marque de notre voiture, les livres qu'on lit et les films qu'on va voir... Et croyez-moi, je ne la chicane jamais là-dessus. Moi, je ne m'occupe que des détails...

— Les détails ? Quels détails ? demandent d'une seule voix Reagan et Margaret Thatcher.

— Ben, les détails, quoi ! Le coût de la vie, la vente des armes, la balance commerciale, le chômage...

1924 ☐

Il est inexact de dire qu'un texte soumis à référendum partage la nation en deux blocs, les *oui* et les *non*. En réalité, il y a ceux qui sont pour le projet de loi, ceux qui sont contre, et puis ceux qui l'ont lu.

1925 ☐

Un gendarme polonais surprend une merveilleuse jeune fille qui est en train de se baigner toute nue dans la rivière. Il se racle la gorge. Il avale sa salive. Il remet un peu d'ordre dans sa tenue. Il sort son carnet de contraventions et il écrit :

— Procès-verbal pour activités contre-révolutionnaires. Cette personne excite une partie de la population contre l'autre...

1926 ☐

Au moment de traverser la rue à un feu rouge, un beau garçon blond tombe en arrêt devant un gars de son âge, un gars tellement beau qu'il en reste figé sur place. Et l'autre s'est arrêté aussi. Ils ont l'air aussi fascinés l'un que l'autre. C'est vraiment le flash !

Alors le plus hardi des deux se jette à l'eau et il bredouille :

— Il faut que je te parle ! Il faut que je te touche !

Et l'autre réplique vivement :

— Tu m'excites ! Si tu savais ce que tu m'excites ! On devrait faire l'amour !

Puis il ajoute aussitôt :

— Mais c'est pas possible, camarade ! Je vais à une manif des Pédés Révolutionnaires...

□ **1927**

Quatre hommes discutent pour essayer de savoir lequel d'entre eux appartient à la profession la plus ancienne.

— Ma profession existait avant toutes les autres, dit le médecin. Avoir enlevé une côte à Adam pour en faire Ève, n'est-ce pas un acte médical ?

— Non, dit l'architecte. Le premier travail a été de bâtir et d'organiser le monde.

— Vous vous trompez, dit le philosophe. Avant de bâtir le monde, il a bien fallu tirer une pensée du chaos.

— Ah, oui ? dit l'homme politique. Et selon vous qui avait créé le chaos ?

□ **1928**

Un clochard est entré par hasard dans un meeting politique où un orateur explique ce que c'est que le communisme.

— Mesdames, messieurs, lorsque dans une nation, il y a seulement une petite minorité qui peut trouver sa nourriture, c'est la tyrannie ! Quand il y a malgré tout une forte minorité qui ne peut pas trouver sa nourriture, c'est la démocratie. Mais lorsque dans une nation, tout le monde trouve sa nourriture, alors là, c'est le communisme !

Le clochard sort de là, assez ébranlé. Il va trouver ses copains sous le Pont-Neuf et il leur dit :

— Écoutez-moi bien. Si on est seulement quelques-uns à fouiller dans les poubelles, c'est la tyrannie ! Si on est une majorité à fouiller dans les poubelles, c'est la démocratie ! Mais si un jour, tout le monde fouille dans les poubelles, alors là, ce sera le communisme...

□ **1929**

Un secrétaire de sous-préfecture est en train de téléphoner :

— Sacré nom de nom ! Ça ne peut pas durer comme ça ! Vous me mettez sur le dos la construction d'une cité modèle et puis tout le monde me laisse tomber ! Qui est à l'appareil ? C'est le cabinet du préfet ? Allô ! J'attends le permis de construire depuis six mois ! Comment ça, vous n'y pouvez rien ? Passez-moi le ministère à Paris... Mais n'importe qui, je m'en fous, même à l'Élysée... Allô ? Quelle affreuse bande d'incapables ! Qui est à l'appareil ? Je téléphone pour la cité modèle de Saint-Marcel ! Où est le con qui doit me donner le feu vert ? Merde alors ! Mais répondez-moi, espèce de trou du cul de putain d'enfoiré ! Qui est à l'appareil ?

— C'est le président de la République...

— Le quoi ! Le... le président... Ah ! bon... Et vous, est-ce que vous savez qui est à l'appareil ?

— Non...

Alors le gars pousse un grand soupir et avant de raccrocher, il laisse tomber :

— Eh bien ! Tant mieux...

1930 □

Un habitué des cercles politiques rencontre un ancien ministre.

— Comme c'est curieux ! lui dit-il. Il n'y a pas dix minutes, je viens de quitter Machin qui était dans la même équipe ministérielle que vous.

— Ah ! oui, Machin ! réplique l'ancien ministre. Un gars délicieux. Nous avons fait nos études ensemble. Un type charmant. Nos familles se connaissaient depuis longtemps. Quelqu'un de bien, vraiment. Pendant la guerre, nous étions dans le même maquis. Un héros et un ami. Puis il a fait de la politique comme moi. D'une loyauté absolue. Nous n'avons pas toujours été du même avis. C'était un bon camarade. Vous savez, son fond réactionnaire a fini par remonter à la surface. Il n'est pas très intelligent. Il a même osé m'attaquer à la Chambre, d'une manière assez vilaine. C'est un pauvre mec. Et en plus, il a voulu me supplanter. Un sale type. Il a l'esprit négatif. Enfin quoi, un foutu con. Et il est dangereux. Entre nous, si on n'était pas en démocratie, il faudrait le fusiller...

polytechnicien

☐ **1931**

Toto demande à son père qui est polytechnicien :

— Papa, qu'est-ce qui sucre le café, c'est le sucre ou la cuillère ?

Le père réfléchit une minute et il dit :

— C'est la cuillère !

— Mais alors, dit Toto, le sucre, à quoi ça sert ?

— C'est pour savoir si on a assez remué...

☐ **1932**

Un polytechnicien étudie les sciences naturelles. Il a installé une puce sur une feuille de papier et il lui dit de sauter. La puce saute. Alors il coupe les pattes de la puce et il lui dit :

— Saute encore !

Mais la puce ne saute pas. Et le polytechnicien, qui est très logique comme tous les polytechniciens, déclare à qui veut l'entendre :

— Quand on coupe les pattes à une puce, elle devient sourde.

☐ **1933**

A une dame qui lui demande si son fils a raison d'entrer à Polytechnique, un ministre répond benoîtement :

— Polytechnicien, c'est très bien. Ce sont des hommes qui savent tout ! Mais rien d'autre...

prière

1934 □

Marius et Olive sont venus prier la Bonne Mère. Ils sont plantés tous les deux dans l'église devant la statue de la Vierge. Olive, qui est très pauvre, joint les mains et dit :

— Bonne Mère, j'ai cinq mille francs de dettes. Fais quelque chose pour que je les trouve avant la fin de la semaine.

Et Marius, qui est très riche, prie d'une autre manière :

— Bonne Mère, fais monter les cours de la Bourse pour que je trouve vite les vingt briques dont j'ai besoin.

Mais comme Olive recommence sa prière, Marius, exaspéré, s'approche de lui et lui dit d'un ton bourru :

— Tiens, voilà tes cinq mille balles. Ferme ta gueule et laisse-la se concentrer sur moi !

1935 □

Le bateau va couler. Le capitaine rassemble l'équipage et il demande :

— Y en a-t-il un parmi vous qui soit vraiment capable de prier avec ferveur ?

— Moi, capitaine, répond un homme en s'avançant.

— Parfait, dit le capitaine. Que tous les autres mettent les ceintures de sauvetage. De toute façon, il en manque une...

1936 □

Prière d'une première communiante :

— Je vous salue, Marie, pleine d'entrailles...

☐ **1937**

Pendant la messe, l'orage éclate et la foudre tombe sur le clocher. Plus terrorisé encore que ses fidèles, le prêtre se retourne vers eux :

— Mes frères, dit-il, arrêtons la messe et prions !

☐ **1938**

— Comment se fait-il, demande un séminariste à un autre que le Supérieur t'ait accordé la permission de fumer pendant la prière ? C'est pourtant strictement interdit !

— Oh ! C'est tout simple : j'ai demandé l'autorisation de prier pendant que je fumais...

☐ **1939**

Le placard suivant est affiché à la porte d'une église :

« Si l'on en croit les statistiques, il y a en France 55 millions d'habitants. Mais on peut enlever 35 millions d'athées ou de gens qui ont perdu la religion. On peut enlever aussi 5 millions de vieillards, d'impotents et de gâteux. On peut enlever encore 4 millions de communistes. Et puis 4 millions d'enfants en bas âge. Et 3 millions de protestants. Et un million d'anticléricaux, de Juifs et de francs-maçons. Et un million de délinquants, de voleurs, de joueurs et de libertins. Et un million de fainéants. Et un million de fous, d'anarchistes et de demeurés. Si vous faites le calcul, il ne reste personne pour prier. Ou plutôt si. A peu de chose près, il reste votre curé et vous. Alors, il nous faut prier davantage. Et surtout vous, parce que moi, j'en ai marre de prier tout seul... Votre curé. »

☐ **1940**

Le vieil Abraham, qui est épicier de son état, interpelle son fils aîné :

— Isaac ! Tu as versé l'eau dans les bidons de lait ?
— Oui, papa !
— Tu as ajouté du plâtre dans les sacs de sucre ?
— Oui, papa !
— Tu as mis des cailloux dans les boîtes de lentilles ?
— Oui, papa !
— Bon. Alors, viens dire la prière du soir avec nous...

prison

1941 □

Le roi Salomon décide de visiter la plus grande prison de son royaume. Et il se met à interroger les détenus.
— Pourquoi es-tu ici ?
— Pour rien, Majesté, je n'ai rien fait de mal !
— Et toi, quel crime as-tu commis ?
— Aucun, Majesté, je suis victime d'une erreur judiciaire !
Et ainsi de suite, tous les prisonniers jurent qu'ils sont plus blancs que des colombes. Sauf un, qui répond au roi :
— Majesté, moi, je mérite ma peine et je n'ai pas à me plaindre. C'est bien fait pour moi.
Alors le roi Salomon appelle un gardien et lui dit :
— Libérez tout de suite cet affreux criminel. Il risquerait de corrompre tous ces innocents...

1942 □

— Madame, vous êtes enceinte de trois mois !
— Mais enfin, docteur, c'est impossible, mon mari est en prison depuis plus d'un an...
— Ça n'empêche pas.

— Écoutez, docteur, faites quelque chose, il faut me débarrasser de ça...

— Ah ! non, madame. Ce serait contre mes convictions !

— Comment, docteur ! Vous n'avez même pas pitié d'un homme qui est en prison ?

□ **1943**

Deux condamnés se retrouvent dans la même cellule.

— Combien t'as pris ? dit le premier.

— Dix ans !

— Bon. Moi, ils m'en ont foutu quinze. C'est toi qui sortiras le premier. Tu peux prendre le lit près de la porte.

□ **1944**

Cet homme a été condamné à la réclusion perpétuelle. Il est seul dans une petite cellule. Il n'a plus aucune famille pour venir le voir. Il se sent l'être le plus solitaire et le plus malheureux de la terre.

Pendant les cinq premières années, il a en vain essayé de se suicider. Puis il végète dans un accablement profond, sans jamais parler à ses gardiens. Il n'est plus qu'une loque qui mange et dort mécaniquement.

Mais un beau jour, une fourmi entre dans sa cellule par la fenêtre, et à son réveil, il l'aperçoit sur l'oreiller. Le lendemain, elle est encore là. Et tous les autres jours de la semaine. Alors il se décide à la regarder marcher, il lui donne des miettes de pain, il la prend dans sa main et il commence à lui parler.

Au bout d'un mois, une étrange amitié est née entre l'homme et l'insecte, une complicité extraordinaire s'est établie. Il raconte sa vie. Elle écoute. Il la caresse. Elle dort avec lui.

Des années passent ainsi et un soir, la fourmi est si heureuse d'être aimée qu'elle se met à sauter de joie dans le rai de lumière qui tombe à travers les barreaux. Alors l'homme, ébloui, l'embrasse délicatement et décide de la faire sauter un peu plus haut. Puis encore plus haut... Enfin il lui apprend à faire des sauts périlleux.

Dix années passent encore, et maintenant l'homme obtient de la fourmi un stupéfiant numéro de cirque. De son côté la fourmi lui a appris à développer son odorat et sa résistance au froid. Et l'intimité est devenue si grande entre eux, que dans ce grand bonheur, l'homme a complètement oublié qu'il était en prison.

Alors la porte s'ouvre et on annonce au prisonnier qu'il bénéficie d'une remise de peine et qu'il est libre ! Il n'en croit pas ses oreilles... Il sort de la prison avec sa fourmi pour tout bagage. Il lui explique qu'ils vont partir ensemble à la découverte du monde et que tout va devenir encore plus merveilleux. Il ne se sent plus de joie.

Il entre dans le bistrot en face de la prison, il commande un demi, il pose amoureusement sa fourmi sur le comptoir et il éprouve le besoin immédiat de la montrer à quelqu'un et d'expliquer sa bouleversante histoire. Il appelle le barman, il lui désigne la fourmi du doigt...

— Regardez ! dit-il, les yeux embués de larmes.

Le barman se penche et il fait :

— Oh ! Excusez-moi, monsieur, ce n'est qu'une fourmi...

Et avec le pouce, il l'écrase...

1945 ☐

C'est une vieille dame américaine qui a consacré toute sa vie à visiter les prisons et à réconforter les condamnés. Elle envoie une lettre à la prison de Sing-Sing :

— Cher matricule 322 515, je viendrai vous voir jeudi prochain, comme je suis venue jeudi dernier. Mais maintenant que nous nous connaissons un peu mieux, permettez-moi de vous appeler affectueusement 322...

progéniture

□ **1946**

On vient de remettre le prix Cognacq-Jay à un père de famille nombreuse. Un journaliste s'avance avec un micro et lui demande :

— Combien avez-vous d'enfants ?

— Sept !

— Et quel âge ont-ils ?

— Onze ans, dix ans, neuf ans, huit ans, sept ans, six ans et cinq ans.

— Et maintenant vous avez arrêté ?

— Oui, parce qu'on a acheté la télévision...

□ **1947**

Un conscrit arrive au régiment pour être incorporé et un sous-off lui pose les questions rituelles :

— Vous êtes marié ?

— Non.

— Votre père est vivant ?

— Oui.

— Votre mère aussi ?

— Oui.

— Vous avez des frères et sœurs ?

— Oui.

— Combien ?

— Dix-huit.

— Hein ? Dix-huit ? Mais dites donc, votre père, c'est un chaud lapin !

— Non, c'est pas un chaud lapin. Seulement, il a un tic...

1948 □

C'est un bon catholique, très hostile à l'avortement. Ce qui fait qu'il est père de douze enfants. Un beau jour, il déclare à sa femme :
— Si jamais tu m'en fais encore un, je me fous une balle dans le crâne !
Et deux mois plus tard, elle revient, penaude, de chez le médecin et elle avoue en pleurant :
— Chéri, je suis encore prise.
Alors, il va dans son bureau, il ouvre un tiroir, il sort un revolver, il l'appuie sur sa tempe, il est sur le point de tirer... Mais il se dit :
— Mon Dieu ! Et si j'allais tuer un pauvre innocent ?

1949 □

Un pasteur protestant, père d'une nombreuse famille, attend un nouvel héritier.
— Celui-là, comment l'appellerons-nous ? demande-t-il à sa femme.
Et elle répond :
— *Amen !*

1950 □

Un gars entre dans un magasin de jouets et il dit :
— Je voudrais deux bicyclettes pour mes jumeaux de douze ans, deux trains électriques pour mes jumeaux de dix ans, deux nécessaires de couture pour mes jumelles de huit ans, deux poupées pour mes jumelles de six ans, deux ballons pour mes jumeaux de quatre ans et deux hochets pour mes jumelles de deux ans !
— Mais c'est pas possible, fait le vendeur, vous avez des jumeaux à tous les coups ?
— Non, dit le gars, il y a des fois où j'ai rien...

□ **1951**

Une brave Marseillaise se présente au bureau de l'état civil :

— Je viens déclarer mon petit neuvième...

— Ah ! bon, dit l'employé. Quel est le nom de votre mari ?

— C'est pas mon mari ! C'est toujours lui le père, mais c'est pas mon mari...

— Quoi ? Ce monsieur est le père de vos neuf enfants et il n'est pas marié avec vous ? Mais qu'est-ce que vous attendez pour l'épouser ?

Alors la brave dame minaude :

— Oh ! C'est pas possible. Il faut que je vous dise qu'il ne m'est pas très sympathique...

□ **1952**

— Et qu'est-ce qui te ferait plaisir pour ta fête ? demande une maman à sa petite fille de cinq ans.

— Eh bien, fait la môme, une boîte de pilules contraceptives.

— Quoi ? hurle la mère stupéfaite. Qu'est-ce que tu dis ?

— J'ai dit une boîte de pilules ! J'ai déjà douze poupées, je trouve que ça suffit comme ça...

□ **1953**

Le ministre de la Santé publique rend visite dans un petit village à une famille nombreuse :

— Dix enfants !... Madame, dit-il à la mère, permettez-moi de vous féliciter au nom de la République...

Et machinalement, allant d'un gosse à l'autre, distribuant tapes amicales et caresses dans les cheveux, il ajoute :

— Six, sept, huit, neuf... Mais je n'en vois que neuf ! Il en manque un ?

— Oui, dit la mère. Vous n'avez pas vu le petit dernier. Il est là, tout en haut de l'armoire.

— En haut de l'armoire? réplique le ministre stupéfait. Mais pourquoi?
— C'est qu'il a dix mois, monsieur le ministre. Et il tombe tout le temps. Alors, comme ça, au moins, on l'entend dégringoler!

1954 □

Un ouvrier se présente à l'embauche. Il dit:
— Je voudrais travailler. J'ai une femme et quatorze enfants.
Et le contremaître lui répond:
— Oui. Et qu'est-ce que vous savez faire *d'autre*?

1955 □

C'est un gars qui a dix-sept enfants. Un de ses copains lui dit:
— Quand même! Tu exagères... Tu pourrais au moins te retenir un peu. Est-ce que tu penses seulement à la vie que tu fais à ta femme?
— Bien sûr que j'y pense, répond le gars. D'ailleurs, c'est sa faute à elle! Elle est sourde...
— Elle est sourde? Mais qu'est-ce que ça y change qu'elle soit sourde?
— Ben, le soir, après le dîner, quand on est couchés, je lui dis: « Alors, on dort ou quoi? » Et elle me répond toujours: « *Quoi?* »

1956 □

Une fille-mère vient d'avoir son neuvième bébé. Le médecin manifeste quelque inquiétude:
— Mais enfin, mademoiselle, vous ne songez toujours pas à vous marier?
— Euh... non.
— Pourtant, tous ces petits ont le même père, à ce qu'il me semble?
— Euh... oui, docteur.
— Alors, pourquoi cet homme ne vous épouse-t-il pas?
— Ben, il n'aime pas les enfants...

☐ **1957**

Un bonhomme rend visite à un de ses amis qui est fabricant de pilules contraceptives. Et dans la maison, il y a une quinzaine d'enfants qui s'ébattent tranquillement.

— Ben, mon vieux, dit le gars, c'est à toi, tous ces gosses ? Pour un fabricant de pilules, on peut dire que tu te fais de la publicité à l'envers !

Et l'autre lui répond piteusement :

— C'est pas de la publicité, c'est les réclamations !

prostitution

☐ **1958**

Un petit mec d'Ajaccio arrive à Paris et ses copains lui disent :

— Faut te mettre au boulot. Il y a une fille qu'on connaît rue Saint-Denis. Tu la prends en main et tu la fais travailler...

Le gars, il va chez la fille, il entre et il recule d'horreur. Elle est carrément indescriptible, les cheveux visqueux, les fesses énormes, les seins sur les cuisses, enfin, n'insistons pas ! Il lui dit :

— A partir de maintenant, c'est moi ton mac ! T'en as déjà eu d'autres ?

— Euh... oui, j'en ai eu six !

— Six ? Qu'est-ce qui leur est arrivé ?

— Ils sont morts !

— Ils sont morts dans un règlement de comptes ?

— Non ! Ils sont morts de faim...

☐ **1959**

Il est minuit. La fille s'approche d'un passant :

— Tu viens, chéri ? C'est trois cents francs !
— Je veux bien, mon chou, dit le gars, mais je t'avertis que moi, je cogne...
— Tu cognes, tu cognes... Tu sais, j'ai l'habitude des pervers. Si tu doubles la mise, tu peux monter...
— Oui, mais je cogne fort.
— Tu cognes fort ? Alors, ce sera mille, il faut ce qu'il faut.
Et les voilà qui montent tous les deux. La fille se déshabille. Le gars aussi et il est baraqué comme un catcheur. La fille est un peu inquiète, elle lui demande doucement :
— Dis donc, tu vas cogner longtemps ?
— Ça dépend de toi, dit le gars. Je vais cogner jusqu'à ce que tu m'aies rendu mes mille balles...

1960 ☐

Un brave homme de curé rentre chez lui, tard le soir, et il se fait aborder par une femme qu'on appelle de mauvaise vie. Le curé sursaute et il lui dit avec componction :
— Mon enfant, vous tombez bien mal ! J'ai au moins trois raisons de ne pas vous suivre... La première, c'est que je n'ai pas d'argent ! La seconde, c'est que Dieu...
— Te fatigue pas, dit la fille. Les autres raisons, je m'en fous !

1961 ☐

Un curé fait la quête pour les filles perdues. Un des paroissiens refuse obstinément de verser son obole :
— Vous en faites pas, monsieur le curé. Moi, je leur donne toujours de la main à la main...

1962 ☐

Un petit gamin discute avec une grosse fille de joie sur le trottoir.

— Je suis raide. Je peux vous donner cinquante francs, mais pas plus.

— Cinquante francs ! C'est pas possible, t'es le fils du Juif errant ! Enfin, monte quand même, juste pour dix minutes...

Mais quand la fille s'est déshabillée, le gosse l'examine tristement et il dit d'une voix blanche :

— Dites, vous n'auriez pas quelque chose de plus petit pour trente balles ?

☐ **1963**

Une vieille habituée du Sébasto accroche un passant :

— Tu viens, chéri ? Combien tu me donnes ?

L'autre, il la regarde des pieds à la tête et il dit :

— Dans les soixante ans...

☐ **1964**

— Je veux bien, dit le petit monsieur à la putain qui vient de le draguer, mais à une condition, c'est que tu me fasses les deux choses qu'on m'a faites à Yokohama...

— A Yokohama ? Allez, monte ! Je suis quand même plus dessalée que les Japonaises !

Une heure plus tard, elle se rhabille et elle lui dit :

— Tu ne m'as pas demandé cette seconde chose...

— Eh bien, dit-il, ce qui est promis est promis. La seconde chose qu'on m'a faite à Yokohama, c'est crédit.

☐ **1965**

Le gars est monté derrière la fille. Mais il faisait tellement noir dans la rue, lorsqu'elle l'a abordé, qu'il n'a pas pu voir grand-chose. Et quand elle commence à se déshabiller, il est complètement atterré. Ce n'est presque plus une femme, c'est à peine un portemanteau.

Alors il ferme les yeux, il enlève sa veste, il enlève sa chemise, il enlève son pantalon et il jette tout par la fenêtre. La fille est stupéfaite. Elle lui dit :
— T'es maboul ? Qu'est-ce qui te prend ?
— Ça fait rien, dit-il. D'ici que j'y arrive, la mode aura changé !

1966 □

Un provincial se balade sur les Champs-Élysées et il est abordé par une fille sensationnelle qui lui glisse :
— Tu viens, chéri, c'est deux cent cinquante !
Il décline l'invitation et une demi-heure après, il se retrouve sur les grands boulevards où l'accoste une très jolie jeune fille :
— Deux cent cinquante pour toi, mon mignon !
— Non merci, dit-il. C'est pas dans mes moyens...
Enfin, il arrive aux Halles et voilà qu'une vieille putain édentée le prend par la taille et lui dit d'une voix mielleuse :
— Cinq cents, coco, t'es amateur ?
Alors le gars éclate :
— Vous êtes dingue, non ? J'ai déjà refusé deux bonnes femmes du tonnerre pour la moitié de ça, et vous vous imaginez que je vais me taper une ruine comme vous pour le double ?
— C'est tant pis pour toi, dit la vieille, parce que moi, je donne aussi un porte-clefs...

1967 □

Une fille de joie sort du cabinet de son médecin complètement affolée. Le docteur vient de l'avertir qu'elle était en train de changer de sexe. Alors elle se précipite chez elle et elle redescend déambuler sur le trottoir, avec un grand écriteau accroché au cou :
« Occasion unique : réductions avant transformation. »

☐ **1968**

Rue Quincampoix, une de ces dames, spécialisées dans le racolage des messieurs, vient d'en faire monter un dans sa chambre. C'est un vieux gigolo. Le gars se déshabille, et la fille, un peu surprise, lui dit :

— Vous êtes israélite ?

— Non, non, répond-il. C'est seulement l'usure. Elle a quarante ans de service...

☐ **1969**

Un gars avise une fille très maigre, presque squelettique, qui lui semble faire le tapin sur le trottoir de la rue Saint-Denis, et il lui demande :

— Ça vous dirait de venir jusque chez moi ?

— Mille balles, fait la fille, et moi je vais où ça vous chante...

— Parfait ! Si vous voulez bien me suivre jusqu'à ma voiture...

Un quart d'heure plus tard, ils entrent tous les deux dans un hôtel particulier de Neuilly. Le gars mène la fille de couloir en couloir jusque dans un merveilleux petit boudoir et il lui dit :

— Si vous voulez bien vous déshabiller... Je reviens tout de suite !

Et il disparaît derrière une porte, tandis que la fille s'exécute, un peu intriguée.

Maintenant, elle est toute nue, elle s'impatiente, et soudain le gars réapparaît, tenant une fillette de quatre ans par la main. Il lui montre du doigt la nana à poil et il dit sévèrement :

— Regarde bien cette dame ! Tu vois comme elle est maigre et vilaine ? Bon ! Tu l'as bien vue ? Eh bien, si tu continues à refuser de manger ta soupe, plus tard, tu seras exactement comme elle !

☐ **1970**

Un provincial arrive à Paris avec sa femme.

Pendant qu'elle défait les bagages à l'hôtel, il va faire un tour dans la rue et il se fait accoster par une demoiselle de petite vertu qui lui dit :

— Pour un joli billet de cinq cents balles, je te fais le grand jeu !

— Je regrette, répond-il, très embarrassé. Je n'ai qu'un billet de cent.

— Pauvre paumé, lance-t-elle. Va te faire voir !

Une heure plus tard, le gars repasse par hasard au même endroit, mais cette fois-ci au bras de sa femme qu'il est allé rechercher à l'hôtel. Soudain, il se trouve nez à nez avec la même fille. Elle le regarde passer avec commisération et elle l'apostrophe encore une fois :

— Tu vois ce qui arrive aux vieux grigous... Regarde ce que t'as trouvé pour cent balles !

1971 □

Le vieux monsieur se rhabille, il tend un billet à la fille et au moment de descendre l'escalier, il se retourne pour lui dire :

— Je reviendrai dans un mois !

Et elle lui répond :

— Décidément, tu ne penses qu'à ça, petit vicieux !

1972 □

Un petit bonhomme timide a suivi une putain jusque dans sa chambre. Quelque chose le gêne. Il tourne son chapeau dans ses mains. Il voudrait s'expliquer, mais c'est difficile. Enfin il se décide :

— Euh... Je ne peux pas vous le cacher plus longtemps ! Je suis obligé de vous avertir que je suis juif...

— Ah, oui ? dit la fille. Ben moi aussi, je vais vous faire un aveu... Je suis une femme !

☐ **1973**

— Voilà, dit la putain, c'est cinquante francs sur la chaise et cinq cents sur le lit!

Alors le petit bonhomme déluré la regarde, il pose cinq cents balles sur la table de nuit et il lance:

— Très bien! Ce sera dix fois sur la chaise!

☐ **1974**

Le client se penche vers la tapineuse et il lui dit:

— J'aimerais bien que tu me fasses une pipe!

— Pas question! réplique la fille. D'ailleurs, je saurais pas!

— Comment ça, tu saurais pas? Mais ça fait partie du métier!

— Possible! Mais quand j'ai passé mon C.A.P. de putain, ils m'ont recalée à l'oral...

☐ **1975**

Pendant l'occupation, une dame très fardée et aux jupes très courtes se promène sur les Champs-Élysées en essayant de lever des clients. Un passant s'approche d'elle et lui demande s'il peut l'accompagner. Il a l'air un peu anxieux et il porte une étoile jaune sur sa veste.

— Mais vous êtes fou! s'écrie-t-elle. Vous savez bien qu'il nous est interdit de coucher avec des Juifs!

— Ah! oui... répond-il tristement. Je vois ce que c'est. Vous êtes une *boycocotte*...

☐ **1976**

Une dame de petite vertu aborde un passant qui n'est manifestement pas de la ville.

— Pompier? lui demande-t-elle.

— Non, répond-il. Cultivateur...

1977 □

Tout en se rhabillant, la putain frétille de bonheur. Elle coule des œillades au mec qui est encore couché dans son lit. Et elle se laisse aller aux confidences :

— Dis donc, qu'est-ce que ça serait chouette si tout le monde savait faire l'amour comme toi... Vraiment, tu baises comme un dieu ! Mais dis-moi, d'où ça vient ces trous que tu as aux mains et aux pieds ?

1978 □

Un brave père de famille et son môme ont pris un taxi. La voiture passe rue Pigalle et le petit demande à son père :

— Papa, qu'est-ce qu'elles font, toutes ces dames sur le trottoir avec leur sac à la main ?

— Euh... Eh bien, elles attendent leur mari qui va sortir du bureau...

Mais le chauffeur de taxi se retourne et lance d'une voix aigre :

— C'est pas vrai, mon garçon ! En réalité, c'est des putes...

Alors le môme regarde son père :

— Qu'est-ce que c'est, des putes, papa ?

— Euh... Eh bien, ce sont des dames qui ont beaucoup de maris...

— Mais alors, papa, elles doivent avoir énormément d'enfants ? Qu'est-ce qu'elles en font ?

— Ben, dit le père, rageur, elles en font des chauffeurs de taxi !

1979 □

Un gars est abordé sur les Champs-Élysées par une superbe fille d'une élégance et d'une distinction tout à fait exceptionnelles. Et elle lui propose de monter chez elle. Assez estomaqué, il se dit qu'une occasion pareille est à saisir par les cheveux.

La fille le précède dans son appartement, un grand studio merveilleusement aménagé dans le plus pur style Louis XV, avec une bibliothèque de deux mille livres, Platon, Nietzsche, Sartre, Proust, Faulkner... Elle lui offre un whisky écossais de la meilleure marque. Elle met sur son électrophone un disque de Monteverdi. Le gars est de plus en plus abasourdi. Il se penche vers elle et il lui demande :

— Vous aimez Monteverdi ?

— Oui, dit-elle. Mais pas seulement Monteverdi. J'aime aussi Prokofiev et Schönberg. Vous savez, j'ai eu le premier prix de violon au Conservatoire...

— Ah ! Tiens ? Premier prix de... euh... de violon ? Et tous ces livres, euh... vous les avez lus ?

— Naturellement ! Il fallait bien, pour préparer ma thèse de doctorat en lettres... Mais finalement, c'est ma réfutation des théories d'Einstein qui m'a demandé le plus de travail...

Alors le gars ouvre des yeux carrés, il se gratte le nez et il lui dit :

— Écoutez. Il y a quelque chose qui m'échappe. Vous êtes belle, intelligente, pleine de goût, prodigieusement cultivée... Comment se fait-il que vous soyez devenue putain ?

— Ben, dit la fille, un coup de chance !

psychiatre

☐ **1980**

Un psychiatre examine un malade. Il lui montre un rectangle qu'il a dessiné sur une feuille de papier et il lui dit :

— Qu'est-ce que vous voyez sur cette feuille ?

Et l'autre répond :

— C'est une chambre, avec un lit, et sur le lit, il y a une petite femme toute nue !

— Ah ! Je vois, dit le psychiatre.

Et il trace un rectangle un peu plus grand.

— Oh ! Ça, dit le patient, c'est une grande chambre pleine de petites femmes nues !

— Parfait, dit le psychiatre. Je commence à comprendre. Et ça, maintenant, qu'est-ce que ça évoque pour vous ?

Et il montre un rectangle encore plus grand.

— Ça, dit l'autre, c'est une énorme maison, comme qui dirait un château, avec au moins cinquante femmes toutes nues !

— Eh bien, dit le psychiatre, je vais vous mettre au courant. Vous êtes un obsédé sexuel !

— Moi, un obsédé sexuel? Vous êtes fou ! C'est vous qu'il faut enfermer ! Vous n'arrêtez pas de me faire des dessins cochons !

1981 □

Au bout de six mois de traitement, le psychanalyste dit à son malade :

— Eh bien, ça y est ! Vous n'avez plus de complexe d'infériorité... Maintenant, vous êtes *réellement* inférieur.

1982 □

Deux copains se retrouvent :

— Comment vas-tu ?

— Mal. J'avais une dépression nerveuse. Je suis allé voir un psychiatre. Il m'a conseillé de me répéter cinquante fois tous les matins : *Je suis gonflé à bloc, je suis gonflé à bloc...*

— Et alors ? C'est fini, ta dépression nerveuse ?

— Oui. Mais maintenant, j'ai de l'aérophagie...

1983 □

Un prédicateur se rend chez un psychanalyste. Après l'avoir bien examiné, le médecin lui demande :

— Est-ce qu'il vous arrive de parler pendant que vous dormez ?

— Non, répond l'autre, seulement pendant que les autres dorment...

☐ **1984**

Chez le psychiatre :
— Voilà, docteur, je vous ai amené ma fille, parce qu'elle se prend pour une poule.
— Très curieux ! Et depuis combien de temps ?
— Oh ! Ça doit bien faire deux ans...
— Deux ans ? Mais vous auriez dû venir me voir beaucoup plus tôt...
— C'est que, docteur, voyez-vous, on aime beaucoup les omelettes, à la maison...

☐ **1985**

Un psychanalyste américain se confesse à un confrère :
— Oui, je sais que ma fiancée est laide comme un pou, bête à pleurer et fauchée comme les blés. Mais si tu entendais ses cauchemars !

☐ **1986**

Un gars se présente chez le psychiatre et il déclare :
— Mon existence est devenue horrible. Je suis d'une propreté maladive, et pourtant du matin au soir et du soir au matin, je sens des petites bêtes qui se promènent sur moi : des cafards, des araignées, des scorpions, des punaises...
Et le bonhomme se gratte, se crispe et se contorsionne.
— Hé, là ! Arrêtez avec vos tics et vos grimaces, s'écrie le pyschiatre, ou vous allez secouer toute votre vermine sur moi...

1987 □

Un célèbre psychiatre reçoit un coup de téléphone :

— Docteur ! C'est affreux ! Depuis quelques jours, mon mari se prend pour un cheval de course. Il ne bouffe plus que de l'avoine et il couche dans la paille...

— Mon Dieu, madame, mais cela est très grave. Amenez-le-moi tout de suite...

— D'accord, docteur. Juste le temps de le seller et nous arrivons ventre à terre...

1988 □

La femme d'Olive rencontre la femme de Marius. Elle est presque en larmes :

— Qu'est-ce qui t'arrive ?

— Oh ! C'est encore le petit. Il était malade. Le docteur a dit de le mener chez le psychiatre. Et le psychiatre a dit qu'il avait... qu'il avait le... attends que je me rappelle... le complexe d'Œdipe !

— Qu'est-ce que c'est que ça ? C'est grave ?

— Il a dit que c'était pas très grave, mais enfin, tout de même...

— Peuchère ! Allez, vaï... je serais à ta place, je ne m'inquiéterais pas. Dis-toi que l'essentiel, c'est que ce petit, il aime bien sa maman...

1989 □

— Ça y est, dit le psychanalyste à son client, vous êtes guéri de votre homosexualité ! La cure a été longue, mais vous êtes maintenant complètement normal.

— Oh ! merci, docteur, dit l'autre en sautant de joie. C'est formidable. Je ne sais comment vous remercier. Permettez que je vous embrasse !

— Ah, non ! réplique le psychanalyste. Et puis d'abord, je ne devrais même pas être allongé sur ce divan...

☐ **1990**

— Eh bien, dit le psychanalyste à la petite fille, voyons voir. Est-ce que tu es une petite fille ou un petit garçon ?

— Un petit garçon, dit la petite fille.

— Ah ! tiens ? Et qu'est-ce que tu vas devenir plus tard ?

— Un papa.

— Par exemple ? Mais c'est très intéressant, ça ! Et pourquoi est-ce que tu m'as répondu de cette façon ?

— Autrement vous m'auriez prise pour une idiote...

☐ **1991**

Un mec consulte un psychiatre :

— Docteur, il faut que vous fassiez quelque chose pour moi. Vous savez que j'ai une écurie de courses. Imaginez-vous que je suis tombé amoureux d'une de mes bêtes. Je vous jure qu'elle a des oreilles, et puis des naseaux, et puis un regard qui me donnent le grand frisson.

— Tiens, tiens ! C'est étrange, ça. C'est un cheval ou une jument ?

— Mais pour qui me prenez-vous, docteur ? C'est une jument naturellement ! Je ne suis pas un anormal.

☐ **1992**

Après trois ans de traitement, le malade semble guéri. Maintenant, il ne se prend plus pour un grain de blé. On lui a enfin donné son bulletin de sortie de la clinique psychiatrique. Sa femme vient donc le chercher, heureuse de reprendre la vie commune comme autrefois.

Ils arrivent chez eux, à la campagne, mais au moment de passer le seuil de son jardin, le gars aperçoit une poule qui vient machinalement à sa

rencontre. Aussitôt son visage devient blême et il se met à trembler de peur.
— Enfin, chéri, lui dit sa femme sur un ton de reproche. Tu ne peux plus avoir peur d'une poule ! Tu sais très bien que tu n'es plus un grain de blé !
— Oui, bégaie le gars. Moi, je le sais. Mais elle ?

1993 □

Un psychiatre invite un vieil ami à dîner. Il lui présente son épouse qui s'affaire dans la cuisine. Et il ajoute :
— Je viens juste de me remarier !
— Ah ! bravo, fait l'autre. Félicitations !
Et se retournant, il aperçoit une petite créature blottie en haut d'une armoire et toute recroquevillée de peur.
— Mais qui est celle-là ? demande-t-il intrigué.
— Où ça ? dit le psychiatre. Ah ! Celle qui est sur l'armoire ? C'est ma première femme...

1994 □

— Docteur, mon mari se prend pour un réfrigérateur. Je vous assure que je commence à me faire de la bile. Pendant la nuit, il est tout froid et il ronfle très fort...
— Ce n'est pas très grave, madame. Il suffit de le persuader du contraire. Ça va passer tout seul. Vous pouvez dormir sur vos deux oreilles !
— C'est que justement, non, docteur ! Parce qu'il ronfle la bouche ouverte. Et cette petite lampe allumée au fond, ça m'empêche de roupiller...

1995 □

C'est un malade qui souffre de confusion mentale. On le soigne depuis des années. Tous les six mois, le psychiatre lui fait passer des tests. Il montre sa main et il lui dit :

— Qu'est-ce que c'est que ça ?
— Un genou, répond l'autre.
Il montre son coude et il demande :
— Qu'est-ce que c'est que ça ?
— Une oreille, répond l'autre.
Et on est obligé à chaque fois de continuer le traitement. Mais un beau jour, au bout de sept ou huit ans, voilà que les choses changent. Le psychiatre montre sa main et il demande au gars :
— Qu'est-ce que c'est que ça ?
— Une main, lui répond l'autre.
Il montre son pied et il demande :
— Et ça ?
— Un pied.
— Eh bien, dit le psychiatre, c'est formidable ! Vous êtes guéri. Vous allez pouvoir reprendre une vie normale...
— Oh, merci, docteur ! exulte le malade.
Et il ajoute en se frappant le front :
— Si vous saviez le temps qu'il m'a fallu pour me mettre ça dans le cul !

☐ **1996**

Un psychiatre, c'est quelqu'un qui ne peut pas rencontrer un individu normal sans vouloir à toute force le guérir... Mais il existe une définition encore meilleure. Pendant que le névrosé bâtit des châteaux en Espagne et que le fou les habite, le psychiatre, c'est celui qui ramasse les loyers.

☐ **1997**

— Et ça fait longtemps, demande le psychiatre, que vous vous imaginez être une poule ?
— Ben, ça remonte à quand j'étais un tout jeune poussin...

☐ **1998**

— Docteur, dit la dame, je suis très inquiète ! Mon

fils n'arrête pas de faire des petites sculptures avec son caca!

— Mon Dieu, madame, répond le psychiatre, rassurez-vous... Il y a un âge où tous les enfants font ça. Mais ça finit toujours par leur passer!

— Eh bien, docteur, vous m'enlevez un drôle de poids! Parce qu'il est terrible, ce petit, vous savez... Sa femme et moi, on commençait vraiment à se faire un souci du diable!

1999 ☐

Une dame, complètement affolée, fait irruption dans le cabinet d'un psychiatre. Et quand elle est sûre d'être seule avec lui, elle s'écrie:

— Docteur, c'est affreux! Il faut soigner mon mari tout de suite. Ce qui lui arrive n'est pas croyable... Il se prend pour moi!

— Par exemple! dit le psychiatre sans se démonter. Eh bien, qu'est-ce qu'il attend pour venir me voir?

Et il entend une voix qui lui répond:

— Mais, docteur, je suis là!

2000 ☐

Une dame à son psychiatre:

— Docteur, mon mari croit que je suis folle parce que j'aime les crêpes!

— Mon Dieu, madame, je ne vois rien de maladif dans ce goût. Moi aussi j'aime beaucoup les crêpes!

Alors, la dame, épanouie:

— Vraiment? Venez vite chez moi, j'en ai plein les armoires, les tiroirs et les placards!

2001 ☐

Deux psychanalystes, venus à Los Angeles pour participer à un grand congrès, rentrent déjeuner à leur hôtel. Dans l'ascenseur, le groom, tout souriant, leur dit:

— Beau temps, aujourd'hui, messieurs...
Alors, en sortant sur le palier, les deux psychanalystes lâchent en même temps :
— Mais c'est incroyable ! Qu'est-ce qu'il a voulu dire par là ?

☐ **2002**

Un type, qui souffre depuis longtemps d'incontinence d'urine, rencontre un copain qui lui demande des nouvelles :
— Alors, comment ça va ? Tu pisses toujours au lit ?
— Oh ! dit l'autre, ça va beaucoup mieux. J'avais essayé tous les traitements possibles et imaginables sans succès. Et finalement, je suis allé voir un psychiatre. Eh bien, mon vieux, le résultat est formidable !
— Ah ! bon... Alors, tu ne pisses plus au lit ?
— Bien sûr que si ! Mais maintenant, j'en suis fier !

☐ **2003**

Le psychiatre déclare à sa cliente :
— Voilà, madame. Votre traitement est fini.
— Oh ! merci, docteur, s'écrie-t-elle. Merci de m'avoir guérie de cette abominable mégalomanie. Je vous fais un chèque de combien de millions ?

☐ **2004**

Un psychiatre soigne un malade mental. Il dessine un arbre sur une feuille de papier et il demande :
— A quoi ça vous fait penser ?
— Ben, dit le gars, ça me fait penser à une jolie fille blonde toute nue dans la campagne !
Le psychiatre toussote deux ou trois fois. Il se met à dessiner une maison sur une autre feuille de papier et il demande à son patient :
— Et ça, à quoi ça vous fait penser ?

— Je vois une fille blonde à poil, fait le gars. Elle est cachée là-dedans et elle m'attend !

Le psychiatre fronce le sourcil. Il dessine une voiture et il dit :

— Et là, qu'est-ce que vous voyez ?

— C'est une bagnole avec une belle fille blonde à poil assise à côté de moi. Je coupe le contact, je lui saute dessus et je me la fais !

Alors en désespoir de cause, le psychiatre dessine un point, juste un point noir. Et le gars s'exclame :

— Ça, c'est un morpion, mais je vous vois venir... N'essayez pas de me faire coucher avec cette fille !

2005 □

Un gars va trouver son psychiatre :

— Docteur, j'ai un cas difficile à vous soumettre. Je n'ai plus du tout envie de ma femme !

— Depuis quand ?

— Depuis avant-hier !

— Alors, cher monsieur, cela va certainement s'arranger. Je vais vous donner un bon conseil. La première fois que vous aurez de nouveau envie d'elle, serait-ce une toute petite envie, sautez-lui dessus sans hésiter !

Trois jours après, le gars revient.

— Eh bien, dit le psychiatre. Votre problème est résolu ?

— Oh ! oui, docteur ! Hier soir, on était à table, elle a laissé tomber sa serviette par terre, elle s'est baissée pour la ramasser, j'ai vu ses cuisses et je me suis jeté sur elle comme un fou !

— Parfait ! Vous voyez que vous n'avez plus à vous plaindre !

— Non ! Mais l'ennuyeux, c'est qu'on ne pourra plus aller dîner dans ce restaurant chinois...

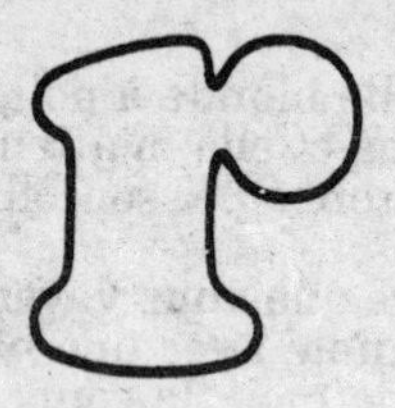

rabbin

☐ **2006**

— Et ton fils, il se débrouille? demande Isaac à Jacob.

— Oui, dit Jacob. Il est banquier. Il gagne cinq briques par mois. Et le tien?

— Le mien, dit Isaac, il gagne dix fois moins. Il est rabbin.

— Rabbin? Mais il est fou! C'est pas un métier pour un Juif!

☐ **2007**

Ça se passe dans les années soixante. Le président Nasser convoque un des plus vieux rabbins d'Égypte et il lui dit:

— Moïse a fait traverser la mer Rouge à son peuple et ils sont entrés en Israël. Moi aussi, je veux envahir Israël. Comment puis-je faire comme Moïse?

— C'est très simple, dit le rabbin. Il faut avoir la baguette que Dieu avait donnée à Moïse!

— Ah! bon... Et où est-elle, cette baguette?

— Au musée de Tel-Aviv...

☐ **2008**

Un curé et un rabbin déjeunent ensemble. Au

milieu du repas, le curé ajoute de l'eau dans son vin. Le rabbin s'indigne :

— Un vin pareil ! Le baptiser, c'est un sacrilège !

Le curé regarde l'autre en coin et il lui glisse :

— Je ne le baptise pas... Je le coupe !

2009 ☐

A la nouvelle que son fils s'est converti au catholicisme, un rabbin meurt de chagrin. En arrivant au paradis, il dit à Jéhovah :

— Ah ! Seigneur, je n'avais pas mérité ça !

— Ce n'est pas si grave, lui dit Jéhovah, mon fils aussi s'est converti...

— Et qu'avez-vous fait ? lui demande le rabbin.

— Eh bien, un nouveau testament...

2010 ☐

Il arrive que les prêtres de religions différentes se fassent des confidences ou se passent des tuyaux. C'est ainsi qu'un rabbin, un pasteur et un curé sont en grande conversation sur l'usage qu'il faut réserver à l'argent de la quête.

— Écoutez, c'est très simple, dit le curé. Je dessine un cercle par terre. J'envoie tout l'argent en l'air. Ce qui tombe dans le cercle est pour Dieu. Ce qui tombe en dehors est pour moi.

— Mon truc, dit le pasteur, c'est presque pareil. Mais c'est une ligne que je dessine par terre. J'envoie l'argent en l'air. Ce qui tombe à droite est pour Dieu. Ce qui tombe à gauche est pour moi.

— Eh bien, dit le rabbin, moi, je suis moins compliqué. Je ne trace rien par terre. J'envoie simplement l'argent en l'air. Ce qui retombe est pour moi. Ce qui reste dans le ciel, c'est que Dieu a voulu le garder...

2011 ☐

En entrant dans la synagogue, le rabbin s'aperçoit qu'on a volé le *shofar*. Bien que le régime du pays soit plutôt antisémite, il se précipite au poste de police et il dit :

— On a volé le *shofar* ! On a volé le *shofar* !

— Qu'est-ce que c'est que ça, le *shofar* ? dit le commissaire.

— Le *shofar*, monsieur le commissaire, c'est le *shofar* ! Vous pouvez demander à tous les Juifs de la ville, ils vous diront la même chose...

— Écoute, sale Juif, à la rigueur, je pourrais peut-être retrouver ton *shofar*, mais il faut d'abord que je sache ce que c'est. Si tu ne me le dis pas tout de suite, je t'avertis que je commence par te casser la figure, et après je t'envoie tout droit au placard. Alors, qu'est-ce que c'est qu'un *shofar* ?

— Euh... fait le rabbin terrorisé, un *shofar*, c'est une trompette pour appeler les fidèles...

— Tu vois bien, petit youtre, que tu le savais ! Et pourquoi ne me l'as-tu pas dit tout de suite ?

— C'est que, monsieur le commissaire, un *shofar*, ce n'est pas une trompette. Un *shofar*, c'est un *shofar*...

☐ **2012**

Deux rabbins demandent audience au pape et lui montrent une très vieille gravure représentant une douzaine d'hommes en train de se restaurer autour d'une longue table :

— Ça vous dit quelque chose ?

— Mais oui, fait le pape, c'est la Cène, avec le Christ, les apôtres et mon prédécesseur saint Pierre...

— Ah, bon ! Votre prédécesseur est dans le coup ?

— Oui, pourquoi ?

— Eh bien, justement, on est venu vous apporter la note, parce que, vous savez, ils sont partis sans payer l'addition...

réception

2013 □

— Chérie, dit le gars en rentrant chez lui, j'ai invité mon patron à dîner. Il vient ce soir!

— T'es pas fou? dit la bonne femme. On est fauchés comme les blés! J'ai juste un potage et une boîte de haricots blancs.

— Écoute, dit le gars, il doit y avoir un moyen de s'en sortir. Tu raconteras que t'as fait un mouton aux haricots blancs. Et après le potage, je dirai: « Chérie, va chercher le mouton. » Alors tu iras dans la cuisine, tu casseras une assiette et tu crieras: « Zut! J'ai laissé tomber le mouton dans la poubelle! » Et moi, je te répondrai: « C'est ennuyeux, mais amène quand même les haricots! »

— Et tu crois que ça va marcher?

— Pour sûr!

Le soir, le patron arrive, il s'installe à table, il lape son potage, et quand il a reposé sa cuillère, le mari dit:

— Chérie, va chercher le mouton aux haricots.

La bonne femme part dans la cuisine, on entend un grand bruit de vaisselle brisée et le gars se met à crier:

— Ça y est! Maladroite comme tu es, t'as dû laisser tomber le mouton dans la poubelle?

Et une voix piteuse répond de la cuisine:

— Non! C'est les haricots que j'ai laissé tomber dans la poubelle...

2014 □

Mayer et sa femme sortent d'une soirée mondaine chez les Rothschild. Et Mayer dit à sa femme:

— Tu vois, les Rothschild, ça n'est plus comme

avant. Ils déchoient : ils jouent à deux sur le même piano...

☐ **2015**

Une femme du monde téléphone à un homme du monde :

— Viendrez-vous à ma réception de ce soir, cher ami ? Je tiens à vous dire que mon salon sera pavé de jolies femmes !

— Mais, certainement, madame ! J'arrive, ventre à terre...

☐ **2016**

Dans un cocktail très mondain, un dé à coudre s'approche du buffet et il déclare :

— Donnez-moi un whisky ! Mais juste un doigt...

☐ **2017**

— Écoute-moi, dit la maman de Toto. Ce soir, il y a le tonton Robert qui vient. Tu vas voir qu'il a un nez énorme ! Mais ce n'est pas de sa faute et puis il n'aime pas qu'on le lui fasse remarquer. Alors, comme il est très vieux, qu'il a beaucoup d'argent et que c'est nous qui devons hériter, tu vas faire un gros effort pour ne pas lui parler de son nez. Tu as bien compris ?

— Oui, maman !

Et pendant tout le repas, la bonne femme est en transes, parce que le petit Toto est le roi des gaffeurs et qu'il n'arrête pas de regarder le nez du tonton Robert. Et à chaque fois que Toto ouvre la bouche, sa mère manque de tomber en syncope.

Enfin, on arrive au dessert, on sert le café, on envoie Toto se coucher et tout le monde pousse un grand soupir de soulagement. Alors la mère s'approche du tonton Robert et elle lui dit :

— Je vous mets un sucre ou deux dans votre nez ?

2018 □

La scène se passe pendant un dîner en ville. Il y a un type qui veut absolument raconter une histoire de chasse. C'est une idée fixe. Malheureusement pour lui, la conversation ne roule pas du tout sur la chasse. On parle des élections, du dernier film en vogue, de la mode de printemps. Alors le gars n'en peut plus. Pendant que tout le monde bavarde, il frappe deux grands coups sur la table et profitant du silence soudain, il s'écrie :

— Quoi ? Des coups de feu ?... A propos de coups de feu, je connais l'histoire d'un colonel qui chassait le tigre au Pakistan...

2019 □

Dans un salon parisien, un monsieur très poli répond à une question que vient de lui poser la maîtresse de maison :

— Non, madame ! Si je regarde l'heure tout le temps, ce n'est pas parce que je suis mal élevé, c'est parce que je m'emmerde...

2020 □

Une jeune femme terriblement enrhumée a pris la précaution d'emporter deux mouchoirs avant de se rendre à un grand dîner. Elle en met un dans son sac et l'autre dans son corsage. Au dessert, elle ne peut plus décemment se servir du premier mouchoir qui est ruisselant. Elle met la main dans son corsage pour chercher l'autre. Mais il a dû glisser.

Elle fouille fiévreusement à droite et à gauche tout le long de sa poitrine. Elle y met les deux mains. Et soudain, elle s'aperçoit que les conversations ont cessé et que tous les convives ont le regard fixé sur elle... Alors elle retire précipitamment les mains de son corsage et elle dit en rougissant :

— J'étais pourtant sûre d'avoir les deux en arrivant...

□ **2021**

Dans une grande réception où le Tout-Paris a été invité, deux frères siamois viennent d'entrer, annoncés par des valets en habit.

Le premier est sur son trente et un, somptueusement vêtu d'un smoking bleu de nuit. Mais collé dans son dos, son frère est tout recroquevillé sur lui-même dans un pyjama froissé, avec un vilain bonnet de nuit, le teint cireux et tremblant de fièvre.

Alors le premier frère s'approche de la maîtresse de maison et il lui déclare avec une exquise politesse :

— Chère madame, veuillez excuser mon frère qui a la grippe ce soir et qui n'a pu se rendre à votre aimable invitation...

□ **2022**

— Tu viens chez moi, ce soir ? Je donne une grande partouze !

— Ah, oui ? Et vous serez nombreux ?

— Ben, si tu viens avec ta femme, on sera trois...

religieuse

□ **2023**

Avant de quitter le pensionnat religieux, quelques jeunes filles sont interrogées par la mère supérieure sur leurs projets d'avenir. Il y en a une qui veut se faire infirmière, une autre qui désire devenir institutrice et même une troisième qui voudrait entrer dans les ordres.

— Et toi ? demande la mère supérieure à une jolie fille qui ne dit rien.

— Oh ! moi, je voudrais être prostituée, ma mère !

— Comment ? Tu es folle ! Répète ce que tu viens de dire...

— Je voudrais être prostituée!
— Ah, bon! J'avais cru entendre *protestante*...

2024 □

Deux mères supérieures du Carmel se rencontrent après une très longue séparation. Mais l'une d'elles ne peut pas arriver à se souvenir du nom de l'autre. Alors elle pose des questions prudentes:
— Votre famille va bien?
— Oui. Mais mon pauvre frère travaille beaucoup trop en ce moment...
— Mon Dieu! Et que fait-il donc depuis que nous ne nous sommes plus revues?
— Il est toujours pape...

2025 □

Une bonne sœur arrive à la gare de Lyon et elle prend un taxi. Le malheur veut que le véhicule embroche un autre taxi dans un encombrement. Le second chauffeur sort de sa voiture et il se met à gueuler:
— Vous pouvez pas faire attention, toi et ta vieille pute!
Alors le premier chauffeur s'écrie à tue-tête:
— Ma vieille pute, elle te dit merde!
Et il se retourne vers la religieuse stupéfaite:
— N'est-ce pas, ma sœur?

2026 □

La scène se passe dans le métro à l'heure de pointe. Tous les passagers sont serrés comme des sardines les uns contre les autres. Et soudain une religieuse s'adresse à un brave bougre qui lui fait face:
— Monsieur, s'il vous plaît... Ça vous dérangerait pas de flanquer une gifle au type qui est collé derrière moi? Je le ferais bien moi-même, mais il est en train de me faire jouir...

☐ **2027**

Un paroissien va trouver son curé:

— J'aimerais que vous disiez une messe à la mémoire de ma femme, mais gratuitement.

— Pas possible, mon enfant! La paroisse a trop de charges. Mais peut-être quelqu'un de votre famille peut-il vous aider?

— J'ai bien ma sœur qui pourrait payer, mais... elle a mal tourné.

— Elle a tourné comment?

— Oh! monsieur le curé, elle est bonne sœur!

— Mais comment pouvez-vous dire une chose pareille, mon enfant? C'est un don du ciel d'être religieuse. Votre sœur a épousé Notre-Seigneur Jésus-Christ!

— Ah, bon! Alors, vous pouvez dire la messe et vous enverrez la note à mon beau-frère...

☐ **2028**

Une religieuse anglaise débarque à Calais et demande à un passant:

— *Do you speak english ?*

Et l'autre répond:

— *Yes,* sœur!

☐ **2029**

Les soldats de la force régulière viennent enfin de libérer de la mainmise des rebelles congolais un couvent de nonnes, dans la brousse. Toutes les sœurs sont en larmes, les cornettes déchirées, les robes en lambeaux, les cuisses à nu. Un officier s'approche et dit avec commisération:

— Et naturellement, ils vous ont violées?

Alors il aperçoit une religieuse en tenue impeccable. C'est vraiment la seule qui semble avoir échappé au drame. Elle le regarde avec tristesse et elle répond:

— Non, pas moi! J'ai pas voulu...

2030 ☐

Une religieuse est entrée par hasard dans un cinéma et il se trouve qu'on y joue un film un peu osé. A un moment, l'héroïne est nue sur un lit. Son amant l'embrasse sur le front, puis sur les yeux, puis dans le cou, puis à la naissance de la gorge, puis entre les seins. Et il descend, descend encore et sort du champ, tandis que le visage de la vedette, renversé en arrière, exprime la plus rare félicité. Alors la religieuse laisse échapper ces mots :
— Mais où est-il passé ?

2031 ☐

Deux vieilles religieuses sont en train de jardiner, quand soudain une poule détale devant elles, poursuivie par un coq. Folle de terreur, la poule traverse la route au moment où passe un camion et couic ! il n'y a plus de poule...
Alors la première religieuse dit à l'autre :
— Cette bête est une sainte !

restaurant

2032 ☐

Au restaurant, un client appelle le maître d'hôtel et il lui dit :
— C'est dégueulasse ! Il y a de la ficelle dans mon potage !
Et à la table à côté, il y a un autre client qui crie :
— Garçon ! Remportez-moi ces spaghettis... Ils sont pleins de ficelle.
Le maître d'hôtel se répand en excuses et il fait changer les plats. Mais il y a du grabuge à une troisième table :

— C'est inadmissible ! J'ai trouvé de la ficelle dans les fraises à la crème...

Alors, le maître d'hôtel, furieux, se précipite à la cuisine, il prend le nouveau chef par le bras et il lui lance :

— Dites donc, c'est bien joli, vos diplômes, mais nom de Dieu, comment est-ce que vous préparez vos plats ?

Et le chef répond, un doigt sur la bouche :

— Vous savez, ce sont des choses qu'on ne dit pas ! Un cuisinier a toujours ses petites ficelles...

☐ **2033**

Un gars entre dans un restaurant et il dit à l'écailler :

— Je voudrais une douzaine d'huîtres, mais faites attention ! Je les veux grasses, mais pas trop. Je les veux vertes, mais pas verdâtres. Je les veux vivantes, mais endormies tout de même. Et puis faites vite, parce que j'ai faim !

— D'accord, dit l'écailler. Je vous les sers avec ou sans perles ?

☐ **2034**

Marie-Chantal au maître d'hôtel de chez Maxim's :

— J'ai oublié mon sac. Pouvez-vous me prêter cent francs ?

— Mais bien sûr, madame.

Et il lui tend un billet.

— Gardez-le, mon ami, dit Marie-Chantal, c'était pour votre pourboire...

☐ **2035**

Enrichis dans le commerce du beurre, des œufs et du fromage, monsieur et madame Duporc décident d'aller dîner chez Maxim's. Après les huîtres, le garçon leur apporte des rince-doigts.

— A quoi que ça sert? demande monsieur Duporc.
— Monsieur, c'est pour rincer vos doigts, dit le garçon.
Alors madame Duporc éclate de rire:
— C'est bien fait pour toi! A question idiote, réponse idiote!

2036 □

Venu à Paris pour le Salon de l'Auto, le père Mathieu a emmené son fils au restaurant. Un garçon s'approche et lui dit:
— Alors? Je vous fais marcher un château?
— Eh! Dites donc, vous! grogne le père Mathieu. C'est pas le moment de faire peur au petit, hein!

2037 □

— Garçon, j'aime bien votre salade niçoise, mais dites-moi, vos olives noires, elles n'ont pas de pattes?
— Mes olives noires? Mais certainement pas, monsieur!
— Alors je viens d'avaler un cafard...

2038 □

Au restaurant, le client appelle le garçon:
— C'est très joli ces dessins sur le beurre! Seulement il y a un cheveu...
— C'est pas étonnant, dit le garçon. J'ai fait ça avec mon peigne...

2039 □

— Garçon, donnez-moi deux sandwiches à la saucisse, dont un sans moutarde...
— Mais certainement, monsieur. Lequel?

☐ **2040**

Marie-Chantal au restaurant :
— Vous me servirez seulement un œuf. Un œuf au plat comme on dit vulgairement.

☐ **2041**

Un gars va déjeuner dans un self-service. En face de lui, il y a un petit vieux qui est en train de laper un potage. Tout d'un coup, le petit vieux se mouche, et comme il a fait un effort, son dentier tombe dans la soupe.
Il se penche pour le rattraper et il renverse l'assiette par terre. Il se baisse pour ramasser l'assiette, et comme il a mal au ventre, il pète bruyamment. Puis il se redresse, et comme le sang lui est monté à la tête, il éternue... Alors le gars lui dit :
— Et avec vos oreilles, vous ne savez rien faire ?

☐ **2042**

— Garçon ! Reprenez-moi cette entrecôte. Elle est dure comme du bois...
— Ah ! non, monsieur. C'est pas possible, vous l'avez ébréchée...

☐ **2043**

C'est un gars qui vient de bouffer comme un prince et quand le garçon apporte l'addition, il s'apprête à payer avec des capsules de coca-cola ! Alors le patron du restaurant commence à s'emporter... Mais un type lui met la main sur l'épaule et lui explique :
— Vous mettez pas en colère ! Ce client-là, je le connais bien, c'est un original. Il est un peu détraqué, mais il n'est pas méchant. De toute façon, je vais payer pour lui. Combien ça fait ?
Du coup, le patron se calme et il dit :
— Ça fait quatre-vingt-quinze...

— Quatre-vingt-quinze? réplique l'autre. Oh! là, là... Je vais pas avoir assez de capsules! Vous avez la monnaie sur une plaque d'égout?

2044 □

— Garçon, vous avez des cure-dents?
— Non, monsieur! Mais on peut vous donner un sandwich au cactus...

2045 □

Deux bons copains sont en train d'achever un dîner presque royal dans un grand restaurant des Champs-Élysées. Ils ont bouffé une croustade de fruits de mer, du foie gras, un cuissot de chevreuil, une omelette norvégienne. Ils ont bu trois bouteilles du meilleur champagne. Maintenant, l'un d'eux s'essuie lentement la bouche avec sa serviette et il appelle le maître d'hôtel, en refrénant une grande envie de rire:
— Vous nous ferez des additions séparées... Moi, je lave et mon ami essuiera!

2046 □

Un curieux bonhomme s'installe à une table de restaurant et il commande un bol de poivre en grains...
Le garçon est fort étonné mais il n'est pas contrariant. Il lui apporte ce qu'il a demandé. Puis il reste debout, derrière lui, pour surveiller ce que l'autre va faire. Et le client se met à bouffer son poivre avec une cuillère à soupe... Alors le garçon lui dit:
— Ça alors! Vous êtes un sacré original... Et vous trouvez ça bon?
— Ben, fait le gars, ça pourrait aller si le chef avait mis un peu de sel...

□ **2047**

Jacob a un petit commerce de tissus dans le quatrième arrondissement. Il demande à être reçu par le baron de Rothschild et il lui dit :

— Monsieur le baron, je sais que vous dînez à la Tour d'Argent ce soir. Le hasard veut que j'y emmène aussi quelques relations d'affaires. J'ai un petit service à vous demander et je pense qu'entre coreligionnaires, cela ne se refuse pas. Me permettrez-vous, quand j'entrerai dans le restaurant avec mes invités, de vous faire un sourire au passage, comme si nous nous connaissions depuis longtemps ? Ensuite, vous n'aurez qu'à me dire une phrase gentille du genre : « Comment ça va, mon vieux Jacob ! Que deviens-tu ? » Je suis sûr que cette scène aura le meilleur effet sur les gens qui m'accompagneront !

— Mais bien entendu, dit Rothschild. C'est si peu de chose ! Vous pouvez compter sur moi...

Et le soir, quand Jacob, qui s'est mis sur son trente et un, entre dans la grande salle de la Tour d'Argent, escorté de ses invités, il fait un petit sourire en passant au baron de Rothschild. Et celui-ci lui fait un grand salut en guise de réponse et il ajoute à voix haute :

— Mais c'est ce vieux Jacob ! Que deviens-tu ?

Alors Jacob devient écarlate et il se met à hurler :

— Dis donc, Rothschild ! On n'a pas élevé les cochons ensemble ! Tu pourrais au moins m'appeler monsieur !

□ **2048**

— Garçon ! vous avez des cuisses de grenouille ?

— Oh ! non, monsieur ! C'est seulement les rhumatismes qui me font marcher comme ça...

□ **2049**

Une dame du monde vient d'acheter un très beau

collier de perles. Elle le met autour de son cou et elle va dîner chez Maxim's, où elle commande un plateau de fruits de mer.

Mais à peine le garçon l'a-t-il servie, que toutes les perles poussent un hurlement : c'est la première fois qu'elles voient des huîtres !

2050 □

Un gars étique mange dans un petit restaurant miteux. Un garçon crasseux s'approche de lui et lui demande :

— Comment avez-vous trouvé le bifteck ?

— Tout à fait par hasard, dit-il, en soulevant une frite...

2051 □

Dans un petit restaurant de sous-préfecture, un voyageur de commerce se morfond devant une minuscule crème caramel qu'on vient de mettre dans son assiette. Il est dix heures du soir. Toutes les tables sont vides. La patronne commence à éteindre les lumières. Alors le gars se tourne vers le garçon et il lui dit :

— Et naturellement, il n'y a pas de vie nocturne ici ?

Alors le garçon s'appuie sur son balai et il laisse tomber :

— Non ! Elle est partie pour Paris le mois dernier.

2052 □

Une bonne femme entre dans un restaurant russe, avec un basset qu'elle tient en laisse. Un maître d'hôtel se précipite vers elle :

— Madame, soyez la bienvenue chez nous. Nous représentons la crème de la vieille Russie. Je suis un ancien grand-duc, le cuisinier est un ancien colonel

des cosaques, la caissière est une petite nièce du tsar. Que puis-je pour vous ?
— Pas grand-chose, dit la dame, je voudrais un os à moelle pour mon basset qui est un ancien saint-bernard...

☐ **2053**

Un petit gars minable entre dans un restaurant poisseux et il dit au garçon :
— Vous avez du poisson un peu pourri ?
— Oui, monsieur, dit le garçon.
— Vous pourrez me servir en même temps des pommes de terre à l'eau ?
— Mais oui, monsieur.
— Très bien ! Donnez-moi aussi une carafe de piquette et du pain de la semaine dernière...
— Entendu, monsieur.
— Et puis, si ça ne vous fait rien, quand vous m'aurez servi, asseyez-vous devant moi une minute et faites-moi la gueule... Comme ça, j'aurai tout à fait l'impression de bouffer à la maison...

☐ **2054**

Un client furieux appelle le garçon et se met à tempêter :
— Dégueulasse, votre bœuf bourguignon ! Vous pourrez dire au chef qu'il se le foute au cul !
— Ah ! monsieur, répond le garçon, très stylé, je crois que ce n'est pas possible pour le moment. A l'endroit que vous dites, il a déjà un coq au vin, une truite aux amandes et une quiche lorraine...

☐ **2055**

— Et votre bifteck saignant, demande le garçon, vous le voulez cuit ou carbonisé ?

2056 ☐

— Garçon, vous m'apporterez un bifteck gazouillis...
— Pardon, monsieur ?
— Vous êtes sourd ? Un bifteck gazouillis ! Vous ne savez pas ce que c'est ?
— Euh... non, monsieur !
— C'est un bifteck cuit, cuit, cuit...

2057 ☐

Une dame du meilleur monde entre dans un restaurant et elle appelle le garçon :
— Je voudrais un steak taillé dans la bavette, saisi au feu de bois, salé d'un côté et poivré de l'autre, avec des aromates de Provence et un soupçon d'ail. Vous avez compris ?
— Parfaitement, madame, dit le garçon.
Il se retourne vers la cuisine et il lance :
— Et un steak, un !

2058 ☐

Entendu au restaurant :
— Non, garçon ! Remportez-moi cette langue de veau. Je n'aime pas ce qui sort de la bouche. C'est sale ! Tenez, donnez-moi plutôt un œuf...

2059 ☐

— Garçon ! Vous appelez ça du bouillon de poulet ? Vous vous foutez de la gueule du client ou quoi ?
— Eh bien, à vrai dire, monsieur, c'est du bouillon de très jeune poulet. C'est l'eau dans laquelle nous avons fait bouillir les œufs durs...

2060 ☐

Un clochard passe devant un restaurant. Il lit le menu distraitement, car il sait bien qu'il ne peut pas payer. Et tout d'un coup, il tombe en arrêt devant une petite pancarte:

« Entrez et mangez ce que vous voulez, c'est votre petit-fils qui paiera ! »

— Ça par exemple ! se dit-il. Mon petit-fils ? Mais je n'ai pas de petit-fils ! Profitons-en !

Il entre dans le restaurant, il commande du caviar, des ortolans, une caille aux raisins, une meringue royale et il se fait arroser le tout d'un champagne grand cru. Quand il a le ventre plein, il se lève pour sortir et alors le garçon l'arrête:

— Et l'addition, monsieur ?

— Comment ça, l'addition ? dit-il étonné. Vous savez bien que c'est mon petit-fils qui paiera !

— D'accord, monsieur. Mais il faut régler la note de votre grand-père...

retour d'âge

☐ **2061**

Une dame qui frise la quarantaine se retrouve dans un lit avec un très beau garçon de dix-sept ans. Au bout d'une heure d'ébats fort mouvementés, elle lui dit avec une moue langoureuse:

— Mon chéri, tu serais content d'avoir une petite sœur ?

☐ **2062**

Un veuf de soixante-cinq ans réussit à épouser une pure et douce jeune fille. Mais le soir des noces venu, il est obligé de se rendre à l'évidence: il n'est guère capable de lui rendre hommage.

Il l'a emmenée dans sa garçonnière, il a sorti toutes ses bouteilles d'alcool, il a allumé un grand feu de cheminée, il a absorbé des aphrodisiaques, mais rien n'y fait. Alors il dit à sa tendre et jeune épouse :

— Chérie, passez dans la chambre, je vous rejoins tout de suite !

Elle se retire, rougissante, dans le lit nuptial et au bout de dix minutes, elle voit apparaître son mari tout nu, tenant à la main un tisonnier rougi au feu. Et d'une voix menaçante qui semble s'adresser au plus intime de lui-même, il rugit :

— Si tu flanches, tu te brûles !

2063 ☐

Vers minuit, une vieille demoiselle presse le pas pour rentrer chez elle, lorsque soudain un malfaiteur lui tombe dessus :

— Vite ! Aboule ton fric !

— Mon Dieu ! crie-t-elle, mais je n'ai pas d'argent sur moi...

Alors le gars commence à la fouiller de fond en comble avec une insistance assez déplacée. Mais il ne trouve rien. Il peste à voix haute. Elle est là, devant lui, toute tourneboulée. Et elle lui dit en minaudant :

— S'il vous plaît, tâtez-moi encore un peu, et si vous venez à la maison, je vous ferai un chèque...

2064 ☐

Une femme du monde, qui se plaint du vieillissement précoce de son époux, décide d'aller demander conseil à un magicien célèbre.

— Voilà ! Il faudrait que vous me trouviez quelque chose pour redonner de la vigueur à mon mari. Ça fait au moins cinq ans qu'il ne m'a pas touchée...

— Je vois ce que c'est, dit le magicien. J'ai ce qu'il vous faut ! C'est une paire de chaussettes enchantées. Vous les lui faites enfiler et vous verrez que tout ira bien...

La bonne femme revient chez elle avec les chaussettes sous le bras et le soir, pendant le repas, alors que le valet de chambre sert le fromage, elle dit à son mari :

— Hector ! Je vous ai acheté des chaussettes et j'aimerais bien voir tout de suite si elles vous vont...

Le gars, il enlève ses souliers, il enlève ses chaussettes et il enfile la paire toute neuve. Et tout d'un coup, il se dresse, les yeux injectés de sang, il part en courant à la poursuite du valet de chambre et il s'enferme avec lui dans l'office...

— Nom de Dieu, dit l'épouse, il a fallu qu'il les mette à l'envers...

☐ **2065**

Une vieille fille se précipite au commissariat, en pleine nuit, et elle dit au brigadier de service :

— Vite ! Venez ! Il y a deux hommes sous mon lit et il faut absolument en mettre un dehors...

☐ **2066**

Il paraît qu'une femme passe par sept âges différents : bébé, gamine, adolescente, jeune femme, jeune femme, jeune femme, jeune femme...

☐ **2067**

— Chéri, dit la dame, qui a un retour de tendresse, tu ne m'aimes plus comme avant. Il y a vingt ans, en sortant de table, tu me caressais gentiment le menton...

— Oui, dit-il sans lâcher son journal, mais à l'époque, t'en avais qu'un !

rêve

2068 ☐

Une dame rêve qu'elle vient de se coucher dans sa chambre. Soudain la fenêtre s'ouvre violemment et un nègre athlétique entre dans la pièce. Il est tout nu et il tient à la main un membre énorme, dressé en l'air comme une trique...

— Au viol ! Au secours ! crie la dame. Mon Dieu, mais qu'est-ce qui va m'arriver ?

Alors le nègre roule de grands yeux blancs et il dit doucement :

— Je ne sais pas, madame. C'est pas moi qui rêve. C'est vous !

2069 ☐

Ah ! l'époque des stars ! Aujourd'hui on ne sait plus à quelle déesse se vouer. Alors remontons un peu en arrière. Voilà deux copains d'avant la crise qui draguent à longueur de journée. Ils ne pensent qu'à ça. Même qu'ils se font tous les jours des confidences complices :

— Tu sais le rêve que j'ai fait cette nuit ? J'avais tellement envie de m'envoyer Brigitte Bardot que j'ai couru jusque chez elle !

— Ouais ! Et naturellement tu n'as trouvé personne !

— Ben non... Mais comment le sais-tu ?

— C'est parce que, moi aussi, j'ai fait un rêve cette nuit. Imagine-toi qu'on sonnait chez moi. C'était Marylin Monroe, complètement nue et excitée comme une folle. Elle s'est précipitée sur moi et on a fait l'amour pendant des heures comme des bêtes. Et quand elle m'a quitté, c'était la Lollobrigida qui montait l'escalier ! J'ai même pas eu le temps d'ouvrir la porte qu'elle s'était déjà foutue à poil. On s'est jeté dans les draps encore chauds et c'est reparti dans la dinguerie. Quand je l'ai raccompagnée sur le palier, j'étais rétamé, vidé, mort. Je me suis effondré sur le lit et j'ai vu Brigitte Bardot qui entrait en ondulant des hanches...

— Hein ? Brigitte Bardot ?

— Comme je te le dis ! Sans un fil sur la peau et encore plus déchaînée que les deux autres... Seulement moi, j'ai crié pouce ! Et c'est là que j'ai pensé à toi. La pauvre fille grillait tellement de s'envoyer en l'air que je lui ai donné ton adresse. Alors elle a filé chez toi dare-dare, pendant que toi, espèce de couillon, tu courais chez elle, au lieu de l'attendre tranquillement...

☐ **2070**

Une starlette raconte à l'une de ses amies :

— Ma vieille, c'est épouvantable ! Je fais le même cauchemar toutes les nuits ! Figure-toi qu'Alain Delon arrive chez moi, il se déshabille complètement, il entre dans ma chambre et il vient se coucher à côté de moi...

— Sensationnel ! Et tu appelles ça un cauchemar ?

— Oui, parce qu'en se couchant, il renverse le téléphone par terre et alors je me réveille...

☐ **2071**

Une bonne femme est réveillée par son mari qui est en train de rêver à voix haute. Il répète comme un perroquet :

— Elle est dans l'annuaire ! Elle est dans l'annuaire !

Alors elle le secoue brutalement et elle lui demande :

— Mais enfin, qu'est-ce que ça veut dire ?

— Oh ! là, là, gémit le gars en ouvrant les yeux. Je

rêvais que le percepteur voulait me rendre mon argent et qu'il ne retrouvait plus mon adresse...

2072 □

— Docteur, dit le malade au psychiatre, je n'en peux plus ! Ma vie devient un cauchemar. Je rêve toutes les nuits que je me dévisse le nombril...

— Écoutez, mon ami, ça va s'arranger. Vous allez rentrer chez vous et vous allez vous dévisser vraiment le nombril. Comme ça, vous n'en rêverez plus ! Vous êtes d'accord ?

— Ben, docteur, je vais essayer !

Mais une demi-heure plus tard, le psychiatre reçoit un coup de téléphone affolé :

— Allô, docteur, c'est affreux ! J'ai fait ce que vous m'avez dit. Je suis rentré chez moi et je me suis dévissé le nombril...

— Et alors ?

— Et alors, docteur, je n'ai plus de cul... Il est tombé par terre !

2073 □

Il était une fois une dame qui rêvait toutes les nuits d'un château abandonné, perdu dans la forêt, avec quatre tourelles et tout entouré de douves. Or, se promenant un jour dans un pays étranger, sur une belle route forestière, voici qu'elle découvrit soudain, caché dans la verdure, le château de ses songes.

Le cœur battant, elle s'approcha. Aucun doute possible ! A une pierre près, c'était exactement le château dont la vision l'avait poursuivie depuis toujours. Elle décida de tout faire pour l'acheter.

— Hélas, madame, lui dit le garde forestier, c'est impossible. Ce château n'est pas à vendre et d'ailleurs, personne n'en voudrait ! Il est hanté...

— Hanté ? s'écria la dame. Mais par qui ?
— Vous le savez bien, dit le garde. Par vous !

☐ **2074**

Une belle fille est allongée sur un divan. Derrière elle, un psychanalyste s'est confortablement carré dans son fauteuil. Il a pris un gros cigare et il écoute attentivement tout ce qu'elle dit :

— Vous voulez que je vous raconte mon dernier rêve, docteur ? J'avais pris l'autobus et en face de moi, il y avait un athlète de cirque avec un slip en peau de panthère. Au bout d'un moment, il s'est mis à m'arracher ma robe. Il avait un petit sourire mauvais au coin de la bouche. Et puis il a sorti un fouet de sous la banquette. Alors tous les gens qui étaient dans l'autobus ont commencé à se déshabiller en douce. Même un agent de police, docteur, et il vous ressemblait furieusement. Il n'a gardé que son képi et son ceinturon. Et je l'ai vu qui se rentrait son bâton dans le cul en poussant des petits cris. Alors l'homme au fouet l'a regardé dans le blanc des yeux, il lui a flanqué une gifle magistrale et il lui a ordonné de me... Oh ! Mon Dieu, il est cinq heures ! La consultation est terminée... Au revoir, docteur. A la prochaine fois !

Et la fille se lève pour partir. Le psychanalyste est toujours dans son fauteuil. Il avale sa salive et il dit :

— Mais non, mademoiselle ! Rallongez-vous et continuez... A partir de maintenant, c'est sur le compte de la maison !

☐ **2075**

C'est un sourd-muet qui fait un rêve érotique. Et il se branle, mais d'une seule main. Vous savez pourquoi ? C'est parce qu'avec l'autre main, il gémit...

2076 ☐

La scène se passe dans un jardin public. Un jeune homme triste, aux vêtements élimés, est venu s'asseoir à côté d'une jolie femme en manteau de fourrure. Au bout d'un moment, il engage la conversation :

— Je trouve que l'existence n'est pas rose. Je travaille dans un bureau où j'aligne des chiffres imbéciles. Je n'ai même pas mon samedi et je reçois un salaire lamentable. Je n'ai pas d'amis. Les jours se suivent, mornes et ressemblants. Cela ne vous dérange pas que je vous confie mes misères ?

Et la fille, compatissante, lui répond :

— Pas du tout ! La vie est un enfer pour moi aussi. J'habite dans un grand château et je m'y ennuie à mourir. J'en ai assez des domestiques, des femmes de chambre et des valets. J'en ai assez des écuries de courses de mon mari. Croyez-moi, cela m'a fait plaisir de vous rencontrer, mais maintenant, je suis obligée de partir... Le chauffeur m'attend avec la Cadillac à l'entrée du square.

— On ne pourra pas se revoir ? demande le jeune homme en tremblant un peu.

— Mon Dieu, ce sera difficile, dit la fille. Mon mari est jaloux. Il surveille ma vie privée de très près.

Et elle s'éloigne. Aussitôt, le jeune homme la suit de loin, en se cachant de bosquet en bosquet. Il la voit sortir du jardin public. Elle traverse la rue. Elle entre dans un restaurant miteux. A travers les vitres, il peut constater qu'elle enlève son manteau et qu'elle s'attache un tablier autour de la taille. Puis elle va laver les assiettes.

Alors le jeune homme triste sort du square à son tour, il ouvre la portière arrière d'une Cadillac, il s'enfonce dans les coussins, il sort un cigare de sa poche et il dit au chauffeur :

— Vous pouvez rentrer au château, Alphonse...

rouleau compresseur

☐ **2077**

Un journaliste téléphone à son rédacteur en chef :

— Le nom du type qui est mort sous le rouleau compresseur, c'est *Kimschildwiczdreff.*

— Ah, bon ! Et comment s'appelait-il avant l'accident ?

☐ **2078**

Un gars entre précipitamment chez une dame de ses amies :

— Dépêche-toi ! Jules vient de passer sous un rouleau compresseur...

La bonne femme arrive haletante à l'hôpital et elle jette au portier :

— Vite, où est mon mari ? Il est passé sous le rouleau compresseur !

— Je sais, dit l'autre. Chambres 15, 16 et 17.

☐ **2079**

On sonne à la porte de Marius. Sa femme se réveille en sursaut :

— Qui est là ?

Et elle entend à travers la porte la voix d'Olive qui lui crie :

— C'est moi, Olive ! On vous ramène Marius !

— Ah, bon ! dit-elle. Je suppose qu'il est ivre mort comme d'habitude ! Vous pouvez le garder pour vous. Je n'ouvrirai pas !

— Mais non, dit Olive. Il n'est pas soûl. Il est seulement passé sous un rouleau compresseur...

— Alors, si ce n'est que ça, glissez-le sous la porte !

2080 □

Sur une petite route, il y a deux crapauds qui sortent d'un fossé et qui vont pour traverser. Et tout d'un coup, il y en a un qui crie à l'autre :

— Attention ! Attention au rouleau comprrrrrrr...

russie

2081 □

Le tsar de toutes les Russies passe un régiment en revue. Il s'arrête devant un soldat et il lui dit :

— Comment t'appelles-tu ?

— Jacob Kahane, fait l'autre.

— Et tu es heureux dans mon armée ? demande le tsar.

— Oh, non ! Majesté. Pas heureux du tout. Vous savez, nous autres, les Juifs, nous ne pouvons pas devenir officiers. On nous donne des soldes misérables. Notre famille crève de faim. Et nous n'avons même pas le droit de sortir de Russie.

— Et crois-tu donc, dit le tsar, que moi-même je sois heureux ? On me lance des bombes. On veut ma mort. Je suis entouré d'ennemis acharnés ou de courtisans hypocrites. Mes responsabilités m'écrasent. Moi aussi, je suis malheureux...

— Eh bien alors, vous savez ce qu'on va faire tous les deux, Majesté ? On va partir ensemble pour New York !

2082 □

Un émigré russe raconte :

— Ah ! Les soirées de Saint-Pétersbourg ! Vodka, caviar... tu éteins la lumière, tu décharges ton pistolet dans le noir ! Tu rallumes, tu fais enlever les cadavres, caviar, vodka! Tu éteins la lumière, tu tires encore dans le noir! Fantastique! Tu rallumes, tu fais enlever les cadavres! Tu fais venir le caviar du tsar et la vodka de la tsarine! Tu bois tout, tu éteins la lumière! Avec tes pistolets tu fais un carnage! Tu rallumes! C'est fini, les cadavres! Plus de cadavres. Tu es tout seul! Mais alors... quelle géniale ambiance!

□ **2083**

— Ah! Moscou! dit miss France qui revient de Russie. Quelle ville étonnante! Je marchais dans la rue, toute nue, avec seulement mes chaussures. Et tout le monde me regardait les pieds!

□ **2084**

Une jeune Parisienne a pris le transsibérien et en face d'elle, il y a un officier du tsar, sanglé dans son uniforme. Au bout d'une heure de voyage, il lui dit:
— La mademoiselle française connaît Moscou?
— Oh non! dit-elle en minaudant.
Le train continue de rouler et l'officier ajoute, après un long silence:
— La mademoiselle française connaît Kiev?
— Oh, non! dit la fille avec une moue délicieuse.
Et le train roule. Et le soir tombe. Et l'officier tout d'un coup s'écrie:
— Assez fierté, petite Française! Maintenant à poil...

□ **2085**

Préoccupé par la situation au Moyen-Orient, Gorbatchev fait venir son chef de cabinet et il lui dit:
— Réflexion faite, nous devons tenir la balance égale entre les Juifs et les Arabes. Je crois que nous avons trop négligé la partie de notre peuple qui est israélite. Vous savez ce que nous allons faire pour donner des preuves de notre libéralisme en matière

de race ? Nous allons construire une synagogue sur la place Rouge, juste en face du tombeau de Lénine !

Un mois plus tard, le chef de cabinet se présente au rapport.

— Eh bien ? lui demande Gorbatchev. Cette synagogue ?

— Terminée ! répond l'autre. Et rutilante !

— Parfait ! Maintenant, il faut trouver un ministre du culte pour la desservir... Y as-tu songé ?

— Oui, camarade président. Mais c'est très difficile !

— Comment ? Tu n'as trouvé personne pour célébrer le culte israélite ?

— Si, camarade président ! J'ai trouvé des tas de gens ! Mais ce n'est pas possible ! Ce sont tous des Juifs...

2086 □

Dans une petite rue de Moscou, sur le coup de minuit, un gars rase les murs pour rentrer chez lui. Arrivé dans son vestibule, il enlève ses chaussures et il essaie de gagner son lit sur la pointe des pieds sans réveiller sa femme. Mais soudain la lumière s'allume et l'épouse se dresse devant lui comme une statue de la justice :

— D'où viens-tu, cochon ?

— Écoute, bobonne, dit-il, je vais t'expliquer. Il vaut mieux que je te dise la vérité. A la sortie du boulot, j'ai rencontré une très jolie fille, je l'ai invitée à dîner, je l'ai raccompagnée chez elle, elle m'a demandé de venir boire un dernier verre, et une fois arrivé dans sa chambre, que veux-tu, je lui ai sauté dessus et je crois bien qu'on a fait l'amour !

Alors la femme se saisit de la lampe de chevet, elle la lance à la tête de son mari et elle hurle :

— Espèce d'ignoble menteur ! Est-ce que tu t'imagines que je vais croire ces sornettes ? Je sais bien que tu es resté jusqu'à minuit à la réunion du parti...

☐ **2087**

Staline est mort. En arrivant dans l'autre monde, il rencontre Pierre le Grand, qui lui met la main au collet :

— Alors, qu'as-tu fait de ma Russie ?

— Je l'ai rendue plus forte que jamais, dit Staline.

— Très bien ! Il y a toujours l'armée et la police secrète ?

— Bien sûr !

— Il y a toujours les compagnies de cosaques ?

— Toujours !

— Et les tours du Kremlin ?

— Intactes !

— Parfait ! Et comment est la vodka ? Elle fait toujours trente-huit degrés ?

— Non. Quarante !

Alors Pierre le Grand dodeline tristement de la tête :

— Deux degrés de différence ! Et c'est juste pour deux degrés que vous avez foutu un tel bordel !

☐ **2088**

C'est une histoire qui date de la guerre entre les Russes et les Turcs. Le grand Vladimir quitte son village d'Ukraine pour aller combattre l'armée turque et sa vieille mère lui fait ses dernières recommandations :

— Tue tous les Turcs que tu rencontreras, mais n'oublie pas de bien manger et de bien dormir. Quand tu auras cassé la croûte, reprends ton fusil et massacre encore d'autres Turcs. Mais le soir venu, trouve-toi une bonne couche pour passer la nuit. Tu auras toujours le temps, le lendemain matin, de trucider d'autres Turcs. L'essentiel, c'est d'abord de passer une bonne nuit !

— Mais, maman, si un Turc me tire dessus pendant que je dors ?

— Tu es fou, Vladimir! Pourquoi les Turcs auraient-ils des raisons de t'en vouloir?

2089 ☐

En 1940, près du lac Baïkal, des paléontologues soviétiques exhument un très vieux squelette. Certains d'entre eux pensent qu'il doit s'agir des restes de Gengis Khan. Staline ordonne une enquête immédiate. Un expert arrive de Moscou, passe une nuit à examiner les ossements et déclare:
— C'est bien Gengis Khan! Il n'y a aucun doute!
Alors on lui demande:
— Comment pouvez-vous en être sûr?
Et il dit:
— Il a avoué...

2090 ☐

L'administration soviétique, soucieuse d'imiter le modernisme occidental, a fait installer dans les rues de Moscou de curieux appareils automatiques. On y introduit une pièce de deux kopecks. Et il en sort miraculeusement une pièce d'un kopeck!
Hélas! On a dû abandonner l'expérience: le bénéfice ne couvrait pas les frais d'entretien...

2091 ☐

Un moujik monte dans un tramway sur une grande avenue de Kiev. Le tramway est complètement vide. Le moujik va s'asseoir sur une banquette. Mais juste au-dessus de lui, il y a un trou dans le toit et la pluie lui dégouline dessus en cascade.
Il se tait. Il reste stoïque sous l'averse. Au bout d'un moment, le receveur s'approche et lui dit:
— Vous allez attraper la crève! Vous devriez changer de place!

Alors le moujik montre d'un geste le tramway désert et il dit :
— Changer de place ? Avec qui ?

☐ **2092**

Trotsky est en train de travailler dans son bureau du Kremlin, quand son père vient le trouver :
— Dis-moi, mon petit. Il faut que je te demande quelque chose. Cette révolution, vous l'avez faite, toi et Lénine, c'est une affaire entendue. Mais alors, comment se fait-il qu'on entende toujours parler de Lénine et jamais de toi ? Comment se fait-il qu'il y ait des portraits de Lénine partout et jamais des portraits de toi ? Alors, si j'ai bien compris, il n'y en a que pour Lénine ? Ce n'est pas une bonne affaire, ça !
Alors Trotsky se racle la gorge et il répond à son père :
— Écoute, papa. Cette combine, elle est à nous deux, autant à moi qu'à Lénine. Seulement, tu sais bien que je suis juif ! Et tu sais bien que dans ce pays, un Juif ne doit pas se faire remarquer... Alors, je vais te dire la vérité. Lénine, c'est mon homme de paille ! J'ai mis l'affaire à son nom...

☐ **2093**

Les choses ont beaucoup changé en Union soviétique. Des experts russes ont parcouru l'Occident en tous sens pour trouver des idées qui permettent d'améliorer le confort et les plaisirs de leurs concitoyens. Et le ministère des Loisirs a même décidé d'ouvrir à Moscou une boîte de nuit avec strip-tease ! Mais au bout de trois mois, le directeur de ce cabaret se désespère :
— Je ne comprends pas ! Nous sommes dans la rue la plus passante de Moscou. On sert aux clients du vrai caviar et même du champagne de Paris. Les prix

sont tout ce qu'il y a de plus abordable. Et la salle est tout le temps vide. C'est une catastrophe! Pourtant, on ne peut rien reprocher à nos strip-teaseuses. On les a triées sur le volet. Elles ont toutes leur carte du parti depuis la fin de la guerre...

2094 □

Une délégation du Sénat américain visite Moscou. On fait descendre les sénateurs dans le fameux métro, on leur fait admirer les marbres, les statues, les immenses avenues souterraines. Et l'un des Américains s'étonne:

— C'est très beau! Mais comment se fait-il qu'on soit là depuis une demi-heure et que nous n'ayons pas vu passer un seul train?

Alors le guide soviétique répond, l'œil mauvais:

— Et vous, en Amérique, vous persécutez les Noirs, non?

2095 □

La vieille mère de Gorbatchev est très inquiète. Elle trouve que ça ne va pas si bien que ça, même si c'est son fils qui gouverne le pays. Gorbatchev est allé la voir pour essayer de la rassurer:

— Mais enfin, maman, tu n'as aucune raison de te faire de la bile. Regarde un peu ce qui se passe. Maintenant tu as une datcha à la campagne. Moi, j'ai deux grandes limousines, une pour le travail et une pour la promenade. Et puis notre niveau de vie s'est amélioré. On peut profiter d'un chauffeur, d'un cuisinier, d'un jardinier. La vie est tout de même devenue plus facile qu'avant...

Alors la vieille femme regarde l'homme d'État et elle lui dit:

— C'est bien possible! Mais il y a une chose à laquelle tu ne penses jamais... Et si les Rouges arrivaient?

☐ **2096**

Deux Moscovites se rencontrent dans le métro et le premier demande à l'autre :

— Dis-moi, camarade, qu'est-ce que tu ferais, toi, si les Américains nous jetaient une bombe atomique ?

— Eh bien, camarade, dit l'autre, je prendrais un drap en guise de suaire et j'irais lentement au cimetière...

— Lentement ? Pourquoi lentement ?

— Pour ne pas foutre la panique...

☐ **2097**

Un paysan intrigué s'approche d'un géomètre qui plante des piquets dans les champs :

— Qu'est-ce que vous faites ? demande-t-il.

— Ben, vous voyez, dit l'autre. Je fais la frontière.

— Quelle frontière ?

— Ben, la frontière entre la Pologne et la Russie...

— Ah ! bon... Et ma maison, elle est de quel côté de la frontière, maintenant ?

— Votre maison ? C'est celle-là, près du petit bois ? Ben, elle est en Pologne...

— Ah ! Tant mieux ! Ma femme me disait encore hier : « Quand je pense qu'il va falloir passer un hiver de plus en Russie... »

savant

2098 ☐

La scène se passe à la Sorbonne, pendant le cours d'un grand savant. Un étudiant se lève et dit :

— Et d'abord, qu'est-ce qui nous prouve que ce que vous dites est vrai ?

— Euh... fait le professeur, tout simplement mon expérience et ma compétence. N'oubliez pas que je suis là depuis l'âge de quarante ans. Et j'en ai maintenant quarante-sept. Attendez que je compte sur mes doigts, ça fait donc... quarante et un, quarante-deux, quarante-trois, quarante-quatre, quarante-cinq, quarante-six, quarante-sept... eh bien oui, ça fait donc huit ans que je vous enseigne les mathématiques...

2099 ☐

Qu'est-ce qu'un technocrate ? Quelqu'un qui sait de plus en plus de choses sur un sujet de plus en plus étroit. Le technocrate parfait est celui qui sait tout sur rien.

2100 ☐

Un type invente le dissolvant universel. Il est fou de bonheur. Il chante. Il sait qu'il va faire fortune.

Cinq cents industriels se disputent sa découverte. Et pourtant notre homme finit dans le ruisseau... Pourquoi ? Eh bien, son dissolvant, on n'a jamais pu trouver un récipient pour le mettre dedans...

☐ **2101**

On demande à Einstein d'expliquer la relativité.

— C'est bien simple, dit-il. Vous proposez à un aveugle de boire un verre de lait. Il vous demande ce que c'est que le lait. Vous lui dites que c'est un liquide blanc. *Liquide*, il sait, mais *blanc*, il ne comprend pas. Vous lui dites : blanc comme les plumes d'un cygne. Un cygne, vous répond-il, qu'est-ce que c'est ? Vous lui dites que c'est un oiseau avec le cou tordu. Il comprend ce que c'est que *le cou*, mais *tordu*, non. Vous lui prenez le bras et vous le pliez en deux. Et vous lui dites que c'est exactement comme ça, *tordu*. Alors il saute de joie et il vous dit : Oh ! Maintenant, je sais ce que c'est, le lait !

☐ **2102**

— Et ce diplodocus, dit le guide du muséum d'histoire naturelle, tel que vous le voyez, à l'état de squelette, il est âgé de trente-trois millions trente-trois ans...

— Extraordinaire ! dit un visiteur. Comment pouvez-vous arriver à déterminer son âge avec une telle précision ?

— C'est pas compliqué. Quand j'ai commencé à travailler ici, le patron m'a dit : « Ce diplodocus, il a trente-trois millions d'années. » Et ça fait trente-trois ans que je suis dans la maison...

☐ **2103**

Petite annonce dans un journal littéraire :

Je vends l'encyclopédie Larousse en quinze volumes. État absolument neuf. Jamais ouverte ni feuilletée. Ma femme sait tout !

2104 □

Dans un laboratoire, deux cochons d'Inde sont accroupis au fond d'une cage et il y en a un qui dit à l'autre:

— Ça y est! Je suis arrivé à dresser le docteur! A chaque fois que j'appuie sur ce bouton, il m'apporte un bout de fromage...

2105 □

Un grand savant est penché sur un microscope électronique. Il est en train de suivre les évolutions de virus minuscules. Et tout d'un coup, il siffle entre ses dents:

— Oh! là, là... Qu'est-ce qu'on va rigoler! Le mari vient d'arriver sans avertir...

2106 □

Un petit bricoleur, qui habite dans un pavillon de banlieue, présente à la Foire de Paris une machine extraordinaire. C'est un appareillage très compliqué qui tient à la fois de la locomotive à vapeur, du marteau-pilon et de la centrifugeuse électronique. C'est plein de clapets, de courroies, de culasses, de manivelles, de glissières, de robinets. C'est fait de bric et de broc, mais ça marche! Et il faut voir comment ça marche... C'est un engin qui fait un vacarme du diable, qui consomme une énergie folle, qui empuantit l'atmosphère tout autour et qui dégage une fumée suffocante...

Un industriel est en train de regarder pensivement cette machine stupéfiante. Au bout d'un moment, il finit par se retourner vers l'inventeur qui se pavane à côté de son œuvre, il le contemple en plissant des yeux et il lui dit:

— A quoi ça sert, votre truc?

— Ben, dit l'autre, c'est très simple. Vous introduisez d'un côté un lingot d'or pur et au bout d'une heure trois quarts, il ressort à l'autre bout une barre de chocolat...

Alors l'industriel fixe le petit bonhomme et il déclare tranquillement :

— Il faut que je vous dise quelque chose ! Vous êtes fou...

— Ah ! Je suis fou ? réplique le gars. Eh bien, c'est ce que tous les imbéciles ont dit d'Archimède, de Galilée, d'Einstein et de Jules Dugommier...

— Jules Dugommier ? Qui c'est ça, Jules Dugommier ?

— Oh ! Faites pas attention ! Lui, il était vraiment fou...

□ **2107**

Un inventeur vient de gagner le premier prix au concours Lépine. Et vous savez comment ? En présentant au jury une passoire à trous carrés pour le bouillon Kub...

□ **2108**

C'est un savant biologiste qui fait des expériences passionnantes. Il croise des animaux qui ne sont pas de la même race.

C'est ainsi qu'il a croisé un mille-pattes avec un porc-épic. Et il est né... deux mètres de fil de fer barbelé...

□ **2109**

Le physicien Réaumur vient de mettre au point un petit instrument qui s'appelle le thermomètre. Il présente son invention à l'Académie des Sciences. Hélas ! Il ne rencontre qu'incompréhension et moquerie... Et même, le président de l'Académie se lève pour lui dire :

— Votre machin, monsieur Réaumur, vous pouvez vous le foutre au cul !

2110 □

Deux astronomes parlent d'une belle étoile dont ils sont amoureux. Et le premier soupire :
— Il paraît qu'elle couche avec des clochards !

2111 □

Un enfant prodige était devenu le plus grand mathématicien de la terre, rien qu'en comptant sur ses doigts. Mais le jour de son certificat d'études, voilà qu'il échoue à l'examen parce que toutes ses opérations sont fausses. Il faut dire qu'il faisait tellement froid qu'il avait mis des moufles...

2112 □

La dernière invention présentée au concours Lépine, c'est l'éventail fixe. On se met devant, et on agite la figure pour faire de l'air...

2113 □

Dans la chambre d'un hôtel de passe, un vieux savant à barbe blanche, enfoui sous les draps, achève de fumer une cigarette. Il vient juste de poser une petite question. Près de lui, une fille nue s'écrie :
— Encore une fois ? Mais c'est pas possible, monsieur Pasteur, c'est plus de l'amour, c'est de la rage !

scaphandrier

☐ **2114**

Un bateau a coulé dans le Vieux-Port de Marseille et il faut absolument aller récupérer des marchandises précieuses dans l'épave. Mais tous les scaphandriers sont en grève.

Alors, on offre une forte prime aux amateurs qui seront volontaires pour descendre sous la mer. Le lendemain, Marius se présente et il dit :

— Je suis venu pour vous avertir que moi, je ne fais pas l'affaire, mais si vous proposez le coup à Titin, je suis sûr qu'il marchera.

— Qui c'est ça, Titin ? lui demande-t-on.

— Titin, c'est le maçon de la Belle-de-Mai. C'est le seul Marseillais qui ne crache pas sur le travail. Au contraire, il se crache dans les mains et il commence tout de suite...

Du coup, on fait venir Titin et on lui explique le boulot :

— Vous enfilez la combinaison de scaphandrier, on vous fixe le casque autour du cou, vous plongez jusqu'à l'épave, vous ouvrez le coffre qui est dans la cabine et vous ramenez tout ce qu'il y a dedans. Et si quelque chose ne va pas, vous tirez sur le filin et on vous remonte...

— Et ça me rapporte combien ? demande Titin.

— Cinq mille balles...

— Ça boum ! dit Titin.

Et il descend sous la mer. Et il n'y a pas cinq minutes qu'il est au fond, voilà qu'il secoue le filin comme un prunier. Alors on le remonte en toute hâte, on lui enlève le casque et on lui dit :

— Qu'est-ce qui ne va pas ?

— Il y a qu'avec cette connerie que vous m'avez vissée sur les épaules, à chaque fois que je veux me cracher dans les pognes, je me crache dans la gueule!

2115 □

C'est un scaphandrier qui marche à cent mètres sous la mer. Tout d'un coup son téléphone portatif grésille et il entend une voix qui lui dit:

— Vite! Dépêchez-vous de remonter! Le bateau coule...

sermon

2116 □

Un dimanche à midi, une dame rentre de la messe. Son mari lève distraitement les yeux de son journal et lui demande:

— Le sermon était bien?

— Oui. Le curé a parlé du péché.

— Et qu'est-ce qu'il a dit?

— Oh! Il est plutôt contre...

2117 □

Un brave curé de campagne explique en chaire la multiplication des pains. Mais sa langue fourche:

— Vous vous rendez compte, mes frères... Nourrir cinq hommes avec cinq mille pains!

Dans son coin, le sacristain laisse échapper à voix haute:

— N'importe qui pourrait en faire autant!

L'assistance étouffe quelques rires. Mais le dimanche suivant, le curé rectifie le tir, car il s'est aperçu de son erreur:

— Je me suis trompé l'autre jour. Je voulais dire que Notre Seigneur a nourri cinq mille hommes avec cinq pains.

Se tournant vers le sacristain, il ajoute:

— Et cette fois-ci, personne ne peut en faire autant...

— Mais si, rétorque le brave homme sans se démonter. Vous ne pensez pas à tous les restes de dimanche dernier !

□ **2118**

Le jeune vicaire descend de chaire après son premier sermon. Le vieux curé s'approche de lui et lui dit :

— Admirable, votre sermon, admirable ! Et je dirai même *pas mal...*

□ **2119**

— Vous êtes tous des mécréants, lance le curé du haut de sa chaire. Vous ne m'aimez pas, puisque vous ne donnez rien à la quête. Vous ne vous aimez pas, puisqu'on ne célèbre jamais de mariages dans cette paroisse. Et Dieu lui-même ne veut pas de vous, puisqu'ici personne ne meurt...

□ **2120**

Tout juste ordonné et horriblement timide, un jeune prêtre monte en chaire pour son premier sermon :

— Je vais à mon Père, lance-t-il d'une voix mal assurée.

Et presque aussitôt il se trouble et ne trouve plus quoi dire.

— Je vais à mon Père, bredouille-t-il une seconde fois. Je vais à mon Père... Je vais...

Puis affolé, il descend de chaire dans un silence de mort. Alors le sacristain lui lâche au passage :

— Bien des choses à votre papa...

□ **2121**

Dans un petit village bolivien, situé en pleine zone

de guérilla, le padre monte en chaire un beau dimanche et déclare à ses ouailles :

— Mes frères, il est inadmissible que vous veniez vous accuser en confession d'avoir mitraillé des officiers, tué des généraux ou dynamité le palais du gouverneur ! Le confessionnal, c'est fait pour les péchés et pas pour la politique...

2122 □

Un prédicateur déchaîné menace ses fidèles des affres et des supplices de l'enfer. Toute l'église tremble de peur, sauf un petit bonhomme au fond qui ne se tient plus de rire.

— C'est pour vous aussi que je parle ! tonne le curé du haut de sa chaire.

— Oh ! Que non ! glousse l'autre entre deux hoquets. Moi, je ne suis pas de la paroisse !

2123 □

Un touriste de passage entre dans une église de village au moment du sermon :

— Ça fait longtemps qu'il est là ? demande-t-il à un paroissien, en désignant le prédicateur.

— Vous voulez parler de notre curé ? Oh ! Ça fait bien dix-huit ans...

— Alors je peux rester. Il va avoir bientôt fini...

2124 □

— J'ai raté la messe aujourd'hui. Le curé a parlé longtemps ?

— Au moins trois quarts d'heure...

— Et de quoi a-t-il parlé ?

— Il ne l'a pas dit.

2125 □

Un groupe de l'Armée du Salut harangue la foule

sur une place publique. Au premier plan, une jeune femme en uniforme arrête les passants :

— Mes frères, il faut vous convertir. On ne sait pas de quoi demain sera fait. Je peux vous citer mon cas en exemple. Je vis dans l'incertitude. Aujourd'hui, je suis dans les bras de mon époux. Demain, je serai peut-être dans les bras du Seigneur !

Alors, il y a un type qui lui demande :

— Vous êtes libre après-demain ?

☐ **2126**

Un curé de campagne commence son sermon :

— Ah ! mes frères, votre peu de foi m'épouvante. Nous nous rassemblons dans ce lieu saint pour prier afin qu'il pleuve, et aucun d'entre vous ne s'est muni d'un parapluie !

☐ **2127**

Un brave curé, très ennuyeux, rêve qu'il est en train de prêcher et quand il se réveille, eh bien, il est en train de prêcher...

☐ **2128**

Pour la première fois, le nouveau vicaire, un prêtre progressiste, prêche en chaire sur la passion du Christ. A la fin du sermon, le curé le prend à part et lui dit :

— C'était convenable, mais j'ai trois remarques à vous faire. D'abord, il faut dire *mes frères* au lieu de *camarades*... Ensuite cette histoire ne se passe pas au Chili, mais en Palestine. Enfin Jésus est mort sur la croix. Ce n'est pas raisonnable de dire que les flics l'ont achevé à la mitraillette...

singe

2129 □

Un type est tranquillement accoudé au comptoir d'un cabaret. Il a demandé un whisky. Il a son verre devant lui. Et tout d'un coup, un petit singe arrive à toute allure du fond de la salle, il se trempe les couilles dans le whisky et, hop! il disparaît...

— Ça, c'est un peu fort, dit le gars au barman. Donnez-moi un autre whisky.

Et à peine le barman lui a-t-il servi un autre verre, que le petit singe arrive en courant, il se trempe les couilles dans le whisky et, hop! il disparaît...

— Dites donc, lance le gars au barman, qu'est-ce que ça veut dire? Vous connaissez ce singe, vous?

— Euh... non, fait le barman. Mais vous savez, c'est peut-être le singe d'un des musiciens. Vous devriez demander au pianiste.

Alors le gars s'approche du pianiste et il lui dit:

— Hé, l'ami... Ça vous dit quelque chose, le petit singe qui se trempe les couilles dans le whisky?

— Euh... non, dit le pianiste, mais si vous me sifflez les premières mesures, je pourrai vous le jouer...

2130 □

— Moi, je sais grimper aux arbres, dit le singe.

— Oui, mais moi, je sais voler dans les branches, dit le perroquet.

— Oui, mais moi, j'ai des mains au bout des pieds, dit le singe.

— Oui, mais moi, j'ai des plumes bleues et vertes, dit le perroquet.

— Oui, mais moi, je me tiens debout comme un homme, dit le singe.

— Oui, mais moi, je sais parler, dit le perroquet.

— Ah ! Ben ça, c'est un peu fort, dit le singe. Et moi, qu'est-ce que tu crois que je suis en train de faire ?

☐ **2131**

Un petit garçon est en promenade au zoo. Il s'est arrêté devant la cage des singes et il reste béat devant un chimpanzé qui ne cesse pas de faire des grimaces.

Mais au bout d'une demi-heure, le chimpanzé va s'asseoir sur ses fesses dans un coin de la cage et il reste immobile. Alors le petit garçon lui dit :

— Encore, monsieur !

☐ **2132**

Une vieille demoiselle arrive chez le naturaliste. Elle porte une petite valise à la main et elle dit :

— Là-dedans, vous trouverez mes deux sapajous. Ils sont morts cette nuit. Hélas ! je n'avais qu'eux au monde ! Je voudrais les faire empailler...

— Mais certainement, madame, dit l'employé. Et comment voulez-vous qu'on les fasse monter ?

— Oh ! dit la vieille en rougissant. Ne les faites pas monter ! Ils étaient juste copains...

☐ **2133**

Deux sténodactylos sont devant la cage des singes. La première dit à l'autre :

— Ils sont formidables, non ? Il ne leur manque que l'argent...

☐ **2134**

Pendant la guerre, un aviateur anglais en a marre d'être réveillé chaque nuit par une alerte, alors que finalement son escadrille ne décolle même pas. Il décide d'enseigner son rôle à un singe, qui pourra ainsi le remplacer.

Il l'habille en officier de l'armée de l'air, il lui apprend à courir à toutes jambes vers son avion et à rester au poste de pilotage jusqu'à la fin de l'alerte.

Tout marche parfaitement et personne ne s'aperçoit du subterfuge, jusqu'au jour où l'alerte est tellement grave que l'escadrille décolle vraiment.

— Nom de Dieu! raconte l'aviateur, qu'on m'ait foutu à la porte de l'armée, ce n'est pas tellement grave. Mais imaginez-vous qu'aujourd'hui ce con de singe est général de brigade!

2135 □

La bombe atomique est tombée. Et puis une autre, bien sûr. Et puis une bonne centaine comme ça. La terre est réduite en chair à pâté.

Dans le fin fond de la jungle guinéenne, un singe et une guenon sont perchés sur une branche et ils se regardent tristement.

Et le singe dit:

— Alors, on recommence, ou ça vaut pas la peine?

2136 □

L'histoire se passe pendant l'occupation allemande. Pour échapper à la déportation, Abraham a décidé de se déguiser en gorille et d'aller vivre dans l'enclos des singes au zoo de Vincennes. Il déniche une peau de gorille à sa taille, il soudoie un gardien du zoo et le tour est joué.

Le voilà gambadant au milieu des singes. Il se fait très vite aux cacahouètes et aux bananes. De temps en temps, on lui lance même une cigarette. Il est si beau quand il s'épuce qu'il devient la coqueluche des guenons. Et au bout d'un certain temps, à force d'imiter ses congénères, il acquiert une merveilleuse agilité. Il saute de branche en branche avec maestria. Il s'accroche par les pieds. Il se sent tellement bien, dans sa peau de singe, qu'il en arrive à commettre certaines imprudences.

Et un beau matin, lancé dans une course folle d'arbre en arbre, il loupe une branche et il tombe en plein dans la fosse aux ours. Aussitôt un énorme ours brun, tiré de son sommeil, lève sur lui ses redoutables griffes. Alors Abraham, terrifié, se met à hurler :

— Au secours ! Au secours !

Mais l'ours l'a déjà saisi à la gorge et lui glisse à l'oreille :

— Tais-toi, crétin ! Je m'appelle Moshe, et si tu continues à gueuler comme ça, tu vas tous nous faire pincer !

☐ **2137**

Dans la forêt vierge, au pied d'un grand baobab, un lion est en train de parlementer avec un singe qui s'est réfugié dans les branches.

— Je t'en prie, lui dit-il. Descends de là ! Je te promets que je ne te ferai pas de mal. Je cherche seulement un compagnon de jeu. Tout le monde a peur de moi et c'est ça qui me désespère !

— Ouais ! réplique le singe. Tout ça, c'est du baratin ! Dès que je serai descendu, tu vas me sauter dessus et me bouffer. Moi, je connais les gens de ton espèce !

— Mais non ! dit le lion. Je te jure que je suis sincère. Je ne demande que de l'affection. Je ne cherche que l'amour. Tiens ! Pour te prouver ma bonne foi, je vais m'attacher les pattes. Comme ça, tu n'auras plus peur !

Et joignant le geste à la parole, le lion arrache une longue liane avec laquelle il se ligote les pattes. Puis il attend, soumis, que le singe vienne le rejoindre.

— Je veux bien descendre, dit le singe. Mais alors, il faudra que tu te laisses mettre une muselière !

— D'accord, dit le lion.

Et le singe, dégringolant prudemment de sa branche, saute devant le lion et s'empresse de lui museler solidement le mufle avec d'autres lianes. Ensuite, il le regarde avec une certaine satisfaction et il déclare :

— Tu as bien dit que tu ne cherchais que l'amour ?

— Mais oui, dit le lion.

Alors le singe se met à trembler de tous ses membres.

— Tu as donc encore peur de moi ? demande le lion.

— Non, non ! dit le singe, tout couvert de transpiration. Je tremble parce que c'est la première fois de ma vie que je vais baiser un lion...

ski

2138 □

C'est une demoiselle sur le passage de qui tous les hommes se retournent. Elle a voulu aller aux sports d'hiver à Megève, mais tous les hôtels sont combles. Heureusement, elle trouve un hôtelier qui lui dit :

— J'ai une chambre, avec un très grand lit, que j'ai donnée à deux messieurs. S'ils veulent vous faire une petite place entre eux, moi je n'y vois aucun inconvénient.

Aussitôt dit, aussitôt fait. Le trio s'endort, en tout bien tout honneur. Mais le lendemain matin, les deux gars se réveillent épuisés, à bout de résistance. La fille au contraire est fraîche comme une rose. Elle va se laver les dents et elle dit à ses deux acolytes :

— J'ai passé une nuit extraordinaire. Je n'ai pas arrêté de rêver ! Je faisais du ski sur des pentes, à n'en plus finir, et je passais les obstacles en forçant tant que je pouvais sur les deux bâtons que j'avais dans les mains...

□ **2139**

Marius est allé aux sports d'hiver. Dans le hall de son hôtel, il voit une pancarte :

« *Allos : 20 centimètres, souple. Serre-Chevalier : 30 centimètres, molle. Megève : 40 centimètres, dure.* »

Alors Marius branle la tête et il dit :

— Après ça, ils viendront nous faire croire que nous, à Marseille, on exagère...

□ **2140**

Un petit garçon revient des classes de neige. Et il raconte à son papa :

— C'était très chouette ! Le paysage était *téléféerique !*

□ **2141**

Un milliardaire américain débarque dans un grand hôtel de Dakar, suivi de domestiques qui transportent tout un matériel de ski.

— Mais, monsieur, lui dit le réceptionniste, je crois que vous vous trompez ! Il n'y a jamais de neige ici...

— Je sais ! coupe l'autre. Elle suit avec mes bagages...

□ **2142**

La scène se passe pendant les jeux Olympiques d'hiver. Sur le bord de la piste, un supporter en avise un autre, à qui il tend un billet de cent francs :

— Tiens ! Regarde ce billet par transparence et tu verras passer le futur champion du monde !

— Mais je ne vois rien, répond l'autre.

— Eh bien, c'est qu'il est déjà passé. Il va tellement vite...

□ **2143**

Un skieur et une skieuse se sont cachés derrière un

bosquet. Ils sont allongés dans la neige, un peu emmêlés, et la fille gémit :

— Oh ! là, là ! C'est exquis ! C'est exquis.

Et le gars, furieux :

— Mais non, c'est pas mes skis...

snob

2144 □

Marie-Chantal et Gladys visitent le Louvre et tombent en arrêt devant une Nativité de Rembrandt.

— Chérie, demande Marie-Chantal, pourquoi cette misère, pourquoi cet âne et ce bœuf miteux qui leur soufflent dans le cou ?

— Vous savez bien, fait Gladys, que ces gens-là avaient des difficultés monstres et pas d'argent du tout...

— C'est incroyable ! Pas d'argent et se faire peindre par Rembrandt !

2145 □

Marie-Chantal voudrait bien passer une grande nuit d'amour avec le beau Gérard. Mais Gérard est plein de réticences : il préfère les garçons aux filles. Au bout d'un mois d'efforts, Marie-Chantal réussit quand même à amener Gérard au pied de son lit et à le déshabiller... Le jeune homme est très inhibé. Alors, elle lui dit :

— Gérard chéri, vous oubliez les lubrifiants !

— Ah ! mon Dieu... c'est vrai, dit Gérard.

Il file à la cuisine et il ramène un peu de beurre. Puis au bout d'un moment, Marie-Chantal s'exclame :

— Je me sens toute tourneboulée. Vous ne voudriez pas remettre votre cravate à l'endroit ?

☐ **2146**

La mère de Marie-Chantal lui demande de quoi on a parlé à la messe.

— D'Adam et Ève... Tu connais l'anecdote !

☐ **2147**

Une dame très snob entre chez un antiquaire et elle dit :

— Ce vase bleu qui est en vitrine, il est bien du dix-septième siècle ?

— Hélas ! non, répond l'antiquaire. Je ne veux pas vous tromper. Il est de 1950...

— Quel dommage ! dit la dame. Il était si joli...

☐ **2148**

— Mais enfin, qu'est-ce qu'il lui prend ? Ton mari ne te parle plus ?

— Non ! C'est depuis qu'il me prend par-derrière.

— Et alors ?

— Et alors, c'est une question de principe. Il ne parle pas aux enculés...

☐ **2149**

C'est un garçon qui a les cheveux très longs. Il rencontre un groupe de copains et il leur dit :

— Ça y est ! J'ai eu le premier prix au concours hippie !

Et les autres sont étonnés. Ils lui disent :

— Le concours hippie ? Qu'est-ce que c'est que ça ?

— Ben, répond le gars, c'est une course de cheveux...

☐ **2150**

Gladys :

— Comment ! Tu as acheté cette Rolls-Royce il y a seulement quinze jours et tu veux déjà la vendre ?

Marie-Chantal :
— Que veux-tu ! Le cendrier est plein.

2151 ☐

Marie-Chantal à son mari qui rentre de voyage :
— Mais enfin, chéri, vous n'êtes pas rasé !
— Ma chère amie, je me laisse pousser la barbe.
— Mais ça n'empêche pas...

2152 ☐

Marie-Chantal à Ghislaine :
— Viens donc à ma surprise-partie. Il y aura Johnny, Federico, Valéry et Deux...
— Qui ça, Deux ?
— Ben, un peu de respect, quoi, je peux tout de même pas l'appeler Jean-Paul...

2153 ☐

Marie-Chantal est venue s'incliner devant la dépouille d'une vieille tante.
— Finalement, dit-elle, elle est tout de même mieux sans ses tics.

2154 ☐

Marie-Chantal appelle Gladys :
— Venez vite ! C'est trop drôle ! J'ai laissé tomber bébé dans la baignoire... Il est au fond !
— C'est horrible, chérie. Il faut vite le sortir.
— Gladys ! Vous plaisantez ou quoi ? L'eau est beaucoup trop chaude !

2155 ☐

Marie-Chantal et Gladys se promènent dans les rues de Bethléem.

Gladys :
— Chérie, avez-vous vu les Joseph ? Est-ce que Marie a eu son bébé ?
Marie-Chantal :
— Je ne sais pas, chérie, je n'ai pas réveillonné avec eux...

☐ **2156**

Gladys revient du Louvre :
— J'ai vu un amour de Titien !
— Ah ! oui... dit Marie-Chantal, quelle race ?

☐ **2157**

Marie-Chantal croise son amie Laure en sortant de la messe :
— Trésor, ton chapeau est divin... Et cette croix médiévale que tu portes au cou ! Ah ! Ce Christ, il est trop chou !

☐ **2158**

Marie-Chantal :
— Cette soupe à l'oignon, c'est vraiment une communion avec le peuple !

☐ **2159**

Marie-Chantal à Gladys :
— C'est quand même stupide. Tout ce que j'aime dans la vie, ou bien c'est immoral ou bien ça fait grossir !

☐ **2160**

Une amie intime de Marie-Chantal vient d'épouser un ouvrier.
— Ce n'est pas qu'elle l'aime, dit Marie-Chantal, mais le bleu lui va tellement bien !

2161 □

Marie-Chantal communie :
— Merci, monsieur l'abbé. Oh ! Que c'est fade ! Vous n'auriez pas un peu de sucre avec ?

2162 □

Marie-Chantal entre dans un bar des Champs-Élysées et elle dit au garçon :
— Est-ce que vous avez un shaker ?
— Mais oui, madame.
— Bon. Alors, servez-moi un demi panaché...

2163 □

Marie-Chantal a été invitée à une chasse en Sologne. Elle est à l'affût dans un bosquet, quand soudain elle voit passer deux rabatteurs qui en transportent un troisième sur une civière. Le pauvre homme a été blessé par une balle perdue. Alors Marie-Chantal s'écrie avec indignation :
— Comment ! On peut aussi tirer les rabatteurs et personne ne m'avait avertie ?

2164 □

Gladys croise Marie-Chantal dans une avenue du Bois et elle s'extasie sur son nouveau petit chien :
— Dieu ! Qu'il est mignon, ce pékinois ! D'où vient-il, chérie ?
— Mais de Pékin, voyons ! Je suis allée le chercher moi-même à Pékin la semaine dernière !
— Chérie, c'est de la folie ! On trouve les mêmes aux Champs-Élysées...
— Oui, mais aux Champs-Élysées, on ne peut pas stationner...

2165 □

Marie-Chantal revient des États-Unis :

— Tu sais, raconte-t-elle à Gladys, j'ai fait une chose formidable contre la ségrégation... J'ai participé à la grande marche publique sur Washington !
— Ah, oui ? C'était bien ?
— Divin ! Malheureusement c'était trop long... J'ai été obligée de me faire porter par un nègre...

souris

☐ **2166**

Ça fait trente jours qu'il pleut et dans l'Arche, les animaux s'ennuient à en mourir. Noé voit arriver dans son bureau l'éléphant et la souris blanche. L'éléphant lui dit :
— Voilà : nous voudrions nous marier !
— Mais vous êtes devenus fous, dit Noé. Vous n'y pensez pas !
— Si, dit l'éléphant, nous nous aimons beaucoup !
— Mais enfin, dit Noé, je ne peux pas célébrer un mariage contre nature...
Alors la petite souris s'avance et d'une voix très humble :
— C'est que, voyez-vous, c'est trop tard ! Maintenant nous sommes obligés...

☐ **2167**

La petite souris est en train de se noyer dans un tonneau de vin. Le chat la regarde et il se marre doucement.
— Au secours ! crie la souris. Sors-moi de là !
— Moi, je veux bien, dit le chat. Mais si je te sauve, alors je te bouffe !
— Ça ne fait rien. Tu me boufferas ! N'importe quoi plutôt que de mourir noyée !
— D'accord, fait le chat.

Mais à peine il a sorti la souris de son jus, que déjà elle a filé dans un trou du mur.
— Menteuse! dit le chat. C'est pas du jeu! Tu m'avais promis de te laisser bouffer!
— Moi, j'ai dit ça? C'est pas possible! Je devais être soûle!

2168 □

Dans la brousse, un éléphant rencontre une souris.
— Comme tu es grand, dit la souris, comme tu es gros!
— Comme tu es petite, dit l'éléphant, comme tu es maigre!
— Ah! oui, dit la souris, mais moi, j'ai été malade!

2169 □

Un tout petit bonhomme entre dans un bistrot où le barman est baraqué comme une armoire à glace. Il demande un double pernod et dès qu'il est servi, il prend son verre et il le verse dans la pochette de son veston.
— Non, mais ça va pas? dit le barman écœuré. J'aime pas beaucoup qu'on gaspille l'alcool comme ça...
— Mêlez-vous de vos affaires, dit l'autre. D'abord je paie. Et puis ensuite, je ne gaspille rien. Je donne simplement à boire à ma souris apprivoisée.
— Je veux pas le savoir, dit le barman. Vous allez régler et me foutre le camp!
— Oh! fait le gars, vous commencez à me courir. Si vous insistez, je m'en vais vous casser la figure...
Alors la souris sort le nez de son trou, elle toise le barman et elle siffle entre ses dents:
— Et même que moi, je vais défoncer la gueule à ton chat...

☐ **2170**

C'est un gros rat qui raconte une histoire à une jolie petite souris :

« Il était une fois une petite souris qui était enfermée dans une souricière avec un gros rat. Et le gros rat lui dit :

— Tu sais, je peux te montrer une combine pour sortir de là. Mais il faudra d'abord être très câline avec moi et faire tout ce que je te demanderai...

Comme la petite souris voulait absolument sortir de la souricière, elle accepta de passer par les quatre volontés du gros rat. Et elle eut raison, car aussitôt après, il la fit sortir de la souricière... »

A ce moment de son récit, le gros rat observe un instant de silence. Alors la jolie petite souris, intriguée, lui demande :

— Mais comment il l'a fait sortir ?

Et le gros rat lui répond :

— Ah ! ça, je ne peux pas te le dire ! Ou alors il faut que tu sois très câline avec moi et que tu fasses tout ce que je te demanderai...

☐ **2171**

— Docteur, c'est affreux ! téléphone une mère éplorée. Le petit vient d'avaler une souris vivante !

— Une souris vivante ? Écoutez, il y a encore une chance. Dites-lui d'ouvrir la bouche et mettez un morceau de fromage devant. J'arrive tout de suite...

Quand le toubib s'amène au bout d'un quart d'heure, il voit le môme, la bouche ouverte, et sa mère, plantée devant, qui brandit ostensiblement une sardine.

— Quoi ? hurle-t-il. Je vous avais dit du fromage, pas du poisson...

— Peut-être, dit la mère affolée, mais maintenant, c'est le chat qu'il faut faire sortir...

sous-vêtements

2172 ☐

Deux gentils amoureux passent leur dimanche dans un camp de nudistes. Ils s'ennuient un peu d'être à poil comme ça, toute la journée. Alors le garçon propose à la fille :

— Tu sais à quoi on va jouer ? On va jouer au strip-poker ! Mais au lieu d'enlever un slip ou un corsage à chaque fois qu'on perd, eh bien, on fera le contraire, on les enfilera !

— Ah ! non, proteste la fille. Je veux pas jouer à ça. Quelqu'un pourrait nous regarder...

2173 ☐

— Ma femme attend un bébé ! Quel bonheur ! Elle a préparé des jolies brassières roses pour la petite fille qui va venir ! Et moi, j'ai déjà acheté plein de choses pour quand elle sera plus grande : des corsages en dentelle, des minijupes, des porte-jarretelles ! Ça va être extraordinaire...

— Mais dis donc, si c'est un garçon, qu'est-ce que tu vas faire avec tous ces trucs ?

— Si c'est un garçon ? Euh... si c'est un garçon ? Ben, faudra bien qu'il les porte ! L'ennuyeux, c'est qu'on va être obligé de lui apprendre le judo...

2174 ☐

Un bonhomme entre dans un magasin de lingerie fine et il dit :

— Je voudrais un soutien-gorge pour ma femme.

— Certainement, dit la vendeuse. Quelle taille ?

— Ah ! fait le gars piteusement, la taille, je sais pas.

— Voyons voir... Elle a les seins comme deux pamplemousses ?

— Oh ! Non...
— Alors comme deux pommes ?
— Non plus...
— Alors comme deux œufs ?
— C'est ça ! Deux œufs brouillés...

□ **2175**

Une jeune lycéenne glisse à une de ses copines :
— Tu viens avec moi à la piscine ? Ça va être formidable ! J'ai acheté un slip tellement petit qu'ils me l'ont enveloppé dans l'étiquette...

□ **2176**

— Tu sais que ta femme se promène dans la rue sans slip ?
— Hein ? Qui c'est qui t'a dit ça ?
— Mon petit doigt...

□ **2177**

— Mais enfin, madame, dit la vendeuse, je suis tout à fait certaine que votre taille de soutien-gorge, c'est du trois. Si vous vous obstinez à vouloir prendre la taille en dessus, vous allez flotter dedans...
— Ça ne fait rien ! Je veux rire à gorge déployée...

□ **2178**

C'est une maman qui est en train de provoquer son fils :
— Allez ! Petit dévergondé ! Enlève ma robe immédiatement...
Et le môme, qui est terrorisé, obéit tout de suite. Ce qui n'empêche pas sa mère de continuer à crier :
— Plus vite que ça ! Enlève mes bas ! Enlève mon soutien-gorge... Allez, hop ! Enlève mon slip ! Ça y est ? Tu as tout enlevé ? Non, mais qu'est-ce que c'est

que ces manières ? C'est la dernière fois, tu entends ? Je ne veux plus te voir avec mes frusques !

sport

2179 ☐

— Qu'est-ce que tu as fait à Paris ?
— Je suis allé voir Toulouse-Lautrec.
— Sans blague ? Ça avait lieu à Paris ?
— Oui.
— Et alors, qui a gagné ?

2180 ☐

L'équipe d'Italie de football vient de battre l'équipe d'Espagne.
— On a gagné, dit le capitaine, parce qu'on a prié Dieu avant le match...
— Je ne comprends pas, se plaint le capitaine espagnol, parce que nous aussi !
— Oui, répond le capitaine italien, mais vous avez prié en espagnol...

2181 ☐

Deux championnes s'entraînent sur un terrain d'athlétisme. Après une vraie course de fond, celle des deux que la nature a le plus généreusement avantagée dit à l'autre :
— Pas de chance ! J'aurais dû te battre. Mais sur la fin, mes seins ont perdu le rythme...

2182 ☐

Sur la plage de Palavas-les-Flots, un chétif employé de bureau en vacances est en train de faire des tractions, pour se redonner un peu de muscles.

Un gamin s'approche, et voyant que le gars a enlevé ses lunettes, il lui lance :
— T'excite pas ! La fille, elle est partie...

☐ 2183

Un vieil homme d'affaires, à qui son médecin a recommandé de prendre de l'exercice, s'essaie à jouer au tennis.
Et le soir, quand il rentre chez lui, sa femme lui demande :
— Ça s'est bien passé, mon trésor ?
— Mais oui, dit-il fièrement. Quand je vois la balle arriver, mon cerveau lance des ordres rapides à mon corps : *Vite, cours à gauche !* ou bien *Recule à toute allure !*
— Ah ! bon... Et alors ?
— Et alors mon corps répond à mon cerveau : *Qui ? Moi ?*

☐ 2184

Aux jeux Olympiques, les finalistes du cent mètres sont sur la ligne de départ. Le coup de pistolet part. Et à la surprise générale, c'est un tocard guatémaltèque qui jaillit comme une flèche et bat tous les favoris ! Alors les micros se tendent vers lui et on l'entend qui gémit :
— Si je tenais le fumier qui m'a foutu un mégot dans le short !

☐ 2185

Un arbitre très partial se fait toujours huer par la foule, car il favorise honteusement l'équipe de Saint-Étienne. Il exagère même tellement, qu'un jour, les spectateurs finissent par le lyncher. Il arrive à la porte du paradis en piteux état et lorsqu'on lui ouvre, il se sent pris de remords :
— Vénéré saint Pierre, dit-il, je ne suis pas digne

d'entrer ici. J'ai fait régner l'injustice sur le stade.
Alors, il entend une voix douce qui lui répond :
— Tout cela n'est rien, mon petit. Entrez sans inquiétude. Et d'abord, je ne suis pas saint Pierre, je suis saint Étienne...

2186 □

Suspendue à un portique, une corde lisse console une corde à nœuds :
— T'en fais pas, va ! Tu la retrouveras, ta mémoire...

2187 □

On enterre un coureur cycliste qui a eu une carrière assez malheureuse. Son soigneur et son directeur sportif suivent le corbillard et le premier dit à l'autre :
— C'est bien la première fois qu'il roule en tête !
— Oui, dit l'autre, surtout après avoir crevé...

2188 □

Une équipe de souris blanches est en train de disputer contre une équipe d'éléphants gris un match de rugby particulièrement âpre.
Soudain, un éléphant a un faux mouvement et il écrase une souris. L'arbitre siffle une faute. L'éléphant, se confondant en excuses, va chercher du bout de sa trompe la petite souris qu'il a aplatie si malencontreusement sur le gazon.
Il la dégage, il l'époussette et il lui demande pardon. Alors la petite souris lui dit en souriant :
— Ne vous excusez pas ! C'est la dure loi du sport... J'aurais pu vous en faire autant !

2189 □

Deux lords anglais sont en train de se livrer à une

paisible partie de golf, quand ils voient soudain une jeune fille complètement nue traverser le terrain sous leur nez à l'allure d'un lièvre.

Ils viennent à peine de revenir de leur surprise, qu'un homme en blouse blanche les bouscule à son tour, suant et soufflant dans le sillage de la jeune fille. Et chose curieuse, cet homme est lourdement chargé d'un sac de sable...

Très choqués, les deux lords se rendent au bureau de la direction pour se plaindre :

— Nous ne pouvons pas continuer dans ces conditions ! N'importe qui pénètre sur le terrain, et cela trouble le jeu !

— Je suis navré, messieurs, répond le directeur qui se confond en excuses. Je vous dois une explication. Notre club est voisin d'un asile d'aliénés, et c'est bien malgré nous que, de temps en temps, quelqu'un s'échappe de cet asile. Le type à la blouse que vous avez vu passer est un infirmier qui essayait de rattraper une folle, justement pour qu'elle ne trouble pas votre partie de golf !

— Ah ! Je comprends ! dit l'un des lords. Mais pourquoi donc ce brave homme portait-il un sac de sable ?

— Voyons, messieurs, c'est tout à fait normal. Nous sommes une association sportive et tout ce qui se passe ici doit respecter les règles du fair-play. Alors, étant donné que cet homme poursuivait une femme, nous lui avons imposé un handicap...

☐ **2190**

Un gars a emmené son petit garçon voir une partie de tennis. Ils sont assis l'un à côté de l'autre sur les gradins. Tout d'un coup, le gosse voit arriver sur lui une balle perdue.

Comme il a des réflexes rapides, il s'écarte brusquement et c'est son père qui reçoit la balle en plein dans l'œil.

Alors le mec se retourne, écumant de colère, et il flanque une énorme gifle à son môme en criant :
— Tiens ! Ça t'apprendra à avoir peur !

starlette

2191 ☐

Un vieux producteur, galeux, boiteux, goitreux, ventripotent et puant du bec, finit par persuader une jolie starlette de passer dix jours avec lui sur une plage de la côte d'Azur.
— D'accord, dit-elle, mais pas avant la Saint-Jean.
— Ah ! Pourquoi ?
— Les nuits sont plus courtes.

2192 ☐

Une starlette confie à l'une de ses amies :
— Je l'ai épousé à cause de son yacht. Et non seulement il m'a menti sur la longueur de ce yacht, mais en plus, c'est moi qui suis obligée de ramer...

2193 ☐

— Bien sûr, elle a fini par y arriver, disait Tristan Bernard, en parlant d'une petite théâtreuse. Mais pour se faire un nom, c'est fou ce qu'elle a pu dire oui...

2194 ☐

Une starlette entre chez un antiquaire et elle dit :
— Combien, ce vase ?
— Dix mille !
— Dix mille ? C'est de la folie ! Qu'est-ce qu'il a de spécial ?

— C'est que, voyez-vous, mademoiselle, il a trois mille ans!
— Trois mille ans? Vous rigolez! On n'est même pas arrivé à deux mille...

☐ **2195**

Un producteur a réussi à se glisser dans le lit d'une starlette. Entre deux mamours, il se sent pris d'un petit besoin et il souffle à la fille:
— Je vais aux cabinets, garde-moi ma place...

☐ **2196**

Une starlette arrive dans un hôtel et elle doit remplir une fiche d'identité. Elle écrit son nom, son prénom, et alors elle voit marquée la mention *sexe*. Elle se gratte le front et puis elle écrit: Blond...

☐ **2197**

Un producteur et une starlette sortent d'une église d'Hollywood. On vient juste de les marier. Des amis se pressent pour les féliciter. Et l'un d'eux demande:
— Alors! Où partez-vous en voyage de noces?
Et la mariée répond:
— On part pas! On met de l'argent de côté pour payer le divorce...

☐ **2198**

Une starlette raconte à une de ses intimes:
— Hier soir, mon producteur a eu le culot de sonner chez moi au moment où je venais de me coucher. J'ai mis un slip pour aller lui ouvrir. Et tu ne sais pas ce qu'il m'apportait? Un collier de perles! Alors je lui ai dit: «Non, mais vous me prenez pour une grue? Puisque c'est comme ça, je ne veux plus vous voir!»
— Ça alors! Et qu'est-ce qu'il a fait?
— Il est réglo... Il a éteint la lumière!

2199 □

C'est une charmante starlette à qui on vient de poser deux devinettes. Qu'est-ce qui est vert, qui est rond, qui monte et qui descend ? Et comme elle ne trouvait pas, on lui a dit : c'est un petit pois dans un ascenseur ! Et qui est-ce qui est noir, qui pleure et qui a une queue à deux mètres sous terre ? Et comme elle ne trouvait pas, on lui a dit : c'est une veuve !

— Oh ! Que c'est drôle ! s'écrie-t-elle.

Elle se précipite chez une copine et elle lui débite à toute allure :

— Tu ne sais pas qu'est-ce qui est noir, qui pleure et qui a une queue à deux mètres sous terre ? Non, tu ne sais pas ! Tu ne trouveras jamais, tu es trop idiote. Je vais te le dire : c'est un petit pois dans un ascenseur...

2200 □

Un producteur caresse distraitement les fesses d'une starlette en murmurant :

— Ah ! Si tout ça était dans ta cervelle...

2201 □

Une starlette raconte :

— J'ai rencontré un producteur très gentil. Il m'a acheté un hôtel particulier avec une pièce exprès pour que je lui fasse la gueule ! Même que ça s'appelle un boudoir...

2202 □

Une starlette dit amèrement à une autre fille :

— Et d'abord, tu manques complètement de culture ! Je suis sûre que tu ne connais même pas le prénom de Napoléon...

☐ **2203**

— Je n'ai absolument pas de chance, confie une starlette sur le retour à une de ses amies. A chaque fois que j'ai rencontré un milliardaire, ou bien il était marié, ou bien j'étais mariée...

☐ **2204**

C'est dur, une starlette qui vieillit. Deux producteurs sont attablés, quand ils en voient passer une qui a fait leurs folles nuits d'autrefois. Et l'un d'eux murmure :

— Je lui donne quinze ans pour sa façon de parler, seize ans pour sa façon de s'habiller, et dix-sept ans pour sa façon de se maquiller. Malheureusement, il faut faire le total...

☐ **2205**

Une starlette vient confier ses déceptions à une copine :

— Il m'avait promis de m'emmener sur son yacht ! Et tu sais ce que c'était, son yacht ? C'était une chambre de bonne avec une voile...

suisse

☐ **2206**

Le train suisse roule depuis pas mal de temps dans un tunnel. Soudain un voyageur s'étonne :

— Je n'ai jamais vu un tunnel aussi long !

Et quelqu'un répond :

— C'est normal : on est dans le dernier wagon...

☐ **2207**

Un Parisien très affairé entre dans la boutique

d'un cordonnier de Lausanne et il lui débite à toute vitesse :

— C'est pour ma chaussure droite. Il faut remettre deux clous. Je suis très pressé. Je prends le train dans vingt minutes. Tenez, je me déchausse. Vous prenez la chaussure. Vous plantez les deux clous. Vous me la rendez. Je vous paie et je m'en vais. Je suis horriblement en retard !

Alors le cordonnier lève les yeux sur son client très lentement et il dit :

— Entrez...

2208 □

Ouin-Ouin décroche son téléphone.

— Ça y est ! hurle une voix joyeuse à l'autre bout du fil. Ton enfant est né !

— Ah ? fait Ouin-Ouin, c'est une fille ?

— Non, c'est un garçon.

— Ah ! fait Ouin-Ouin, je ne suis pas tombé loin !

2209 □

C'est un train suisse qui entre en gare de Lausanne. A l'avant du train, le chef de gare s'écrie :

— Ici, c'est Lausanne !

Et à l'arrière, le sous-chef gueule :

— Ici aussi...

2210 □

Pancarte relevée à Genève : « Cette ville doit rester propre ! Si vous avez envie de cracher, allez donc cracher en France, ce n'est pas loin... »

2211 □

Ouin-Ouin est allé chercher sa femme à la gare de Neuchâtel. Ils reviennent tous les deux sur l'avenue de la gare, avec les valises à la main. Ils marchent depuis cinq cents mètres, quand soudain Ouin-Ouin fait un petit écart et il piétine quelque chose.

— Qu'est-ce que tu fais ? lui demande sa femme.

— Rien. J'écrase un escargot.

— Pourquoi ? Qu'est-ce qu'il t'a fait ?

— Il m'énervait. Il nous suivait depuis la gare...

☐ **2212**

Ça se passe à Genève. Un nègre s'assied sur un banc. Une jeune Suissesse s'approche de lui insensiblement et essaie de lier conversation :

— Dites, monsieur, sûrement que vous n'êtes pas d'ici ?

— Non, dit le Noir avec un inimitable accent vaudois, je suis de Lausanne.

☐ **2213**

Sur les wagons des chemins de fer suisses, s'étale l'inscription suivante : *SBB-CFF*. Les Suisses prétendent qu'il s'agit là de l'abréviation en langue allemande, puis en langue française, de l'expression *Chemins de Fer Fédéraux*. Mais l'explication est mauvaise. A la vérité, cela signifie : *C'est bas bossible : ça fa fite !*

☐ **2214**

Ouin-Ouin a acheté une petite maison dans son village natal et il y a installé une salle de cinéma.

— Alors, ça marche, ce cinéma ? lui demande-t-on. Beaucoup de clients ?

— Eh bien, dit Ouin-Ouin, par rapport au village, la salle est trop petite. Alors, quand ils ne viennent pas tous, ils rentrent tous. Mais quand ils viennent tous, ils ne rentrent pas tous...

2215 □

Sur le quai de Lausanne, il y a un corbillard automobile qui passe, suivi d'un cortège de voitures noires. Deux braves badauds suisses regardent ce spectacle et le premier dit à l'autre:
— Qui est-ce qu'on enterre?
Et le second répond en hochant la tête:
— Je crois que c'est la personne qui est dans la première voiture...

2216 □

Ouin-Ouin rentre chez lui, avec deux pneus sous le bras.
— Qu'est-ce qui te prend? dit sa femme. Tu sais bien qu'on n'a pas de voiture!
— Et alors? dit Ouin-Ouin. Tu as bien un soutien-gorge, toi!

2217 □

Un paysan suisse voit sa récolte dévastée par la grêle. Il regarde tristement le ciel et il dit:
— Mon Dieu, je ne veux vexer personne, mais je trouve cela très désobligeant...

2218 □

C'est un voyageur suisse qui descend de sa chambre en pleine nuit et il dit au concierge de l'hôtel:
— Donnez-moi un verre d'eau!
Il remonte avec son verre d'eau et cinq minutes après, il accourt à fond de train et il dit:
— Donnez-moi un verre d'eau...
On lui donne un autre verre d'eau, il remonte l'escalier à toute vitesse et il redescend encore plus vite en criant:
— Vite, donnez-moi un verre d'eau!
Alors le concierge lui dit:

— Dites donc, vous avez drôlement soif!
Et il répond :
— J'ai pas soif. Il y a le feu à ma chambre...

☐ **2219**

Au sixième jour, Dieu créa la Suisse avec ses montagnes, ses prairies et ses vaches. Et Dieu dit au Suisse :
— Que puis-je faire pour toi ?
Et le Suisse répondit :
— Je voudrais beaucoup de lait.
— Très bien, dit Dieu.
Et quelque temps plus tard, passant par là, il demanda au Suisse :
— Est-ce qu'il est bon, ton lait, au moins ?
— Y a pas meilleur, dit le Suisse. D'ailleurs, goûtez-le!
Alors Dieu goûta un verre de lait.
— Il est très bon, dit-il. C'est parfait. Est-ce que tu désires encore quelque chose ?
— Oui, dit le Suisse, un franc cinquante, pour le verre de lait...

☐ **2220**

Ouin-Ouin pose une devinette à un copain de Lausanne :
— Qu'est-ce que c'est qui est vert, qui est dans une cage et qui récite des poèmes ?
— Euh... un perroquet ?
— Non.
— Un canari ?
— Non.
— Un serin ?
— Non. Tu ne trouveras pas. Je vais te le dire. C'est un hareng saur!
— Un hareng saur ? Mais ce n'est pas vert!
— Ah! Pardon! J'ai parfaitement le droit de peindre un hareng saur en vert...

— Bon ! Admettons ! Mais un hareng saur, ça ne se trouve pas dans une cage...
— Ah ! Mais si ! Moi, quand j'ai un hareng saur, je le mets dans mon garde-manger. Et mon garde-manger, c'est comme une cage !
— Tout ce que tu voudras ! Mais de toute façon, un hareng saur, ça ne récite pas des poèmes...
— Peut-être. Mais si j'ai dit ça, c'est pour que tu ne trouves pas. Autrement, ç'aurait été trop facile...

2221 ☐

Même en Suisse, tout se modernise. La preuve, c'est que maintenant, pour savoir l'heure qu'il est, on peut écrire à l'horloge parlante...

2222 ☐

Ouin-Ouin se ronge les ongles dans les couloirs d'une clinique d'accouchement, où l'on vient de transporter à la hâte sa femme. En face de lui, un futur père partage la même angoisse en faisant les cent pas. Tout d'un coup, une porte s'ouvre et une infirmière apparaît, qui dit à l'autre bonhomme :
— Ça y est ! Vous avez un garçon !
— Ah ! Je vous demande pardon ! s'écrie Ouin-Ouin. J'étais là avant...

2223 ☐

Un Suisse et une Suissesse se livrent à quelques ébats sur une petite plage au bord du lac Léman. Tout d'un coup, on entend la voix de l'homme :
— Est-ce que j'y suis ?
— Non ! Tu es dans le sable !
— Attends que je m'arrange ! Et maintenant, est-ce que j'y suis ?
— Non ! Tu es toujours dans le sable !
— Ça alors, c'est bizarre ! Et maintenant, est-ce que j'y suis ?
— Oui, chéri ! Oui, mon chéri !

— Ah ! ben, zut alors ! Je crois que je vais retourner dans le sable...

☐ **2224**

Un Vaudois reçoit la visite d'un ami français. Il lui dit :

— Tac !

Puis il le regarde en souriant et au bout d'un moment, il lui dit :

— Tac !

Et comme l'autre reste interdit, il attend une minute et il lui dit :

— Tac !

Puis il ajoute après un long silence :

— Je vous ai posé une devinette ! Qu'est-ce que c'était ?

— Ça alors, j'en sais rien, dit le Français.

— Ben, on peut dire que vous n'avez pas l'esprit vif à Paris ! C'était une mitraillette...

téléphone

2225 ☐

C'est un fou qui téléphone à un autre fou.
— Allô ?
— Allô, oui.
— C'est bien le 01.02.03.04 ?
— Non, c'est pas le 01.02.03.04.
— C'est pas le 01.02.03.04 ?
— Puisque je vous dis que non ! Et puis d'ailleurs, j'ai pas le téléphone...

2226 ☐

Histoire de l'ancien temps :
— Allô ! C'est Invalides 14.18 ?
— Non. C'est Invalides 39.45. Mais attendez ! Je vais aller chercher papa...

2227 ☐

A trois heures du matin, le téléphone sonne chez un gars. Il se réveille en sursaut, il s'ébroue, il soulève l'appareil et il dit d'une voix ensommeillée :
— Allô ?
— Allô, c'est monsieur Martin ?
— Non ! Ce n'est pas monsieur Martin.
— Oh ! Je suis navré, monsieur ! Alors, c'est une

erreur ! Excusez-moi de vous avoir dérangé en pleine nuit...

— Vous ne m'avez pas dérangé ! Vous m'avez appelé juste au moment où le téléphone sonnait...

☐ **2228**

C'est un gars qui appelle le bureau de poste, et il dit :

— Par ici, le fil est trop long. Vous ne pourriez pas le tirer un peu de votre côté ?

☐ **2229**

Le grand patron rentre en coup de vent dans son bureau. Sa secrétaire est en train de se limer les ongles en sirotant un verre de whisky. Et le boss jette à la hâte :

— Rien d'important pendant mon absence ?

— Non, fait la fille sans lever la tête. Il y a juste un type qui a téléphoné de New York ou d'Amsterdam, je ne sais plus... C'est un certain Levenstein ou Molinaro, je n'ai pas bien compris, à moins que ce soit Gaspard... Il a donné son numéro, mais j'ai rien entendu à cause de la chanson qui passait en même temps sur mon transistor. Enfin bref, il a demandé que vous le rappeliez d'ici un quart d'heure, ou sinon il vous met en faillite devant le tribunal de commerce...

☐ **2230**

— Allô ! Le garde-meuble ? Vous vous rendez à domicile ?

— Ah ! non, monsieur. Le garde-meuble mais ne se rend pas !

☐ **2231**

Un robot décroche le téléphone et il dit :

— Allô ! J'écoute... C'est de la part de quoi ?

2232 ☐

Un mec rentre chez lui juste au moment où le téléphone sonne. Évidemment, il ne peut pas se douter que c'est l'amant de sa femme qui appelle. Très tranquillement, la bonne femme va décrocher, elle tend l'oreille, puis se tournant vers son mari, en mettant une main sur l'appareil, elle déclare en souriant :

— Tu te rends compte ! C'est un gars qui me demande un rendez-vous galant !

— Pas possible ! fait le mari. Et qu'est-ce que tu vas répondre ?

— Attends ! dit-elle. On va bien rigoler...

Et reprenant l'écouteur, elle minaude d'une voix douce :

— C'est d'accord, mon trésor. A demain, cinq heures, comme d'habitude...

2233 ☐

Il fut une époque où le téléphone n'était pas tout en chiffres. Et ça pouvait donner ceci :

— Allô ! Taitbout 69 deux fois ?

— Impossible ! Je suis Invalides 14.18...

2234 ☐

Toute l'humanité a été détruite par un cataclysme atomique. Il ne reste qu'un seul homme sur terre. Pendant trois mois, il a battu la campagne et les villes pour tenter de trouver un autre survivant. Mais il doit se résoudre à l'horrible évidence : il est seul sur la planète.

Alors il perd le goût de vivre, il décide de monter sur le toit du plus haut gratte-ciel de New York et de se suicider. Arrivé en haut, il respire un grand coup et il se jette dans le vide.

Et en passant devant le vingtième étage, il entend le téléphone qui sonne...

terrasse

☐ **2235**

Un gars retrouve un ami qu'il n'a pas vu depuis longtemps et il lui donne une bonne bourrade:

— Alors, comment ça va, mon vieil Antoine?

— D'abord, lui répond l'autre, je ne m'appelle plus Antoine. Je m'appelle Tony, c'est beaucoup plus distingué. Et puis si tu veux des nouvelles, laisse-moi te dire que je vais très bien. J'ai gagné beaucoup d'argent, je ne travaille plus, j'ai acheté une grande maison au bord de la mer. Le matin, je me baigne et puis je vais m'étendre sur la terrasse. L'après-midi, je me baigne encore et quand j'ai assez nagé, je remonte sur la terrasse. Et la nuit, quand il fait beau, je dors sur la terrasse...

— Formidable! dit le copain.

Et le soir en rentrant chez lui, il raconte à sa femme:

— Tu sais, j'ai rencontré l'Antoine. Il a gagné beaucoup d'argent et il se la coule douce. Et puis sa femme et lui, ils ont changé de nom parce que ça fait plus distingué. Lui, il se fait appeler Tony. Et la Thérèse, elle se fait appeler Terrasse...

☐ **2236**

Voilà un citoyen qui s'installe à la terrasse d'un bistrot avec sa femme et ses treize enfants. Les mômes se répandent dans tous les coins, commencent à titiller les autres clients, à arracher les plantes vertes, à pisser par terre. Le garçon s'amène, la mine sombre, et il dit:

— Ces messieurs-dames désirent?

Et le gars répond:

— Pour moi, un quart Perrier. Ma femme, elle a pas soif. Et pour les gosses vous apporterez les dominos, le jeu de loto, des cartes à jouer et un ballon si vous avez.

— Monsieur, je suis navré, dit le garçon, mais ça n'est pas très normal de...

— Moi aussi, je suis navré, coupe l'autre. Comment se fait-il qu'il n'y ait pas d'orchestre dans votre établissement ?

testament

2237 □

C'est un gars que sa maman a brimé pendant toute son enfance. Et puis ce sont les maîtres d'école qui lui ont fait la loi. Après quoi, il s'est marié, contraint et forcé, avec une épouvantable virago qui l'a mené à la baguette. Un jour, il finit par claquer. On ouvre son testament et on lit :

— Voici mes premières volontés...

2238 □

— Si je laisse la moitié de ma fortune à l'Église, demande un milliardaire au prêtre qui lui donne les derniers sacrements, est-ce que je suis sûr d'être accepté au paradis ?

— Mon Dieu, répond l'autre, je ne voudrais pas vous donner d'assurances non fondées, mais c'est certainement une chose qui vaut la peine d'être essayée !

2239 □

Un gars revient de l'enterrement de sa belle-mère et il dit à sa femme :

— Moi, toutes ces histoires de cercueil et de caveau, ça me dégoûte ! Après ma mort, je veux être incinéré. Je me suis renseigné. C'est tout à fait faisable !

— Ah oui ! dit sa femme. Et ça coûte combien ?

— Cinq mille balles !
— Cinq mille ? Ben, mon vieux, on peut dire que tu ne te refuses rien, quand c'est pour ton plaisir...

☐ **2240**

Une vieille bigote entre à toute allure au presbytère et tend un bout de papier au curé, en s'exclamant :
— J'ai été mordue par un chien enragé. Je vais mourir. Pas le temps de me confesser, mais voilà la liste de tous les gens que je vais mordre avant d'y passer...

théâtre

☐ **2241**

Un grand producteur décide de mettre la Passion au théâtre. Il commande une pièce au dramaturge le plus célèbre. Il fait exécuter des décors somptueux et des costumes sublimes. Il engage Belmondo, Piccoli et Depardieu. Puis il invite le Tout-Paris à la première.
Le rideau se lève. On voit un petit monticule et un type sur une croix. Il y a aussi des soldats romains. On entend un orage épouvantable. Les éléments sont déchaînés. La mise en scène de la colère de Dieu est stupéfiante. On admire pendant cinq minutes, dix minutes. Et comme il ne se passe rien, il y a un titi qui lance du poulailler :
— Dites donc, c'est pas mal, mais est-ce que vous allez faire quelque chose ?
Alors, sur sa croix, le Christ ouvre un œil et il dit :
— Qu'est-ce que vous voulez qu'on fasse avec un temps pareil ?

☐ **2242**

C'est un gars qui est assis au théâtre au septième

rang d'orchestre. Il a les cheveux dans les yeux, la veste dégueulasse, la chemise en lambeaux. Une ouvreuse s'approche et lui demande :
— Vous avez votre billet ?
Le gars tend son billet et l'ouvreuse lui dit :
— Monsieur, vous ne pouvez pas rester ici. Vous avez un billet de balcon.
Alors le gars la foudroie du regard :
— Et alors ? Ça se voit pas que je suis tombé ?

2243 □

Une starlette, dont le talent frappe moins que ses rondeurs, s'épuise en vain à déclamer une scène d'amour.
— Mais enfin, hurle le metteur en scène exaspéré, un peu de sentiment, bon Dieu ! Essaie donc de te mettre dans la peau d'une amoureuse ! Tu n'as donc jamais été jeune fille ?
— Non, dit-elle, penaude, j'ai tout de suite été dactylo !

2244 □

A la fin d'une représentation de *Cyrano de Bergerac*, une vieille dame sort de la Comédie-Française. Elle bougonne entre ce qui lui reste de dents :
— C'était bien, cette histoire... Mais tout de même, je trouve qu'il y a trop de citations.

2245 □

La scène se passe à l'Opéra. La cantatrice a une voix d'or, mais un corps d'éléphant. Elle vient de mourir dans les bras du jeune ténor qui chante à tue-tête : *Dieu du ciel ! Que vais-je faire d'elle ?*
Alors on entend un galopin qui s'exclame :
— Fais deux voyages !

☐ **2246**

Une danseuse un peu décrépite présente *La mort du Cygne* au directeur de l'Opéra.

— Alors? lui demande-t-elle en descendant de scène.

Et il répond:

— Pauvre bête...

☐ **2247**

Un soir à Marseille, Sarah Bernhardt joue *La Dame aux camélias*. A la fin du deuxième acte, elle s'étend, épuisée, sur un divan. Alors une voix descend du poulailler:

— Oh! Punaise! Elle se couche du même côté que moi...

☐ **2248**

Dans sa loge de théâtre, une grande comédienne explique à son habilleuse:

— Tu sais, une femme met plus de temps qu'un homme à s'habiller!

Elle réfléchit, puis elle ajoute:

— C'est normal. Elle doit ralentir dans les courbes...

☐ **2249**

Dans les coulisses de la Comédie-Française, deux chats se croisent et le premier déclare tristement à l'autre:

— Tu connais la nouvelle?

— Non.

— La petite Agnès est morte...

☐ **2250**

— Ah! L'amour! Toujours l'amour!... dit une chanteuse d'opéra à un musicien qui la poursuit de ses assiduités. Mais au fond, qu'est-ce que c'est que

l'amour? Rien qu'un petit anarchiste tchécoslovaque...
— Comment? dit l'autre. Que voulez-vous dire?
— Mais oui! *L'amour est enfant de Bohême et n'a jamais, jamais connu de loi...*

2251 □

C'est un très grand imprésario parisien. Il a fait afficher un grand placard au-dessus de son bureau:
«*Un pour tous. Et vingt pour cent!*»

2252 □

Reagan a eu l'idée d'interroger l'esprit du grand Lincoln. Il a organisé une petite séance de spiritisme et plein de componction, il s'écrie:
— Esprit de Lincoln, es-tu là? Conseille-moi! Les nègres, les communistes, les intellectuels, qu'est-ce qu'il faut faire pour sortir de tout ce guêpier? Quelle est la décision à prendre pour le bien des Américains?
Et la table répond:
— Ici Lincoln! Il faut te changer les idées. Fais comme moi. Va au théâtre...

2253 □

— Shakespeare n'a jamais existé! disait Alphonse Allais. Toutes ses pièces ont été écrites par un inconnu, qui d'ailleurs s'appelait Shakespeare...

2254 □

Françoise Sagan téléphone à Ionesco:
— Cher ami, je suis en panne pour ma prochaine pièce! Vous n'auriez pas une idée à me refiler?
— Mais certainement! Écoutez bien. C'est un homme qui aime une femme et alors...

— Oh! interrompt Françoise Sagan, ça c'est formidable! Merci mille fois...

☐ **2255**

Une dame du monde, qui tousse à fendre l'âme, rend visite à son médecin :

— Docteur, je tousse, je tousse, je n'arrête pas de tousser!

— Mais, chère madame, lui dit-il, les gens qui toussent comme vous ne vont pas voir le docteur!

— Ah! Et où vont-ils alors ?

— Au théâtre...

☐ **2256**

Une petite troupe joue l'opérette en tournée, en changeant de ville chaque jour. Le premier soir, vers minuit, on frappe à la porte de la chanteuse qui joue le rôle de la marquise. Un charmant jeune homme entre et déclare :

— Mademoiselle, je suis le saxo de l'orchestre de la sous-préfecture. Je suis de ceux qui ont eu l'honneur de vous accompagner ce soir et je regrette bien que ce soit pour un seul soir. Je vous ai apporté des berlingots...

Très touchée, la fille remercie le visiteur de son attention. Elle se demande comment il a pu deviner qu'elle adorait les berlingots... Ils bavardent un peu, ils vont boire un verre, et comme elle ne sait rien refuser à personne, ils finissent par passer ensemble une nuit enflammée.

Le lendemain, la troupe est dans une ville voisine et après la représentation, un jeune homme entre dans la loge de la marquise :

— Mademoiselle, je suis le saxo de l'orchestre local. J'ai bien aimé votre voix et j'ai été fier de vous accompagner. Je vous ai apporté des berlingots!

Un peu surprise, la fille prend les berlingots. Ils échangent quelques mots et comme ce musicien est très gentil, elle cède à ses avances et ils s'envoient au septième ciel...

Et voilà que pendant toute la durée de la tournée, chaque soir après la représentation, dans chaque ville nouvelle, le saxo de l'orchestre du théâtre municipal vient frapper à la porte de la petite chanteuse et lui offre des berlingots. Et comme la fille est très liante, elle finit toujours par prêter sa bouche, ses cuisses et tout le reste...

Mais le dernier jour de la tournée, quand la scène se reproduit pour la vingtième fois et qu'un nouveau visiteur entre dans sa loge, la fille se retourne, un peu exaspérée, et elle lance :

— Naturellement, vous êtes le saxo de l'orchestre ?

— Euh... oui, bégaie le gars.

— Et vous m'avez apporté des berlingots ?

— Euh... c'est-à-dire que... c'est bien ça... oui !

— Et pourquoi m'avez-vous apporté des berlingots ?

— Ben... c'était marqué sur la partition que m'a donnée votre régisseur : *Si tu veux passer une folle nuit d'amour, apporte des berlingots à la marquise...*

2257 □

Une ravissante effeuilleuse, qui fait les beaux jours d'un cabaret de strip-tease, est engagée pour jouer un mélodrame grand-guignolesque. Au troisième acte, un meurtrier l'étrangle après l'avoir quelque peu mise à nu. Et à la fin du spectacle, un petit bonhomme vient trouver la fille dans sa loge et il lui dit :

— C'est bien vous qui vous êtes fait étrangler tout à l'heure ?

— Oui, dit-elle étonnée. Pourquoi ?

— Je viens réclamer le corps...

timide

☐ **2258**

Un peu pataud, le jeune mari, le soir de ses noces ! Un vrai premier communiant... Sa petite femme ne sait plus quoi faire pour lui mettre la main à l'ouvrage. Finalement, elle lui prend le bras et elle lui dit :

— Chéri, caresse-moi les seins...

Puis au bout d'un moment :

— Oh ! chéri, caresse-moi le ventre...

Et s'enhardissant tout à fait :

— S'il te plaît, caresse-moi le con...

— Oh ! Que c'est drôle, balbutie le gars, c'est comme ça qu'ils m'appellent au bureau !

☐ **2259**

Deux amoureux timides se fréquentent depuis quinze ans. Un beau matin, la fille ne peut plus résister et elle dit à son prétendant :

— Oscar, ne croyez-vous pas qu'il serait temps de songer à nous marier ?

— Je veux bien, répond-il pensivement, mais qui voudra de nous ?

☐ **2260**

Une jeune fille assez timide entre chez le marchand de graines et elle déclare :

— Je voudrais faire pousser des fleurs sur mon balcon...

Puis elle ajoute en rougissant :

— Mais je dois vous poser une question très délicate. Est-ce qu'il faut planter deux graines pour avoir une fleur ?

2261 □

Un couple d'amoureux timides demande une chambre dans un petit hôtel perdu.

— Qu'est-ce que vous préférez, leur dit le réceptionniste, des murs roses ou des murs bleus ?

— Ben, on s'en fout, souffle le gars. On éteint la lumière tout de suite...

2262 □

Une jeune fille de bonne famille, un peu pucelle sur les bords, décide de faire l'expérience du naturisme. Son fiancé a fini par la persuader d'aller avec lui dans un camp de nudistes. Alors elle lui demande :

— Et comment faut-il faire pour se déshabiller ?

— Ben, dit-il c'est pas compliqué. Tu vas pas plus loin que la taille, mais par les deux bouts...

2263 □

Un garçon affreusement timide, mais très désirable, entre dans un ascenseur... Et voilà que par un curieux hasard il se retrouve nez à nez avec Catherine Deneuve...

— Bonjour ! lui dit-elle avec un grand sourire. Je m'appelle Catherine. Et vous ?

Alors il se met à trembler et il bredouille :

— Moi pas...

2264 □

C'est un monsieur très timide qui se promène toujours avec une épée à chaque fois qu'il sort dans la rue... Alors on lui demande :

— Mais enfin, qu'est-ce que ça veux dire ? C'est très démodé, une épée, et puis c'est dangereux !

— Mais non ! dit-il. Si jamais on m'attaque, je peux la transformer en canne et ça inspire la pitié...

☐ **2265**

Un jeune homme timide entre dans un café élégant des Champs-Élysées. Et du coin de l'œil, il remarque une fort belle femme qui est accoudée au bar, obstinément seule. Insensiblement, il se rapproche d'elle, et prenant enfin son courage à deux mains, il lui adresse humblement la parole :

— Mademoiselle, puis-je prendre la liberté de vous offrir quelque chose ?

La fille se retourne et elle se met à crier :

— Quoi ? Espèce de cochon !

Du coup, tout le monde lève la tête d'un seul geste dans la salle, et comme il se sent le point de mire, le jeune homme devient cramoisi. Il se fait des reproches cuisants. Mais tout de même, il décide de repartir à l'attaque :

— Mademoiselle, vous m'avez sans doute mal compris. Je n'ai pas d'autre intention que de vous inviter à boire un whisky...

Et la fille se met à hurler :

— Quoi ? Vous me prenez pour une pute !

Cette fois-ci, les conversations s'arrêtent, même le pianiste cesse de jouer, et tous les consommateurs lancent au pauvre jeune homme un regard glacial. Rouge de honte, il bat en retraite et va s'installer à une table écartée avec le désir manifeste de rentrer sous terre...

Mais au bout de cinq minutes, la belle fille abandonne le bar, vient le rejoindre et se répand en excuses :

— Ne m'en veuillez pas, cher monsieur. Si j'ai joué avec vous cette comédie un peu inconvenante, c'est uniquement pour les besoins d'une enquête de psychosociologie...

Et elle ajoute avec un grand sourire :

— J'espère que nous allons oublier ça !

Alors le gars la fixe dans le blanc des yeux et il se met à crier le plus fort qu'il peut :

— Quoi ? Deux mille balles !

2266 □

Un palefrenier était amoureux d'une princesse. Mais il était tellement timide qu'il ne savait quoi faire pour lui avouer sa flamme. Enfin, après des nuits et des nuits de réflexion, il eut une idée. Il alla à l'écurie et il peignit le cheval de la princesse en blanc.

Le lendemain, quand la princesse arriva pour sa promenade quotidienne à cheval, il était là, comme d'habitude, à lui tendre humblement les rênes. Et la princesse, toute surprise, s'écria :

— Mon Dieu ! Qui a peint mon cheval en blanc ?

Alors le palefrenier répondit, les joues rouges mais les yeux brillants :

— C'est moi... On baise ?

2267 □

Marius va voir Olive et il lui dit :

— Demain je vais faire ma demande en mariage, mais comme je suis très timide, j'aimerais que tu viennes avec moi, pour monter un peu en épingle tout ce que je vais raconter...

— D'accord, dit Olive.

Et le lendemain ils font tous les deux leur entrée chez le futur beau-père qui est un grand industriel marseillais.

— Voilà, dit Marius. Je viens vous demander la main de votre fille.

— Ah, bon ! dit le vieux. Et vous avez des biens ?

— Euh... oui, bien sûr, j'ai une petite bicoque au bord de la mer...

— Une petite bicoque ? fait Olive. Si c'est pas malheureux d'être modeste comme ça ! C'est pas une petite bicoque qu'il a, cher monsieur, c'est un château de quarante pièces avec trois kilomètres de plage devant !

— Mais c'est très intéressant, ça, dit l'industriel. Et vous avez un travail ?

— Pour sûr, dit Marius en baissant la tête. Je suis dans une savonnerie. Je découpe le savon en cubes...

— Voui, coupe Olive, parce que Marius, vous savez, c'est un patron qui aime mettre la main à la pâte, de temps en temps. Mais la vérité, c'est qu'il possède la plus grande savonnerie de France et qu'il en est le seul actionnaire !

— Parfait, dit l'industriel. Vous m'avez l'air d'un joli parti. Et naturellement, vous avez aussi une solide santé ?

— C'est-à-dire, dit Marius en toussotant, que j'ai attrapé un gros rhume avant-hier...

— Un gros rhume ? hurle Olive, emporté par son élan. Ne l'écoutez pas, cher monsieur. Il n'ose pas vous le dire, mais en réalité il a un cancer du poumon, et les médecins lui en donnent seulement pour un mois...

☐ **2268**

Un garçon, très timide et peu au courant des choses de l'amour, se retrouve au lit, bien malgré lui, avec une fort belle jeune fille nue. Ça fait au moins une demi-heure qu'il lui caresse gentiment le nombril en chantant :

— Guili guili...

Elle en a un peu marre. Elle lui souffle en se trémoussant :

— Plus bas...

Alors il murmure d'une voix presque éteinte :

— Guili guili...

toto

2269 □

Toto ne peut plus supporter les piaillements de sa petite sœur. Il va la chercher dans son berceau et il la jette par la fenêtre. Puis il va dire à sa mère :
— Maman ! Il n'y a plus d'enfant...

2270 □

Toto regarde sa mère qui change les langes du nourrisson et puis qui lui couvre le corps de talc. Alors il s'écrie :
— Si tu veux, maman, pour gagner du temps, je peux allumer le four...

2271 □

— Toto ! Arrête d'ennuyer grand-père ou je te fiche une claque ! Tu entends ce que je te dis, Toto ? Retire tes doigts du nez de grand-père ! Toto ! Tu es insupportable... Je t'avertis que si tu continues, je vais être obligé de fermer le couvercle du cercueil !

2272 □

— Alors ! Zéro partout ! s'écrie le père de Toto en consultant son livret scolaire. Mais qu'est-ce que tu vas encore me donner comme explications ?
— Ben, dit Toto, j'hésite entre l'hérédité et l'environnement familial...

2273 □

Toto regarde dans la chambre de ses parents par le trou de la serrure et il murmure :
— Quand je pense que moi, si je me fous les doigts dans le nez, ils me balancent une gifle !

☐ **2274**

L'affreux Toto ne veut pas manger sa soupe. Toutes les supplications n'y changent rien. Finalement, il prend un air inspiré et il dit :

— Je veux bien manger ma soupe, mais alors, il faut que papa fasse le chien...

— Écoute, Ernest, dit la mère à son mari, je t'en supplie, fais le chien, qu'on en finisse !

Le père bougonne, il se met à quatre pattes et il crie :

— Ouah ! Ouah ! Ouah !

— Je veux aussi qu'il me lèche les jambes, dit Toto.

Excédé, le père lui lèche les jambes, tout en aboyant. Alors Toto lui lance un furieux coup de pied dans les côtes. Puis il se retourne vers sa mère :

— C'est que tu sais, maman, ce fumier-là, si on le laissait faire, il me mordrait...

☐ **2275**

Toto se fait passer un beau savon par son père :

— Pourriture de gosse ! Je vais t'apprendre à obéir, moi ! Et puis d'abord, baisse les yeux, petit effronté...

Et comme Toto baisse les yeux, son père se met à hurler de plus belle :

— Et tu vas me faire croire que tu as honte ? Lève le nez tout de suite, sale hypocrite !

☐ **2276**

Il est tellement sale, Toto, mais tellement sale, que ses parents sont obligés de temps en temps de le fourrer de force sous la douche. Un jour, il arrive à l'école et le maître lui dit :

— Mais tu as grandi, Toto !

Et le môme répond :

— Évidemment ! Ils m'arrosent tout le temps...

2277 □

Toto est très enrhumé. Et il a une longue morve qui lui coule du nez. Alors la maîtresse lui dit:

— Eh bien, Toto! Tu n'as pas un mouchoir?

— Si! ronchonne Toto, mais je le prête pas!

2278 □

Toto est planté en contemplation devant la Vénus de Milo. Et à côté de lui, il y a son père qui lui dit:

— Tu vois ce qui arrive, Toto, quand on se ronge les ongles!

2279 □

— Mademoiselle, dit Toto à son institutrice, je veux me marier avec vous!

— Mon pauvre petit, dit-elle en lui caressant les cheveux, ce n'est pas possible, je n'ai aucun goût pour les enfants.

— Vous en faites pas pour ça, réplique Toto, j'ai piqué les pilules dans le tiroir à maman...

2280 □

Toto vient trouver son père:

— Dis, papa, quel âge il avait, le petit Larousse, quand il a écrit son livre?

2281 □

L'institutrice fait un cours sur la poésie.

— Alors, mes enfants, vous avez bien compris ce que c'est que la rime? Écoutez ces deux vers de Victor Hugo: «*Oh! Combien de marins, combien de capitaines... Qui sont partis joyeux, pour des courses lointaines!* Vous voyez! C'est tout simple! Il suffit qu'il y ait le même son à la fin de chaque vers... Qui veut maintenant me faire un petit poème?

Alors le meilleur élève se dresse et il dit:

— *Aujourd'hui, il a fait très beau... On a vu passer des corbeaux!*

— Pas mal du tout, dit la maîtresse. Et toi, Toto, tu ne veux pas inventer un poème?

— Oui, m'zelle, dit Toto. *J'étais dans la mare aux grenouilles... J'avais de l'eau jusqu'à... mes pieds.*

— Mais enfin, Toto, ça ne rime pas. Tu n'as rien compris!

— Non, m'zelle. C'est vous qui comprenez pas! C'est pas ma faute si ça rime pas. C'est parce qu'il y a pas assez d'eau...

☐ **2282**

— Et toi, Toto, qu'est-ce que tu veux faire, quand tu seras grand?

— Je veux être gardien de square. Mais à condition qu'on me coupe pas le bras.

☐ **2283**

La maîtresse a demandé à ses petits élèves de dessiner ce qu'ils veulent faire plus tard. Tout le monde remet un joli dessin, celui-ci un bateau parce qu'il veut être màrin, et celui-là un avion qu'il rêve de piloter. Il n'y a que Toto qui donne une feuille blanche où il n'a rien dessiné.

— Eh bien, Toto, lui dit la maîtresse, pourquoi est-ce que tu n'as rien fait?

— Parce que moi, plus tard, je veux avoir une femme!

— Et alors?

— Et alors, vous voulez peut-être que je vous fasse un dessin?

tourisme

2284 □

Il paraît que la dernière guerre mondiale, c'était déjà du tourisme. En 1945, deux aviateurs de l'armée américaine visitent le Parthénon. Ils ont l'air un peu honteux. L'un d'eux s'approche du guide et il lui demande :

— Dites-moi, c'est l'usure ou c'est nos bombes ?

2285 □

Une femme du demi-monde fait sa première traversée de l'Atlantique. Elle tient son journal de bord.

Lundi : J'ai réussi à me faire placer à la table du commandant.

Mardi : J'ai passé la matinée sur la passerelle du commandant.

Mercredi : Le commandant me fait de basses propositions.

Jeudi : Le commandant menace de couler le paquebot si je ne lui cède pas.

Vendredi : Je suis heureuse. Cette nuit, j'ai sauvé quatre cents vies humaines.

2286 □

Un gars emmène sa femme visiter les falaises d'Étretat. Au retour, il raconte :

— C'était horrible. Il y a eu un faux mouvement. Elle a glissé. J'entends encore son cri. Je l'entendrai toute ma vie. Et puis l'écho qui n'arrêtait pas de répéter : *T'es pas chiche... T'es pas chiche...*

☐ **2287**

On vient de restaurer entièrement le Trianon de Versailles. Et les visiteurs s'exclament :
— Le camping, c'est pas Trianon...

☐ **2288**

— Moi, je pars en vacances en Grèce avec le *Club Méditerranée.*
— Et moi, je vais en Espagne avec *Voir et Connaître.*
— Ah, oui ! Et moi, vous savez pas ? Je vais à Naples avec *Voir et Mourir.*

☐ **2289**

Deux Américains visitent Paris. On leur montre la place de la Bastille.
— Vous voyez, c'est la Bastille, l'ancienne prison que le peuple a prise le 14 juillet...
L'un des Américains regarde la colonne et il glisse à son ami :
— Les pauvres ! Ils devaient être drôlement serrés là-dedans !

☐ **2290**

L'histoire se passe en Grèce. De très belles passagères sont en train de débarquer d'un paquebot. Et il y a un docker qui en regarde une avec des yeux qui lui sortent de la tête. Alors son copain lui tape sur l'épaule et lui dit :
— Laisse tomber, Œdipe ! Elle pourrait être ta mère...

☐ **2291**

Un monsieur entre dans une agence de voyages. Il tend son passeport et il dit :
— Où est-ce que je peux aller avec ça ?

Alors l'employé feuillette le passeport et il réplique :

— Où vous voudrez, mais vite ! Parce que vous commencez à ressembler à votre photo...

2292 □

— Ça s'est bien passé, tes vacances ?

— Pas mal ! J'étais en Bretagne. Il pleuvait tellement que je suis reparti en Auvergne... Alors là, il s'est mis à tomber des cordes. Mais le changement d'eau m'a fait du bien...

2293 □

A l'aéroport, le haut-parleur appelle les voyageurs pour Rome. Un couple de touristes se presse dans les escaliers et tout d'un coup, la dame s'écrie :

— Mon Dieu ! J'ai oublié de prendre le piano !

— Tu plaisantes ou quoi ? dit le mari stupéfait.

— Mais non, mon chéri. J'ai laissé les billets dessus !

2294 □

— Alors ? Tu reviens des États-Unis ? Il paraît qu'à Los Angeles, ils viennent d'ouvrir un restaurant où les garçons et les serveuses sont tout nus...

— Ouais ! Mais ils refusent l'entrée aux gars qui ont pas de cravate...

2295 □

Un touriste texan contemple la tour Eiffel. Il branle la tête et il dit à sa femme :

— Tu vois, les Français sont vraiment des tarés ! Ça fait cent ans qu'ils ont construit ce truc et il n'est toujours pas sorti une goutte de pétrole !

□ **2296**

C'est un type qui va en pèlerinage à Buchenwald. On l'accueille gentiment :
— Et naturellement vos parents sont morts en déportation ?
— Non, qu'il fait. C'est papa qui s'est tué en tombant d'un mirador...

□ **2297**

— Maman, je veux pas aller en Amérique, je veux retourner à la maison, je t'en prie, je veux pas aller en Amérique, c'est trop loin...
— Tais-toi, galopin, et nage...

train

□ **2298**

Petite devinette : qu'est-ce que c'est qu'un *lapide* ? Tout simplement un *tlain* qui va *tlès tlès* vite...

□ **2299**

Dans le compartiment de chemin de fer, il y a un gosse qui pleure à fendre l'âme.
— Mais pourquoi pleures-tu ? demande un voyageur.
Et le gamin hoquette entre deux reniflements :
— Parce que ma mère a pris un amant...
— Mais enfin, dit l'autre, ce n'est pas une raison pour pleurer. Ce sont des choses qui arrivent. Tiens ! Tu veux que je te dise ? Moi aussi, ma mère, elle avait des amants. Est-ce que je pleure ?
Et tous les autres voyageurs font chorus, pour avoir la paix. Il y en a un qui dit :
— Moi aussi, ma mère avait un amant ! Je ne m'en porte pas plus mal...

Et un autre :
— Et moi aussi. Tiens ! Prends un mouchoir et arrête de sangloter.
Et un autre encore :
— Moi, ma mère, elle en a eu mille, des amants. Ça ne m'a jamais mis dans des états pareils...
Il n'y a qu'un type, dans le coin du couloir, qui ne dit rien. Mais au bout d'un moment, il sort une cigarette de sa poche et il laisse tomber négligemment :
— Parmi tous ces fils de putes, il n'y en a pas un qui aurait du feu par hasard ?

2300 □

Pendant que le train roule, quelques voyageurs sont penchés sur une grille de mots croisés. Un monsieur se tourne vers sa femme et il lui demande :
— Qu'est-ce qui a sept lettres, qui finit par *ouille*, et qui se retrouve vide quand on a tiré son coup ?
Sa femme réfléchit une seconde et elle dit :
— Ben, c'est *douille*, bien sûr.
Alors, dans un coin près de la fenêtre, un curé sursaute et il murmure timidement :
— Quelqu'un n'a pas une gomme ?

2301 □

Deux fous sont penchés à la fenêtre d'un train. Il y en a un qui s'exclame sans arrêt :
— Oh ! Formidable ! Oh ! là, là ! Extraordinaire ! Oh ! Ça, c'est encore plus fort !
L'autre déclare, tout étonné :
— Qu'est-ce qui est extraordinaire ?
— Le mécanicien ! Je ne sais pas comment il fait, mais il vise les tunnels et il ne les rate jamais !

2302 □

C'est un gentil petit train de campagne, un joli

petit omnibus, qui est amoureux d'une montagne. Malheureusement ce petit train est très refoulé : il n'y a pas un seul tunnel sur sa ligne !

☐ **2303**

Le train va partir. Le chef de gare passe le long du quai pour fermer toutes les portières. Et il tombe sur une portière récalcitrante. Il la claque, il la reclaque, il la reclaque à toute volée. Mais la portière se rouvre à chaque coup. Alors, excédé, il hurle :

— Eh bien, espèce d'andouille ! Tu peux pas retirer ta main, non ?

☐ **2304**

Ça se passe dans le train de nuit qui vient de quitter Nice.

— Et surtout réveillez-moi à Lyon, dit le voyageur au contrôleur des wagons-lits. C'est là que je descends. Et secouez-moi bien, parce qu'autrement, je me rendors...

— Bien, monsieur. Vous pouvez compter sur moi.

Mais le lendemain, le gars se réveille à Paris. Furieux, il se jette sur le contrôleur et il le prend par le revers de sa veste :

— Espèce de salaud ! Je vous ai donné un gros pourboire... Je vous ai répété trois fois que je descendais à Lyon, qu'il fallait absolument que je descende à Lyon, qu'il fallait me réveiller à Lyon... Mais vous vous en foutez, hein ? Plus aucune conscience professionnelle...

— Écoutez, fait le contrôleur, hurlez tant que vous voudrez... Vous ne hurlerez sûrement pas autant que le type que j'ai réveillé à Lyon et que j'ai foutu dehors par la peau des fesses !

☐ **2305**

Une vieille bigote prend le train et elle se retrouve

en face d'un monsieur correct et chauve qui lit le journal. Au bout d'un moment, ce monsieur enlève son veston et sa cravate. Il reprend son journal, mais décidément, il fait trop chaud. Il enlève sa chemise et son maillot de corps. Et puis son pantalon. Et puis son caleçon.

Il est tout nu maintenant, nu comme un ver, en train de lire son journal devant la vieille qui devient apoplectique.

Alors il se lève, fouille dans sa valise, en sort un cigare et un briquet. Mais il est pris d'un scrupule. Il se penche vers la vieille et il lui demande avec la plus exquise courtoisie:

— Pardon, madame, la fumée ne vous dérange pas?

2306 □

Dans une couchette de chemin de fer, un voyageur ne parvient pas à s'endormir. Il faut dire que son voisin du dessus n'arrête pas de geindre d'une voix pâteuse:

— J'ai soif!... Oh! là, là, ce que je peux avoir soif!... Jamais je n'ai eu soif comme ça!...

Horripilé, le bonhomme décide de se lever et d'aller chercher à boire lui-même à ce foutu emmerdeur. Il revient cinq minutes après avec une bouteille de bière et il lui dit:

— Tenez! Buvez!

L'autre remercie bruyamment, il vide la bouteille de bière d'un seul trait et tous les deux se recouchent. Et au bout d'un moment, on entend dans l'obscurité une litanie qui recommence:

— Qu'est-ce que j'avais soif!... Oh! là, là, ce que je pouvais avoir soif!... Jamais je n'avais eu soif comme ça!... Qu'est-ce que j'avais soif...

2307 □

Un jeune ménage, fraîchement marié, passe sa

nuit de noces dans le train. Mais le gars et la fille n'ont pu obtenir que les couchettes du haut. Comment diable se blottir dans les bras l'un de l'autre, alors qu'un grand vide les sépare et qu'au-dessous d'eux, un voisin goguenard lit son journal ? Finalement les amoureux décident d'utiliser un subterfuge. Dès que la lumière sera éteinte, l'un d'eux dira à l'autre :

— Passe-moi les pamplemousses !

Et aussitôt, il sautera sur l'autre couchette.

Vers trois heures du matin, pour la cinquième fois, on entend la mariée qui souffle :

— Passe-moi les pamplemousses !

Alors, excédé, le voisin du bas se met à crier :

— Écoutez, la barbe, à la fin ! Mangez plutôt des bananes ! Les pamplemousses, c'est dégueulasse, ça me dégouline dessus de partout...

□ **2308**

Une dame essaie d'entrer dans un compartiment de chemin de fer. Elle tient un drôle de petit garçon par la main. Mais personne ne veut les laisser s'asseoir :

— Ah ! non... Pas ici ! Sortez tout de suite.

Elle va dans le compartiment suivant et alors tout le monde se met à crier en chœur :

— A la porte ! Allez, ouste !

Et ainsi de suite... On ne veut de son mioche nulle part. Écœurée, au bord des larmes, elle va se plaindre au contrôleur. Alors celui-ci lui répond très gentiment :

— Les gens sont mauvais, vous savez ! Mais attendez ! Je vais vous trouver un compartiment vide... Et puis tenez, je vais aller lui chercher une banane, à votre petit singe ! Il est trop mignon...

□ **2309**

Trois copains, complètement soûls, sont en train de

tituber sur le quai d'une gare, quand soudain le train arrive. Sortant des bouteilles de leurs poches, ils continuent leurs libations en se congratulant joyeusement. Et l'un d'eux finit par avoir un éclair de lucidité :

— Eh ! les gars !... hic ! Il faudrait pas... hic !... oublier le train...

Alors, tant bien que mal, le premier se hisse dans un wagon. Le second en fait autant en pouffant de rire. Mais le train part sans le troisième, tout agité de hoquets et qui semble enraciné sur le quai... Il regarde le convoi disparaître avec un air suprêmement épanoui et en balbutiant :

— Oh ! là, là ! Quelle cuite, les copains !

A ce moment, le chef de gare s'approche et il déclare au poivrot :

— Ils sont peut-être ivres, mais en tout cas, ils ont pris leur train, tandis que vous, eh bien, vous l'avez raté !

— Vous n'avez... hic !... rien compris, bredouille le gars en s'étouffant de rire. Le train, c'est moi qui devais... hic !... le prendre. Eux, ils étaient seulement venus m'accompagner...

2310 □

Dans un compartiment de chemin de fer, une dame s'étonne de l'aspect très particulier de son voisin. Il a une main toute grise, molle et pulvérulente. Au bout d'un moment, la bonne femme commence à s'agiter, elle réprime des petits gestes de répulsion, son teint devient un peu verdâtre : ou bien elle va vomir, ou bien il faut qu'elle parle... Et soudain elle explose :

— Dites-moi, monsieur. Il faut vous faire soigner. Vous ne vous êtes pas rendu compte que vous êtes lépreux ?

— Lépreux ? dit l'autre en éclatant de rire. Moi ? Lépreux ?

Et comme pour se moquer, le voilà qui fait un grand bras d'honneur! Instantanément sa main part comme une fusée et disparaît par la fenêtre...

☐ **2311**

C'est une petite vieille bien gentille qui est assise dans le train et tout d'un coup, elle s'écrie:
— Mon Dieu, quel malheur! J'ai perdu ma boulette!
Aussitôt tous les occupants du compartiment s'affairent pour chercher la boulette. On déplace toutes les valises. On fouille dans les recoins des sièges. On balaie avec les mains sous les banquettes. Ça dure une demi-heure, mais rien à faire, on ne retrouve pas la boulette. Alors la petite vieille murmure en souriant:
— Je vous remercie, vous avez tous été bien aimables. Mais ça ne fait rien. Je vais m'en faire une autre.
Et elle se met le doigt dans le nez...

---

tribunal

☐ **2312**

— Eh bien, dit le juge à la plaignante, vous dites qu'il s'est jeté sur vous dans l'escalier, qu'il vous a arraché vos vêtements et qu'il vous a violée furieusement... Mais vous n'avez pas essayé de vous défendre?
— Oh! J'ai pas pu, monsieur le Juge... Mon rouge à ongles n'était pas sec!

☐ **2313**

Une femme passe en justice pour avoir tenté d'empoisonner son mari. Malheureusement pour elle, il s'en est sorti vivant.

— Messieurs les jurés, s'écrie l'avocat, nous n'avons aucune preuve. Sachez bien qu'on n'a retrouvé aucune trace d'arsenic!

Alors, derrière lui, une voix l'interrompt avec véhémence. C'est l'accusée qui se dresse dans son box et qui fulmine:

— Parfaitement! Et moi, je suis sûre qu'il y a encore de l'arsenic dans le corps! Je réclame l'autopsie...

2314 □

Le juge à l'accusé:

— Vous avouerez quand même que c'est complètement anormal de faire l'amour en public avec une femme morte!

— Morte? Oh! Monsieur le Juge, ce n'est pas possible... J'ai cru que c'était une Anglaise...

2315 □

Au tribunal, le président tance l'accusé:

— Vous êtes un escroc! Vous avez vendu de l'insecticide en sachets et ce n'était que du plâtre...

— Ah! Je vous demande pardon, monsieur le Président, mais le plâtre, ça tue les insectes!

— Sans blague? Vous pouvez m'expliquer comment?

— Bien sûr, monsieur le Président, vous prenez l'insecte à la main et je vous jure qu'il claque en vitesse, si vous lui versez tout le plâtre dans la bouche...

2316 □

Le juge au témoin:

— Eh bien, jeune homme, vous avez vu quelque chose?

— Oui, monsieur le Juge. Je suis peintre en bâtiment et tout à fait par hasard, j'étais sur mon

échelle au moment où le type a enfoncé la porte du premier étage. Alors, j'ai tout vu par la fenêtre...
— Vous avez vu quoi ?
— J'ai vu le type entrer et se jeter sur la fille. Il l'a allongée par terre et il lui a arraché son corsage.
— Et après ?
— Après, il lui a arraché sa robe.
— Et après ?
— Après, il lui a arraché le reste.
— Et après ?
— Après, il s'est couché sur elle.
— Et après ?
— Après, je ne sais plus, vu que je me suis cassé la gueule...
— Comment, cassé la gueule ?
— Oui, parce qu'on était cinq sur l'échelle...

□ **2317**

L'accusé vient d'être condamné à mort. Le procureur s'approche de lui et lui dit :
— Permettez-moi de vous offrir cette bouteille de champagne. Je fête ma centième tête...

□ **2318**

L'avocat général prend la parole :
— Je voudrais faire remarquer au jury que l'accusé n'en est pas à sa première affaire. Il a étranglé sa femme, certes, mais c'était sa troisième femme. Les deux autres étaient mortes avant. Et savez-vous de quoi ? Eh bien, par une coïncidence bizarre, l'une comme l'autre avait mangé des champignons ! Alors, je me tourne maintenant vers cet homme et je lui dis ceci : pouvez-vous faire comprendre au jury pourquoi vous avez étranglé votre troisième femme ?
Et une voix épaisse sort du box :
— Elle n'aimait pas les champignons...

2319 □

Une dame coquette et qui se voudrait encore très jeune se présente à la barre des témoins.

— Vous vous appelez Joséphine Dubouc, dit le président du tribunal. Pouvez-vous nous dire votre âge ?

Du coup, la bonne femme devient écarlate et elle se réfugie dans un douloureux silence.

— Allons, madame, dit le président. Décidez-vous ! Tout ce temps perdu ne fait qu'aggraver les choses...

2320 □

— Messieurs les jurés, s'écrie l'avocat d'une voix de stentor, vous avez entendu le réquisitoire du ministère public, qui vous somme d'envoyer ma cliente en prison pour incitation à la débauche. Eh bien, je vous le demande ! Allez-vous expédier cette superbe créature sur la paille humide des cachots ? Non, messieurs les jurés ! Ce serait indigne ! Vous allez au contraire lui permettre de retrouver son petit studio au numéro trois de l'avenue de Neuilly, troisième étage à droite, la clef est toujours sur la porte...

2321 □

Dans le box des prévenus, il y a un homme poursuivi pour viol. La victime est une femme toute ridée qui vient témoigner à la barre. Elle est ruisselante de larmes. Le président lui demande :

— Eh bien ! Mademoiselle, ne pleurez pas comme ça ! C'est fini maintenant. C'est bien vous qui avez subi les derniers outrages ?

— Oui, monsieur le Président, renifle-t-elle. Les derniers outrages, comme vous dites ! Les derniers... C'est justement pour ça que je pleure...

trottoir

☐ **2322**

Dans la rue, un petit attroupement s'est formé autour d'un gars qui est affalé par terre, la joue contre la chaussée, et qui semble écouter quelque chose avec une attention extrême...

Finalement un badaud, qui veut en avoir le cœur net, se colle aussi l'oreille sur le sol. Au bout d'un moment il se relève, il frappe sur l'épaule du gars et il lui dit:

— Mais on n'entend rien!

Et l'autre lui répond:

— Et le plus curieux, c'est que c'est comme ça depuis ce matin...

☐ **2323**

Un brave homme s'arrête dans la rue devant un petit garçon qui est assis par terre:

— Eh bien, mon petit, lui dit-il, tu as l'air bien malheureux! Tu as perdu ta maman?

— J'ai pas de maman, dit le gosse en grinçant des dents.

— Mon Dieu, quel malheur! Et ton papa, où est-il?

— J'ai pas de papa!

— Qu'est-ce que tu racontes? Ni maman, ni papa? Mais alors, comment es-tu venu au monde?

— C'est un sale coup que pépé a fait à tantine...

☐ **2324**

Une belle fille s'aperçoit qu'un mauvais garçon est

en train de la suivre depuis un quart d'heure. Alors elle se retourne, furieuse, et elle lui lance :

— Mais enfin, vous êtes odieux ! Vous n'allez tout de même pas me filer comme ça jusque chez moi, 103 boulevard Saint-Jacques, rez-de-chaussée au fond de la cour, attention ! il y a une marche...

2325 □

Un gars rencontre un copain dans la rue et il lui dit :

— Tiens ? Je te croyais mort ! Enfin, ce sera pour une autre fois...

2326 □

Un jeune loulou efflanqué est mollement assis sur le bord du trottoir. Il se laisse aller à la griserie d'une cigarette de hachisch, sans se soucier de l'agitation de la rue et du bourdonnement des bagnoles. Alors un père de famille en cravate s'approche de lui et lui dit sévèrement :

— Feriez-mieux de travailler, espèce de feignant !

— Ah ! oui... murmure l'autre. Pourquoi ?

— D'abord pour manger à votre faim !

— Et après ?

— Et après, vous pourriez fonder une famille et la faire vivre !

— Et après ?

— Et après, vous serez à la retraite. Vos enfants travailleront pour vous et vous pourrez vous reposer !

— Me reposer ? Ben, d'après vous, qu'est-ce que je fais en ce moment ?

2327 □

Un petit garçon s'est enfui de chez lui. Il est assis au bord d'un trottoir et un flic lui demande :

— Qu'est-ce que tu fais là ?

Alors le môme fond en larmes et il crie :
— Je veux pas rentrer à la maison !
— Pourquoi ? dit le flic. Ta mère te bat ?
— Non. Elle me peigne !

☐ **2328**

Quatre heures du matin. Sur le trottoir, un type est étalé, une balle dans le bras, une hache dans l'oreille, un poignard dans le ventre. Il agonise.
Un passant miséricordieux se penche sur lui, en attendant l'arrivée de la police, et ne peut s'empêcher de lui dire :
— Mon pauvre vieux ! Est-ce que ça vous fait mal ?
Et l'autre, ouvrant un œil :
— Oui ! Quand je rigole...

☐ **2329**

C'est un gars qui est assis au bord du trottoir des Champs-Élysées. Mais le plus curieux, c'est qu'il a tous les gestes du pêcheur à la ligne. Il semble avoir lancé son fil et il surveille l'asphalte avec une attention passionnée, en attendant que ça morde... Finalement un agent de police l'interpelle :
— Dites donc, vous ! Vous gênez la circulation. Et de toute façon, vous ne prendrez pas de poisson ici. Circulez !
Et le gars répond :
— Ah, bon, très bien ! S'il faut que je m'en aille, je m'en vais.
Il range son matériel, il prend ses avirons et il se met à ramer...

☐ **2330**

Il y a une longue queue devant le cinéma. Et un gars, pour prendre patience, en prend un autre à témoin :

— Il n'y a plus de sexes ! Regardez ce petit jeune homme devant nous, avec ces cheveux longs et ce pantalon jaune canari, on dirait absolument une nana...

Et l'autre lui répond :

— Ben justement, c'est une nana ! C'est même ma fille !

— Oh ! Excusez-moi, monsieur, je ne pouvais pas deviner que vous étiez son père...

— Mais je ne suis pas son père ! Je suis sa maman...

2331 □

C'est un spectacle bien curieux. Accroupi en plein milieu du trottoir, un gars est en train de dessiner des ronds invisibles par terre. Le doigt tendu en avant, il trace soigneusement des cercles et des cercles à n'en plus finir. Au bout d'un moment, un flic s'approche et lui touche l'épaule :

— Dites donc, mon vieux, z'êtes pas un peu marteau, non ? Vous pourriez au moins prendre un bout de craie pour qu'on les voie, vos petits ronds... Vous n'avez rien trouvé de plus utile à foutre ? Vous avez vos papiers ?

Et le gars se retourne, visiblement excédé. Il regarde le flic avec l'air candide d'un honnête travailleur qu'on empêche de faire son boulot. Il soupire profondément et il essaie de s'expliquer :

— Mais, monsieur l'agent, figurez-vous que j'ai un métier, moi ! Et un métier propre ! Et un métier qui n'est pas à la portée de n'importe qui ! Je suis *sexeur d'hippopotames*...

— Hein ? Vous êtes quoi ?

— Je suis sexeur d'hippopotames ! Ça veut dire que je détermine le sexe des petits hippopotames avant leur naissance...

— Sans blague ? Et c'est pour ça que vous faites des ronds par terre ?

Alors le gars devient rouge et il se met à crier :

— Mais enfin, monsieur l'agent, vous n'imaginez tout de même pas que sexeur d'hippopotames, c'est un emploi à plein temps ?

☐ **2332**

Deux dragueurs sont en train de suivre un couple de filles dans la rue. Ils se frottent déjà les mains à l'idée de passer la soirée et la nuit avec elles. Et au moment où ils vont se décider à les aborder, il y en a un qui dit à l'autre :

— T'as pas de veine ! La tienne est drôlement moche...

☐ **2333**

Toto est installé en plein milieu du trottoir, juste à côté d'un grand tas de merde, et il est en train de s'amuser follement à en faire des petites sculptures. La concierge s'approche et elle lui dit :

— Comme c'est sale, ce que tu fais, Toto ! Pourquoi tu fais ça ?

Et Toto répond :

— Ben, quoi ! Je suis un artiste ! Je fais du modelage...

— Ah, bon ! dit la concierge. Et qu'est-ce que tu modèles ?

— Ben, je modèle une concierge...

— Oh ! s'étrangle la pipelette, oh ! le petit mal élevé !

Et elle va se plaindre auprès de l'agent de police qui règle la circulation au coin de la rue. Pendant ce temps, c'est le curé qui tombe en arrêt devant l'étrange spectacle :

— Mais enfin, Toto, qu'est-ce que tu fabriques ?

— Je fais du modelage. Je suis un artiste.

— Du modelage ? Mais pourquoi ne prends-tu pas de la terre glaise ? Et d'abord qu'est-ce que tu modèles ?

— Ben, je modèle un curé...

Horrifié, le curé va à son tour raconter l'histoire au flic de service. Alors celui-ci s'amène en faisant des moulinets avec son bâton blanc et il dit à Toto :
— D'accord, je sais, tu es un artiste et tu fais du modelage ! Mais tu ne vas tout de même pas me dire qu'avec cette merde, tu veux modeler un flic ?
— Oh ! non, monsieur l'agent. Pour faire un flic, j'en aurais pas assez...

2334 ☐

Deux copains se promènent et ils voient passer deux dames sur l'autre trottoir.
— Regarde ! dit le premier. J'aurais jamais cru que ma femme et ma maîtresse puissent se balader ensemble !
— Ben, dit l'autre, tu me l'as enlevé de la bouche !

trou

2335 ☐

— J'ai un truc extraordinaire à vous proposer, dit l'épicière, c'est tout nouveau : c'est de la conserve de fesse d'hippopotame...
— Et c'est bon ? demande le client.
— Rien de meilleur, vous pouvez me croire !
Le gars achète sa fesse d'hippopotame, il monte chez lui et il ouvre la boîte. Et dans la boîte, il n'y a rien. Il redescend, courroucé, chez l'épicière et il fait un vrai scandale :
— Comment ! C'est une honte ! Vous me vendez de la fesse d'hippopotame, je paie un prix fou et dans la boîte, il n'y a rien...
— Il n'y a rien ? dit l'épicière. Ah ! Écoutez, c'est pas ma faute si vous êtes tombé sur le trou...

☐ **2336**

Deux fous ont pris des pics et des pelles et ils creusent un trou. Quand le trou est assez grand, le premier fou dit :

— Ça, c'est un beau trou. Il faut l'emporter.

Alors le second va chercher un camion et, en s'y prenant à deux, ils arrivent à mettre le trou dans le camion. Ils démarrent. Mais au bout de cent mètres, il y en a un des deux qui dit :

— Arrête ! Je crois qu'on a perdu le trou. Il a dû glisser du camion...

Aussitôt le fou qui est au volant fait marche arrière, mais comme il a mal regardé, le camion tombe dans le trou...

☐ **2337**

Au bois de Vincennes, il y a un flic qui fait sa tournée et il aperçoit un gars en train de creuser un trou. Soupçonneux, il l'apostrophe :

— Qu'est-ce que vous faites là ?

— Ben, vous voyez, m'sieur l'agent, je creuse un petit trou.

— Et pourquoi vous creusez un trou ?

— C'est parce que j'ai rendez-vous avec une fille...

— Et c'est pour cette fille que vous creusez un trou ?

— Oui. Parce qu'elle est bossue...

☐ **2338**

Le médecin a fait s'allonger sa cliente sur la table de gynécologie. Il lui a dit d'écarter les cuisses. Il s'affaire dans l'entrejambe de la dame. Et tout d'un coup, on l'entend qui siffle entre ses dents :

— Jamais vu un trou pareil... Ça me donne le vertige ! Ça me donne le vertige ! Ça me donne le vertige !

— Bon ! Ça va... J'ai compris ! dit la bonne femme. Pas la peine de répéter !

Et le gars réplique :

— Je répète rien ! C'est l'écho...

2339 □

C'est un microbe du pancréas qui rencontre un microbe de l'estomac. Et il dit lui :

— Vous connaîtriez pas un petit trou pas cher, pour y passer les vacances ?

— Ah ! si, dit l'autre. J'en connais un vers le bas... Mais je vous avertis qu'on s'y emmerde drôlement !

2340 □

Une vieille demoiselle anglaise participe à un safari en Afrique orientale. Un matin, alors qu'elle s'est éloignée du campement, un grand sauvage presque nu se laisse tomber d'une branche juste devant elle.

— Mon Dieu ! s'écrie-t-elle, mais c'est Tarzan !

Et comme l'autre se contente de répondre par des grognements, elle ajoute :

— Oh ! Tarzan... Vous qui êtes si fort, montrez-moi comment vous faites pour arracher un arbre...

Aussitôt, Tarzan saisit le tronc d'un énorme baobab et il le déracine comme s'il s'agissait d'une petite fleur.

— Seigneur ! bredouille la vieille demoiselle. Et il paraît que vous tuez aussi les lions ?

Instantanément, Tarzan disparaît dans un fourré. Il en ressort en traînant un énorme lion par la queue et il l'étrangle entre ses bras comme un vulgaire lapin.

— Bravo ! hurle l'Anglaise, toute frémissante.

Et prenant son courage à deux mains, elle balbutie :

— Est-ce que Tarzan est aussi fort pour faire l'amour ?

Puis au bout de cinq minutes, elle dit :
— Mais non ! Tarzan se trompe ! Ce n'est pas là...
Alors l'homme de la jungle rugit :
— Tarzan fait son trou tout seul !

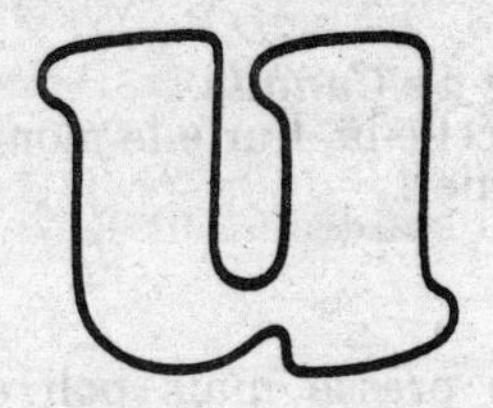

urinoir

2341 □

Un gars distrait entre dans une pissotière. Il déboutonne son gilet, il enlève sa cravate et il... pisse dans son pantalon !

2342 □

Un flic voit un môme qui pleure dans la rue. Il s'approche et il lui demande :
— Qu'est-ce qu'il y a, mon grand ? Pourquoi pleures-tu ?
— C'est parce que je veux faire pipi, hoquette le gamin.
— Bon, viens avec moi !
Et le flic l'emmène dans un urinoir. Mais le môme continue à sangloter :
— Maman me la sort ! Je peux rien faire si on me la sort pas !
Un peu gêné, le flic déboutonne la braguette du petit bonhomme et il l'aide comme il peut. Mais le gosse est toujours en train de chialer :
— Maman a l'habitude de me chanter une chanson ! Autrement, je peux pas faire pipi...
Le flic commence à s'énerver, mais pour en finir au plus vite avec ce petit casse-pieds, il se met à chanter :

— *Ma cabane au Canada...*
— Non! Pas celle-là, hurle le môme. Celle-là, c'est pour me faire chier...

☐ **2343**

Un gars très pressé mais poli entre dans une vespasienne en disant:
— Bonjour, m'sieurs dames!

☐ **2344**

Devant un urinoir, un brave homme attend, les bras ballants, l'œil éteint, toute son attitude dégageant une immense tristesse. Un passant miséricordieux s'approche et lui dit:
— Quelque chose ne va pas? Est-ce que je peux vous aider?
— Oh! oui, dit l'autre. Je voudrais tellement pisser...
— Ah! Je comprends. Et naturellement, vous ne pouvez pas tout seul. Attendez! Je vais vous accompagner.
Les voilà tous les deux dans l'urinoir, le premier immobile comme un mannequin, l'autre lui ouvrant charitablement la braguette. Au bout d'un moment, le gars triste demande:
— Est-ce que vous ne pourriez pas me secouer la dernière goutte?
— Mais bien sûr! Tenez! Voilà qui est fait. Qu'est-ce qui vous est arrivé, mon pauvre monsieur! C'est une paralysie?
— Non.
— C'est une blessure de guerre?
— Non.
— Alors vous êtes invalide?
— Non.
— Mais alors, comment se fait-il que vous ne puissiez pas pisser tout seul?
— C'est parce que ça me dégoûte...

2345 □

Un jeune homme très timide entre dans une pissotière et il aperçoit un joli garçon tout nu qui lui crie :

— Salut, mon chéri ! Moi, je suis exhibitionniste... Et toi ?

— Ben, moi, dit l'autre piteusement, je suis *inhibitionniste...*

2346 □

Un gars est pris d'une violente envie de pisser. Il entre dans un urinoir, il déboutonne sa braguette et n'écoutant que la résolution héroïque qu'il vient de prendre, il déclare en s'adressant au plus intime de son individu :

— T'as pas voulu baiser hier soir, hein, petite salope ! Eh bien, tu ne pisseras pas aujourd'hui !

2347 □

Dans un urinoir, un gars s'adresse à son voisin :

— Vous ne seriez pas juif par hasard ?

— Oui, dit l'autre, étonné.

— Et vous ne seriez pas né à Glogow en Pologne ?

— Mais oui, dit l'autre, de plus en plus surpris.

— Et naturellement, c'est le rabbin Kahane qui vous a circoncis ?

— Tout à fait juste, dit l'autre. Mais comment diable l'avez-vous deviné ?

— Ben, c'est pas compliqué. Il donnait toujours son coup de ciseaux de biais et ça fait cinq minutes que vous me pissez dessus...

2348 □

Une gouvernante anglaise, un peu collet monté, a emmené quatre petits garçons à l'hippodrome de

Longchamp. Comme c'est la première fois qu'elle en a la garde, elle prend la précaution de leur dire :

— Allez vite faire vos petits besoins avant de vous asseoir, pour qu'ensuite on n'en entende plus parler.

Au bout d'un moment, l'un des mômes vient la tirer par la manche :

— Mademoiselle, on a été aux toilettes pour hommes, mais on peut pas y arriver parce que c'est trop haut.

La gouvernante se racle la gorge, elle regarde autour d'elle si personne ne la voit, elle entre furtivement dans l'urinoir et elle soulève les enfants, un à un, en prenant bien la précaution de tourner la tête en arrière. Et quand elle arrive au dernier, elle fait une petite remarque :

— Dis donc ! Tu es bien lourd, toi ! Tu dois au moins être en sixième !

Et une voix lui répond :

— Non ! En quatrième ! Je monte *Jolie Gosse* dans la quatrième...

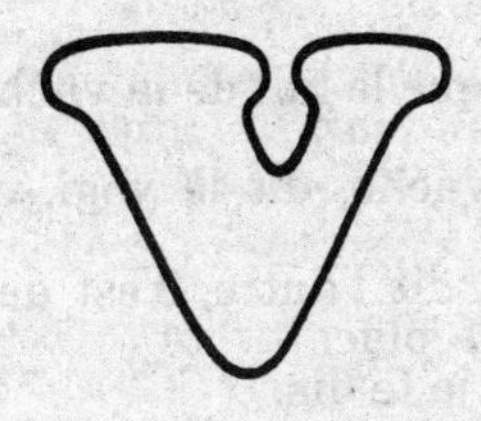

vache

2349 □

C'est un fermier qui a tellement bu de calvados, qu'à quatre heures du matin, quand il va traire la vache, il ne voit plus du tout ce qu'il fait. Il envoie la main plusieurs fois pour attraper le pis et c'est tout juste s'il n'attrape pas les oreilles. Alors la vache se retourne et lui dit :
— Écoute ! Essaie au moins de me tenir les mamelles. Après, si tu veux, je sauterai en cadence...

2350 □

— Maman, qui c'est le mari de la vache ?
— C'est le taureau.
— Ah ! bon, c'est drôle, ça, c'est pas le bœuf ? Mais comment ça se fait ?
A ce moment, le père qui lit son journal, jette un œil et dit :
— Ça se fait par relations...

2351 □

Un paysan hindou va voir le yogi :
— Je n'en peux plus. Nous vivons à neuf dans une petite cabane branlante. Les enfants hurlent. On a faim. On est tous couverts de plaies. On n'a pour

toute nourriture que le lait de la vache. Qu'est-ce que je dois faire ?

— Prends la vache, dit le yogi, et fais-la entrer dans la cabane.

— Mais enfin, dit l'autre, c'est de la folie. Il n'y aura même pas la place !

— Fais ce que je te dis.

Quinze jours après, le paysan revient et il dit :

— Maintenant, c'est l'enfer. Les enfants sont malades. La cabane est pleine de bouse. La vache nous réveille plusieurs fois dans la nuit. Je ne sais plus quoi faire.

Et le yogi dit :

— Fais sortir la vache...

□ **2352**

Une petite fille de cinq ans mène une vache au taureau. Un Parisien la voit passer et s'offusque :

— Mais enfin, c'est pas des choses à faire à ton âge ! Ton papa ne peut pas s'en charger ?

— Oh non ! dit la fillette. Son truc est pas assez gros...

□ **2353**

— Voyons, madame, demande le médecin de la clinique, expliquez-moi comment ça vous est arrivé, cette double fracture du bassin...

— Ben, docteur, c'est pas compliqué. Mon mari voulait que je conserve mon teint de jeune fille. Alors je prenais un bain de lait trois fois par jour. Et hier matin, la vache a glissé sur la savonnette...

□ **2354**

Dans un pré, une génisse tourne autour d'un taurillon en criant :

— Je voudrais faire la moue avec toi !

Et le taurillon lui dit :

— D'accord ! Mais baisse un peu la bajoue...

Dix minutes plus tard, la génisse gémit :
— Décidément, ça va de mâle en pis ! Bouse un peu plus !
Alors le taurillon bredouille :
— Trop tard ! J'essaierai de faire meuh la prochaine fois...

2355 ☐

Une jolie fille, plutôt dévergondée, s'est endormie dans un pré. Une vache distraite, qui broutait par là, lui passe dessus sans même s'en apercevoir. Et comme les tétines lui caressent furtivement le visage, la fille glousse dans un demi-sommeil :
— Ah ! non, Messieurs ! Pas tous à la fois...

2356 ☐

C'est une petite mouche qui volette dans une prairie sur les brins d'herbe. Il y a une grosse vache qui passe en broutant. Et hop ! Elle avale la petite mouche...
Alors la petite mouche descend dans le gosier de la vache, elle descend dans l'estomac de la vache, elle descend encore un peu et puis elle s'endort, parce qu'il fait chaud et que c'est bon.
Et quand elle se réveille, elle est dans le pré et la grosse vache est partie...

2357 ☐

Un petit veau batifole dans une jolie prairie et voilà tout d'un coup qu'il trouve un gant. Alors, il appelle sa mère :
— Maman ! T'as perdu ton soutien-gorge...

2358 ☐

Le père taureau et son fils aîné sont en train de brouter tranquillement, quand soudain, ils aperçoivent un troupeau de vaches dans une prairie en contrebas.

— Papa! s'écrie le jeune taureau. Vite! Dépêche-toi! On va foncer par là-bas à toute allure et on va se taper une vache chacun!

— Non, mon enfant! dit le papa taureau. On va descendre sans se presser et on les prendra toutes!

vélo

□ **2359**

Toto, qui a sept ans, a entendu son grand frère raconter une de ses escapades à un copain:

— J'ai emmené cette fille sur mon vélo et quand on est arrivé au bord de la rivière, je lui ai demandé de m'embrasser. Figure-toi qu'elle m'a dit non! Alors je suis monté sur le vélo et je suis parti en lui disant de rentrer à pied!

Toto a une admiration folle pour son grand frère et il imite tout ce qu'il fait. Le lendemain, il prend le vélo, il ramasse une petite fille du village et il l'emmène au bord de la rivière. Alors, il lui dit:

— Tu veux bien m'embrasser?

Et la petite fille répond tout de go:

— Oui.

Toto est un peu ennuyé. Il réfléchit une minute avant de dire quelque chose. Et puis il se décide:

— Bon! Alors c'est toi qui prends le vélo et c'est moi qui rentre à pied...

□ **2360**

— Dis papa, qu'est-ce que c'est, une fiancée?

— Euh... Une fiancée, c'est comme si je t'achetais une bicyclette à Noël et que tu n'aies pas le droit de t'en servir avant les grandes vacances!

— Ah! C'est ça, une fiancée? Mais je pourrai quand même jouer avec la sonnette?

2361 □

Deux fous grimpent une côte sur un tandem. Quand ils arrivent en haut, le premier s'éponge le front et il dit à l'autre:
— Ouf! Avec cette chaleur, j'ai bien cru qu'on n'y arriverait pas.
— Oui, fait l'autre. Surtout que c'était une sacrée pente. Même que si j'avais pas freiné, on redescendait!

2362 □

Sa maman lui a acheté une belle bicyclette toute neuve. Alors il passe et il repasse devant elle sur son beau vélo:
— Regarde comme je suis fort, maman! Je roule sans les mains...
Puis au bout d'un moment:
— Regarde, maman! Sans les pieds!
Puis enfin, d'une voix bizarre:
— Regarde, maman! Sans les dents...

ver

2363 □

Toto ne veut absolument plus manger. Non seulement il ne veut plus manger sa soupe, mais encore il ne veut rien manger d'autre, ni dessert, ni gâteau, ni rien... En désespoir de cause, son père lui dit:
— Écoute, Toto, je vais être gentil avec toi. Choisis ce que tu veux bouffer et j'irai t'en chercher!
— Alors, dit Toto, je veux un ver de terre...

Désespéré, le père va fouiller dans le jardin et il revient avec un gros ver blanc dans une petite soucoupe.

— Tiens! Le voilà, ton ver! Et maintenant, mange!

— Non, dit Toto. Je veux d'abord que tu le partages avec moi!

— Hein? Tu t'imagines que je vais avaler cette saloperie?

— Ben, forcément, ou sinon je ne mangerai rien!

Le père branle la tête, il se rend compte que si ça continue comme ça, son môme va crever. Alors il ferme les yeux, il surmonte son dégoût et il se tape la moitié du ver. Le gosse le regarde mâcher et tout d'un coup il se met à hurler:

— J'en veux plus! T'es dégueulasse! T'as bouffé ma moitié!

□ **2364**

Une vieille fille est venue acheter un couple de perruches dans une oisellerie. Sa cage sous le bras, elle demande au vendeur:

— Vous pourrez peut-être me donner un renseignement... J'ai pris une perruche mâle et une perruche femelle, mais comme les deux sont de la même couleur, j'aimerais bien avoir un moyen de les reconnaître...

— Pas compliqué, dit le vendeur. Vous leur donnez à bouffer un ver mâle et un ver femelle. La perruche mâle bouffe le ver femelle et la perruche femelle bouffe le ver mâle!

— Ah! fait la vieille, médusée. Mais... euh... comment puis-je reconnaître un ver mâle d'un ver femelle?

— Écoutez, mademoiselle, dit le vendeur agacé, ça n'est pas mon affaire! Il faut demander à un marchand de vers...

2365 □

— Maman! Maman! C'est formidable... J'ai réussi à faire manger tous les vermicelles à mon petit frère!
— Bravo! Comment as-tu fait?
— Je lui ai dit que c'étaient des vers...

2366 □

Sur l'étendue immense de la steppe russe, la neige commence enfin à fondre. La nature s'éveille. Un ver de terre montre le bout de son nez et il regarde avec avidité un autre ver qui vient de sortir juste à côté de lui.
Alors il sent passer dans tout son corps le souffle du printemps, il s'apprête à s'élancer sur l'autre ver, quand soudain celui-ci se met à crier:
— Hé là! Fais gaffe! Je suis ta queue...

2367 □

C'est un ver luisant un peu myope qui se met à hurler tout d'un coup:
— Merde! Je me suis brûlé les couilles!
Le pauvre, il avait essayé de sauter un mégot...

2368 □

— Docteur, j'ai un ver solitaire!
— Attendez, madame, je vais vous donner le meilleur traitement. Pendant vingt jours, vous allez donner chaque matin à votre ver solitaire, par la voie rectale, un œuf dur et un croissant!
— Qu'est-ce que vous dites, docteur?
— Oui, madame, ça peut vous sembler bizarre, mais faites comme je vous dis. Pendant vingt jours, il va bouffer tranquillement son œuf dur et son croissant. Et le vingt et unième jour, vous supprimez le croissant et vous allez chercher un marteau...
— Mais enfin, docteur, je ne comprends pas!

— Vous allez comprendre ! Le vingt et unième jour, il va sortir en gueulant : « Eh bien, il n'y a pas de croissant ce matin ? » Alors, vous en profiterez pour lui écraser la gueule à coups de marteau !

veuvage

☐ **2369**

Il enterre sa femme. Il ruisselle de larmes. Un amour pareil, pensent tous ses amis, c'est vraiment bouleversant. L'un d'eux s'approche et lui dit :

— C'est horrible, je sais bien, mais tu devrais songer qu'un jour, dans un ou deux ans, tu rencontreras une autre fille. Tu sais, l'amour, ça renaît toujours de ses cendres...

— Ouais, dit le gars. Dans un an, dans deux ans, c'est bien beau... Mais ce soir, nom de Dieu, comment je vais faire pour jouer à cache-cache ?

☐ **2370**

Conversation recueillie dans un dîner mondain :

— Savez-vous que, si l'on en croit les statistiques, les femmes vivent bien plus longtemps que les hommes ?

— Oui, répond une vieille dame, surtout les veuves...

☐ **2371**

— Papa ! Papa ! Maman est morte !

— Bon ! Ben, commence à pleurer, j'arrive...

☐ **2372**

Un homme en larmes vient trouver son curé :

— Ma femme vient de mourir, il faut vous occuper de l'enterrement.

— Mais, dit le curé, vous êtes bien Charles Dubois, boulanger ?
— Oui, mon père.
— Alors, je ne comprends pas. J'ai enterré votre femme l'année dernière.
— Bien sûr, mais entre-temps, je me suis remarié.
— Ah ! bon... Toutes mes félicitations !

2373 □

— Tu as l'air tout malheureux ! Qu'est-ce qui t'arrive ?
— C'est que... ma femme est morte !
— Sans blague ? Mais de quoi ?
— D'un rhume...
— Oh ! Alors, c'est pas grave...

2374 □

Pour consoler une femme dont le mari vient de mourir, un prêtre, à bout d'arguments, lui déclare :
— Vous avez perdu votre mari, mais Dieu vous le rendra au centuple !

2375 □

Un gars rencontre un copain et il décide de lui demander un conseil.
— Dis donc ! Je suis très embarrassé. J'ai fait la connaissance, presque en même temps, d'une très jolie fille complètement fauchée et d'une veuve de cinquante ans pleine aux as... Figure-toi que toutes les deux voudraient m'épouser. C'est une situation inextricable et je ne sais pas du tout comment m'en sortir...
— Écoute, dit l'autre. Il n'y a pas à hésiter une seconde. A ton âge, c'est la beauté qui compte, la beauté, la jeunesse et l'amour. Moi, je serais à ta place, j'enverrais valser la veuve et je ferais ma vie avec la belle, même si elle manque d'argent...

— Tu as raison ! Je vais faire comme tu dis... C'est quand même merveilleux d'avoir des amis pour vous ouvrir les yeux !

— Ne me remercie pas ! J'ai simplement dit ce que j'avais sur le cœur... A propos, si tu épouses cette fille, tu pourrais peut-être me donner l'adresse de la veuve ?

□ 2376

— Dis maman, demande Toto, une vieille fille, c'est bien la veuve d'un célibataire ?

□ 2377

Un croque-mort est tellement ému par le chagrin d'une jeune veuve qu'il la raccompagne chez elle. Et il réussit à la consoler au-delà de toute espérance puisqu'il la fait jouir comme une folle... Puis au bout d'un moment, il se rhabille tranquillement et comme il s'apprête à partir, il entend la voix de la fille qui le rappelle de tout son cœur. Alors il rouvre sa braguette en disant le plus simplement du monde :

— Madame veut peut-être le revoir encore une fois ?

□ 2378

Une femme en grand deuil entre dans une boutique de pompes funèbres :

— Je voudrais choisir un cercueil, dit-elle tristement.

— Mais certainement, madame, répond l'employé. Vous avez un modèle en sapin qui est très bon marché. Mais je vous recommande plutôt le modèle en chêne vernissé.

— Pourquoi ? C'est mieux ?

— Ben, c'est-à-dire que c'est plus sain...

2379 □

Un pauvre veuf est en train de suivre le convoi qui emporte sa femme au cimetière. Un vieil ami s'approche de lui, le serre dans ses bras et lui dit gentiment :

— Une éternité qu'on ne s'était plus vu ! Que deviens-tu ?

— Ben, dit l'autre, ça marche à peu près...

— Et ta femme, comment va-t-elle ?

Alors le gars montre le corbillard et il laisse tomber :

— Comme tu vois... Tout doucement !

2380 □

Un père de seize enfants vient de perdre son épouse. Le soir de l'enterrement, il se déshabille et se couche, seul dans son lit, pour la première fois depuis fort longtemps. Puis regardant vers son bas-ventre, il murmure avec un petit clin d'œil de satisfaction :

— Maintenant, tu vas pouvoir travailler rien que pour toi !

vierge

2381 □

Dans une église espagnole, une jeune fille est abîmée en prière devant une statue de la Vierge :

— Sainte Vierge, vous qui avez conçu sans péché, faites que je puisse pécher sans concevoir...

2382 □

Une petite fille va pour la première fois à la messe. Au retour, sa mère lui demande :

— Qu'est-ce que tu as préféré ?

Et elle répond :

— La statue de la Vierge. Je voudrais bien être une vierge !
— Et pourquoi ?
— Pour avoir un enfant...

☐ **2383**

Ça se passe dans l'Antiquité. Une très jeune fille est assise chez elle, en train de tricoter. Tout d'un coup un très beau jeune homme, descendu du ciel, entre par la fenêtre. Il est tout blanc. Il a des ailes dans le dos et il lui dit :
— N'aie pas peur. L'Esprit-Saint va venir sur toi et te donner un fils de Dieu !
Alors elle lui répond :
— Hé là ! Pas de blague ! Il faut que j'en parle d'abord à mon mari...

☐ **2384**

— Vous allez me faire une petite rédaction, dit le curé aux élèves du catéchisme, dans laquelle vous me parlerez de Dieu, du mystère de l'Incarnation et de la Sainte Vierge.
Au bout de cinq minutes, un petit garçon remet sa copie. Et voici ce qu'il a écrit :
« Nom de Dieu, s'écrie la Vierge, je suis enceinte et je ne sais même pas de qui ! »

☐ **2385**

Un gosse de sept ans demande à son père :
— Dis, papa, qu'est-ce que c'est, une vierge ?
— Euh... répond le père après mûre réflexion, c'est une dame qu'on voit dans les églises avec un petit bébé sur les bras...
— Oh ! papa... fait le gamin en éclatant de rire, tu me racontes des blagues ! Une vierge, c'est une petite fille qui a cinq ans, qui est vilaine et qui court plus vite que moi...

2386 □

Devant une statue de la Sainte Vierge aux mains jointes, une gamine dit à une autre :
— Tu vois, elle va plonger...

2387 □

Parmi les enfants de Marie, il y a une jeune fille tellement laide que les autres lui ont dit :
— Sais-tu ce qui t'arrivera plus tard ?
Elle a demandé :
— Quoi ?
Et elles ont répondu :
— Rien !

2388 □

Gengis Khan, à la tête de ses guerriers, vient de piller une petite ville du Turkestan. Il a donné l'ordre de couper en morceaux tous les habitants. Après avoir fait un vrai carnage, la horde s'apprête à repartir, quand un cavalier tartare s'amène à bride abattue :
— Attendez ! On vient de trouver cinquante vierges et on va les violer tout de suite...
— Ah ! non... dit Gengis Khan. Assez de sang comme ça...

2389 □

En se promenant au bois un samedi après-midi, le curé du village voit derrière un arbre un de ses paroissiens en train de trousser la rosière. Dès le soir, il lui écrit une lettre :
« Mon fils, vous avez terni la réputation de la jeune fille la plus vertueuse du pays. Au nom de l'Église, je vous demande de ne plus l'importuner à l'avenir. Et pour commencer, venez vous confesser à l'église samedi après-midi. »
Et le lendemain, il reçoit cette réponse :

« Cher monsieur le curé, je vous remercie de votre circulaire. Mais je ne peux pas venir à votre meeting... »

☐ **2390**

Une merveilleuse et pure jeune fille se présente aux portes du paradis.

— Vous êtes vierge ? lui demande saint Pierre.

— Euh... je crois.

— Comment, vous croyez ? Allez passer devant l'ange examinateur. Si vous êtes vraiment vierge, vous pourrez entrer au paradis. Mais on a besoin d'une preuve...

Alors l'ange examine la candidate et il dit à saint Pierre :

— Pour être vierge, elle est vierge. Mais il y a quelque chose de bizarre. Elle a sept petits trous d'épingles...

— Hein ? Quoi ? Des trous d'épingles ? dit saint Pierre. On ne peut pas l'envoyer au purgatoire pour ça. Allez, mademoiselle ! Passez ! Comment vous appelez-vous ?

Et la pure jeune fille répond :

— Blanche-Neige...

☐ **2391**

Le curé de Cucugnan monte en chaire et il déclare avec son savoureux accent méridional :

— Aujourd'hui, je vous parlerai de la Vierge. Est-ce que vous avez une idée de ce que c'est que la Vierge ? Tenez ! Prenez par exemple notre petite Marie-Louise qui est là au premier rang. C'est une sainte petite rosière. Elle vient à la messe tous les jours. Elle communie tous les dimanches. Elle n'a jamais de mauvaises pensées. Elle est pour tous d'un dévouement exemplaire. Elle garde les bébés. Elle rend visite aux vieillards. Elle aide sa mère à faire le ménage et son père à faire le jardinage. Elle apporte des fleurs pour l'autel. Elle va réconforter les malades à domicile. Et jamais, vous entendez, jamais elle n'a regardé un homme dans le blanc des yeux. Eh bien, Marie-Louise, à côté de la Vierge, ce n'est qu'une petite pute...

vieux

2392 □

Un journaliste fait un reportage dans un asile de vieillards. Il commence par s'adresser à un vieux bien propre et bien paisible, avec une barbe de grand ancêtre, et il lui demande son âge :

— Quatre-vingt-treize, dit le vieux. Et vous savez pourquoi je résiste ? Jamais une goutte d'alcool, jamais une cigarette, jamais une femme !

— Formidable, dit le journaliste. La méthode doit être bonne !

Et s'approchant d'un autre patriarche, un peu moins rutilant, un peu plus voûté, il lui pose la même question.

— Moi, dit l'autre vieux, j'ai cent trois ans.

— Et à quoi attribuez-vous cette longévité ?

— Pas difficile. Je suis végétarien. Jamais de viande. Seulement des radis et des carottes rapées.

Alors un troisième vieillard apparaît. C'est une vraie ruine. Il tient à peine debout. Il bave, il tremblote, il est plein de tics, il a les yeux chassieux et la peau cadavérique.

— J'ai écouté votre conversation, dit-il au journaliste. Ces deux abrutis vous bourrent le crâne. Tenez, moi qui vous parle, eh bien, toute ma vie je me suis tapé mon demi-litre de calvados au saut du lit et mes deux paquets de gauloises par jour. Et puis je fais l'amour tant que je peux. Je baise tout ce qui me tombe sous la main... Et quand je trouve rien, je me branle! C'est autrement sain que la chasteté ou les légumes!

— Extraordinaire! dit le journaliste. Et quel âge avez-vous?

— Trente-trois...

☐ **2393**

Une dame de quatre-vingt-douze ans se casse le col du fémur. On lui met un plâtre et le médecin lui dit:

— Si vous voulez vous en sortir, il faudra garder la chambre pendant deux mois.

— Oh! dit la dame. Alors, je ne peux plus monter ni descendre l'escalier de la maison?

— Évidemment non... Ce serait de la folie.

Deux mois plus tard, le docteur vient déplâtrer sa cliente.

— Quel bonheur! s'exclame la vieille dame. Je peux vraiment monter et descendre l'escalier maintenant?

— Si vous voulez, mais à condition de prendre beaucoup de précautions.

— C'est merveilleux, docteur, parce que, vous savez, ça finissait par être fatigant de sortir par la fenêtre et de descendre en suivant la gouttière...

☐ **2394**

C'est la fin d'un repas de première communion et tout le monde dans la famille y va de son petit numéro. L'oncle raconte une histoire de la guerre, le père chante *Le petit vin blanc*, le petit garçon récite une fable de La Fontaine et le cousin fait des imitations de cris d'animaux. Et quand il a fini, il dit à la grand-mère:

— Et vous, mémé, vous ne savez rien faire?

Alors la première communiante dit:

— Si, mémé, elle sait faire le loup. Hein, mémé, que tu sais faire le loup? Dis, mémé, ça fait combien de temps que pépé ne te fait plus l'amour?

Et la grand-mère fait:
— Hou... Hou... Hou...

2395 □

Dans une asile de vieillards, il y a un petit vieux qui est tellement ridé, que si on veut lui mettre un chapeau, il faut le lui visser sur la tête...

2396 □

Un très vieux couple décide de réaliser toutes ses économies et de se retirer à la campagne. Un jour, le facteur leur apporte une lettre et il dit au pépé:
— Alors tout va bien?
— Oui, dit le vieux, maintenant je vis retiré.
— Et vous êtes heureux?
— Comme ci, comme ça. On s'ennuie, parce qu'on n'a pas d'enfant...
— Ben, dit le facteur, fallait pas vous retirer...

2397 □

C'est une dame du monde. Elle a soixante-dix ans. Elle va régulièrement dans un institut de beauté où elle fait de la gymnastique et où des esthéticiennes lui travaillent le visage. Mais le plus extraordinaire, c'est que vraiment cette expérience la métamorphose!
Quand elle entre dans cet établissement, c'est une petite vieille, et quand elle en ressort, c'est un petit vieux...

2398 □

Un vieillard, qui a respecté toute sa vie les commandements de Dieu et de l'Église, finit par arriver au ciel. Un de ses amis le retrouve assis sur un nuage, une très belle femme sur les genoux:
— Eh bien, lui dit-il. Vous voilà récompensé de toute une vie de vertu!

— Pas du tout, grogne le vieillard, elle n'est pas ma récompense ! C'est moi qui suis son châtiment !

☐ **2399**

Une petite fille pleure sur le trottoir, juste devant l'asile de vieillards. Un petit vieux s'approche d'elle avec beaucoup de tendresse et lui dit :

— Pourquoi pleures-tu, mon enfant ?

— Hi ! Hi ! renifle-t-elle. Je voudrais être un petit garçon.

— Et pourquoi veux-tu être un petit garçon ?

— Pour sentir un gros bâton dans ma poche !

Alors le petit vieux s'assied à côté de la gamine et il se met à pleurer lui aussi...

☐ **2400**

Si longtemps qu'ils vivent ensemble ! La dame propose :

— Et si on refaisait notre voyage de noces ? Exactement le même voyage ?

— Oh ! Ça, c'est une riche idée, dit le mari. Tu pourrais partir en juillet et moi en septembre...

☐ **2401**

Ils ont cinquante ans de mariage. Ils sont très bien-pensants, très petits-bourgeois. Et voilà que le bonhomme sent monter un vague désir de derrière les fagots. Il dit à sa femme :

— Tu voudrais pas me faire une petite pipe ?

Et comme elle est gentille, elle s'exécute. Puis elle reste debout, immobile, embarrassée, la bouche pleine.

— Eh bien, lui dit-il, qu'est-ce que tu attends pour aller cracher ?

Et elle bafouille sans desserrer les dents :

— Impossible ! Les cabinets sont bouchés, il y a du linge qui trempe dans le lavabo et la concierge est assise sous la fenêtre...

— Ben alors, avale !
— Je peux pas ! Je communie tout à l'heure...

2402 ☐

La fillette entre dans la chambre de sa mémé, elle se pelotonne contre ses genoux et elle dit :
— Maman ne veut pas me l'expliquer, mais toi, tu dois sûrement savoir... Qu'est-ce que c'est, un gigolo ?
Alors le visage de la vieille est pris de terreur. Elle se précipite vers son placard. Elle l'ouvre... Et un squelette tombe par terre !

2403 ☐

Dans un cabaret de luxe, une belle entraîneuse se prélasse en sirotant un cocktail. Un vieux poseur se faufile jusqu'à elle et il cherche une phrase pour la séduire :
— Chère Vénus, lui dit-il, voudriez-vous monter chez moi prendre un *whisky sofa* ?
Alors la fille le reluque de la tête aux pieds et elle laisse tomber :
— Tu t'es pas regardé, pépé ? Ça sera seulement un *gin platonic* !

2404 ☐

C'est un petit vieux bien propre, mais qui a une petite obsession : il est subjugué par les nourrices. Il passe sa vie dans les jardins publics à repérer les femmes plantureuses qui donnent le sein à des bébés. Puis il s'approche d'elles en demandant timidement :
— Est-ce que je pourrais aussi en avoir un peu ?
La plupart du temps, il se fait rabrouer et même quelquefois, il reçoit une bonne gifle... Pourtant ce matin, il est tombé sur une nounou bien gentille, qui lui a répondu :

— Mais bien sûr. Attendez que le petit ait fini et je vous donne le reste !

Et le voilà qui tète gloutonnement. Il est parti au septième ciel. Au bout d'un moment, elle lui essuie la bouche et elle lui dit :

— Ça suffit comme ça ! Vous ne voulez rien d'autre ?

— Si, dit-il en avalant sa dernière gorgée. Je voudrais une biscotte...

□ **2405**

Une vieille fille a reporté toute son affection sur une petite chienne. Mais la chienne a vieilli avec elle. Elle boitille, les mamelles pendantes et la gueule de travers. Or, un beau soir, un corniaud sort d'un porche, l'œil égrillard, et hop ! il se met à la sauter... L'émotion est trop forte pour la pauvre bête. Elle en crève.

Le lendemain, le propriétaire du chien vient trouver la vieille. Il est navré de ce qui s'est passé et il lui présente ses excuses. Et la vieille, qui n'arrête plus de pleurer dans son mouchoir, lui dit entre deux sanglots :

— Que voulez-vous ! C'est la vie ! Et puis au moins, elle est morte heureuse...

□ **2406**

Le maire de la ville fait une visite à l'asile de vieillards. On lui présente le doyen des pensionnaires, un vénérable aïeul de cent trois ans.

— Comment avez-vous fait pour arriver jusqu'à cet âge ? demande le maire.

— Très simple, répond l'autre. Jamais bu une goutte d'alcool de ma putain de vie.

Alors on entend un vacarme épouvantable dans l'escalier.

— Vous inquiétez pas, fait le vieux. C'est encore

mon père qui fait du boucan. Il est soûl à partir de dix heures du matin...

2407 ☐

Une vieille fille, désespérément pucelle, agonise lentement en murmurant :

— Si je tenais l'enfoiré qui a dit : « Vous ne l'emporterez pas avec vous... »

2408 ☐

Un vieux couple fête ses noces d'or. Ils ont décidé de refaire le même voyage qu'au lendemain de leur mariage, de prendre le même train, de descendre dans le même hôtel, pour retrouver de merveilleux souvenirs...

Au retour, un ami demande au mari comment les choses se sont passées. Et le bonhomme lui dit tristement :

— Tout s'est passé exactement de la même manière, sauf que cette fois-ci, c'est moi qui suis allé pleurer dans la salle de bains...

---

virago

2409 ☐

Un enquêteur sonne à la porte d'une petite maison miteuse dans la banlieue parisienne. Un gringalet lui ouvre peureusement. Il tient encore à la main un torchon à vaisselle.

— Bonjour monsieur ! dit l'enquêteur de sa voix la plus aimable. J'effectue un sondage et je voudrais savoir pour qui votera votre femme aux prochaines élections.

— Ben, dit le gars, elle votera pour mon candidat.

— Ah ! Très bien... Et quel est votre candidat ?
— Euh... J'sais pas ! Elle l'a pas encore choisi...

☐ **2410**

La grosse mégère se déchaîne une fois de plus sur son petit avorton de mari :
— Tu n'es qu'un monstrueux égoïste ! Tu ne sais dire que *moi, moi,* toujours *moi !* Tu ne sais parler que de *ta* bagnole, de *ton* travail, de *ton* chien ! C'est comme si je n'existais pas... Il faut que tu te mettes bien dans la tête que rien n'est à toi ici, tu entends ? Qu'est-ce que tu cherches dans la penderie ?
Et on entend une voix plaintive qui murmure :
— *Notre pantalon...*

☐ **2411**

— Assez ! Ça suffit ! hurle une virago à son petit mari terrorisé. Et d'abord, tais-toi quand je t'interromps...

☐ **2412**

C'est une femme grande comme une armoire qui s'est mariée avec un nain. Et quand ils font l'amour, elle lui dit :
— Dépêche-toi de finir. Après, tu monteras m'embrasser...

vison

☐ **2413**

— Moi, dit une starlette à une autre, je ferais n'importe quoi pour avoir un manteau de vison.
Effectivement, son amie la rencontre six ou sept mois plus tard avec un merveilleux manteau de vison. Mais elle ne peut plus le boutonner...

2414 □

Un vison meurt d'une balle de carabine et monte au ciel. Saint Pierre le reçoit très gentiment et lui dit :
— Qu'est-ce qui pourrait te faire plaisir ?
— Oh ! dit le petit vison, je voudrais un manteau en peau de femme du monde !

2415 □

— Chéri, je t'avais demandé une voiture pour ma fête, et tu m'offres un manteau de vison !
— Ben oui, que veux-tu ! Ils n'ont pas encore réussi à fabriquer des fausses bagnoles...

2416 □

Marie-Chantal raconte à Gladys :
— J'ai eu une idée formidable ! J'ai rasé mon vison... Maintenant on dirait du daim !

2417 □

Une dactylo arrive à son bureau avec un superbe manteau de vison sur le dos. Ses petites collègues ouvrent des yeux carrés et se mettent à papoter autour d'elle :
— Où est-ce que tu as trouvé ça ?
— Je vais vous raconter, dit-elle. J'ai rencontré, en rentrant chez moi samedi soir, un gros monsieur dans une Rolls-Royce. Il a demandé à son chauffeur de m'ouvrir la portière, il m'a fait asseoir et alors, il m'a invitée à prendre un whisky chez lui. Et puis il m'a entraînée dans sa chambre, il a ouvert une grande armoire qui contenait au moins vingt manteaux comme celui-là, et il m'a dit d'en choisir un !
— Mais enfin, ce n'est pas possible ! Tu as bien dû faire quelque chose d'autre ?
— Ah ! Forcément... Il a fallu raccourcir les manches...

☐ **2418**

Un couple se promène dans la rue. La femme s'arrête devant une vitrine pleine de manteaux de vison et elle se met à trembler comme une feuille morte. Alors le mari lui dit :

— Tu as froid, chérie ? Viens, je vais te payer des marrons chauds !

☐ **2419**

— Dis, maman, comment font les dames visons pour avoir des visons ?

— Euh... Elles font comme toutes les dames...

voleur

☐ **2420**

Un cambrioleur a pris l'habitude de rafler des objets saints dans les églises pour aller les revendre. Un jour, son butin plein les bras, il s'apprête à filer, quand il lui semble soudain que le Christ a remué, là-bas sur le maître-autel. Interloqué, il s'approche et il entend une voix qui lui dit :

— Tu en as de la chance ! Tu en as de la chance !

De saisissement, notre homme laisse tomber son chargement.

— Qui c'est qui me parle ? demande-t-il en tremblant.

Et, il entend le Christ, sur son crucifix, qui lui répète :

— Tu en as de la chance ! Tu en as de la chance que je sois cloué ! Sinon, tu prendrais mon pied dans le cul...

2421 □

C'est un gars qui ne doit pas avoir la conscience tranquille. Il est en train de bouffer tranquillement un sandwich au bistrot du coin et voilà qu'un flic entre dans la salle. Aussitôt le gars devient vert et il détale comme un lièvre...

Le temps de revenir de sa surprise, le flic se met à courir à ses trousses. Il finit par le rattraper, deux rues plus loin, et alors là, il le secoue comme un prunier :

— Eh bien, mon gaillard ? On peut plus supporter la vue de la police ? On se sent morveux ?

— Non, dit l'autre tout tremblant, je vous jure que j'ai rien fait de mal !

— Ah oui ? Alors faut pas paniquer comme ça, rien qu'à voir un uniforme !

— Attendez, monsieur l'agent, je vais vous expliquer. J'ai une mauvaise digestion et mon docteur, il m'a conseillé de piquer un cent mètres tout de suite après manger...

— Dis donc ? Tu te fous de moi ? T'as bien vu qu'un flic te courait après, non ?

— Pour sûr, m'sieur l'agent, mais j'ai cru que vous aviez le même docteur que moi...

2422 □

Un pochard entre tous les jours dans l'église, il s'approche de la statue de la Sainte Vierge et il lui dit :

— Sainte Vierge, est-ce que je peux prendre du fric dans le tronc des pauvres, pour boire un coup à votre santé ?

Et comme la statue ne dit pas non, le bonhomme se croit autorisé. Mais au bout d'une ou deux semaines, le bedeau s'aperçoit du manège. C'est un bon bougre. Plutôt que de mettre le type à la porte, il décide d'utiliser un petit stratagème. La fois suivante, le voleur s'amène, tout faraud, et il dit :

— Salut la Vierge ! Maintenant qu'on se connaît, je te remercie d'avance. Je vais chercher des sous dans le tronc, pour boire un coup à ta santé !

Mais le bedeau est caché derrière une colonne et il contrefait la voix du petit Jésus dans les bras de la Vierge :

— Ah, non ! C'est pas bien de faire ça ! C'est interdit !

Alors l'ivrogne lève la tête et il lance :

— Oh ! Toi, fils de pute, on t'a rien demandé ! Laisse parler ta mère qui est une sainte femme !

☐ **2423**

Un filou vient de voler une poule et il a commencé à la plumer, quand il voit arriver un gendarme. Pris de court, il jette la poule dans un ruisseau.

— Ah ! Je vous y prends, dit le gendarme. Vous venez juste de voler une poule !

— Moi ? fait l'autre. Jamais de la vie...

— Ah ! oui... Alors qu'est-ce que c'est que ce petit tas de plumes blanches sous vos pieds ?

— C'est rien... Cette brave petite bête est allée se baigner et elle m'a demandé de garder ses affaires...

☐ **2424**

Un camionneur, qui s'est arrêté sur la route pour vérifier une roue, entend tout d'un coup des appels au secours dans le petit bois mitoyen. Il s'avance sous la futaie et il finit par apercevoir un jeune gars, le cul à l'air, ligoté contre un arbre.

— Ça alors ! dit-il. Qu'est-ce qui vous arrive ?

Et l'autre se met à gémir :

— J'ai été attaqué par des loubards ! Ils m'ont pris mon argent et ils ont emporté tous mes vêtements...

Alors le camionneur le regarde soigneusement, il

ouvre sa braguette sans se presser et il déclare avec beaucoup de nonchalance :
— Ben, mon vieux, c'est pas votre jour de chance !

2425 ☐

C'est une vraie allumeuse. Mais plutôt que de collectionner des amants, elle collectionne des billets de banque. Elle est même devenue une spécialiste du hold-up. Un beau jour, elle fait irruption dans un bureau de change et elle brandit un revolver sous le nez du caissier :
— Vite ! La combinaison du coffre ou je te brûle !
Alors il la regarde de bas en haut, il se passe la langue sur les lèvres et il déclare :
— Vous me faites pas peur ! Je dirai rien... à moins d'être sauvagement violé...

2426 ☐

Une poissonnière marseillaise vient se plaindre au commissariat de police : on lui a volé son argent dans l'autobus.
— Et où portiez-vous votre argent ? lui demande-t-on.
— Dans une poche sous ma robe.
— Sous votre robe ? Et vous n'avez rien senti ?
— Si. Mais j'ai cru que quelqu'un voulait me faire une gracieuseté !

2427 ☐

On vient de prendre sur le fait une voleuse dans un grand magasin. Elle est enceinte jusqu'au yeux. On l'emmène au commissariat et elle fond en larmes :
— Monsieur le commissaire, il ne faut pas m'en vouloir ! Mon père a fini au bagne pour avoir tué le caissier du Crédit Lyonnais. Mon mari est en prison pour escroquerie. Mes trois fils sont en maison de correction pour avoir volé des voitures. Vous savez, à force de vivre dans ce climat, on est obligé de voler à

son tour. Et je peux même vous dire autre chose. Vous avez vu que j'attends un petit? Eh bien, l'autre jour, cette espèce d'enfant de fumier a profité de ce que j'étais en train de faire ma toilette intime pour me piquer la savonnette...

volupté

☐ **2428**

Un Américain et un Français sont lancés dans une discussion fort sérieuse.

— Moi, fait l'Américain, je vous dis qu'il y a trente-trois positions pour faire l'amour...

— Et moi, réplique le Français, je vous fiche mon billet qu'il n'y en a que trente-deux!

— Écoutez, dit l'Américain, ce n'est pas compliqué, on va compter ensemble. La première position, c'est de faire l'amour normalement, vous voyez ce que je veux dire?

— Euh... non, dit le Français. C'est un truc que je connais pas...

☐ **2429**

Marie-Madeleine, treize ans, rentre chez elle et dit à sa mère:

— J'étais dans le métro. Il y a un vieux monsieur qui m'a mis la main sur le bras, et puis il m'a mis la main sur la cuisse, et puis il m'a mis la main sur le ventre, et puis après, il m'a mis...

— Tais-toi, crie la mère. Tu m'excites...

☐ **2430**

— C'est peut-être ridicule, dit un gars à un autre, mais le simple fait d'éternuer, ça m'excite tellement que j'ai tout de suite envie de m'envoyer une dizaine de filles à la fois!

— Sans blague ? Il faut te soigner ! Qu'est-ce que tu prends pour ça ?
— Du poivre !

2431 ☐

Le masochiste : « Fais-moi mal, je t'en supplie ! »
Le sadique (avec un sourire sadique) : « Non ! »
Le masochiste (au bord de la volupté) : « Aaaaaah ! Encore ! »

2432 ☐

C'est un homme qui prend ses jambes à son cou et qui se jette sur une femme... Non... pardon, ce n'est pas cela. C'est un homme qui se jette sur une femme et qui prend ses jambes à son cou...

2433 ☐

Un conférencier se propose de traiter du sexe dans la vie contemporaine. Mais avant de commencer son exposé, il s'adresse au public dans ces termes :
— Mesdames, messieurs, il ne me sera pas possible d'aborder le grave problème du sexe devant vous, si je n'ai pas d'abord une petite idée sur la vie sexuelle des personnes auxquelles je m'adresse. C'est pourquoi je vais vous poser à tous une question peut-être indiscrète, mais à laquelle je vous demande de répondre en toute simplicité. Je voudrais savoir quelle est la fréquence de vos relations sexuelles... Il vous suffira de répondre en levant la main. Je demanderai donc, pour commencer, aux personnes de l'aimable assistance qui font l'amour une fois par jour, de bien vouloir lever la main.
Aussitôt une trentaine de rigolos lèvent la main.
— C'est très bien, poursuit le conférencier. Maintenant, quels sont ceux qui font l'amour une ou deux fois par semaine ?

Et la majorité du public lève la main.
— Parfait. Voyons voir... Y en a-t-il qui ne font ça qu'une ou deux fois par mois ?
Alors dix personnes lèvent la main en baissant la tête...
— Et maintenant, y aurait-il par hasard des personnes ici qui ne font l'amour qu'une fois par an ?
Instantanément un petit bonhomme se dresse dans la dernière rangée et il se met à crier, tout guilleret et plein d'aisance :
— Moi ! Moi !
— Monsieur, dit le conférencier, cet aveu était difficile et j'admire votre sincérité. Mais puis-je vous demander pourquoi le fait de commettre cet acte une seule fois par an vous rend si joyeux ?
— Eh bien, glousse le gars en proie à la plus grande agitation, c'est parce que c'est pour ce soir !

☐ **2434**

Abraham et sa femme Sarah sont tellement contaminés par leur génie du commerce que, même s'il leur arrive de céder à des désirs conjugaux bien naturels, ils usent d'un langage assez particulier :
— Chéri, dit Sarah, tu n'as pas quelque chose à vendre ? Je suis acheteuse...
Or, un soir, Abraham prend sa femme par le bras et il lui dit :
— J'ai quelque chose d'intéressant pour toi, mais il faut acheter tout de suite...
— Oh ! je suis très fatiguée, dit Sarah. Ça peut attendre demain.
Mais au bout d'une demi-heure, seule dans son lit, elle commence à changer d'avis. Elle se lève et elle va frapper à la porte de la chambre d'Abraham :
— Chéri, c'est toujours d'accord pour traiter l'affaire en question ?
— Non, dit Abraham à travers la porte. C'était une petite affaire. Je l'ai traitée de la main à la main...

2435 □

Dans la loge qu'elles partagent, une danseuse regarde sa copine qui se déshabille et s'aperçoit qu'elle est couverte de bleus.

— Mais c'est effrayant! lui dit-elle. Il t'a battue encore plus fort que d'habitude!

— Eh oui! Mais que veux-tu, c'était ma fête aujourd'hui.

2436 □

Les jeunes mariés de la veille viennent de sortir, épuisés, de leur chambre nuptiale. La belle-mère vient aux nouvelles:

— Eh bien, ma chérie, à quand le baptême?

— Oh! mon Dieu, maman! répond la mariée. Je crois que je vais avoir des quintuplés!

2437 □

Un bonhomme pousse sa clef dans la serrure, il traverse son antichambre et il découvre sa femme dans les bras du concierge. Furibard, il descend quatre à quatre l'escalier et il entre en coup de vent dans la loge de la concierge.

— Nom de Dieu, hurle-t-il, votre mari couche avec ma femme! Il faut trouver un moyen de nous venger!

— C'est ça, dit la concierge, vengeons-nous!

Et elle se jette sur lui comme une hystérique... Au bout d'une demi-heure, il a allumé une cigarette, elle est en train de préparer du café et il l'entend dans la cuisine qui dit:

— Si on se vengeait encore?

Et les voilà repartis dans les draps encore froissés. Ils recommencent le même cirque trois ou quatre fois, au point que le chat et le poisson rouge ne savent plus où se mettre. Maintenant la concierge est allongée au milieu d'un vrai champ de bataille. Tout son corps tressaille de désir et elle crie convulsivement:

— Vengeons-nous ! Vengeons-nous encore !
Et le gars balbutie :
— Écoute, mon chou... Vraiment, je leur en veux plus du tout...

☐ **2438**

— Hier, j'ai soulevé deux sœurs siamoises...
— Deux sœurs siamoises ! Sans blague ? Et tu leur as fait l'amour ?
— Pour sûr !
— Génial ! Et c'était bon ?
— Ben... oui et non...

☐ **2439**

Deux somnambules sont partis en voyage de noces. Et à son retour, la fille raconte :
— C'était extraordinaire, surtout la première nuit. Vers quatre heures du matin, il m'a fait l'amour comme un fou ! Malheureusement, je ronflais tellement fort que je l'ai réveillé !

☐ **2440**

— Mademoiselle, mademoiselle ! Je vous en supplie... Laissez-moi monter chez vous ! Je vous lécherai le nombril...
— Et après ? N'importe qui peut me lécher le nombril...
— Ah ! peut-être... Mais moi, je fais ça de l'intérieur !

☐ **2441**

Une fille particulièrement volcanique cherche désespérément de par le monde un homme assez viril pour la combler. Elle a beau en avoir essayé des centaines, de l'Afrique au Japon, de la Grèce aux îles Sous-le-Vent, elle est toujours restée sur sa faim...

Un soir pourtant, alors qu'elle est au lit dans un grand palace de Dakar, un docker noir s'introduit dans sa chambre par la fenêtre et la viole furieusement.

Mais à peine est-il arrivé à ses fins, qu'elle se jette à son tour sur lui comme une tigresse. Tant et si bien, qu'au lever du jour, le beau nègre, qui en est à sa onzième ou douzième prouesse, n'arrive plus à reprendre son souffle. Il a des éblouissements. Il se sent vide. Enfin, il s'écroule d'épuisement sur le tapis en murmurant :

— Ouf !

Alors l'insatiable femelle s'écrie d'une voix grinçante :

— Comment, ouf ? T'es venu ici pour baiser ou pour faire des discours ?

2442 ☐

Toto, quatorze ans, arrive à la maison, tout content. Il sautille, il chantonne, il va trouver son père et il lui dit :

— Papa ! Papa ! C'est formidable j'ai quatre maîtresses !

— Hein ? fait le père...

— Oui ! J'ai quatre maîtresses !

— Quatre maîtresses ? Tu rigoles ou quoi ?

— Je rigole pas.

— Mais tu les vois quand ?

— Je les vois tous les jours.

— Mais comment tu fais ?

— Je les emmène au bois.

— Les quatre ensemble ?

— Bien sûr !

— Et alors ?

— Et alors je les mets l'une sur l'autre et puis je monte sur celle du dessus...

— Sur celle du dessus ? Mais comment tu fais avec les autres ?

— Ben, je mets du papier carbone...

☐ **2443**

Deux copains, assez désœuvrés, se rencontrent :
— Alors, dit le premier, qu'est-ce que tu branles en ce moment ?
Et l'autre répond :
— Moi.

☐ **2444**

A l'entrée du village, une belle lavandière est en train de rincer son linge dans la rivière. On ne voit guère d'elle que son arrière-train, mais il est singulièrement excitant. Un jeune paysan s'approche par-derrière, sans faire de bruit, et il commence à la caresser, doucement d'abord, puis en s'énervant de plus en plus.
Mais la belle fille continue à laver son linge, comme si de rien n'était. Alors le gars finit par s'échauffer sérieusement devant cette croupe qu'il a mise à nu. Et en fin de compte, il lui fait son affaire.
En reprenant son souffle, il s'aperçoit que ses ébats ont fait autant d'effet à la fille que s'il avait craché en l'air. Elle lui tourne toujours le dos et elle n'a pas cessé une seule seconde de savonner. Alors, furieux, il lui tape sur l'épaule.
Aussitôt elle pousse un hurlement et se retourne en criant :
— Oh ! Vous m'avez fait peur...

☐ **2445**

— Maman, s'il te plaît, laisse-moi aller jouer !
— Tais-toi, Toto. Je t'avertis que si tu te retires, je te donne une gifle !

☐ **2446**

Un gars va trouver son pote préféré et il lui dit :
— Écoute, j'ai besoin d'un conseil et je viens te le demander à toi, parce que tu as cinq enfants, que tu

es un chaud lapin et que tu es mon meilleur ami. Je ne sais plus comment faire pour engrosser ma femme !

— C'est pas compliqué, dit l'autre. Tu l'emmènes dîner en ville, tu lui commandes du foie gras, du caviar, du champagne. Ensuite tu l'invites au *Lido*. C'est bourré de belles filles à poil et de beaux garçons qui l'exciteront tout plein. Tu la fais boire tant que tu peux. Après ça, tu la ramènes chez toi, tu la couches dans son lit, tu l'embrasses, tu la caresses, tu soulèves le téléphone et... tu m'appelles : je suis là tout de suite...

2447 ☐

Imaginez une petite ville du Kentucky à l'époque du cinéma muet. Un pasteur presbytérien vient de mourir, emporté par une crise cardiaque. Le médecin interroge sa veuve :

— Comment est-ce arrivé ?

— Le pauvre ! dit-elle entre deux sanglots. Il avait pris l'habitude de me faire l'amour, à chaque fois qu'il entendait sonner la cloche du temple. Et puis hier, tout d'un coup, il y a eu dans notre rue cette stupide voiture de pompiers : ding ! ding ! ding ! ding ! ding !

2448 ☐

Deux sultans bavardent :

— Dis donc, comment fais-tu, le soir, pour choisir entre tes trente concubines ?

— Ben, c'est pas compliqué. Je leur jette un seau d'eau dessus et j'emmène celle qui fait le plus de vapeur...

2449 ☐

Dans l'intimité d'un nid douillet, un gars et une fille sont en train de s'envoyer au septième ciel. Entre deux halètements, la fille réussit à dire dans un reste de pudeur :

— Ferme les yeux, chéri ! Oh ! Ferme les yeux...

— Je peux pas, fait le gars. J'ai la peau trop courte...

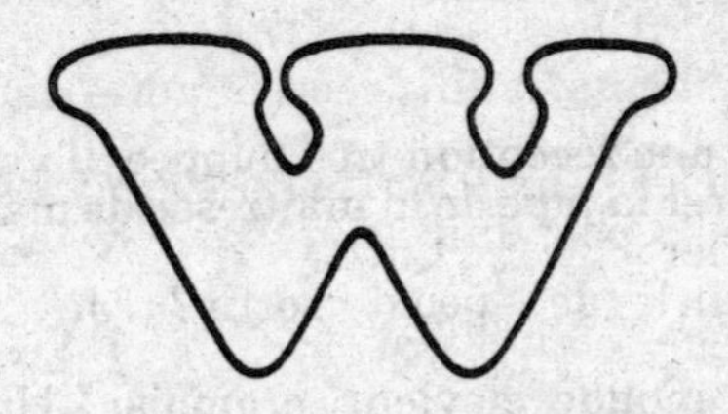

W.C.

2450 □

Des avions bombardent une petite ville et il y a une dizaine de maisons qui descendent comme des châteaux de cartes. On fouille les décombres et on découvre, enseveli sous les gravats, un vieux bonhomme qui tient un petit bout de bois à la main et qui s'étouffe de rire.

— Vous trouvez ça drôle ? disent les sauveteurs.

Et le gars répond entre deux gloussements :

— Pour sûr ! J'étais en train de chier et c'est la première fois qu'en tirant la chasse, je fais venir toute la maison avec...

2451 □

Un gamin interrompt le cours de sciences naturelles pour demander à l'institutrice :

— M'zelle, siouplaît, qu'est-ce que c'est, un microscope ?

— Eh bien, c'est un instrument qui sert à grossir les objets. Pourquoi me demandes-tu ça ?

— C'est à cause des copains ! A la récré, ils m'emmènent dans les chiottes, ils me bandent les yeux et puis ils disent que j'ai la main comme un microscope...

□ 2452

Pendant une réception très huppée, il y a un gosse qui vient tirer la jupe de la maîtresse de maison et qui se met à crier:

— Maman! Je peux sortir? Je vais aux chiottes...

Tout le monde devient cramoisi. Un malaise général plane sur l'assistance. Le soir, la mère prend son enfant à part et lui explique gentiment:

— Écoute, mon petit. Il ne faut pas dire les choses comme ça. C'est très mal élevé. La prochaine fois que tu auras envie, il faudra dire... je ne sais pas, moi... il faudra dire par exemple: «Maman, je sors je vais cueillir une fleur...» Tu as bien compris?

La semaine suivante, les invités affluent de nouveau dans la maison. C'est un cocktail encore plus sélect que la première fois. Soudain le môme se lève et il se met à gueuler:

— Maman! Je vais cueillir une rose!

— Va, mon petit chéri! lui dit sa mère avec un sourire exquis.

Alors le gosse s'apprête à sortir et tout d'un coup il se retourne:

— Ah! ben merde! Je sais vraiment pas comment je vais faire.... J'ai pas de papier-cul!

□ 2453

Un gars se présente au guichet d'une banque et on lui demande:

— Quelle est votre profession?

— Ben, dit le bonhomme, je suis opticien-ébéniste!

— Quoi? dit l'employé interloqué. En quoi ça consiste, ça?

— Ben, voilà! Je fabrique des lunettes de cabinets...

2454 □

Un touriste s'est perdu dans la montagne. Il arrive devant une toute petite cabane. Il frappe à la porte en criant :

— Y a quelqu'un ?

Et une voix d'enfant lui répond :

— Oui.

Alors le gars demande :

— Ton papa n'est pas là ?

— Non ! Il est sorti juste avant que maman rentre !

— Alors, ta maman est là ?

— Non ! Elle est sortie au moment où je suis arrivé !

— Mais alors, vous n'êtes jamais ensemble dans cette famille ?

— Non, pas ici. Ici, c'est les chiottes...

2455 □

Un gars est allé dans une boîte de nuit pour se rincer l'œil et tout d'un coup, il se sent pris d'un besoin pressant. Il se retire aux toilettes. Il referme le loquet. Il s'assied sur le trône et alors il s'aperçoit que toute la porte en face de lui est occupée par une immense photo de femme nue. Elle a les yeux révulsés, les jambes ouvertes... Vraiment une allumeuse !

Et sur la photo, il y a partout des petites étiquettes collées avec une extraordinaire précision anatomique : *nichon, museau, paluche, bidon, panard.* Il y a même une étiquette tout près du sexe... Mais là, c'est écrit tout petit et on ne peut pas lire.

Alors le gars se penche en avant, en faisant un effort pour distinguer les caractères, il se penche encore et il lit :

« *Fais gaffe ! Si tu continues, tu vas chier à côté du trou...* »

☐ **2456**

Un chef indien, en grande tenue à plumes, entre dans un saloon du Far West et il demande une bière. Puis il prend son verre à la main et il file aux toilettes.

Au bout d'un moment, il revient avec son verre vide et il redemande une autre bière. Puis il file aux toilettes. Il recommence ainsi le même manège trois ou quatre fois. A la fin, le barman, très intrigué, lui dit :

— C'est idiot de gaspiller toute cette bière. Pourquoi commandez-vous des consommations si c'est pour les balancer aux chiottes ?

Alors le chef indien déclare orgueilleusement :

— Œil-de-Lynx trop fier pour servir d'intermédiaire...

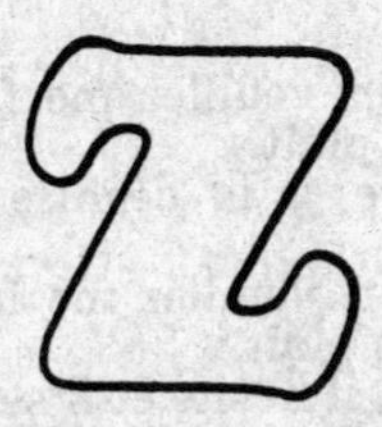

zèbre

2457 ☐

C'est un petit zèbre qui est parti à la découverte du monde. Il arrive dans un pré et il voit une vache. Il lui demande très gentiment :

— A quoi tu sers, toi ?

Et la vache dit :

— Je fais du lait !

Un peu plus loin, il voit un mouton et il lui demande :

— A quoi tu sers, toi ?

Et le mouton dit :

— Je fais de la laine !

Un peu plus loin, il voit un grand cheval et il lui demande :

— A quoi tu sers, toi ?

Et le cheval dit :

— Enlève ton pyjama, je vais te montrer !

zoo

2458 ☐

Le propriétaire d'un zoo écrit à un fournisseur en Afrique :

« Cher monsieur, veuillez me faire expédier deux *chacals*, s'il vous plaît. »

Il relit sa lettre, il la déchire et il en écrit une autre :

« Cher monsieur, veuillez me faire expédier deux *chacaux*, s'il vous plaît. »

Il relit sa lettre, il hésite et il se dit :

— Décidément, je n'en sais rien.

Alors il déchire sa lettre et il en fait une troisième :

« Cher monsieur, veuillez me faire expédier un chacal, s'il vous plaît. Post-scriptum : pendant que vous y êtes, mettez-m'en deux... »

☐ **2459**

Un écureuil dit à un serpent :

— Arrête de me donner des coups de pied, ou je vais me fâcher !

— Comment, des coups de pied ? dit le serpent. Ça ne va pas dans ta tête ? Tu sais bien que je n'ai pas de pieds !

Et il part en haussant les épaules...

☐ **2460**

Le petit phoque est très paresseux. Il ne montre aucune disposition pour apprendre à jongler. Si bien que sa maman est obligée de le prendre à part et de lui dire :

— Écoute ! Il faut choisir. Ou bien tu deviens artiste, ou bien tu deviens fourrure !

☐ **2461**

Histoire très gentille pour gens très vertueux... Ça se passe sur un lac. Un cygne s'approche d'une dame cygne et il lui fait un petit signe...

2462 □

Une nurse anglaise accompagne les enfants au zoo. Elle explique :

— Voilà la cigogne qui va chercher les bébés dans un chou pour les apporter à leur maman...

Alors le petit garçon se tourne vers sa sœur et il lui glisse à voix basse :

— On lui dit, ou on la laisse mourir idiote ?

2463 □

C'est un petit garçon qui fait des grimaces toute la journée. Un dimanche, sa maman dit à son papa :

— Chéri, tu devrais emmener le petit au zoo. Il veut jouer avec les singes.

Et le père, excédé :

— Ah ! non... Je saurais plus lequel ramener...

2464 □

Un monsieur était tellement laid, mais tellement laid, que lorsqu'il allait voir les macaques au zoo, il avait besoin de deux tickets : un pour entrer et un pour sortir...

2465 □

Une dame, exagérément maigre et longue, arrive au zoo, accompagnée de toute une marmaille, et demande à voir la girafe.

— C'est impossible, lui dit le gardien. L'hiver, on est obligé de la rentrer à quatre heures de l'après-midi pour qu'elle ne prenne pas froid ! Revenez demain matin...

— Mon Dieu, quel dommage ! dit la dame. J'aurais tellement voulu la montrer à mes douze enfants !

— Hein ? C'est à vous, ces douze marmots ? C'est vous qui les avez faits ?

— Mais naturellement !

— Alors, dans ces conditions, attendez une minute! Je vais faire sortir la girafe... Il faut absolument qu'elle voie ça!

☐ **2466**

Le taureau et le hibou ont passé la nuit à boire. Ils ont fait toutes les boîtes du quartier. Vers quatre heures du matin, le taureau dit au hibou:
— Il faut que je rentre ou je vais me faire engueuler. Parce que toi, ta femme est chouette! Mais la mienne...

☐ **2467**

Un chamois raconte à un autre chamois:
— J'ai fait un épouvantable cauchemar! J'ai rêvé que j'essuyais des lunettes...

☐ **2468**

— Écoute, dit la maman chameau à son petit, si tu n'es pas sage, tu n'auras pas de désert...

☐ **2469**

Deux vaches sont assises sur les plus hautes branches d'un chêne. Elles sont tranquillement en train de tricoter, quand soudain un éléphant volant les frôle au passage... Puis un autre, au bout d'un moment... Puis un troisième... Alors l'une des vaches pose son tricot et dit à sa copine:
— C'est pas possible! Il doit sûrement y avoir un nid tout près d'ici...

☐ **2470**

Un sage et un savant se promenaient ensemble dans la campagne par une belle soirée de printemps, à l'heure où la nature se repose. Plein d'animaux rendaient grâce au ciel, chacun à leur façon, quand soudain un rossignol se mit à chanter.

— Comme cet oiseau est heureux ! dit le sage.

— Qu'en sais-tu ? demanda le savant. Tu n'es pas un oiseau...

Et le sage répondit :

— Comment peux-tu savoir ce que je ne suis pas, puisque tu n'es pas moi ?

Index

Table des matières

à vous de jouer...

«Un dictionnaire n'est jamais fini», disait Littré. Et celui-ci a encore moins que les autres la prétention d'être achevé. A chaque lecteur, donc, de le compléter, s'il connaît des histoires drôles qui manquent à ce livre, ou s'il en recueille de nouvelles qui méritent d'y figurer. Il lui suffira d'inscrire celles qu'il préfère sur les pages blanches qui suivent et que l'on a réservées à cet effet.

à vous de jouer...

à vous de jouer...

IMPRIMÉ EN FRANCE PAR BRODARD ET TAUPIN
Usine de La Flèche (Sarthe).
LIBRAIRIE GÉNÉRALE FRANÇAISE - 6, rue Pierre-Sarrazin - 75006 Paris.

ISBN : 2 - 253 - 04573 - X

30/6462/3